D1203863

Dark Secrets 2

Michael Hjorth
et Hans Rosenfeldt

Daniel Roch Septembre 2014

Dark secrets 2

Traduit du suédois
par Lucile Clauss

Remerciements à Max Stadler

EDITIONS PRISMA

Titre de l'édition originale :
LÄRJUNGEN

First published by Norstedts, Sweden, in 2011.
Published by agreement with Norsteds Agency.

Coordination éditoriale : Ambre Rouvière
Édition et correction : Nord Compo Multimédia
Mise en page : Nord Compo Multimédia
Maquette de couverture : Éric Doxat
Couverture : © Thinkstock / © Pär Wickholm

ISBN : 978-2-8104-1286-0

Quand le taxi tourna dans Tolléns Väg peu avant huit heures et demie ce soir-là, Richard Granlund n'aurait jamais cru que cette journée pût finir encore plus mal qu'elle n'avait commencé. Il venait de passer quatre jours dans la région de Munich. En voyage d'affaires. Même en juillet, la plupart des Allemands travaillaient à plein temps. Des usines, des conférences et d'innombrables tasses de café. Des conversations avec les clients, du matin au soir. Il était fatigué, mais content. La branche des bandes de transporteuses et de process n'était sans doute pas la plus sexy, et son travail ne suscitait pas particulièrement l'enthousiasme ni l'intérêt lors des discussions dans les dîners, mais elles se vendaient bien, ces bandes. Vraiment bien.

L'avion aurait dû décoller à neuf heures cinq de Munich pour atterrir à Stockholm à onze heures vingt. Il aurait ensuite fait un saut au bureau pour être chez lui vers treize heures. Un petit-déjeuner tardif puis un après-midi dans le jardin. C'était son planning – jusqu'à ce qu'il apprenne l'annulation de son vol pour Arlanda.

Il s'engagea dans la file d'attente devant le guichet de la Lufthansa, et on l'informa qu'on lui avait réservé une place sur le vol de treize heures cinq. Plus que quatre heures à passer à l'aéroport Franz-Josef Strauss. Pas de quoi sauter de joie. Poussant un soupir résigné, il tira son téléphone portable de sa poche et écrivit un SMS à Katharina pour la prévenir qu'elle allait devoir déjeuner sans lui. Mais il n'abandonnait pas l'espoir de pouvoir passer quelques heures dans le jardin.

Quel temps faisait-il ? Ils pourraient peut-être prendre un verre sur la terrasse un peu plus tard ? Il avait à présent largement le temps d'acheter une bouteille.

Katharina répondit immédiatement. Mince, dommage. Il lui manquait, et il faisait un temps magnifique à Stockholm, vivement qu'ils puissent prendre un verre tous les deux. À lui de choisir le vin, bisous.

Richard se rendit dans un des magasins qui tentaient encore d'attirer le chaland avec une pancarte « duty free » bien que la plupart des voyageurs n'y prêtent plus guère attention. Il trouva l'étagère des boissons alcoolisées et en choisit une dont il avait vu une pub à la télé. Mojito Classic.

En allant au kiosque, il jeta encore un œil au tableau des départs. Porte vingt-six. Il estima qu'il lui faudrait environ dix minutes pour s'y rendre.

Une fois ses achats effectués, Richard s'assit avec un café et un sandwich à la table d'un bar et se mit à feuilleter son nouvel exemplaire du *Garden Illustrated*. L'attente lui paraissait interminable. Il prit un moment pour admirer les vitrines des boutiques de l'aéroport, acheta un nouveau journal, cette fois un magazine d'art de vivre, puis s'installa dans un autre café et but une bouteille d'eau minérale. Encore un tour aux toilettes, et le moment vint enfin de se rendre à la porte d'embarquement. Là, une mauvaise surprise l'attendait. Le vol de treize heures cinq était retardé. L'embarquement était reporté à treize heures quarante. Départ prévu à quatorze heures. Richard ressortit son téléphone, informa Katharina de son nouveau retard et lui fit part de son énervement à propos des voyages en avion et de la Lufthansa en particulier. Il chercha à nouveau une place et s'assit. Il ne reçut pas de réponse à son SMS.

Il l'appela, mais elle ne décrocha pas.

Elle avait peut-être déjà trouvé de la compagnie pour le déjeuner. Il rangea son téléphone dans sa poche et ferma les yeux. Il aurait beau s'énerver à cause de ce retard, cela ne changerait rien.

Peu avant quatorze heures, une jeune femme ouvrit le guichet et exprima des excuses auprès des voyageurs pour ce retard. Après que tout le monde eut pris place dans l'appareil et que le personnel eut commencé la démonstration des mesures de sécurité que de toute manière personne n'écoutait, le commandant de bord prit la parole. Un voyant du tableau de bord clignotait. Il s'agissait sans doute d'un défaut sur la lampe, mais pour éviter tout risque inutile, un technicien avait été dépêché pour procéder à des vérifications. Le pilote s'excusa pour ce nouveau retard et remercia les passagers pour leur compréhension. L'ambiance dans l'habitacle devint tendue. Richard sentit sa patience et sa bonne humeur s'envoler à mesure que sa chemise se faisait moite et collante sous les aisselles. Le pilote se manifesta à nouveau pour annoncer deux nouvelles. La bonne : le problème était résolu. La mauvaise : ils avaient perdu leur position de décollage, ils devraient donc attendre que neuf appareils aient décollé avant qu'ils ne puissent s'envoler à leur tour pour Stockholm. Il s'en excusa.

Ils atterrirent à dix-sept heures vingt à Arlanda, avec deux heures dix de retard. Ou six, selon l'angle sous lequel on voyait les choses.

Avant d'aller récupérer ses bagages, Richard appela chez lui. Toujours pas de réponse. Il essaya de joindre Katharina sur son portable, mais le répondeur s'enclencha au bout de la cinquième sonnerie. Elle était sûrement dans le jardin et n'entendait pas le téléphone sonner. Richard entra dans le hall où se trouvaient les tapis roulants. L'écran situé au-dessus du tapis numéro trois indiquait huit minutes d'attente pour les bagages du vol 2416.

Cela en prit douze.

Puis quinze de plus, avant que Richard ne se rende compte que sa valise n'y était pas.

Et encore une file d'attente, cette fois devant le guichet du service clients de la Lufthansa, pour déclarer la perte de sa valise. Après avoir laissé son coupon de bagage, son adresse et la description précise de sa valise, Richard traversa le hall d'arrivée et, une fois les portes automatiques franchies, se mit en quête d'un taxi.

La chaleur le frappa d'un seul coup. L'été était bien là. Katharina et lui passeraient une belle soirée. Il sentit remonter en lui l'envie de siroter un cocktail au rhum sur la terrasse.

Il se plaça dans la queue de la station de taxis. Quand ils tournèrent en direction d'Arlandastad, le chauffeur lui expliqua qu'il y avait un trafic monstre ce soir-là. Et comment ! Il ralentit à moins de cinquante kilomètres heure, et ils vinrent rallonger l'interminable marée de tôle qui inondait la E4 en direction du sud.

Pour toutes ces raisons, Richard Granlund n'aurait jamais cru que cette journée pût se finir encore plus mal qu'elle ne s'était déroulée jusqu'à ce que le taxi s'engage dans Tolléns Väg.

Il régla la course avec sa carte de crédit et traversa le jardin en fleurs pour gagner la maison. Une fois dans le vestibule, il posa son attaché-case et son sac en plastique par terre.

– Salut !

Pas de réponse. Richard retira ses chaussures et alla dans la cuisine. Il jeta un coup d'œil par la fenêtre pour voir si Katharina était dehors, mais le jardin était désert. Tout comme la cuisine. Pas de petit mot là où elle avait l'habitude d'en laisser quand elle partait. Richard prit son téléphone et le considéra d'un air dubitatif. Pas d'appel manqué ni de SMS. L'air de la maison était moite, chauffé par les rayons du soleil. Katharina n'avait pas baissé les stores. Richard ouvrit grand les portes de la terrasse. Puis il monta les escaliers. Il voulait prendre une douche et se changer. Après ce long voyage, il était en nage de la tête aux pieds. En montant les escaliers, il défit sa cravate et commença à déboutonner sa chemise, mais il s'arrêta devant la porte de la chambre. Elle était ouverte. La première chose qu'il vit, c'était que Katharina était allongée sur le ventre. Puis il constata trois choses :

Elle était allongée sur le ventre.

Elle était ligotée.

Elle était morte.

Le métro brinquebala en freinant. Une mère avec une poussette juste devant Sebastian Bergman se cramponnait à la barre en jetant des regards nerveux autour d'elle. Depuis qu'elle était montée à la station St. Eriksplan, elle paraissait tendue, et même après que son braillard de bébé s'était endormi au bout de quelques stations, elle ne semblait pas trouver son calme. Elle détestait sans doute la promiscuité, le fait d'être enfermée avec tant d'étrangers. Sebastian distinguait fort bien les signes de son malaise. Ses tentatives pour défendre son espace vital en bougeant sans cesse pour éviter le contact. Les gouttes de sueur au-dessus de sa lèvre supérieure. Son regard en alerte, qui errait d'un point à l'autre. Sebastian lui adressa un sourire bienveillant, mais elle détourna la tête en continuant d'observer son environnement, stressée et sur le qui-vive. Sebastian balaya à son tour du regard le wagon surpeuplé qui venait de s'arrêter dans un crissement métallique dans le tunnel juste après la station Hötorget. Après un arrêt de quelques minutes dans l'obscurité, le métro poursuivit sa route en glissant très lentement jusqu'à la gare centrale.

En général, il ne prenait pas le métro, et encore moins à l'heure de pointe ou pendant la saison touristique. C'était bien trop désagréable et chaotique à son goût. Il ne s'habituerait jamais à cette foule, avec ses bruits et ses odeurs. La plupart du temps, il se déplaçait à pied ou en taxi. Pour garder une distance. Pour rester à l'écart. Il en avait toujours été ainsi. Mais plus rien n'était comme avant.

Rien.

Sebastian s'appuya contre la porte au bout du wagon et jeta un regard par la vitre dans le wagon suivant. C'était par là qu'il l'observait, ses cheveux blonds, son visage penché sur son journal. En la fixant, il se rendit compte qu'il souriait.

Comme d'habitude, elle sortit à la gare centrale T-Centralen pour descendre au pas de course les escaliers menant aux quais de la ligne de métro rouge. Il pouvait la suivre facilement, en laissant entre eux une distance suffisante, se fondant dans la masse de touristes en train de lire leur plan et de travailleurs pressés.

Et il gardait ses distances. Il ne voulait pas la perdre de vue, mais il ne devait en aucun cas être découvert. C'était un exercice d'équilibriste périlleux mais dans lequel il s'améliorait de jour en jour.

Douze minutes plus tard, lorsque le métro de la ligne rouge s'arrêta à la station Gårdet, Sebastian attendit un instant avant de descendre du wagon bleu ciel. La plus grande prudence était de mise. Les quais étaient désormais quasi déserts, car la plupart des passagers étaient descendus à la station précédente. Sebastian avait choisi de monter dans le wagon derrière le sien pour qu'elle lui tourne le dos en descendant. Elle marchait à présent encore plus vite et était déjà arrivée à mi-hauteur des escaliers roulants lorsqu'il l'aperçut à nouveau. Gårdet était également la station de la mère de famille, et Sebastian décida de rester derrière elle. La femme poussait lentement son engin derrière les passants qui se précipitaient vers l'escalier roulant, sans doute dans l'espoir de ne pas se faire écraser par la cohue. En suivant la mère, il se rendit compte à quel point ils se ressemblaient.

Deux personnes qui s'efforçaient toujours de garder leurs distances.

Une femme.

Morte.

Chez elle.

Normalement, cela n'était pas une raison pour dépêcher immédiatement la brigade criminelle nationale dirigée par Torkel Höglund.

La plupart du temps, il s'agissait d'un simple drame familial, d'un conflit concernant la garde des enfants, d'un crime passionnel ou d'une soirée alcoolisée en compagnie de personnes qui se révèlent finalement peu fréquentables.

Tout policier sait que lorsqu'une femme est retrouvée morte chez elle, le coupable est le plus souvent à chercher dans son entourage proche. Ainsi, ce soir-là, il n'était pas étonnant que Stina Kaupin, en répondant à l'appel d'urgence peu après dix-neuf heures trente, se demandât si elle était en train de parler à un meurtrier.

– Ici le 112, en quoi pouvons-nous vous aider ?

– Ma femme est morte.

L'homme articulait de manière à peine compréhensible. Sa voix était submergée par la tristesse et le choc. Il marquait de longues pauses, si longues que Stina crut plusieurs fois qu'il avait raccroché, jusqu'à ce qu'elle l'entendît à nouveau tenter de maîtriser sa respiration. Elle eut du mal à lui soutirer une adresse. L'homme au bout du fil ne faisait que répéter que sa femme était morte et qu'il y avait du sang partout. Du sang partout. Est-ce qu'ils pouvaient venir ? Vite ?

Stina se représentait un homme d'âge moyen, les mains ensanglantées, en train de réaliser ce qu'il venait de faire. Il finit par donner une adresse à Tumba. Elle demanda alors à celui dont elle était convaincue qu'il était le meurtrier de rester sur les lieux et de ne toucher à rien dans la maison. Elle allait envoyer une ambulance et une patrouille de police. Elle raccrocha et transmit l'information au commissariat de police de Södertorn, à Huddinge.

Erik Lindman et Fabian Holst venaient d'avaler leur hamburger dans leur voiture de police quand ils reçurent l'ordre de se rendre au 19 Tolléns Väg.

Dix minutes plus tard, ils étaient sur place. Ils descendirent de la voiture et observèrent la maison. Bien qu'aucun des deux policiers ne soit vraiment versé dans le jardinage, ils remarquèrent que les maîtres des lieux devaient avoir investi de nombreuses heures de travail et une somme considérable dans l'entretien des magnifiques aménagements paysagers qui entouraient la maison.

Lorsqu'ils eurent parcouru la moitié du chemin qui traversait le jardin en direction de la maison, la porte d'entrée s'ouvrit. Dans un réflexe, ils mirent tous deux la main à leur hanche droite, prêts à dégainer. L'homme sur le seuil portait une chemise à moitié déboutonnée et fixait les policiers d'un air hagard.

– L'ambulance ne sera pas nécessaire.

Les deux policiers échangèrent un bref regard. L'homme qui leur faisait face était visiblement en état de choc. Et les personnes en état de choc ont des réactions qui échappent à toute règle. Imprévisibles. Illogiques. L'homme paraissait certes dévasté et apathique, mais ils ne voulaient prendre aucun risque. Lindman continua d'avancer. Holst ralentit la cadence et garda une main sur son holster.

– Richard Granlund ? demanda Lindman en parcourant les derniers pas vers celui qui fixait un point quelque part au-dessus de ses épaules.

– L'ambulance ne sera pas nécessaire, répéta l'homme d'une voix blanche. La femme au téléphone m'a dit qu'elle allait envoyer une ambulance. Ce n'est pas nécessaire. J'ai oublié de le lui dire…

Lindman arriva devant l'homme. Il lui toucha légèrement le bras. À ce contact, l'homme sursauta et se tourna vers lui avec un regard plein d'étonnement, comme s'il venait de l'apercevoir.

Pas de sang sur les mains ni sur ses vêtements, observa Lindman.

– Richard Granlund ?

L'homme fit un signe de tête affirmatif.

– Je suis rentré à la maison, et je l'ai trouvée comme ça…

– Rentré d'où ?

– Pardon ?

– Vous êtes rentré d'où ? D'où veniez-vous ?

Ce n'était peut-être pas le moment idéal pour interroger un homme manifestement sous le choc. Mais il pouvait parfois se révéler utile de comparer les premières déclarations avec celles recueillies lors des futurs interrogatoires.

– En Allemagne. Pour affaires. Mon avion a eu du retard… enfin, le premier a été annulé, et le suivant a eu du retard, et puis j'ai eu encore plus de retard parce que ma valise…

L'homme se tut. Quelque chose semblait lui avoir traversé l'esprit. Il dévisagea Lindman avec une soudaine clairvoyance.

– Vous croyez que j'aurais pu la sauver ? Vous croyez qu'elle serait toujours vivante si j'étais arrivé à l'heure ?

Ce raisonnement à base de « que se serait-il passé si » était une réaction naturelle en cas de décès. Lindman l'avait souvent observé. Et il avait également constaté maintes fois que des personnes étaient mortes parce qu'elles s'étaient trouvées au mauvais endroit au mauvais moment. Elles traversent une rue juste au moment où un chauffard ivre arrive à toute allure. Elles dorment dans la caravane le jour où la bombonne de gaz se met à fuir. Des circuits électriques en mauvais état, des hommes sous l'emprise de l'alcool, des voitures à contresens. Des hasards, de malencontreux hasards. On oublie ses clés, et ces quelques secondes passées à les chercher suffisent à nous pousser à traverser la voie pour ne pas rater le train. Et un simple retard d'avion permet à un meurtrier d'assassiner une femme seule à la maison. Les fameuses hypothèses du « que se serait-il passé si… ».

Tout à fait normal, quand quelqu'un meurt.

Impossible d'y répondre.

– Où est votre femme, monsieur Granlund ? préféra demander Lindman d'une voix calme.

L'homme devant la porte parut réfléchir. Il était obligé de se détacher de ses ruminations sur son voyage et du sentiment de culpabilité qui l'avait soudain envahi pour revenir à la terrible réalité.

Pour affronter ce qu'il n'avait pas pu empêcher.

Il reprit enfin ses esprits.

– Là-haut.

Richard désigna l'étage avant de fondre en larmes.

Lindman intima à son collègue l'ordre de monter tandis qu'il suivait à l'intérieur de la maison l'homme qui sanglotait. Bien sûr, on ne pouvait jamais être sûr, mais Lindman avait le sentiment que l'homme qu'il était en train d'accompagner à la cuisine n'était pas un meurtrier.

Au pied de l'escalier, Holst dégaina son arme de service et la maintint pointée vers le bas. Si l'homme brisé dont s'occupait son collègue n'était pas le meurtrier, il y avait toujours un risque que le – (ou la) bien que ce soit moins vraisemblable – vrai(e) coupable se cache encore dans la maison.

L'escalier conduisait dans une petite pièce. Des Velux, un canapé et un lecteur Blu-ray. Des étagères pleines de livres et de DVD. Cette pièce donnait sur quatre portes, dont deux étaient ouvertes. Du haut de la dernière marche, Holst aperçut la jambe de la victime dans la chambre à coucher. Cela signifiait qu'ils devaient immédiatement alerter la brigade criminelle nationale, pensa-t-il avant de gagner la seconde porte ouverte qui donnait sur un bureau. Vide. Derrière les portes fermées se trouvaient des toilettes et un dressing. Vides tous les deux. Holst rangea son arme et s'approcha de la chambre à coucher. Il y a environ une semaine, ils avaient reçu l'ordre de la brigade criminelle nationale de l'informer de tout crime remplissant trois critères bien précis.

La victime se trouvait dans sa chambre à coucher.

Ligotée.

Et égorgée.

La sonnerie du portable de Torkel couvrit la dernière strophe de « joyeux anniversaire ». Il décrocha et se réfugia dans la cuisine pendant que les applaudissements résonnaient dans son dos.

C'était l'anniversaire de Vilma.

Elle fêtait ses treize ans. Une ado.

En fait, son anniversaire avait déjà eu lieu le vendredi précédent, mais elle l'avait passé à dîner avec ses amies, puis elles étaient allées au cinéma. Les vieux et autres membres ennuyeux de la famille comme son père devaient venir en semaine. Yvonne et Torkel étaient convenus de lui acheter un téléphone portable. Un objet flambant neuf, rien qu'à elle. Jusque-là, Vilma avait toujours récupéré l'ancien portable de sa grande sœur, ou les appareils du boulot de son père ou de sa mère. Maintenant, elle en avait reçu un neuf. Équipé d'Android, sur les conseils de Billy, que Torkel avait consulté sur le choix de la marque et du modèle. Yvonne avait raconté que Vilma ne quittait pas son appareil depuis vendredi, jusqu'à dormir avec.

Ce soir-là, la table de la cuisine avait été transformée en présentoir à cadeaux. La grande sœur de Vilma lui avait offert du mascara, du fard à paupières, du gloss et du fond de teint. Vilma avait déjà reçu son portable vendredi, mais elle l'avait mis avec les autres présents pour que tous puissent les admirer. Torkel prit le mascara qui promettait de décupler le volume des cils, tout en écoutant les informations qu'on lui communiquait au téléphone.

Un meurtre. À Tumba. Une femme ligotée et égorgée dans une chambre à coucher.

Torkel trouvait Vilma bien trop jeune pour se maquiller, mais il avait entendu dire qu'elle était la seule fille de sa classe de cinquième à ne pas le faire et qu'en quatrième, il n'était même pas imaginable de venir à l'école non maquillée. Les temps changeaient, et il savait qu'il pouvait s'estimer heureux de ne pas avoir eu à mener cette discussion plus tôt, quand Vilma était au CM2. D'autres parents de l'école de Vilma y avaient eu droit, et n'avaient manifestement pas réussi à s'imposer.

Torkel mit fin à la conversation, reposa le mascara sur la table et regagna le salon.

Tout portait à croire qu'il s'agissait de la troisième victime.

Il appela Vilma, qui était en train de discuter avec ses grands-parents. Cela ne paraissait pas particulièrement l'embêter d'avoir à interrompre la conversation avec ses aïeuls. Elle rejoignit Torkel les yeux écarquillés, comme s'il venait de lui préparer une surprise dans la cuisine.

– Je dois y aller, ma chérie.

– C'est à cause de Kristoffer ?

Il mit quelques secondes à comprendre sa question. Kristoffer était le nouvel homme dans la vie d'Yvonne. Torkel savait qu'ils se voyaient depuis plusieurs mois, mais ce soir-là, il l'avait rencontré pour la première fois. Un professeur de lycée. Divorcé. Des enfants. Il avait l'air sympathique. Il ne serait jamais venu à l'esprit de Torkel que leur rencontre ait pu paraître tendue, désagréable ou problématique. Du coup, il ne savait pas quoi lui répondre. Vilma interpréta cette hésitation comme la confirmation de ses doutes.

– J'avais dit à maman de ne pas l'inviter, déclara-t-elle en faisant la moue.

À ce moment précis, Torkel éprouva une grande tendresse pour sa fille. Elle voulait le protéger. Treize ans à peine, et elle voulait le protéger contre un chagrin d'amour. Dans son monde, cette situation pouvait paraître particulièrement désagréable. Elle-même ne souhaitait sûrement à aucun prix croiser son ex avec sa nouvelle copine. Si elle avait déjà eu un petit ami, ce dont Torkel n'était pas sûr. Il lui caressa la joue.

– Non, je dois partir au travail. Ça n'a rien à voir avec Kristoffer.

– Tu en es sûr ?

– Tout à fait sûr. Je devrais partir, même si on était seuls tous les deux. Tu sais comment c'est.

Vilma hocha la tête. Elle avait vécu assez longtemps avec lui pour savoir qu'il ne s'en allait qu'en cas d'urgence.

– Est-ce que quelqu'un est mort ?

– Oui.

Torkel ne souhaitait pas en dire plus. Il avait décidé il y avait longtemps de ne pas faire son intéressant devant ses enfants en racontant des détails palpitants ou grotesques sur son travail. Vilma le savait. Elle ne posa donc aucune question, et hocha seulement la tête. Torkel la fixa d'un air grave.

– Je trouve que c'est bien que maman ait rencontré quelqu'un.

– Pourquoi ? s'enquit-elle.

– Et pourquoi pas ? Ce n'est pas parce qu'elle n'est plus avec moi qu'elle doit rester toute seule.

– Et toi, tu as rencontré quelqu'un ?

Torkel réfléchit. Avait-il rencontré quelqu'un ? Il avait eu une longue liaison avec Ursula, sa collègue. Comme elle était mariée, ils n'avaient jamais défini la nature de leur relation. Ils passaient la nuit ensemble lors de leurs missions à l'extérieur. Jamais à Stockholm. Pas de dîners aux chandelles ni de discussions sur des sujets intimes ou des problèmes personnels. Du sexe et des échanges professionnels, un point c'est tout. À présent, même ça, c'était fini. Quelques mois auparavant, il avait fait appel à son ex-collègue Sebastian Bergman pour une enquête et depuis, leur relation était devenue purement professionnelle. Cela le dérangeait plus qu'il ne voulait l'admettre. Moins le fait que leur relation, enfin, peu importe comment on qualifiait cela, soit entièrement dépendante des conditions imposées par Ursula. Il s'y était fait. Mais elle lui manquait. Pire, elle semblait renouer avec Micke, son mari. Ils étaient même partis en week-end à Paris, il y avait quelques semaines.

Alors, était-il avec quelqu'un ?

Il semblait bien que non, mais la complexité de sa relation avec Ursula n'était guère un sujet sur lequel il souhaitait s'épancher auprès de sa fille adolescente.

– Non, répondit-il, je n'ai rencontré personne. Mais je dois vraiment partir maintenant.

Il la serra dans ses bras. Fort.

– Joyeux anniversaire, murmura-t-il. Je t'aime.

– Moi aussi, je t'aime, répondit-elle, tout comme mon téléphone. Elle posa ses lèvres brillantes de gloss sur sa joue.

Lorsqu'il fut au volant de sa voiture en route vers Tumba, Torkel avait toujours le sourire aux lèvres.

Il appela Ursula. Elle était déjà en route.

Au volant de sa voiture, Torkel se prit à espérer que, cette fois, ce crime ne serait pas lié aux autres meurtres de femmes. Mais ce n'était pas le cas, il dut se rendre à l'évidence dès le premier regard jeté dans la chambre.

Les bas Nylon. La chemise de nuit. La position du corps.

C'était la troisième victime.

« Jusqu'aux oreilles » ne suffisait même pas à décrire la plaie béante qui marquait son cou. On aurait plutôt dit qu'elle avait la gorge tranchée tout autour des cervicales. Comme quand on ouvrait une boîte de conserve en laissant le couvercle attaché par un tout petit bout pour pouvoir le relever. Il fallait une force exceptionnelle pour pouvoir infliger de telles blessures à quelqu'un. Le sang maculait toute la pièce, du sol au plafond.

Ursula était déjà en train de prendre des photos. Elle se déplaçait dans la pièce sur la pointe des pieds, en faisait bien attention à ne pas marcher dans les flaques de sang. Elle faisait toujours son possible pour être la première sur les lieux. Elle le salua d'un signe de tête avant de se replonger dans son travail. Torkel lui posa la question dont il connaissait déjà la réponse.

– C'est le même tueur ?

– Sans aucun doute.

– J'ai appelé à Lövhaga en chemin. Il y est toujours. Mais ça, on le savait, non ?

Torkel opina de la tête. *Je n'aime pas cette affaire*, pensa-t-il en observant le corps de la femme depuis l'encadrement de la porte. Il s'était tenu sur plusieurs autres seuils de portes d'autres chambres à coucher, où s'étaient trouvées d'autres femmes en chemise de nuit, pieds et poings liés avec des bas Nylon avant d'être violées et quasiment décapitées. Ils avaient trouvé la première en 1995. Trois autres avaient suivi avant qu'ils n'arrêtent le meurtrier au début de l'été 1996. Hinde avait été condamné à perpétuité, et était emprisonné au centre pénitentiaire de Lövhaga.

Il n'avait même pas fait appel.

Et il purgeait toujours sa peine.

Les nouvelles victimes étaient pourtant pratiquement identiques aux siennes. Les pieds et les mains liés de la même façon. Des blessures au cou d'une extrême violence. Même la rayure bleue sur les chemises de nuit était la même. Ce qui signifiait que la personne recherchée était non seulement un tueur en série, mais aussi un imitateur. Quelqu'un qui, pour une raison mystérieuse, reproduisait des meurtres commis une quinzaine d'années auparavant. Torkel jeta un œil à son bloc-notes, puis se retourna vers Ursula. Elle faisait déjà partie de l'équipe d'investigation lors des premiers meurtres dans les années 1990. Ainsi que Sebastian et Trolle Hermansson, parti en préretraite peu après.

– Son mari a dit qu'elle avait répondu à un de ses SMS ce matin vers neuf heures, mais qu'elle ne répondait plus à treize heures, dit-il.

– Ça peut coller, elle est morte depuis plus de cinq heures mais moins de quinze.

Torkel hocha la tête. Ursula avait sûrement raison. S'il avait posé des questions, elle se serait lancée dans des explications sur la rigidité cadavérique qui n'avait pas encore atteint sa jambe, sur le manque d'autolyse, la présence de taches noires sclérotiques et autre jargon de pathologie qu'il n'avait jamais pris la peine d'apprendre malgré sa longue carrière dans la police. Quand on lui posait des questions, il s'efforçait de répondre en suédois normal.

Ursula passa sa main sur son front en sueur. À l'étage, il faisait nettement plus chaud qu'au rez-de-chaussée. Le soleil de juillet avait tapé toute la journée sur la maison. Les mouches volaient dans la pièce, attirées par le sang et par le processus de décomposition encore invisible à l'œil humain, mais définitivement amorcé.

– La chemise de nuit ? demanda Torkel en promenant une dernière fois son regard sur le lit.

– Qu'est-ce qu'il y a avec la chemise de nuit ?

Ursula inclina son appareil et considéra le morceau d'étoffe en coton démodé.

– Elle est rabaissée.

– C'est peut-être son mari qui l'a fait. Pour préserver son intimité.

– D'accord. Je vais lui demander s'il a touché à quelque chose.

Torkel quitta l'encadrement de la porte. Il devait retourner auprès de l'homme inconsolable assis dans la cuisine. Cette affaire ne lui plaisait définitivement pas.

L'homme avait dormi plusieurs heures. Une fois rentré chez lui, il s'était immédiatement écroulé sur son lit. Comme toujours. Les rituels. L'adrénaline remontait dans ses veines. Il ne savait pas exactement ce qui se passait dans son corps, mais après l'avoir fait, il avait toujours l'impression d'avoir épuisé ses réserves d'énergie pour une semaine entière. Le réveil avait sonné, et il s'était réveillé. Il était temps de repasser à l'action. Il s'extirpa du lit. Il lui restait encore beaucoup de choses à faire, et tout devait être accompli correctement, dans les moindres détails. Au bon moment. Dans le bon ordre.

Les rituels.

Sans eux, tout ne serait que chaos. Chaos et angoisse. Les rituels permettaient de reprendre le contrôle. De donner au mal un visage plus supportable. De rendre la douleur moins intolérable. Les rituels éloignaient les ténèbres.

L'homme connecta l'appareil Nikon à l'ordinateur et téléchargea en deux temps trois mouvements les trente-six clichés sur son ordinateur.

Les premiers montraient la femme en train de pleurer, les bras croisés sur la poitrine en attendant qu'il lui donne la chemise de nuit pour qu'elle la mette. Un filet de sang s'écoulait de sa narine, jusqu'à sa lèvre inférieure. Deux gouttes avaient perlé sur sa poitrine, y laissant des marques rouges. D'abord, elle avait refusé de se déshabiller. Elle avait cru que ses habits pourraient la protéger. La sauver.

Sur le trente-sixième et dernier cliché, elle fixait l'objectif d'un regard vide. Il s'était mis à genoux au pied du lit et s'était penché sur elle, si près qu'il avait pu sentir la chaleur du sang qui s'écoulait lentement de la plaie béante qui traversait son cou. Une grande partie du sang avait désormais quitté son corps, plus ou moins absorbé par la couette et le matelas.

Il contrôla rapidement les photos intermédiaires. Chemise de nuit. Bas nylon. Les nœuds. Le slip retiré. Avant l'acte. Après l'acte. Le couteau et son œuvre.

La peur.

La prise de conscience.

Le résultat.

Tout était parfait. Il allait pouvoir utiliser la totalité des trente-six clichés. Exactement ce qu'il fallait. Malgré la capacité infinie de son appareil photo numérique, il voulait respecter les conditions d'un film argentique. Trente-six poses. Ni plus ni moins.

Le rituel.

Quand Torkel redescendit l'escalier, Billy était agenouillé devant la porte d'entrée de la maison et examinait la serrure. Il se tourna vers son chef.

– À première vue, il n'y a aucune trace d'effraction. Elle a probablement laissé entrer le tueur de son plein gré.

– La porte de la terrasse était grande ouverte quand nous sommes arrivés, dit Torkel.

Billy hocha la tête d'un signe approbateur.

– L'homme l'a ouverte en rentrant chez lui, expliqua-t-il.

– En est-il bien sûr ? Il était quand même un peu chamboulé par le choc.

– En tout cas, il avait l'air sûr de lui. Je vais lui redemander. Où est Vanja ?

– Dehors. Elle vient d'arriver.

– Il y a un ordinateur en haut, dit Torkel en désignant l'escalier. Emporte-le, et regarde si tu peux y trouver quelque chose. Dans l'idéal, quelque chose qui pourrait être en lien avec les autres femmes.

– C'est donc la troisième ?

– C'est bien possible.

– Est-ce qu'on a va avoir besoin de quelqu'un dans l'équipe ou... ?

Billy laissa sa question en suspens. Torkel avait parfaitement compris où il voulait en venir : allait-on faire appel à Sebastian Bergman ? Cette idée lui avait en effet traversé l'esprit, mais il l'avait immédiatement écartée. Cette solution comportait définitivement plus d'inconvénients que d'avantages.

Jusqu'à ce soir.

Avec cette troisième victime.

– On verra.

– Je veux dire, étant donné qu'il imite…

– On verra, j'ai dit.

Le ton de Torkel exprimait clairement qu'il ne souhaitait pas que Billy insiste sur ce sujet. Il hocha la tête et se leva. Billy pouvait comprendre la frustration de Torkel. Ils n'avaient aucune piste, bien qu'ils aient récolté une foule d'indices allant des traces de pas aux empreintes digitales, en passant par des échantillons de sperme et des cheveux. Et pourtant, l'enquête n'avait pas avancé d'un pouce depuis maintenant vingt-neuf jours, date à laquelle ils avaient retrouvé la première victime, ligotée et assassinée de la même manière. Le fait que le criminel sème des indices aussi nonchalamment indiquait clairement qu'il savait qu'il n'était pas fiché. Il était bien trop méticuleux pour les avoir laissés par inadvertance. On pouvait donc en déduire qu'il n'avait jamais été condamné, ou alors qu'il l'avait été pour des faits sans gravité. Mais il semblait avoir le goût du risque. Ou être contraint d'agir de la sorte. Dans les deux cas, c'était plutôt alarmant, car cela signifiait qu'il allait probablement frapper de nouveau.

– Retourne au commissariat, et emmène Vanja avec toi. Essayez de tout repasser en revue.

S'ils parvenaient à établir un lien entre les victimes, ils auraient déjà fait la moitié du chemin. Ils en sauraient plus sur le tueur et auraient une idée de la direction dans laquelle chercher. Le pire, c'était quand les criminels choisissaient leur victime au hasard : ils suivaient une femme en ville, l'espionnaient, planifiaient leur crime, puis attendaient le bon moment pour passer à l'acte. Si tel était le cas, ils allaient devoir attendre qu'il commette une erreur susceptible de les mettre sur la voie. Et jusque-là, l'homme n'en avait commis absolument aucune.

Billy monta les escaliers quatre à quatre, jeta un bref regard dans la chambre à coucher où s'affairait toujours Ursula, puis gagna le bureau. C'était une pièce exiguë d'environ six mètres carrés. Dans un coin se trouvaient un bureau et un fauteuil à roulettes sous lequel était placée une plaque en plexiglas destinée à protéger le parquet. Juste à côté, il y avait un espace de rangement sur lequel trônaient une imprimante, un modem, un routeur, des papiers, des dossiers et du matériel de bureau. Au-dessus du bureau, un cadre rectangulaire exposait huit photos. L'une d'entre elles représentait la victime – Katharina avec « th », si sa mémoire était bonne – posant devant un pommier, en robe d'été blanche et chapeau de paille, souriant droit vers l'objectif. On aurait dit une campagne de publicité pour des vacances en Suède. Sans doute prise dans l'Österlen. Il y avait également un cliché de son mari – Richard – à l'arrière d'un voilier. Bronzé et l'air concentré, portant des lunettes de soleil. Sur toutes les autres photos, on les voyait ensemble, enlacés et souriants. Ce devaient être de grands voyageurs. Une prise de vue les montrait sur une plage de sable blanc sous les cocotiers, d'autres à Kuala Lumpur ou à New York. Ils n'avaient visiblement pas d'enfants.

Cette fois, au moins, personne n'avait perdu sa maman.

Billy s'arrêta un instant pour observer les photos, et plus particulièrement le sourire aimant du couple. Ils s'étreignaient sur pratiquement tous les clichés. Peut-être posaient-ils toujours ainsi. Peut-être que ce n'était qu'une mascarade, pour donner à leur entourage l'illusion d'un bonheur parfait. Pourtant, quand on les voyait ainsi tendrement enlacés, on ne pouvait qu'en déduire qu'ils se vouaient un amour sincère. Billy peinait à se détacher des images. Cela avait sans doute quelque chose à voir avec le bonheur qu'elles irradiaient, qui le touchait au plus profond de lui-même. Ils avaient l'air si heureux. Si amoureux. Si vivants. En temps normal, Billy savait très bien gérer ses émotions dans ce genre de situation, prendre du recul par rapport aux victimes. Il éprouvait certes toujours beaucoup de compassion pour leurs proches, mais le deuil ne le transperçait jamais avec une telle intensité. Il venait de rencontrer une femme dont le regard et le sourire lui rappelaient celle qu'il voyait sur les photos. La tragédie prenait donc un tour réaliste et palpable. Il pensa à My. Ce matin, elle avait remonté la couverture sur ses oreilles et s'était blottie tout contre lui, encore ensommeillée. Elle avait essayé de le retenir, encore un peu, et encore un peu, et encore un peu jusqu'à ce que la matinée soit passée. L'image du sourire de My allait très bien avec les clichés épinglés au mur, mais en aucun cas avec la femme grotesquement désarticulée, ligotée et violée gisant dans la pièce voisine. Et pourtant, c'était la même femme. Pendant une seconde, ce fut My qu'il vit allongée dans une mare de sang. Il détourna le regard et ferma les yeux. Jamais il n'avait ressenti une telle frayeur. Jamais.

Et il ne devait jamais la laisser le regagner ainsi. Il le savait. Il ne devait jamais laisser la violence et la peur le gagner. Cela détruirait son amour, le remplaçant par l'angoisse et l'incertitude. Il réalisa tout à coup à quel point il était important de séparer sphère professionnelle et sphère privée, car sans cette distance, il risquait de tout perdre. Il aurait beau prendre My dans ses bras et la serrer aussi fort qu'il le voudrait, jamais il ne pourrait partager ce sentiment avec elle. Il était trop sombre et destructeur pour le laisser s'insinuer dans leur relation. Quand il rentrerait, il l'enlacerait longtemps. Très longtemps. Elle lui en demanderait la raison. Et il serait obligé de mentir. Hélas. Mais il ne voulait pas lui faire subir le poids de la vérité. Billy tourna les talons, prit l'ordinateur posé sur la table, et descendit pour aller chercher Vanja.

L'homme commanda à son ordinateur d'imprimer les photos, à la suite de quoi l'imprimante répondit par un chuintement nerveux. Tandis que l'appareil imprimait les clichés au format 10x15 centimètres sur un papier brillant de qualité supérieure, l'homme créa un nouveau dossier et y copia les photos, puis il entra un mot de passe pour se connecter en tant qu'administrateur à un site Internet où il téléchargea le dossier. Le site portait le nom complètement insignifiant de « fyghor. se ». En fait, il ne s'agissait que de lettres assemblées au hasard, dont l'objectif principal était de ne pas se retrouver dans les premières pages de résultats d'un moteur de recherche. Si d'aventure quelqu'un venait à visiter ce site alors qu'il n'avait rien à y faire, il n'y trouverait que des blocs de texte présentés dans un design misérable et à peine lisibles sur un fond multicolore éblouissant. Les textes, dont les caractères et l'arrière-plan ne cessaient de changer de couleur, étaient des extraits de livres, d'études nationales, d'essais et d'autres sites Internet qui n'avaient ni queue ni tête, sans aucun paragraphe ni ponctuation, seulement interrompus de manière aléatoire par l'apparition d'une image. En voyant ce site, on se disait que son créateur n'avait pas su choisir entre toutes les options graphiques proposées par l'ordinateur, et les avait donc toutes essayées en une seule fois. Sur les soixante-treize personnes qui s'étaient hasardées sur ce site pour une raison inconnue, la plus patiente d'entre elles avait tenu seulement une minute et vingt-six secondes. Et c'était exactement le but recherché. Personne n'avait cliqué sur la quinzième page, ni découvert le petit point rouge qui se trouvait au milieu d'un passage sur un monument de la ville de Katrineholm. Quand on cliquait dessus, une nouvelle page s'affichait, demandant un nom d'utilisateur et un mot de passe. Celle-ci donnait ensuite accès au dossier de photos que l'homme venait de télécharger. Il portait le nom anodin de « 3 ».

Entre-temps, l'imprimante avait fini son travail. L'homme prit la liasse de clichés, les feuilleta et les compta. Il attrapa ensuite un gros trombone pour rassembler les photos. Puis il alla à l'autre bout de la pièce où se trouvait un tableau en isorel au coin duquel était planté un clou, auquel il accrocha le trombone. Juste au-dessus du clou, le chiffre trois avait été dessiné au feutre noir. Il jeta un bref regard aux jeux de photos suspendus aux clous numéros un et deux. Des femmes. Dans leur chambre à coucher. À moitié nues. En pleurs. Terrorisées. Le trombone de gauche ne renfermait que trente-quatre photos. Il en avait raté deux. Avant l'acte. Dans la précipitation, il n'avait pas respecté le rituel. Il se maudissait pour cela, et s'était juré que cela ne se reproduirait plus. La deuxième liasse de photos était quant à elle complète. Il reprit son appareil et photographia le panneau en isorel et ses macabres décorations. La première phase était accomplie. Il posa l'appareil sur le bureau, s'empara du sac de sport noir posé par terre à côté de la porte et se rendit à la cuisine.

Dans la cuisine, l'homme posa le sac au sol, ouvrit la fermeture Éclair et en sortit l'emballage en carton et en cellophane des bas Nylon qu'il avait utilisés. Philippe Matignon Noblesse 50 Camello beige.

Comme d'habitude.

Comme toujours.

Il ouvrit ensuite le placard sous l'évier et y jeta l'emballage, puis il le referma. Il rouvrit ensuite le sac, en sortit le sachet plastique contenant le couteau, en retira ce dernier qu'il mit dans l'évier, puis il rouvrit le meuble sous l'évier pour y jeter le sac. Il referma la porte du placard, ouvrit le robinet et laissa couler l'eau tiède sur la large lame. Le sang sur le métal se dilua et s'écoula en un petit tourbillon dans l'évier. Il prit ensuite le produit vaisselle et une petite brosse pour éliminer les derniers restes de sang restés collés à la lame. Il ouvrit le troisième tiroir du haut, à gauche de la cuisinière, et en sortit un rouleau de sachets de congélation de trois litres. Il tira pour détacher un sac, remit le rouleau en place, referma le tiroir et plaça le sachet ainsi que le couteau dans son sac. Sur ce, il quitta la cuisine.

Billy arpenta la maison à la recherche de Vanja et finit par la trouver dans le jardin, le dos tourné aux portes vitrées de la terrasse. Devant elle s'étendaient un gazon extrêmement bien entretenu et de magnifiques plates-bandes de fleurs. Billy ignorait de quelles variétés de fleurs il s'agissait et supposait que Vanja n'était pas là pour des raisons botaniques.

– Alors, comment ça se passe ?

Vanja sursauta. Elle ne l'avait pas entendu arriver.

– Il n'a pas laissé de carte de visite, si c'est ça que tu veux dire.

– OK…

Billy recula d'un pas. Vanja réalisa qu'elle avait été inutilement cassante. Peut-être que la question de son collègue ne portait même pas vraiment sur le travail. Mais après tout, il la connaissait. Très bien même. Il savait à quel point elle détestait ce genre de crime. Pas à cause du sang ni des abus sexuels, elle avait vu pire. Mais la victime était une femme.

Assassinée.

Dans sa propre maison.

Comme si elles ne couraient déjà pas assez de risques comme ça, les femmes se faisaient à présent violer et assassiner chez elles. Pas en sortant d'une discothèque ou d'un bar habillées de manière provocante, ni en traversant un tunnel ou un parc de nuit en écoutant leur iPod. Chez elles. Non contentes de ne plus pouvoir sortir librement, elles devaient désormais craindre pour leur vie à leur propre domicile.

– Mais j'ai trouvé ça, dit Vanja en se retournant pour rejoindre la terrasse.

Billy la suivit. Ils marchèrent sur les planches, passèrent devant les chaises de jardin en rotin disposées autour d'une table surmontée d'un parasol fermé, dont l'ensemble, d'après Billy, faisait plutôt penser à la terrasse d'un glacier qu'à du mobilier de jardin, puis ils s'assirent sur les deux chaises longues en bois sur lesquelles les maîtres de maison avaient dû siroter des cocktails en profitant des derniers rayons de soleil de la journée.

– Là, dit Vanja en désignant la fenêtre tout à gauche.

Billy regarda à travers. Elle donnait sur la cave. Il y observa Torkel qui discutait avec Richard Granlund et l'équipe technique en train d'inspecter le reste de la maison, mais ce n'était sans doute pas ce que Vanja voulait lui montrer.

– Qu'y a-t-il ?

– Là, dit Vanja en pointant son doigt.

Elle était maintenant plus précise, et il comprit enfin de quoi il s'agissait. En fait, c'était juste devant son nez : une empreinte sur la vitre, de quelques centimètres de large, presque carrée avec un petit point en dessous. Le tout encadré par deux empreintes en demi-lune des deux côtés. Billy devina immédiatement de quoi il s'agissait. Quelqu'un – sûrement le meurtrier – avait épié l'intérieur de la maison en collant son visage et ses mains à la fenêtre, laissant des empreintes grasses sur la vitre.

– Il est grand, remarqua Billy en se penchant. Plus grand que moi.

– Si c'est bien lui qui a laissé ces empreintes, on pouvait le voir depuis la maison là-bas, déclara Vanja en désignant la maison voisine derrière les plates-bandes. Quelqu'un l'a peut-être remarqué.

Billy en doutait. En plein mois de juillet, un jour de semaine, à la mi-journée ? Les maisons alentour paraissaient vides, leurs propriétaires sans doute en vacances. Seuls quelques curieux intrigués par la présence des voitures de police s'étaient discrètement rendus dans leur jardin pour faire semblant d'y travailler. Ce genre de quartier était plutôt désert pendant la période estivale. Ici, les gens avaient assez d'argent pour se payer une résidence secondaire, aller faire de la voile ou voyager à l'étranger. Est-ce que l'assassin le savait ? L'avait-il prévu ?

Probablement.

Ils allaient bien sûr interroger les voisins. Sonner à de nombreuses portes. Si la victime avait ouvert à son agresseur, comme Billy le supposait, il avait dû s'approcher par l'avant. Venir frapper à la porte de la terrasse n'aurait fait que susciter la méfiance, et aurait fortement diminué ses chances de pouvoir pénétrer dans la maison. Il avait donc dû entrer par le portail et traverser le jardin, à la vue de tous. Comme pour les autres meurtres. Là non plus, l'enquête de voisinage n'avait rien donné. Personne n'avait rien vu. Pas de voiture, pas de vélo, personne qui aurait demandé son chemin ou fait une proposition bizarre, qui aurait rasé les murs ou eu d'autres comportements étranges.

Rien ni personne.

Tout était comme d'habitude dans ce lotissement, à l'exception du fait qu'une femme y avait été sauvagement assassinée.

– Torkel veut qu'on retourne au commissariat, dit Billy. Avec un peu de chance, on trouvera le fil conducteur.

– De la chance, on en a vraiment besoin maintenant. Ce type est en train d'accélérer la cadence.

Billy acquiesça. Trois semaines s'étaient écoulées entre le premier et le deuxième meurtre. Et seulement huit jours entre le deuxième et le troisième.

Ils traversèrent ensemble le véritable jardin d'Eden qui n'avait pas jauni d'un centimètre carré malgré la chaleur et la sécheresse. Vanja regarda son collègue, qui marchait d'un pas lourd à côté d'elle, vêtu d'un sweat à capuche bleu foncé et portant un PC portable sous le bras.

– Je suis désolée de m'être défoulée sur toi tout à l'heure.

– Pas de souci. Peut-être que tu avais justement besoin de te défouler.

Vanja sourit. C'était tellement simple de travailler avec Billy.

La chambre à coucher.

L'homme gagna directement la commode située du côté de la fenêtre. Il y posa son sac de sport et ouvrit le premier tiroir. Il prit une chemise de nuit soigneusement pliée de la pile de droite, et la fourra dans son sac. De la pile de gauche, il tira une paire de Philippe Matignon Noblesse 50 Camello beige, et la fit également disparaître dans son sac de sport noir. Il fit glisser la fermeture Éclair et posa le sac dans l'espace vide entre les deux piles. Il avait tout juste la place nécessaire.

Évidemment.

Puis, il referma le tiroir.

Il retourna dans la cuisine.

Il sortit un sac en papier grossièrement plié dans le placard à balais, et le déplia en gagnant le réfrigérateur. Dans la porte de ce dernier se trouvaient une canette de soda de trente-trois centilitres ainsi qu'un paquet de biscuits fourrés au chocolat de la marque « Marie ». Le bac à légumes renfermait des bananes. Il en sortit deux, et les mit dans le sac avec la canette de soda, les biscuits, ainsi qu'un autre biscuit au chocolat qu'il avait pris sur une autre étagère. Il ouvrit une troisième fois le tiroir sous l'évier et saisit une bouteille en plastique qui avait un jour contenu du chlore. Il perçut une légère odeur de produit désinfectant lorsqu'il la plaça à son tour dans le sac avant de poser le tout par terre, juste à côté de la porte d'entrée.

Il se retourna et balaya l'appartement du regard. Le silence. Pour la première fois depuis plusieurs heures. Il avait accompli son rituel. Il avait fini, et il était prêt.

Pour la prochaine.

La quatrième.

Il n'y avait plus qu'à attendre.

Il était minuit passé quand Vanja entra dans la salle de réunion. Six chaises disposées autour d'une grande table ovale trônant au milieu d'une pièce à la moquette gris-vert. Un pupitre de commande pour les discussions de groupe et les vidéoconférences ainsi qu'un projecteur placé juste au-dessus de la table vide, hormis une bouteille d'eau minérale et quatre verres. Pas de baies vitrées donnant sur les autres bureaux. Pas de vis-à-vis. Sur l'un des murs se trouvait un tableau blanc sur lequel Billy affichait toujours tous les nouveaux documents concernant l'affaire en cours. Quand Vanja franchit le seuil, il était en train d'accrocher une photo de Katharina Granlund. Elle prit place sur une chaise et disposa trois dossiers devant elle.

– Qu'est-ce que tu avais prévu de faire ce soir ?

Cette question surprit Billy. Il s'attendait plutôt à ce qu'elle lui demande des renseignements sur l'affaire. S'il avait pu établir un lien entre les trois victimes par exemple. S'il avait pu avancer. Ce n'était pas que Vanja ne s'intéressait pas à ses collègues, mais elle était une inspectrice très ambitieuse et avait pour habitude d'éviter tout blabla superflu et autres conversations personnelles dans le cadre de son travail.

– J'étais au théâtre de plein air, répondit Billy en s'asseyant à côté d'elle. Je suis parti à l'entracte.

Vanja lui jeta un regard mêlé de surprise et d'incrédulité.

– Depuis quand tu vas au théâtre ?

C'était vrai. Les rares fois où Billy et Vanja parlaient d'autre chose que du travail, Billy avait toujours soutenu que le théâtre était un art « mort » qui aurait dû s'éteindre dès la naissance du cinéma, tout comme l'automobile avait fait disparaître les voitures à cheval.

– J'ai rencontré une femme, j'y suis allé pour lui faire plaisir.

Vanja sourit. Évidemment, il y avait une femme là-dessous.

– Je ne sais pas si j'ai passé le test. Elle a dû me réveiller pendant le premier acte… Et toi, qu'est-ce que tu faisais ?

– Rien, j'étais à la maison, je lisais des rapports sur Hinde.

Ce qui les ramenait à la raison pour laquelle ils étaient à présent assis à cette table, dans ce commissariat quasi désert du quartier de Kungsholmen, en plein milieu de la nuit.

Trois quarts d'heure plus tard, ils devaient se rendre à l'évidence : l'enquête piétinait plus que jamais. Il n'y avait absolument aucun lien entre les victimes. Elles n'avaient pas le même âge, n'avaient pas fréquenté les mêmes écoles, ne travaillaient pas dans la même branche. Elles ne faisaient pas non plus partie des mêmes clubs ou associations, n'avaient aucun loisir en commun, et leurs maris ou ex-maris ne semblaient avoir aucun rapport entre eux. Elles n'avaient par ailleurs aucun contact commun sur Facebook ou sur d'autres réseaux sociaux.

Elles ne se connaissaient pas.

N'avaient aucun point commun.

En tout cas, aucun que Vanja et Billy aient pu découvrir à ce jour.

Déçu, Billy referma son ordinateur portable et se renversa sur le dossier de sa chaise, épuisé. Vanja se leva, traversa la pièce et s'arrêta devant le tableau. Elle observa les photos des trois femmes. Chacun des clichés, les montrant parfois vivantes, parfois mortes. Tout à droite, alignées à la verticale, se trouvaient les victimes de Hinde, assassinées dans les années 1990. La ressemblance avec les nouveaux clichés était effrayante.

– Ce sont des copies conformes.

– Oui, j'y ai pensé aussi. Comment a-t-il fait ? dit Billy en se levant pour rejoindre sa collègue. Tu crois qu'ils se connaissent tous les deux ?

– Pas nécessairement. Les anciennes photos ont été publiées.

– Où donc ? demanda Billy avec stupéfaction. Il avait peine à croire que des clichés aussi macabres aient pu être publiés dans la presse. De plus, en 1996, Internet n'était pas encore une source d'informations aussi inépuisable qu'aujourd'hui.

– Entre autres, dans les deux livres dont Sebastian est l'auteur, poursuivit Vanja en se tournant vers Billy. Tu les as lus ?

– Non.

– Tu devrais. Ils sont vraiment bons.

Billy répondit par un simple hochement de tête. Au regard de ce que Vanja pensait de Sebastian, cette remarque serait sans doute la seule chose positive qu'elle puisse dire à son sujet. Billy hésita à lui poser une autre question, vu l'heure tardive et l'agacement dont sa collègue avait fait montre au cours de la soirée. Mais il s'entendit dire :

– Tu crois que Torkel va faire appel à lui ?

– À qui ? À Sebastian ?

– Oui.

– J'espère que non.

Vanja retourna à sa place, fouilla parmi ses dossiers et se dirigea vers la porte.

– Mais on devrait absolument aller à Lövhaga pour rendre une petite visite à Hinde.

Elle ouvrit la porte, puis marqua un arrêt.

– On se voit demain. Tu peux appeler Torkel et lui raconter ce qu'on a trouvé, enfin, plutôt ce qu'on n'a pas trouvé ?

Sans attendre sa réponse, elle s'éclipsa, laissant Billy seul dans la salle. Il allait donc devoir annoncer la mauvaise nouvelle, bon gré mal gré. Comme d'habitude. Il jeta un œil à sa montre. Presque une heure du matin. Dans un grand soupir, il saisit son téléphone portable.

Sebastian fut réveillé par une main qui lui effleurait la joue. Il ouvrit les yeux, balaya brièvement la chambre à coucher inconnue du regard, puis il se retourna du côté gauche, tout en se repassant le film de la soirée précédente. Il avait suivi Vanja jusqu'à son appartement. L'avait vue y rentrer. Mais alors qu'il s'apprêtait à quitter son poste d'observation habituel, elle était brusquement ressortie. Quelques secondes plus tard, une voiture de police était apparue, et elle s'y était engouffrée. Quelque chose venait de se passer.

On avait besoin de Vanja sur les lieux.

Lui, personne n'avait besoin de lui, nulle part.

Fatigué, il était rentré dans son appartement bien trop grand où il ne parvenait pas à trouver de répit. Il n'y avait qu'un seul moyen susceptible de l'aider à se calmer. Il avait donc parcouru le journal local à la recherche d'annonces d'événements prévus pour la soirée, et était tombé sur une conférence à l'université populaire. Le thème : « Jussi Björling : un ténor inoubliable ». Il n'en avait strictement rien à secouer, mais en général, ce genre d'événement attirait majoritairement les femmes.

Après une seconde d'hésitation, il s'était installé à côté d'une quadragénaire visiblement venue seule, qui ne portait pas d'alliance. À la pause, il avait engagé la conversation avec elle. Puis il avait commandé un verre de boisson sans alcool. Avait poursuivi la conversation. Lancé une invitation à dîner. L'avait raccompagnée jusqu'à son appartement à Vasastan. Et l'avait baisée.

À présent, elle l'avait réveillé. Ellinor Bergkvist. Vendeuse dans les grands magasins Åhléns. Rayon des arts ménagers. Quelle heure pouvait-il bien être ? Dehors, il faisait déjà jour, mais en plein milieu de l'été, cela ne voulait rien dire. Ellinor était allongée en face de lui, sur le côté, le coude enfoncé dans son oreiller et la tête appuyée sur sa main. Elle passait les doigts de son autre main sur son visage. Une posture qu'elle avait sans doute vue dans une comédie romantique. Charmant dans un film, mais extrêmement énervante dans la réalité. Une mèche rebelle de ses cheveux cuivrés tombait par-dessus l'un de ses yeux, et elle offrit à Sebastian un sourire sans doute supposé avoir l'air « mutin » tandis qu'elle passait son doigt sur son nez en exerçant une pression un peu plus forte.

– Bonjour, mon petit loir.

Sebastian soupira. Il ne savait pas ce qui était pire : qu'on lui parle comme un bébé après une nuit de sommeil bien mérité, ou se réveiller dans cette ambiance de fausse complicité romantique. Sans doute, la dernière option.

Dès la petite promenade qui les avait menés jusqu'à son appartement, il avait deviné que cette aventure allait se terminer comme ça. Elle lui avait pris la main et l'avait serrée – très fort. Pendant tout le chemin. Ils devaient ressembler au cliché du couple amoureux faisant une virée romantique dans les rues de Stockholm. Cinq heures après leur rencontre, Sebastian avait pensé à faire marche arrière et à prendre la tangente, mais il trouvait qu'il avait déjà gaspillé bien trop d'énergie et de temps pour renoncer à ce dont il avait absolument besoin.

Bien qu'il se soit monstrueusement ennuyé au lit et n'ait fait que le minimum syndical, cela lui avait au moins permis de trouver le sommeil pour quelques heures. C'était déjà ça. Sebastian tourna la tête pour éloigner son nez de ce doigt envahissant. Il se racla la gorge.

– Quelle heure est-il ?

– Six heures et demie. Enfin, je crois. Qu'est-ce que tu as prévu aujourd'hui ?

Sebastian poussa un nouveau soupir.

– Malheureusement, je dois travailler.

Un mensonge. Il ne travaillait pas. Cela faisait déjà des années qu'il ne travaillait plus, hormis une courte mission au sein de la brigade criminelle de Västerås quelques mois auparavant. Et il n'y avait pas de raison que cela change. De toute façon, il n'avait envie de rien, et surtout pas de rester avec Ellinor Bergkvist.

– Tu crois que tu aurais dormi jusqu'à quand si je ne t'avais pas réveillé ?

C'était quoi, cette question idiote ? Comment pouvait-il le savoir ? Il aurait sans doute été réveillé par un cauchemar, rares étaient les nuits où il n'en faisait pas – mais on ne pouvait jamais prévoir à l'avance ce qu'ils contiendraient. Il n'avait d'ailleurs aucune intention de lui en parler. Il avait l'intention de partir. De quitter cet appartement et Vasastan, au plus vite.

– Je ne sais pas, jusqu'à neuf heures peut-être.

– Deux heures et demie.

Et voilà que son index était de retour, parcourait son front, l'aile de son nez, ses lèvres. Un contact bien plus intime que celui qu'ils avaient eu quelques heures auparavant. Sebastian se surprit à mettre en suspens ses projets d'évasion.

– Si tu n'as pas l'intention de continuer à dormir, ça veut dire qu'on a encore deux heures pour faire autre chose avant que tu n'ailles travailler.

Son doigt poursuivit son parcours, passant sur son menton, son cou, son torse jusque sous la couette.

Sebastian croisa son regard. Ses yeux verts. Le gauche avait une tache marron dans l'iris. Une tache qui faisait croire qu'il avait une fuite, ou était en train de déborder. La main poursuivit sa descente.

Tout compte fait, il y avait quand même une chose que Sebastian avait envie de faire avec Ellinor Bergkvist.

Petit-déjeuner.

Comment avait-elle fait pour l'amener jusque-là ?

Comment était-elle parvenue, mine de rien, à lui soutirer cette faveur dans un moment de faiblesse post-coïtale ?

Dans la cuisine, la fenêtre ouverte donnait sur la cour, mais n'atténuait en rien la chaleur qui régnait dans l'appartement. Dehors, à part une moto qui passa en pétaradant, tout était calme. Sebastian se demandait quel jour on pouvait bien être, tout en parcourant du regard la table garnie de victuailles. Du yaourt, deux sortes de corn-flakes, un jus de fruits pressés, du fromage, du jambon, de la saucisse à tartiner, ainsi que du melon, des tomates, du concombre et du poivron émincés. Se pouvait-il qu'on soit mercredi ? Ou mardi ? L'odeur de pain chaud emplit la pièce quand Ellinor sortit la plaque du four où avaient cuit des petits pains qu'elle plaça dans une serviette avant de déposer le tout dans une corbeille en osier. Avec un sourire, elle la posa sur la table, avant de retourner près de l'îlot placé au milieu de la grande cuisine. Sebastian n'avait pas faim. La bouilloire cliqueta, et Ellinor accourut pour verser de l'eau chaude dans la tasse posée devant lui. Sebastian observa l'eau virer au brun foncé sous l'effet du contact avec les grains de café instantané. Ellinor interpréta visiblement ce regard comme une critique.

– Je suis désolée, je n'ai que du café lyophilisé. En fait, d'habitude, je ne bois que du thé.

– Pas de problème…

Elle versa également de l'eau dans sa propre tasse et se leva pour remettre la bouilloire en place, mais elle s'arrêta à mi-chemin.

– Tu veux du lait ?

– Non.

– Je peux aussi en réchauffer, si tu veux. Pour te faire un café latte.

– Non, ce n'est pas la peine, merci.

– Tu es sûr ?

– Oui.

– OK.

Elle sourit, prit place en face de lui et saisit un sachet de thé citron-gingembre qu'elle plongea dans sa tasse. Elle tira plusieurs fois sur le fil avant de replonger le sachet dans l'eau. Elle chercha le regard de Sebastian et lui sourit. Il esquissa une moue qui, au sens large, aurait pu être interprétée comme un sourire, puis il tourna la tête. Il ne voulait pas être ici. D'habitude, il tentait d'éviter de se retrouver dans ce genre de situation. Et à présent, il se souvenait pourquoi. Il ne supportait pas ce sentiment de pseudo-complicité, cette illusion d'appartenance alors même qu'ils n'allaient plus jamais se revoir – en tout cas, en ce qui le concernait. Il fixa un point sur le réfrigérateur et laissa voguer ses pensées tandis qu'Ellinor remuait silencieusement sa cuillère de miel dans son thé. Elle prit un petit pain dans la corbeille, le coupa dans le sens de la longueur, le beurra, puis le garnit d'une tranche de fromage, d'une tranche de jambon et de deux morceaux de poivron jaune. Elle mordit ensuite dans sa tartine, puis considéra Sebastian en mastiquant. Il fixait toujours un point derrière elle.

– Sebastian ?

Il sursauta et la considéra d'un air interrogateur.

– À quoi penses-tu ?

Il était déjà parti très loin. Encore. Là où ses pensées l'emmenaient toujours. Vers l'idée qui occupait désormais tout son cerveau en état d'éveil. Pourtant, c'était un sentiment inconnu pour Sebastian : l'obsession. Même quand il était très engagé professionnellement et au sommet de sa carrière, il avait toujours eu du mal à chasser les pensées négatives. Quand une affaire occupait trop son esprit, il s'efforçait tout simplement de ne pas y penser. Il faisait autre chose. Pour se replonger dans le travail avec encore plus d'efficacité.

Sebastian Bergman était un homme qui ne perdait jamais le contrôle. Rien ni personne ne lui faisait perdre le contrôle. Du moins, autrefois.

À présent, il avait changé.

La vie l'avait malmené. Détruit.

Pas une seule fois, mais deux.

Il n'avait pas encore digéré la catastrophe qui avait détruit sa vie, ce Noël-là, en Thaïlande, quand il avait débarqué à Västerås trois mois auparavant. Il avait eu pour seul objectif de vider puis de vendre la maison de ses parents, et c'était là qu'il avait découvert des lettres. Une correspondance adressée à sa mère datant de 1979, venant d'une femme qui disait être enceinte de lui. Des lettres qu'il n'avait jamais reçues. Mais une fois qu'il les avait découvertes, il avait tout mis en œuvre pour retrouver celle qui les avait écrites. Les ex-collègues de Sebastian à la brigade criminelle nationale se trouvaient justement à Västerås à ce moment-là, et il s'était invité dans l'enquête pour avoir la possibilité de fouiller dans les registres de la police. Il voulait un visage.

Une adresse.

Une certitude.

Et il avait effectivement eu ce qu'il voulait. Au numéro 12 de la rue Storskärsgatan, une femme lui avait ouvert la porte. Anna Eriksson. Il avait eu sa confirmation. Oui, il avait bien une fille. Mais elle ne devait jamais apprendre que Sebastian était son père. Car elle avait déjà un père. Valdemar Lithner. Qui, lui, savait que Vanja n'était pas sa fille biologique.

C'est pourquoi Sebastian ne devait jamais rencontrer sa fille. Cela détruirait tout. Et tout le monde. Sebastian avait donc dû lui promettre de ne jamais tenter de la retrouver.

Seulement, il y avait un problème.

Ils s'étaient déjà rencontrés.

Et même plus que ça. Ils avaient travaillé ensemble.

À Västerås. Lui et Vanja Lithner. Enquêtrice à la brigade criminelle nationale. Intelligente, énergique, efficace, forte.

Sa fille.

Il avait à nouveau une fille.

Depuis, il l'avait littéralement prise en filature. Il ne pouvait pas se l'expliquer. Il fallait seulement qu'il la voie, sans plus. Il ne se montrait jamais. D'ailleurs, que pouvait-il lui dire ?

Il jeta un regard à Ellinor, qui venait de lui demander gentiment à quoi il pensait, et lui fournit la réponse qui aurait sans doute le moins de conséquences possibles : « Rien. »

Ellinor hocha la tête. Elle était manifestement satisfaite de sa réponse, ou bien tout simplement contente d'avoir à nouveau son attention. Sebastian saisit une tranche de melon. Ça, il arriverait bien à l'avaler.

– Sur quoi tu travailles, en fait ?

– Comment ?

Une réponse sèche, pour ne pas dire agressive, mais il valait mieux recadrer les choses dès maintenant. Sebastian n'avait absolument aucune envie que ce petit-déjeuner déjà difficile à supporter se mue en conversation de présentation. Ils en savaient assez l'un sur l'autre. Elle savait déjà qu'il s'appelait Sebastian Bergman, qu'il était psychologue et qu'il écrivait des livres. Il avait délibérément évité toute autre question sur sa vie privée, et avait su détourner la conversation en faisait mine de porter de l'intérêt à Ellinor.

– Tu as dit que tu devais travailler, poursuivit-elle. Mais on est en plein mois de juillet, et la plupart des gens sont en vacances. Je me suis donc demandé sur quoi tu travaillais.

– J'écris une sorte de… rapport.

– Sur quoi ?

– C'est une… sorte d'enquête de suivi. Pour l'école de police.

– Je croyais que tu étais psychologue ?

– Je le suis, mais je travaille de temps en temps pour la police.

Elle opina de la tête. But une gorgée de thé et se coupa une tranche de pain.

– Tu dois le rendre quand ?

Mon Dieu, qu'elle arrête cet interrogatoire.

– Dans deux semaines environ.

Ces yeux verts. Elle savait pertinemment qu'il mentait. Mais il n'en avait que faire. Cela lui était complètement égal de savoir ce qu'elle pensait de lui, mais il était mal à l'aise de prendre le petit-déjeuner avec elle comme si de rien n'était, alors qu'ils savaient tous les deux que cela n'était qu'une simple mise en scène. Une chimère. Mais c'en était assez maintenant. Il recula sa chaise.

– Je dois y aller.

– Je t'appelle.

– OK…

La porte se referma dans un clic derrière Sebastian. Ellinor resta assise et tendit l'oreille pour entendre ses pas. Il avait pris l'escalier. Elle savait qu'il descendrait à pied. Elle resta assise jusqu'à ce qu'elle n'entende plus rien, puis se leva et retourna dans la chambre à coucher. À la fenêtre. S'il traversait la route et tournait à gauche, elle pourrait l'apercevoir. Mais il n'en fit rien.

Ellinor se laissa alors tomber sur le lit défait. Se coucha du côté de Sebastian. Remonta sa couette sur ses oreilles, plongea son nez dans son coussin et inspira profondément. Puis elle retint son souffle pour garder son odeur le plus longtemps possible en elle.

Pour le garder.

L'immeuble où habitait Vanja était perché sur une colline en face du port de Frihamnen. Sebastian était quasiment sûr qu'elle avait un appartement de trois pièces. Enfin, aussi sûr qu'on pouvait l'être en l'observant depuis une petite butte située à une centaine de mètres de là. L'appartement occupait un immeuble jaune clair de style fonctionnaliste. Sept étages. Vanja habitait au quatrième. Rien ne semblait bouger dans l'appartement. Peut-être dormait-elle encore. Cela ne le dérangeait pas de ne pas pouvoir la voir. En fait, il était plutôt venu parce qu'il n'avait nulle part d'autre où aller.

Il y a quelques semaines encore, c'était bien différent.

Il s'était mis en tête qu'il devait absolument la voir. Voir ce qu'elle faisait. C'est pourquoi il avait décidé de chercher un meilleur point de vue que celui qu'il avait depuis la butte. Il avait donc essayé de grimper sur un des grands arbres qui se trouvaient en contrebas. Il avait gravi les premiers mètres avec une aisance étonnante. En s'agrippant à quelques branches au-dessus de lui, il avait continué son ascension. Encouragé par ce succès, il avait trouvé après quelques tâtonnements une branche assez stable, et s'était hissé de nouveau. Le soleil perçait à travers le feuillage, et les feuilles dégageaient une bonne odeur de frais. Soudain, il s'était senti comme un enfant parti à l'aventure. À quand remontait la dernière fois qu'il avait grimpé à un arbre ? De nombreuses, très nombreuses années. Mais il était doué pour ça autrefois. Il était souple.

Rapide.

Son père ne l'y avait jamais encouragé. Il avait toujours été d'avis que Sebastian devait se confronter à des défis intellectuels et développer sa créativité et son don pour la musique. Sa mère s'occupait de sa garde-robe. Aucun d'entre eux n'appréciait particulièrement de le voir grimper aux arbres, et c'était pour cela qu'il le faisait très souvent. Le plus souvent possible. Il retrouvait à présent cette sensation de risque, ce goût de l'interdit.

Au bout d'un moment, il avait regardé en bas et compris qu'il aurait du mal à redescendre. En tout cas, sain et sauf. La souplesse et la rapidité n'étaient plus vraiment ses qualités principales. À peine avait-il pris conscience de sa situation effrayante que sa veste s'était prise dans une branche pointue, et il avait perdu l'équilibre. Le petit garçon parti à l'aventure redevint subitement un homme d'âge mûr en mauvaise condition physique, suspendu à un arbre, à quelques mètres de hauteur, les bras saturés d'acide lactique. Sebastian s'était vu obligé d'abandonner ses rêves d'aventure et sa veste pour se raccrocher au tronc d'arbre et se laisser glisser, ou plutôt tomber jusqu'à ce que les dernières branches l'arrêtent dans sa chute. Les jambes tremblantes, il avait enfin pu regagner le sol, avec une veste déchirée et de longues éraflures brûlantes sur l'intérieur des jambes.

Après cette aventure, il s'était contenté de rester à son poste d'observation habituel pour surveiller l'appartement.

C'était bien suffisant.

Suffisamment frappadingue.

Sans compter ce qui se serait passé si Vanja avait regardé par la fenêtre à ce moment-là et l'avait aperçu suspendu à un arbre juste sous son nez.

Vu de l'extérieur, son appartement semblait confortable. Des rideaux modernes. Des fleurs rouges et blanches sur le rebord de la fenêtre. Des luminaires avec gradateur de lumière à la fenêtre. Un balcon exposé nord-est où, par beau temps, elle pouvait boire son premier café de la journée entre sept heures vingt et sept heures quarante-cinq. Sebastian était alors toujours obligé de se cacher derrière un buisson de genévrier. Sa fille aimait manifestement avoir ses habitudes. Elle se levait tous les matins à sept heures, et à neuf heures le week-end. Les mardis et jeudis, elle faisait un jogging avant le travail. Six kilomètres. Le double le week-end. Elle rentrait souvent tard, et jamais avant vingt heures. Elle sortait rarement, et quand c'était le cas, seulement pour boire un verre. Une ou deux fois par mois, avec quelques copines. D'après ce qu'il avait pu observer, il n'y avait pas d'homme dans sa vie. Elle dînait chaque jeudi chez ses parents, rue Storskärsgatan. Elle y allait seule, mais Valdemar Lithner la raccompagnait souvent chez elle.

Le papa.

Ils étaient très proches, c'était évident quand on les voyait se promener ensemble. Ils riaient beaucoup et se serraient toujours fort avant de se quitter. Avant qu'elle n'entre dans l'immeuble, il déposait un baiser sur son front. Toujours. C'était la signature de leur relation. L'image aurait pu être idyllique si on oubliait une chose : son vrai père était caché un peu plus loin et observait la scène. C'étaient les moments qui faisaient le plus mal à Sebastian. Un mal étrange.

Pire que la jalousie.

Plus intense que la jalousie.

Plus difficile à supporter que tout autre sentiment.

C'était le mal d'entrevoir une vie qu'il n'avait jamais vécue.

L'idée lui était venue deux semaines auparavant, quand Sebastian avait vu Vanja et Valdemar déjeuner dans un restaurant italien près du commissariat. Ce n'était pas une idée très glorieuse. Loin de là. Mais elle lui avait fait du bien. Du moins sur le moment.

Avec le temps, sa jalousie envers Valdemar s'était muée en colère qui elle-même avait fait place à la haine. Une haine dirigée contre cet homme grand, mince et élégant qui avait le droit d'être si proche de sa fille. Ces marques d'affection, ces baisers auraient dû revenir à Sebastian. C'était lui qu'elle aurait dû aimer.

Lui !

Et personne d'autre !

Sebastian avait déjà envisagé plusieurs fois de tout lui dire, mais il avait toujours changé d'avis à la dernière seconde. Il espérait pouvoir se rapprocher d'une manière ou d'une autre de Vanja pour lui dévoiler la vérité plus tard, une fois qu'ils auraient établi une relation de confiance. Il pourrait alors sûrement passer plus de temps avec elle. Faire sa connaissance. Peut-être lui reprocherait-elle de lui avoir menti, mais ce n'était pas cela qui empêchait Sebastian de réaliser ses plans. Son plus grand problème était que cela allait sans doute détruire la relation de Vanja avec Valdemar, peu importait la manière dont il lui raconterait la vérité. Et elle le haïrait pour cela. Elle ne le portait déjà pas particulièrement dans son cœur.

Quand il s'agissait de Vanja, rien n'était simple.

À moins qu'elle ne commence elle-même à avoir des doutes sur son faux père. C'était sans doute la seule solution. Sebastian devait trouver le moyen de pousser Vanja à faire tomber elle-même Valdemar du piédestal sur lequel il avait eu le culot de se placer. Ce n'était sans doute pas impossible. Si seulement elle apprenait des détails sur son père, des infos plutôt gênantes. Des secrets qui entacheraient son image immaculée et l'amèneraient à remballer son auréole. Rien ne pouvait mieux troubler une image bien ancrée que ses propres découvertes et expériences. Sebastian le savait. C'est pourquoi les faits étaient toujours beaucoup plus importants que les mots, et rien n'était plus marquant que ses propres découvertes.

C'était une telle découverte qui devait conduire à semer le doute sur la personne de Valdemar.

L'amener à se demander s'il était vraiment le père parfait, ou autre chose. Quelque chose de bien pire.

Si Sebastian pouvait aiguiller Vanja dans ce sens, cela la plongerait sans doute dans la déception, et elle sombrerait dans le désespoir. Vanja se sentirait trahie et abandonnée, et peut-être disponible pour la vérité, ce qui lui permettrait à lui d'entrer en scène. Peut-être même serait-elle contente d'apprendre la vérité. De se découvrir un père jusque-là resté discret qui l'attendait les bras ouverts. À ce moment-là, peut-être qu'elle s'y réfugierait, aurait besoin de lui. Quand son monde se serait écroulé. Quand elle serait prête.

Il était fier de son plan. Bien ficelé, compliqué à mettre en œuvre, mais s'il réussissait, il changerait sa vie.

Pour cela, il allait devoir faire des recherches. Personne n'était parfait. Tout le monde avait quelque chose à cacher. Il fallait juste le débusquer. Et le présenter le mieux possible.

En même temps, le plan de Sebastian était si maléfique qu'il avait lui-même eu une seconde d'hésitation. Car s'il venait à se savoir qu'il avait contribué à jeter l'opprobre sur Valdemar, toutes ses chances de pouvoir nouer une relation avec Vanja seraient anéanties. Par contre, si le plan fonctionnait, il obtiendrait le tournant tant attendu.

Dans l'entrée, juste en face du restaurant italien, il avait décidé que le jeu en valait la chandelle. Vanja valait la peine de prendre tous ces risques.

Et puis, de toute façon, il n'avait rien d'autre dans sa vie.

Ayant balayé tous ses doutes, il était rentré chez lui et avait sorti un numéro de téléphone qu'il n'avait plus composé depuis de nombreuses années. C'était le numéro d'un ancien commissaire qui était le parfait contraire de Torkel : impulsif, sans scrupules, prêt à marcher sur des cadavres.

Il avait été évincé de la brigade criminelle nationale quand on avait découvert qu'il avait espionné son ex-femme et placé de fausses preuves pour faire inculper son nouveau compagnon d'usage de stupéfiants – dans le but d'obtenir la garde des enfants. Il était exactement l'homme de la situation pour Sebastian.

Trolle Hermannsson.

Trolle avait décroché au bout de la neuvième sonnerie. Il avait immédiatement voulu évoquer de vieux souvenirs, mais Sebastian avait montré son désintérêt et lui avait brièvement exposé les raisons de son appel. Il avait conclu son explication en lui proposant quelques billets de mille en guise de dédommagement, ce que Trolle avait refusé. Il était visiblement content d'avoir quelque chose à faire. Sebastian devait lui laisser deux ou trois jours.

C'était il y a deux semaines.

Depuis, Trolle avait essayé plusieurs fois de le joindre, mais Sebastian avait toujours ignoré ses appels. Il était resté prostré dans son appartement, entendant le téléphone qui sonnait et sonnait encore. Seul Trolle laissait sonner aussi longtemps, il le savait. Mais Sebastian n'était plus certain de vouloir connaître le résultat des recherches de Trolle. S'il persévérait dans cette voie, lui resterait-il encore des limites qu'il ne franchirait pas ?

Mais la résignation semblait dorénavant l'emporter. Les heures passées sur la butte devant chez Vanja. Le sexe. Aujourd'hui avec Ellinor, hier et demain avec une autre. Son appartement vide. Sa vie vide. Il devait faire quelque chose. Peu importait quoi. Il avait besoin de changement. Il sortit donc son téléphone de sa poche et composa le numéro.

Trolle décrocha dès la troisième sonnerie.

– J'étais en train de me demander quand tu allais appeler, dit-il d'une voix ensommeillée.

– J'avais pas mal de choses à faire, répondit Sebastian en s'éloignant de l'appartement de Vanja, le portable vissé à l'oreille. J'étais en déplacement.

– Inutile de mentir. Tu l'as suivie. La fille.

Sebastian se crispa, avant de réaliser qu'il parlait de la fille de Valdemar. Évidemment.

– Comment le sais-tu ?

– Parce que je suis meilleur que toi.

Sebastian pouvait presque imaginer l'air satisfait qui était vraisemblablement en train d'illuminer le visage de son ancien collègue à l'autre bout du fil.

– Je ne t'ai pas demandé de vérifier ça, rétorqua Sebastian, piqué au vif.

– Je sais, mais je suis consciencieux. Un ex-flic, quoi.

– Qu'est-ce que tu as trouvé ?

– Pas mal de choses. Mais rien de négatif. Ce type a l'air d'être un véritable saint.

Trolle marqua une pause pendant laquelle Sebastian l'entendit fouiller parmi des papiers qui devaient sans doute être éparpillés devant lui dans un chaos innommable.

– Ernst Valdemar Lithner. Né en 1953 à Göteborg, précisa Trolle en reprenant le combiné. Il a commencé à étudier à l'université technique, mais s'est ensuite inscrit à la faculté d'économie. En 1981, mariage avec Anna Eriksson. Qui, d'ailleurs, n'a pas pris son nom. Pas d'ex-femme ni d'enfants. Pas de casier judiciaire. Il a longtemps travaillé dans l'audit. En 1997, il a changé de métier et a créé diverses entreprises allant de la comptabilité au conseil fiscal. Il devait sans doute bien gagner sa vie, car il a financé l'apport pour l'appartement de sa fille et s'est acheté une grande résidence secondaire à Vaxhom l'année suivante. Pas de maîtresse ni d'amant, d'après ce que j'ai pu constater. Mais j'ai chargé un type de pirater son ordinateur, peut-être qu'on va finir par trouver quelque chose. Il est tombé malade l'année dernière.

– Qu'est-ce que ça veut dire ?

– Des cellules anormales dans ses poumons, tu vois ce que je veux dire. Le cancer, qui finit toujours par nous rattraper. De quoi est morte ta mère, d'ailleurs ?

Sebastian ignora délibérément cette provocation, qui lui signifiait que le policier en avait profité pour passer également sa vie à lui à la loupe ces dernières semaines. Mais malgré la chaleur, il eut un frisson. Valdemar avait eu le cancer ? Ce n'était pas possible. L'homme qui lui avait volé sa fille semblait débordant de vie. Mais peut-être n'était-ce qu'un masque qu'il arborait pour préserver sa fille ?

– Il a été déclaré en rémission au mois de février, poursuivit Trolle. Enfin, si tant est qu'on puisse réellement se remettre de cette maladie. Mon contact à l'hôpital de Södermalm n'a pas accès au dossier médical, mais il a pu voir que seules des visites de contrôle sont prévues pour les mois prochains, ce qui montre qu'il est sûrement hors de danger pour l'instant.

Déçu, Sebastian marmonna entre ses dents :

– OK… autre chose ?

– Non, pas directement. J'ai pas mal de paperasse, ici. Ça t'intéresse ?

– Non, pas la peine. Il est blanc comme neige alors ?

– Jusqu'ici, oui. Mais je viens à peine de commencer. Je peux creuser bien plus profondément, si tu veux.

Sebastian réfléchit. C'était plus grave que prévu. Valdemar n'était pas seulement l'idole de sa fille. Il était en plus un survivant en convalescence. Un saint cancéreux, tout juste sorti de l'antichambre de la mort et retourné dans le giron familial.

Sebastian n'avait pas l'ombre d'une chance. Le train était parti.

– Non, non, pas la peine. Merci quand même. Je passerai t'apporter l'argent un de ces quatre.

Il raccrocha. Il allait devoir trouver un plan B.

Le troisième jour dans son nouveau métier. Il s'était enfin procuré un appareil permettant d'imprimer lui-même des étiquettes, et il était dans le couloir devant la plaque de métal indiquant le bureau du directeur de la prison. Il décolla le plastique transparent au dos de l'étiquette et la colla. Elle était un peu de travers, mais cela importait peu. Pourvu que l'inscription soit bien lisible :

Thomas Haraldsson
Directeur du centre pénitentiaire

Il recula d'un pas, et contempla l'écriteau avec un sourire satisfait.

Nouveau job.

Nouvelle vie.

Quand il avait posé sa candidature pour le poste quelques mois auparavant, il n'aurait jamais cru avoir une chance de l'obtenir. Pas par manque de qualification, mais parce que rien n'allait comme prévu dans sa vie à ce moment-là. Il avait eu des problèmes au commissariat et ne s'entendait pas avec sa nouvelle chef, Kerstin Hanser, et pour être honnête, il sentait sa carrière prendre une voie de garage. Principalement à cause de Hanser d'ailleurs, qui ne savait pas apprécier son travail à sa juste valeur et faisait tout pour le saboter, mais ce n'en était pas moins frustrant. Il se sentait toucher le fond. Même à la maison, la situation était plutôt tendue. Pas à cause de la routine ou d'un manque de sentiments, mais tout tournait autour d'une seule chose. Sa femme Jenny avait commencé un traitement contre l'infertilité, et sa seule préoccupation était de tomber enceinte. À toute heure du jour et de la nuit, toutes ses pensées se concentraient autour du thème de la fécondation, alors que les siennes étaient fixées sur Hanser, son travail et son amertume grandissante. Il n'avait plus vraiment goût à rien, et n'avait même pas osé espérer obtenir ce poste auquel il avait posé sa candidature à la fin de l'hiver, sans considération pour les pertes de salaire. Comme l'annonce indiquait que le poste ne serait pas à pourvoir avant l'été, il avait continué son travail à la police de Västerås comme si de rien n'était, et avait plus ou moins oublié cette candidature.

Et puis, il y avait eu ce jeune qui avait été tué, la brigade criminelle nationale s'en était mêlée et pour finir, il s'était retrouvé avec une balle dans le thorax. Enfin, c'était ce qu'il disait. Bien que son dossier médical indiquât « dans la partie inférieure de l'épaule ». Quoi qu'il en soit, il avait dû être opéré, et il n'était pas encore tout à fait remis. En lissant l'étiquette portant son nom et sa nouvelle fonction, il sentit la cicatrice le tirailler.

Cette balle avait en quelque sorte marqué un tournant. Quand il s'était réveillé après l'opération, Jenny était assise à son chevet. Inquiète mais reconnaissante. Reconnaissante qu'il soit encore en vie. Encore là. Il avait eu de la chance. La balle avait provoqué une fissure de la plèvre et une hémorragie pleurale ainsi qu'une perforation du poumon droit. Mais Haraldsson savait surtout que cela faisait très mal de se faire tirer dessus. Une fois rentré chez lui, il avait eu tout le temps d'imaginer comment il serait accueilli à son retour au commissariat. Sûrement que le préfet de police tiendrait un discours de bienvenue louant son intervention héroïque – peut-être recevrait-il aussi une petite médaille stipulant : blessé par arme à feu dans son service. Bien sûr, il y aurait du café et du gâteau, ses collègues lui taperaient doucement sur l'épaule en faisant bien attention à son thorax, et sûrement que tous voudraient savoir ce que ça faisait d'être si grièvement blessé et ce qu'il en pensait.

Mais son retour ne s'était pas tout à fait passé comme ça.

Pas de préfet de police, pas de discours, mais au moins, les filles de la réception avaient apporté un gâteau. Il y avait eu moins de tapes sur l'épaule et de questions que prévu, mais il s'imaginait tout de même que quelque chose avait changé. Il croyait qu'on lui témoignait un certain respect. Après tout, peu de policiers se faisaient tirer dessus en service, et il était statistiquement peu probable que cela se reproduise dans un futur proche, qui plus est à Västerås. Il avait donc en quelque sorte pris cette balle pour tout le reste de l'équipe. Pour la première fois depuis longtemps, il était vraiment heureux d'aller au travail. Malgré Hanser.

À la maison aussi, il y avait eu du changement. Sa relation avec Jenny était plus détendue, ils s'étaient rapprochés, comme si la vie qu'ils menaient à présent était redevenue plus importante que celle qu'ils tentaient de construire. Ils faisaient toujours l'amour. Très souvent même. Mais surtout parce qu'ils voulaient partager leur intimité, ils en avaient besoin. Et c'était bien plus tendre, plus chaleureux, moins mécanique. Peut-être était-ce pour cela que ça avait fonctionné.

Près de cinq semaines jour pour jour après avoir été blessé, il avait été invité à un entretien pour le poste. Et le jour même, le test de grossesse de Jenny s'était révélé positif.

À partir de ce moment, le tournant s'était opéré.

Il avait obtenu le poste. Comme il allait l'apprendre plus tard, Hanser lui avait écrit une lettre de recommandation particulièrement élogieuse. Peut-être s'était-il trompé sur son compte. Bien sûr, ils avaient eu certains différends durant les années où il l'avait eue pour chef. Mais quand il s'était agi d'évaluer ses compétences et sa capacité à accomplir les missions demandées à Lövhaga, elle avait été assez professionnelle pour faire fi de son opinion personnelle et pour dire la vérité en louant ses compétences managériales et administratives.

Il avait entendu certaines mauvaises langues du commissariat prétendre qu'elle avait simplement voulu se débarrasser de lui, mais ce n'étaient que des envieux.

Ils l'enviaient, lui, le nouveau directeur du centre pénitentiaire, Thomas Haraldsson.

Il entra dans son bureau qui n'était certes pas immense mais rien qu'à lui. C'en était fini des déménagements incessants dans l'open-space. Haraldsson s'installa confortablement dans son fauteuil derrière son bureau encore très vide. Il alluma l'ordinateur. C'était son troisième jour de travail, mais il n'était pas encore vraiment dans le bain. C'était parfaitement normal. La seule chose qu'il avait faite jusque-là était de demander le dossier d'un détenu du quartier de haute sécurité, parce que la brigade criminelle nationale s'y était intéressée. Apparemment, ils avaient rappelé la veille. Haraldsson posa la main sur le dossier posé devant lui et se demanda s'il ne ferait pas mieux d'appeler Jenny. Sans raison particulière, juste pour l'entendre et lui demander comment elle allait. Ils se voyaient moins à présent. Lövhaga était tout de même à soixante kilomètres de Västerås, il fallait compter environ une heure de trajet en voiture. Cela faisait de longues journées. Jusqu'à présent, cela n'avait pas été un problème. Jenny irradiait littéralement de bonheur. Elle planait dans un monde où tout était possible. En pensant à elle, Haraldsson eut immédiatement le sourire aux lèvres et au moment où il s'apprêtait à l'appeler, on toqua à la porte.

– Entrez !

Haraldsson reposa le combiné. La porte s'ouvrit et une femme de cinquante ans environ, Annika Norling, son assistante, passa sa tête à l'intérieur.

– Vous avez de la visite.

– Qui est-ce ?

Haraldsson jeta un bref regard à l'agenda ouvert sur son bureau. Il avait son premier rendez-vous à treize heures. En avait-il oublié un ? Ou plutôt, Annika avait-elle oublié quelque chose ?

– La Crim', répondit Annika, ils ne se sont pas annoncés, précisa-t-elle comme si elle avait lu dans ses pensées.

Haraldsson jura entre ses dents. Il avait espéré que ses contacts avec la brigade criminelle nationale se résumeraient à quelques échanges téléphoniques, car il ne gardait pas un très bon souvenir de leur collaboration à Västerås. Ils ne l'avaient pas spécialement bien traité. Bien au contraire. Ils avaient tout fait pour l'écarter de l'enquête, bien qu'il ait plusieurs fois prouvé qu'il avait eu un flair particulier dans cette affaire.

– Qui est là ?

– Une femme qui s'appelle… Son assistante jeta un regard à son bloc-notes : Vanja Lithner, et un certain Billy Rosén.

Quand ils s'étaient rencontrés pour la première fois, Torkel avait affirmé à Haraldsson qu'il était un membre important de l'équipe, pour finalement l'évincer seulement vingt-quatre heures après le début de l'enquête. Un hypocrite. Haraldsson n'avait certes pas particulièrement envie de revoir Billy et Vanja, mais il n'avait pas vraiment le choix. Il jeta un regard vers la porte, où son assistante attendait toujours. Il allait demander à Annika de leur dire qu'il était occupé et les prier de revenir un autre jour. Plus tard. Peut-être dans quelques jours. Quand il aurait pris ses marques. Quand il serait mieux préparé. Pouvait-on demander à son assistante de mentir ? Haraldsson n'avait jamais eu d'assistante auparavant, mais il imagina que cela faisait partie de ses attributions. Sa mission consistait à lui faciliter son travail. Et s'il parvenait à échapper à cette entrevue avec la Crim', il ne s'en porterait pas plus mal.

– Dites-leur que je suis occupé.

– À faire quoi ?

Haraldsson lui jeta un regard interrogateur. Il n'y avait pas trente-six manières de s'occuper derrière un bureau.

– À travailler pardi ! Demandez-leur de revenir un autre jour.

Annika le considéra d'un air sceptique et referma la porte. Haraldsson tapa son mot de passe sur son clavier, se retourna et regarda par la fenêtre, en attendant le chargement de ses paramètres. Cela allait être une belle journée d'été.

On frappa à nouveau. Cette fois, il n'eut même pas le temps de dire « Entrez » que la porte s'était déjà ouverte sur Vanja, qui fit irruption dans le bureau. En voyant Haraldsson, elle s'arrêta si brusquement que Billy se cogna quasiment contre elle. L'expression de son visage trahissait clairement que la combinaison entre le lieu et la personne devant elle lui paraissait invraisemblable.

– Qu'est-ce que vous faites ici ?

– Je travaille ici à présent, dit Haraldsson en se redressant sur sa confortable chaise de bureau. Je suis le directeur. Depuis quelques jours.

– C'est un remplacement ou quoi ? demanda Vanja, qui n'en revenait toujours pas.

– Non, c'est mon nouveau job. J'ai un poste ici maintenant.

– Ah bon…

Billy sentit que Vanja était sur le point de sortir un « Comment diable cela a-t-il pu se passer ? » ou quelque chose du même acabit, mais elle se reprit en lui exposant immédiatement les raisons de leur visite.

– Nous sommes ici pour Edward Hinde.

– J'avais compris.

– Et malgré tout, vous n'avez pas souhaité nous recevoir ?

Vanja était interloquée. Elle prit place sur la chaise des visiteurs, lui adressant un regard de défi.

– Il y a beaucoup de choses à faire quand on commence un nouveau travail, répondit Haraldsson en désignant son bureau tout en réalisant au même moment qu'il était en fait bien trop vide pour démontrer une énorme charge de travail. Mais je peux bien me libérer quelques minutes pour vous, poursuivit-il. Que voulez-vous savoir ?

– S'est-il fait remarquer ces derniers mois ?

– Comment par exemple ?

– Je ne sais pas… par un comportement étrange, un changement d'habitude, des sautes d'humeur. Quelque chose qui ne paraît pas normal.

– Pas à ma connaissance. En tout cas, rien n'est mentionné dans son dossier. Je ne l'ai pas rencontré. Pas encore.

Vanja hocha la tête, apparemment satisfaite de la réponse. Billy prit la parole.

– Quels moyens a-t-il de communiquer avec l'extérieur ?

Haraldsson prit le dossier posé sur son bureau et l'ouvrit. Il était content d'avoir eu la bonne idée de l'avoir rapporté de chez lui ce matin. Le fait qu'il ait le dossier devant lui à peine un jour après l'appel de la Crim' pour demander des renseignements sur Hinde montrait un incroyable esprit d'initiative.

– Ici, il est indiqué qu'il peut se rendre à la bibliothèque et consulter les journaux, les magazines et les livres. Et il a un accès limité à Internet.

– Limité à quel point ? demanda immédiatement Billy.

Haraldsson ne le savait pas. Mais il savait qui il devait appeler. Victor Bäckman, le responsable de la sécurité de Lövhaga, répondit dès la première sonnerie et promit de venir immédiatement. Tous trois attendirent dans le petit bureau vide et impersonnel.

– Comment va votre épaule ? demanda Billy au bout de presque une minute.

– Mon thorax, corrigea spontanément Haraldsson. Bien. Je ne suis pas encore complètement remis mais… ça va.

– Tant mieux.

– Oui…

Nouveau silence. Haraldsson se demanda s'il devait leur proposer du café, mais il ne parvint pas à se décider avant l'arrivée de Victor. C'était un homme grand portant une chemise à carreaux et un pantalon chino, et qui avait les cheveux courts et des yeux bruns ainsi qu'une barbe de mongol qui, lorsqu'ils se saluèrent, rappela immédiatement à Billy les Village People.

– Évidemment, pas de pornos, répondit Victor quand Billy reposa sa question au sujet de la limitation de l'accès à Internet. Le contrôle le plus strict possible. Nous l'avons programmée nous-mêmes.

– Les réseaux sociaux ?

– Aucun. Ils lui sont strictement interdits. Il n'a aucun moyen de communiquer avec l'extérieur avec son PC.

– Peut-on vérifier quels sites il a visités ? intervint Vanja.

Victor hocha la tête.

– Nous conservons tout l'historique des sites visités au cours des trois derniers mois. Vous voulez le consulter ?

– Oui, s'il vous plaît.

– Il a également un ordinateur dans sa cellule, non ? lança Haraldsson pour ne pas rester en observateur passif de cet échange.

– Mais sans accès à Internet.

– Que fait-il avec alors ? demanda Billy à Haraldsson, qui se retourna vers Victor d'un air interrogateur.

– Il fait des mots croisés, des sudokus, des choses comme ça. Et il écrit pas mal. Il fait marcher son cerveau, quoi.

– Et qu'en est-il du téléphone et des lettres et autres ? s'enquit Vanja.

– Il n'a pas le droit de téléphoner, et il ne reçoit presque plus de courrier. Mais toutes les lettres qu'il reçoit sont les mêmes. Victor jeta un regard éloquent à Vanja et Billy. De femmes qui prétendent le « guérir » avec leur amour.

Vanja opina du chef. C'était un des petits mystères de la vie, cette attraction que provoquent les pires brutes et psychopathes du pays sur certaines femmes.

– Vous les avez conservées ?

– Oui, nous en avons fait des copies. Hinde a reçu les originaux. Je peux vous fournir ces copies également.

Vanja et Billy le remercièrent pour son aide, et Victor s'éclipsa pour chercher les documents. Quand le chef de la sécurité eut refermé la porte derrière lui, Haraldsson se pencha sur le bureau.

– Je peux vous demander pourquoi vous vous intéressez tant à Hinde ?

Vanja ignora sa question. Jusqu'ici, ils avaient réussi à éviter toute fuite dans la presse sur le fait qu'ils poursuivaient un criminel qui imitait Hinde. Et personne n'avait fait le lien entre les crimes pour l'instant. Peut-être qu'il n'y avait que des stagiaires dans les rédactions, et que tout le monde était parti en vacances. La brigade criminelle nationale voulait préserver ce désintérêt des médias aussi longtemps que possible, et moins de personnes en sauraient sur l'objet de leur enquête, plus grandes seraient leurs chances que cela reste ainsi.

– Nous aimerions lui parler, lui rétorqua Vanja en se levant.

– À Hinde ?

– Oui.

– Cela ne va pas être possible.

Pour la deuxième fois de la journée, Vanja fut interloquée. Elle jeta un regard plein d'étonnement à Haraldsson.

– Pourquoi ?

– Il fait partie des trois détenus du quartier de haute sécurité qui ne sont pas autorisés à recevoir de visites sans demande puis autorisation préalables. Je suis désolé.

Haraldsson fit un geste avec les bras signalant qu'il ne serait pas en mesure de les aider.

– Mais vous nous connaissez, pourtant.

– C'est le règlement. Mais Annika peut vous fournir le formulaire à remplir pour les demandes de visite. C'est mon assistante…

Vanja ne put s'empêcher d'avoir le sentiment que Haraldsson jouissait de son nouveau pouvoir. Ce n'était peut-être pas étonnant, vu à quel point il avait dégringolé l'échelle la dernière fois qu'ils s'étaient rencontrés. Mais même si son attitude était compréhensible et humaine, elle n'en demeurait pas moins frustrante.

– Combien de temps cela prend-il pour avoir une réponse ? demanda Vanja en s'efforçant de dissimuler son agacement.

– En règle générale, trois à quatre jours, mais je pourrai faire une exception pour vous. Après tout, vous êtes de la brigade criminelle nationale. Je vais voir ce que je peux faire.

– Merci.

– Je vous en prie.

Vanja sortit sans prendre congé. Billy hocha brièvement la tête avant de quitter la pièce et de refermer la porte derrière lui.

Haraldsson fixa la porte fermée. Tout se passait à merveille. Et maintenant, il allait se chercher une tasse de café et appeler Jenny.

Ce serait une bonne journée.

Sa troisième journée.

– Alors, tu la harcèles toujours ?

Stefan jeta à Sebastian un regard qu'il ne connaissait que trop bien. C'était un regard qui disait : « J'en sais plus sur toi que ce que tu veux bien me dire, alors pas la peine de raconter des craques. »

Sebastian détestait ce regard.

– Je ne dirais pas cela.

– Tu te plantes tous les jours devant sa maison. Tu la suis quand elle va en ville, quand elle se rend au travail ou chez ses parents. Comment tu appellerais ça ?

– Je m'intéresse à elle. C'est tout.

– Tu te souviens de notre conversation au sujet de ce qui s'est passé dans l'arbre ?

Sebastian ne répondit pas.

– Tu étais toi-même effrayé par ton comportement, tu te rappelles ? Tu disais que c'était fou. Stefan marqua une pause et fixa à nouveau Sebastian. Enfin, tu as toi-même employé le mot « malade »…

Sebastian ne répondait toujours pas et regardait dans le vide. Il n'avait pas l'intention de faire le moindre cadeau à son thérapeute.

– À ton avis, qu'est-ce que cela veut dire que tu la suives à chaque seconde ?

– C'est ma fille, marmonna Sebastian en guise de défense. Je dois le faire, je ne peux pas m'en empêcher.

Il était conscient que son comportement paraissait désespéré, et se félicita de ne pas lui avoir parlé de Trolle. Stefan secoua la tête et regarda quelques secondes par la fenêtre, surtout pour souligner à quel point cette conversation l'agaçait. Quoiqu'il fasse, il en revenait toujours au même point douloureux : Vanja. Sa fille, que Sebastian venait de retrouver. Qui ne savait rien et ne saurait probablement jamais rien. Ou peut-être que oui ? Y avait-il une chance ? C'était l'espoir, la question qui revenait sans cesse dans l'esprit de Sebastian. Qui l'obsédait. Son dilemme permanent.

Stefan pouvait comprendre Sebastian. C'était la rencontre brutale de deux problèmes. Son désir, sa volonté et ses espoirs secrets se heurtaient à la réalité de l'autre. Arrivé à ce point, venaient des questions qui étaient les plus difficiles à résoudre. Dans le cadre de son travail, Stefan y était sans cesse confronté. Car c'était exactement dans ces moments-là que ses patients venaient le voir. C'était humain et pas étrange le moins du monde. Ce qui était malgré tout curieux dans cette situation, c'était d'avoir Sebastian Bergman en face. Un homme dont la vie se résumait à connaître les réponses et à ne jamais douter. Un homme dont Stefan n'aurait jamais cru qu'il aurait besoin d'aide un jour.

Sebastian avait été le professeur de Stefan à la fac. Tous ses camarades éprouvaient une certaine aversion pour ses cours. Pourtant, au fond, ils étaient intéressants, mais Sebastian avait démontré dès le premier jour à ses étudiants qu'il était la star indéboulonnable de l'université, et qu'il n'avait aucune envie de partager les paillettes avec qui que ce soit. Si un étudiant s'avisait malgré tout d'émettre des doutes ou des critiques sur l'exposé et les théories de Sebastian, il était humilié devant toute l'assemblée. Pas seulement pour le reste du cours, mais pour le reste du semestre et de ses études. Ainsi, quand Sebastian demandait : « Des questions ? », on entendait les mouches voler dans l'amphi.

Stefan Larsen avait été la seule exception. Il était toujours assez préparé pour pouvoir en découdre avec Sebastian. En tant qu'héritier d'une lignée d'universitaires pur jus, il avait été aguerri aux joutes verbales au cours de nombreux dîners dans la maison familiale à Lund. Chercher le débat avec ce professeur aussi intelligent qu'insupportable et craint de tous l'avait stimulé. De plus, Sebastian lui rappelait son frère aîné Ernst, qui avait également le même besoin de reconnaissance et repoussait toujours plus loin les limites, pourvu qu'il ait raison. Car pour Ernst comme Sebastian, une seule chose importait : qu'on lui donne raison. Non pas d'avoir raison. Ce trait de caractère faisait d'eux un défi intellectuel permanent, ce que Stefan appréciait tout particulièrement. Ils lui opposaient la résistance dont il avait besoin, mais Stefan ne leur laissait jamais la victoire finale. Au lieu de cela, il revenait sans cesse à la charge avec une autre question, puis une autre et encore une autre. Il ne lâchait rien et s'embarquait dans une guerre sans fin. C'était le seul moyen d'en venir à bout.

L'acharnement.

Deux ans auparavant, un matin, Sebastian avait cueilli Stefan devant son cabinet. Comme un fantôme du passé. À en juger par son regard fatigué et ses habits froissés, il l'avait sans doute attendu toute la nuit. À ce moment-là, Sebastian n'était déjà plus que l'ombre de lui-même. Il avait perdu sa femme et sa fille dans le tsunami, ce qui l'avait embarqué dans une spirale négative dont il ne parvenait pas à sortir. Ses succès, ses cours et ses livres appartenaient au passé, et avaient fait place aux idées noires, à l'apathie et à l'addiction sexuelle. Il avait expliqué à Stefan n'avoir personne d'autre vers qui se tourner. Personne. Il avait donc commencé à prendre rendez-vous. Toujours à l'initiative de Sebastian. Parfois, des mois s'écoulaient entre deux rendez-vous, parfois seulement quelques jours. Mais ils n'avaient jamais rompu le contact.

– Que crois-tu que Vanja penserait si elle l'apprenait ?

– Elle dirait que je suis fou. Elle porterait sans doute plainte et me haïrait. Sebastian marqua une pause puis poursuivit : Je sais bien mais… je ne peux pas m'empêcher de penser à elle… tout le temps.

La voix de Sebastian se brisa, si bien qu'il chuchota presque la fin de sa phrase. Il détestait se retrouver soudain si impuissant, se laisser déborder par ses sentiments au point d'en perdre la voix.

– C'est complètement nouveau, ça. D'habitude, je garde le contrôle, balbutia-t-il.

– Vraiment ? Tu crois que tu te contrôlais avant d'apprendre qu'elle était ta fille ? Cela faisait partie de ton plan si brillant de complètement foutre en l'air ta vie ? Félicitations alors, tu as vraiment bien réussi.

Sebastian jeta un regard vide à son thérapeute et lui répondit d'une voix un peu plus forte.

– C'est un miracle qu'on ne t'ait pas encore retiré ton droit d'exercer.

Stefan se pencha en avant. C'était la meilleure chose dans le fait d'avoir Sebastian pour patient. On pouvait retirer ses gants et frapper fort.

– Tu n'as pas envie que je t'épargne. Pendant toute ta vie, les gens t'ont laissé faire ce que bon te semblait. Pas moi. Tu as perdu ta famille dans le tsunami, et tu as complètement sombré.

– Mais c'est pour ça que j'ai besoin de Vanja.

– Mais elle, est-ce qu'elle a besoin de toi ?

– Non.

– Elle a déjà un père, non ?

– Si.

– Et à qui cela profiterait que tu racontes tout ça ?

Sebastian se tut. Il connaissait la réponse, mais ne voulait pas l'exprimer à voix haute. Stefan restait planté en face de lui, penché en avant, dans l'expectative, et répondit à sa place.

– Personne. Ni toi, ni elle, personne.

Il se renversa dans son fauteuil. Cette fois, son regard était plus bienveillant. Plus personnel.

– Ne le lui dis pas, Sebastian.

Même sa voix s'était faite plus chaleureuse. Plus présente.

– Tu dois avoir ta propre vie avant de faire partie de celle de quelqu'un d'autre. Arrête de la suivre. Emploie plutôt ton temps à te remettre sur pied. Cette obsession ne te mènera nulle part. Bouge-toi pour te construire une vie. Et quand tu auras réussi, on pourra parler de l'étape suivante.

Sebastian hocha la tête. Stefan avait raison, bien sûr. Il fallait avoir une vie à soi avant de pouvoir la partager. Cet intello chiant de Stefan dans son cabinet chiant avait évidemment raison. Cela agaçait Sebastian au plus haut point. Il avait peut-être tort de croire que Trolle était sa seule solution, mais c'était plus facile. Plus facile que de reconstruire une vie. Et une idée plus amusante.

Stefan interrompit ses réflexions.

– Je dirige un groupe de discussion. Nous nous rencontrons deux fois par semaine. Je crois que tu devrais y participer.

Sebastian leva les yeux vers Stefan, incrédule. Comment pouvait-il s'imaginer un truc pareil ?

– Moi ? Faire une thérapie de groupe ?

– Oui, ce sont des gens qui, pour différentes raisons, ont l'impression de ne pas avancer dans la vie. Ça ne te rappelle rien ?

Au fond de lui, Sebastian était content que Stefan lui propose quelque chose d'aussi banal qu'une thérapie de groupe. Cela le détourna un instant de ses idées noires, et l'emplit d'un sentiment d'irritation libérateur.

– Tout ça m'a l'air incroyablement connu et incroyablement ennuyeux, dit-il en se réjouissant d'avoir retrouvé sa voix. Et tu dois être incroyablement bête pour croire que je vais me prêter à ce petit jeu.

– Mais j'aimerais que tu viennes.

– Non.

Sebastian se leva pour souligner que la séance était désormais terminée et qu'il n'avait aucune envie de poursuivre cette discussion.

– J'insiste pour que tu viennes.

– Possible, mais la réponse est toujours non.

Sebastian gagna la porte. La colère était un sentiment merveilleux. C'était son carburant. Stefan croyait-il sérieusement qu'il allait se pointer à une réunion de pleurnichards ?

Hors de question.

Jamais de la vie.

Sebastian referma la porte derrière lui. L'énergie lui donnait des ailes, ce qui le mit en joie. Peut-être qu'il allait tout de même finir par tirer quelque chose de cette journée.

Un sentiment inhabituel.

Sebastian parvint à parcourir tout le chemin jusqu'à Frescati, avant que son irritation bienfaisante ne se soit dissipée. Il voulait prouver à Stefan qu'il pouvait se construire une nouvelle vie, mais voilà que la fatigue le rattrapait à nouveau.

Pourtant, il avait déjà eu cette idée trois jours auparavant, quand il était tombé sur un texte qu'il avait préparé, portant le titre « Introduction à l'établissement de profils criminels ». Il l'avait trouvé sous une pile de journaux et d'autres papiers dans une pièce qu'il n'utilisait jamais, mais que, dans l'énergie du désespoir, il avait décidé de débarrasser. Il ne se souvenait pas quand il avait écrit ce texte, mais c'était certainement avant la catastrophe, puisqu'il était quasiment dénué de ce cynisme angoissant qui imprégnait désormais toutes ses pensées. Sebastian l'avait survolé en diagonale et avait été plutôt impressionné par lui-même. Il écrivait vraiment bien à l'époque.

Tranchant, factuel et captivant.

Il était resté un moment assis à son bureau, le document dans la main. Il avait eu le sentiment curieux, presque irréel, d'avoir rencontré une version améliorée de lui-même. Au bout d'un moment, il avait regardé autour de lui et avait soudain retrouvé des traces de ce Sebastian de luxe. Les diplômes au mur, les livres, les articles de journaux, les enregistrements qu'il avait faits, les mots qu'il avait écrits. Son bureau était rempli d'une énergie venue d'une autre vie. Pour oublier les souvenirs, il s'était approché de la fenêtre. Il avait fixé la rue pour remettre ses pensées à zéro, mais les restes de son autre vie avaient refait surface, et il s'était souvenu que c'était là qu'il avait l'habitude de garer sa voiture, en face de la boutique de l'antiquaire. Il y a très très longtemps, quand il avait encore une voiture et des endroits où il avait envie de se rendre.

Quand il était rentré chez lui après sa conversation avec Stefan, il était plutôt de bonne humeur et s'était senti littéralement inspiré. Il était allé dans son bureau et avait feuilleté les piles de papiers. Il s'était mis en quête d'un contrat et d'un nom. Quelqu'un devait bien lui avoir commandé cette conférence de trois heures. Au bout d'un moment, il avait trouvé deux exemplaires d'un contrat de l'institut de criminologie. Daté du 7 mars 2001, il prévoyait trois conférences sur le thème « Introduction à l'élaboration de profils criminels ». Sebastian avait tenté de se rappeler pourquoi il n'avait jamais tenu ces conférences. En 2001, il était au sommet de sa carrière. Sabine venait de naître, et il habitait à Cologne avec Lily, il avait donc cent fois mieux à faire. Il avait sûrement laissé tomber. Il n'avait d'ailleurs pas signé le contrat, tandis que le nom en face du sien était celui d'une professeure d'université nommée Veronika Fors. Ce nom ne lui disait rien. Maître de conférences. Il avait téléphoné à l'institut et demandé à tout hasard à lui parler. Bien que de nombreuses années aient passé depuis l'envoi de ce contrat, elle y travaillait toujours. Le standard avait proposé de le mettre en relation avec elle, mais il avait raccroché avant que la femme mentionnée sur le contrat n'ait décroché. Puis il s'était rassis au bureau, son texte à la main. Au moins, elle y était toujours.

Il s'arrêta à quelques centaines de mètres du bâtiment qui abritait l'institut de criminologie et l'observa. Un visionnaire l'avait baptisé « Bâtiment C » parce que c'était le troisième bâtiment de la série. Exactement comme sa conférence introductive à l'élaboration de profils criminels s'intitulait « Introduction à l'élaboration de profils criminels ». L'imagination n'était pas vraiment ce qui caractérisait le monde universitaire.

Sebastian observa les bâtiments bleu sale qui ressemblaient plus à une cité HLM des années 1970 qu'à un temple du savoir dans une capitale. Soudain, il commença à avoir de sérieux doutes. Croyait-il vraiment que cela allait changer quelque chose ? De quelque manière que ce soit ? Il se maudit de douter. Tenta de s'en empêcher. Il allait rendre une visite à Veronika Fors. Ce serait un début.

C'était une idée très simple. Il allait d'abord faire quelques conférences. Une petite échappatoire à son quotidien morne, pour détourner ses pensées des femmes la nuit et de Vanja la journée. Lui faire oublier son sentiment d'être un marginal. Pour oublier tout ce qui l'avait amené à appeler Trolle.

Mais les premiers doutes s'insinuèrent en lui dès que le taxi pénétra sur le parking est. Le sentiment que rien n'avait changé était pire que tout. Les lieux étaient rigoureusement les mêmes. Lui seul avait changé. Cela avait-il une chance de fonctionner ? Il tenta d'évacuer cette pensée en se lançant d'un pas décidé vers le bâtiment C, comme s'il pouvait effacer ses doutes à la seule force de ses muscles.

Devant lui marchaient quelques jeunes filles qui, à en juger par leur âge et les livres qu'elles avaient sous le bras, devaient être des étudiantes. L'une d'elles avait des cheveux blonds qui lui rappelaient Vanja. Elle était sûrement plus jeune qu'elle, mais pas beaucoup. Il regarda la jeune fille. C'était pour Vanja qu'il était devant le bâtiment C. Stefan avait raison. Il avait besoin d'avoir sa propre vie s'il voulait espérer pouvoir un jour faire partie de la sienne. Avoir une chance d'être accepté. Peut-être pas aimé, mais au moins accepté.

Il avait besoin d'une vie. C'était pour cela qu'il était là.

Il sentit que son corps se rechargeait d'énergie, et pénétra dans le bâtiment C.

Il se replongeait dans un monde qu'il avait quitté depuis des années.

Il avait de la chance. Veronika Fors n'avait pas de rendez-vous et pouvait le recevoir immédiatement. La femme de l'accueil le conduisit dans un long couloir jusqu'à une petite pièce bien rangée contenant un bureau et deux chaises en bois clair. La femme assise derrière la table eut l'air étonnée en le voyant entrer. Il la salua en souriant avant de s'asseoir sur une chaise sans même y avoir été invité.

– Bonjour, je m'appelle Sebastian Bergman.

– Je sais, répondit-elle d'un ton sec sans lui rendre son sourire. Mais elle referma d'un geste brusque le dossier qu'elle était en train de lire et le regarda. Il ne savait pas s'il s'agissait d'un regard étonné ou irrité. Quelque chose le dérangeait dans ce regard.

– Et vous êtes Veronika Fors ?

– Oui.

Toujours ce ton sec.

– Eh bien, c'est à propos de cette conférence que nous avions prévue il y a quelques années, expliqua Sebastian en sortant le contrat de sa poche intérieure et en le posant sur son bureau. Ce devait être une introduction à l'élaboration de profils criminels.

Veronika saisit le contrat et y jeta un bref regard.

– Ce truc doit bien dater de dix ans.

– Oui, à peu près, admit Sebastian avec sincérité. J'ai pensé que vous seriez peut-être toujours intéressée. Toute la documentation est encore d'actualité.

Il sourit à nouveau, de son sourire le plus sympathique, car il avait le sentiment de devoir se donner du mal. Il avait l'impression que la conversation avait mal commencé et qu'il devait se rattraper.

– C'est une plaisanterie ? lui jeta Veronika avant d'enlever ses lunettes.

– Non. Si c'était une plaisanterie, ce serait bien plus amusant. Je peux être très spirituel quand je plaisante.

Il sourit à nouveau. Pas elle. Il y avait quelque chose dans ses yeux. Quelque chose qu'il avait l'impression de reconnaître.

– Donnez-moi une seule raison d'envisager cela avec vous. Vous êtes toujours dans la recherche ? Vous vous êtes évanoui dans la nature du jour au lendemain. Et aujourd'hui, vous réapparaissez, et vous voulez qu'on signe un contrat vieux de dix ans ?

Sebastian décida brusquement d'arrêter de sourire. Cette tactique se révélait complètement inefficace face à cette femme qui le fusillait désormais du regard. Elle commençait à l'agacer. Mais il valait mieux qu'il n'en laisse rien paraître, s'il voulait réussir. Il lui avait pourtant fait une proposition intéressante. Après tout, c'était elle qui avait voulu l'engager à l'époque. Qui avait fait appel à lui, l'expert, et à ses connaissances astronomiques. Qu'il possédait d'ailleurs toujours. Il était en droit d'attendre un minimum de respect.

– Je suis toujours le meilleur profileur de Suède. Je vous promets que vous ne serez pas déçue, même si je n'ai pas été très présent dans le milieu universitaire ces derniers temps.

– Et où étiez-vous alors ? Avez-vous publié une seule phrase depuis les années 1990 ? Vous travaillez ? Est-ce que vous faites quelque chose ?

– D'accord, si vous doutez de mes compétences, je peux vous proposer une conférence d'essai. Une sorte d'offre unique…

– Oui, vous vous y connaissez plutôt bien en offres uniques…

Le ton de sa voix éveilla l'attention de Sebastian. Il y avait soudain quelque chose de personnel. Empreint de colère. Peut-être blessé. Il dévisagea Veronika Fors, mais ne la reconnaissait toujours pas. Même ses yeux, qui lui avaient vaguement rappelé quelque chose, ne lui fournissaient aucun indice. Avait-elle grossi ? Ou bien maigri ? Avait-elle changé de coiffure ? Il l'ignorait. Son cerveau travaillait à plein régime. Elle lui disait quelque chose. C'était cet air revêche, cette voix un peu stridente. Soudain, quelques images lui revinrent en mémoire. Très vagues. Encore trop floues pour pouvoir les relier à un souvenir précis, mais il eut soudain la conviction, même s'ils ne se connaissaient pas, de l'avoir vue toute nue. Dans un escalier à Bandhagen. Une image défraîchie, l'image d'un souvenir presque effacée. Une femme nue qui hurlait dans une cage d'escalier, rageuse. L'avait-il froidement jetée la nuit suivante ? Ou bien l'avait-elle jeté, lui ?

Cela pouvait-il être aussi grave ?

Veronika déchira le contrat sous ses yeux, et lui fit un doigt d'honneur.

C'était donc bien aussi grave.

Malheureusement.

– Devinez qui est le nouveau directeur de la prison de Lövhaga ?

Vanja prit place sur une chaise et regarda successivement ses trois collègues dans la pièce.

Billy sourit intérieurement. Elle ne pouvait pas s'en empêcher. En revenant du commissariat, elle avait exprimé ses craintes d'avoir de nouveau affaire à Haraldsson. En tant que directeur de la prison de Lövhaga. Comment pouvait-on être aussi inconscient ? Comment cela pouvait-il être possible ? La corruption, un coup de folie ou quelqu'un qui voulait délibérément mener le centre pénitentiaire à la ruine – aux yeux de Vanja, il n'y avait aucune autre explication possible. Pendant son monologue, Billy s'était contenté de hocher la tête sans rien dire. Il n'avait aucune raison de s'énerver à ce point contre Haraldsson, et se réjouissait même un peu à l'idée de le revoir. Bien sûr, ce type n'était pas très futé, mais cet homme un peu gauche avait quelque chose d'attendrissant, voire de sympathique. Et avec le bon soutien, il pouvait même être en mesure d'accomplir sa mission avec succès. Enfin, il l'espérait pour lui. Sans doute Billy était-il le seul à nourrir de tels espoirs à l'égard de Haraldsson. Il regarda Ursula et Torkel de l'autre côté de la table, qui secouaient la tête.

– Je ne savais même pas qu'il y avait un nouveau directeur, dit Torkel en avalant une gorgée de son quatrième café pris au distributeur.

– Thomas Haraldsson.

Vanja regarda ses collègues, consciente d'avoir fait sensation et attendant impatiemment leur réaction qui ne se fit pas attendre.

– Le fameux Haraldsson ? Celui de Västerås ? s'exclama Ursula en fronçant les sourcils, comme si elle avait mal compris. Comment a-t-il fait pour atterrir là-bas ? demanda-t-elle.

– Je ne sais pas, c'est un mystère.

– Comment va-t-il, d'ailleurs ? intervint Torkel.

Vanja remarqua que Torkel n'avait l'air ni étonné ni mécontent. Plutôt un peu préoccupé.

– Il a l'air de se sentir très bien dans son nouveau rôle.

– Je parlais de son épaule.

– Il a dit qu'elle lui faisait encore un peu mal, mais sinon il avait l'air en pleine forme, intervint soudain Billy.

– Très bien.

Après tout, Haraldsson avait pris une balle alors qu'il était sous les ordres de Torkel, et ce dernier avait quelque peu mauvaise conscience, car il n'avait pas appelé Kerstin Hanser ni le commissariat pour prendre de ses nouvelles. Il y avait souvent pensé, mais ne l'avait jamais fait.

– Et qu'est-ce qu'il a dit ? À propos de Hinde, je veux dire, poursuivit Torkel en introduisant le thème qui était en fait la raison pour laquelle ils avaient organisé cette réunion.

– Il est toujours à la même place et se comporte comme d'habitude, d'après les employés de Lövhaga.

– Vous avez pu le rencontrer ?

– Non, mais nous avons déposé une demande de visite. Apparemment, personne ne peut le voir sans autorisation.

– Et combien de temps cela prendra-t-il ?

– Trois à cinq jours.

– Je vais voir si on peut accélérer un peu les choses.

Vanja acquiesça, contente. Quelqu'un imitait Edward Hinde, ce dernier faisait donc désormais partie des investigations. Elle voulait le voir. Ne serait-ce que pour écarter tout doute. Tant que ce ne serait pas fait, ceci resterait une piste inexplorée, et Vanja détestait les pistes inexplorées. Ils devaient absolument suivre toutes les pistes qui se présentaient dans une enquête. Ils ne pouvaient en écarter aucune sous prétexte qu'elle paraissait invraisemblable. Elle aurait l'impression de ne pas faire son boulot correctement, de ne pas donner le meilleur d'elle-même. C'était ce qu'on lui avait inculqué depuis toute petite. On n'avait pas besoin d'être le meilleur, mais il fallait faire de son mieux. Vingt-cinq ans plus tard, ce principe la guidait toujours.

– Vous avez récolté autre chose à Lövhaga ? demanda Torkel.

Vanja se tourna vers Billy qui sortit d'une chemise un jeu de feuilles A4 agrafées et le posa sur la table. Les autres se penchèrent pour prendre chacun un exemplaire.

– J'ai vérifié la liste des sites web que Hinde a visités ces trois derniers mois. Rien de notable. Quelques quotidiens, des sites suédois et étrangers. Il suit également quelques blogs, vous pourrez voir lesquels sur la liste, dit Billy en désignant les papiers qu'il venait de distribuer. Il fréquente aussi de nombreux forums, la plupart consacrés à la philosophie et à d'autres thèmes en rapport avec les sciences humaines, dont la psychologie.

Ursula leva les yeux de ses papiers.

– Peut-il participer aux discussions ?

– Non, il ne peut que lire les contributions. Son seul moyen de communication avec l'extérieur est la voie postale. Il a reçu trois lettres durant ces six derniers mois. Deux venant de femmes qui voulaient le rencontrer et demandaient quelle était la marche à suivre pour lui rendre visite. Et elles espéraient également qu'il vienne les voir à sa libération.

– Elles sont malades, remarqua Vanja.

Elle vit Torkel et Ursula hocher la tête d'un signe approbateur.

– La troisième lettre pourrait être intéressante. Billy tourna la page, et les autres l'imitèrent. Elle vient d'un certain Carl Wahlström de Stockholm. Il écrit qu'il a suivi le parcours de Hinde avec grand intérêt, et qu'il souhaite le rencontrer personnellement, je cite : « pour pouvoir comprendre quel processus a pu conduire à l'exécution de quatre femmes ». Il rédige un mémoire de licence en philosophie pratique, mais si vous voulez mon avis, il semble assez impressionné par Hinde.

– Se sont-ils rencontrés ?

– Non. D'après les renseignements de Lövhaga, Hinde n'a jamais répondu.

– Allez quand même le voir pour vérifier, demanda Torkel. C'est toujours un début, dit-il en reposant ses papiers sur la table et en remontant ses lunettes sur ses cheveux. L'enquête de voisinage n'a rien donné. Leurs amis et leurs proches n'avaient pas l'impression que les Granlund se sentaient menacés. L'homme n'est pas soupçonné. Il était vraiment en Allemagne à ce moment-là. Ou bien dans l'avion pour rentrer.

La pièce se chargea d'un silence de plomb. C'était la troisième fois de suite que Torkel leur racontait que personne n'avait été aperçu autour du lieu du crime. Et aucun des proches n'avait jamais pu révéler l'ombre d'un mobile.

Torkel se tourna vers Ursula.

– Et sinon, au niveau de l'identité judiciaire ?

– Du sperme et des poils pubiens. À nouveau. J'ai envoyé les échantillons au labo de Linköping, mais je pense qu'on peut présumer qu'il s'agit du même homme. Le rapport d'autopsie provisoire indique que la trachée et la carotide ont été tranchées, et qu'elle a été étouffée avant de se vider de son sang. Comme les autres victimes.

Ursula se tut et fit un geste de la main d'un air résigné. Elle n'avait rien de plus.

Il n'y avait rien de plus.

Rien du tout.

Torkel s'éclaircit la voix.

– Comme vous le savez tous, nous n'avons trouvé aucun lien entre les femmes. Nous n'avons aucune idée de l'identité possible de sa prochaine victime.

La conclusion de Torkel fut ponctuée d'un silence pesant. Il paraissait peu probable qu'il n'y ait pas un nouveau crime. Une femme allait encore y laisser la vie, et ils ne pouvaient rien faire pour empêcher cela.

Vanja recula sa chaise et se leva.

– On va aller voir Wahlström.

Vanja et Billy avaient pensé trouver Carl Wahlström à l'institut de philosophie, mais on les informa du contraire. À cette époque de l'année, l'université était quasiment déserte. Avaient-ils essayé de le joindre par téléphone ? Non, et ils n'en avaient pas l'intention. Étaient-ils déjà passés chez lui ? Carl prévoyait de travailler tout l'été sur son mémoire. On leur donna une adresse qu'ils connaissaient déjà. Cité universitaire de Forskarbacken. Troisième étage.

De la musique émanait de l'appartement. Vanja sortit son portefeuille contenant sa carte de police et sonna. Longtemps. Elle ne parvenait pas à savoir si le bâtiment avait des murs extrêmement minces, ou si c'était la musique qui était particulièrement forte.

Finalement, la porte s'ouvrit sur Carl Wahlström, une tasse de thé à la main, qui dévisageait ces visiteurs inconnus d'un air interrogateur. *C'est la musique qui est assourdissante*, remarqua Vanja tandis que Billy et elle montraient leur carte.

– Vanja Lithner et Billy Rosén, nous sommes de la police, pouvons-nous vous parler ?

– C'est à quel sujet ?

– Pouvons-nous entrer ?

Carl s'écarta pour les faire entrer. Une agréable chaleur mêlée d'une odeur de pain chaud imprégnait la pièce.

– Ce serait sympa si vous enleviez vos chaussures, je viens de passer l'aspirateur.

Carl passa devant eux et rejoignit la chambre et son bureau où trônaient un ordinateur ainsi qu'une imprimante. Il éteignit la musique. Vanja et Billy se déchaussèrent et pénétrèrent dans l'appartement. Le salon comprenait un petit coin cuisine et un canapé d'angle, tandis qu'une télévision à écran plat était accrochée au mur. Dans un autre coin se trouvaient un autre petit bureau envahi de photocopies de cours et une chaise de bureau. Un repaire d'étudiant tout ce qu'il y avait de plus normal, si ce n'étaient ces deux énormes vitrines accrochées au-dessus du canapé. Chacune d'elles abritait une collection de papillons épinglés. Six à huit spécimens de grande taille dans l'une, et une quinzaine dans l'autre. Leurs ailes colorées déployées comme un battement d'ailes figé dans l'éternité. Vanja en reconnut certains, un paon du jour et un citron. Pour les autres, elle ne savait même pas si on les trouvait en Suède.

– Que me vaut cette visite ?

Carl était sorti de la chambre à coucher et avait refermé la porte derrière lui. Il s'était assis les bras croisés, et dévisageait les deux policiers.

– Nous sommes ici à cause d'une lettre que vous avez écrite à Edward Hinde il y a quelques semaines, répondit Vanja en s'asseyant sur le canapé. Billy s'adossa contre le mur de la kitchenette.

– Et alors ? dit Carl en leur jetant un air interrogateur.

– Pourquoi lui avez-vous écrit ? rétorqua Vanja.

– Je voulais entrer en contact avec lui.

– Et pourquoi ?

– J'espérais qu'il puisse m'aider dans mes recherches.

– En philosophie pratique ?

– Oui. En quoi cela intéresse-t-il la police ?

Vanja s'abstint de répondre. Moins Carl en saurait sur la raison de leur visite, mieux ce serait, car il ne pourrait pas adapter ses réponses à la situation. Billy pensa la même chose et changea de sujet.

– Que fait un philosophe pratique ? Je veux dire, quel genre de travail fait-on après ces études ?

Carl fit un quart de tour avec sa chaise et considéra Billy avec un sourire narquois.

– Pourquoi ? Vous en avez marre d'être policier ?

– La philosophie n'est-elle pas plutôt quelque chose de théorique ? poursuivit Billy en ignorant la question. Que fait un philosophe pratique ? Prêcher ? Donner des cours à l'université populaire ?

– Ce n'est pas parce que vous n'y comprenez rien que vous devez vous moquer.

– Pardon, j'ai demandé cela par simple curiosité.

Carl, piqué au vif, lui jeta un regard méprisant. Vanja intervint pour revenir à la raison principale de leur venue, avant que Carl ne décide de ne plus rien dire.

– Nous avons lu la lettre que vous avez écrite à Hinde.

Carl fixa Billy encore quelques secondes avant de se tourner vers Vanja.

– Oui, je m'en doute.

– Cette lettre nous a donné l'impression que vous l'admiriez.

– Non, admirer n'est pas le mot. Hinde me fascine.

– C'est un tueur en série. Vous trouvez cela fascinant ?

Carl se pencha sur sa chaise d'un air soudainement plus intéressé que lors de la minute précédente.

– Ce ne sont pas les faits qui me fascinent. Mais le processus qui y conduit est incroyablement intéressant. Les décisions qu'il a prises, ses considérations. J'essaie de le comprendre.

– Pourquoi ?

Carl parut réfléchir un instant, comme s'il tentait d'expliquer sa démarche à un professeur, et non à des policiers.

– Ses meurtres étaient des actes prémédités et planifiés. Il avait le désir de tuer, et j'aimerais savoir où est né ce désir.

– Je peux vous le dire. Dans son cerveau malade.

Carl sourit à Vanja d'un air presque indulgent.

– Cette explication ne suffit malheureusement pas pour effectuer des travaux scientifiques. De plus, ce que vous dites justifierait de qualifier certains désirs de « malades » alors que d'autres, qui seraient socialement reconnus, comme par exemple celui d'adopter un chiot, seraient « sains ».

– Vous voulez dire qu'il est « sain » d'avoir tué quatre femmes ?

– L'acte en soi n'est pas accepté dans notre société pour de bonnes raisons, mais j'ai du mal à parler en termes de santé ou de maladie quand il s'agit de la volonté de les mettre en œuvre. Nous avons établi des règles selon lesquelles nous devons nous comporter. Nous n'acceptons bien évidemment pas qu'un autre être humain se fasse tuer. Mais ne pouvons-nous vraiment pas accepter la volonté de commettre cet acte ?

Vanja soupira intérieurement. Avait-on besoin de tout analyser ? Devait-on tout démontrer, comprendre et expliquer ? Pour elle, c'était simple : si on voulait tuer quelqu'un, c'est qu'on était malade. Et si on mettait ce désir à exécution, on l'était encore plus. Ou bien carrément maléfique.

– Vous a-t-il répondu ? demanda Billy, qui n'avait aucune envie de continuer à écouter ce cours de philo – si c'était bien de la philo – et qui voyait de surcroît l'humeur de Vanja se dégrader à vue d'œil.

– Malheureusement, non.

– Participez-vous à l'un de ces forums ?

Billy tendit à Carl la liste des sites web visités par Hinde au cours des trois derniers mois. Carl prit la feuille et la lut attentivement. Dans la kitchenette, une minuterie se mit à sonner, et Carl posa la feuille et se leva.

– Mon pain est prêt.

Il traversa la pièce, éteignit le four et ouvrit le couvercle. Il prit ensuite deux maniques sur le plan de travail et sortit la plaque du four chaud. En voyant les deux miches dorées dans leur moule, Vanja sentit tout à coup la faim monter en elle. Carl piqua un des pains pour vérifier qu'il était bien cuit. Ensuite, il prit l'un des moules, le retourna et démoula le pain sur une grille. Tandis qu'il répétait cette procédure avec le deuxième, il s'adressa soudain à Vanja.

– De quel département êtes-vous ?

– Police criminelle nationale.

Pendant un court moment, Carl détourna ses pensées de son pain.

– Il s'est évadé ?

– Non.

– Mais quelqu'un a été tué, et c'est pour cela que vous vous intéressez à Hinde ?

Vanja jeta un bref regard à Billy. Soit Carl Wahlström réfléchissait très vite et avait su déduire des informations en un temps record, soit il savait que quelqu'un copiait les meurtres de Hinde. Sans rien laisser paraître de ce qu'elle pensait, Vanja poursuivit :

– Où étiez-vous hier entre dix heures et quinze heures ?

– J'étais ici. Je révisais, dit Carl en recouvrant son pain d'un torchon de cuisine et en refermant le four.

– Vous avez révisé seul ?
– Oui.
– Vous n'avez vu personne de la journée ?
– Non.

Le silence se fit dans la petite pièce. Vanja n'avait pas besoin de plus, elle avait décidé de s'intéresser d'un peu plus près à ce Carl Wahlström. Elle se leva.

– Seriez-vous d'accord pour vous prêter à un prélèvement d'ADN ?

Carl Wahlström ne prit même pas la peine de répondre. Il renversa la tête en arrière et ouvrit grand la bouche. Vanja sortit un coton-tige ainsi qu'une pochette en plastique de son sac, avant de passer rapidement le coton-tige dans la bouche de Wahlström.

– Avez-vous lu la liste ? demanda Billy tandis que Vanja plaçait le petit bâton dans un tube de plastique dont elle referma ensuite le couvercle.

Carl se retourna, prit la liste et la tendit à Billy.

– Je suis membre d'un forum. Celui-là, dit-il en pointant son doigt sur un nom avant de rendre la liste à Billy.

Billy y jeta un coup d'œil, mais cela ne les aidait pas vraiment. En fait, même pas du tout. Même si Hinde savait que Carl était actif sur ce forum, il ne pouvait pas communiquer avec lui. Mais c'était au moins un lien. Et c'était mieux que le néant dans lequel ils avaient navigué jusqu'à présent.

En regagnant le couloir, Vanja se retourna encore une fois.

– Vos insectes ?
– Qu'y a-t-il avec mes insectes ?
– Comment est né ce désir de transpercer des insectes avec une aiguille ?

Carl lui sourit à nouveau, comme s'il voulait montrer qu'il considérait son ignorance avec indulgence. Comme si elle était une petite fille idiote. Un sourire que Vanja détestait déjà, bien qu'elle ne connût Wahlström que depuis un quart d'heure. Il lui rappelait trop bien le sourire méprisant de Sebastian Bergman.

– Ce n'est pas un désir, mais un intérêt. Je suis lépidoptérologue.

– J'imagine que cela veut dire que vous collectionnez les papillons ?
– Non, je les étudie.
– Comment cela se passe-t-il ? Sont-ils toujours vivants quand vous les empalez ?
– Non, d'abord je les tue avec de l'acétate d'éthyle.
– Ça veut dire que vous vous intéressez aux animaux morts ?
Carl pencha sa tête de côté, comme si Vanja venait de dire quelque chose de ravissant.
– Voulez-vous également me demander si je faisais pipi au lit et si j'avais des tendances pyromanes dans mon enfance ?
Vanja ne répondit pas. Elle se pencha et remit ses chaussures pour éviter d'avoir à supporter plus longtemps ce regard condescendant.
– Mais vous savez que cette théorie selon laquelle tous les tueurs en série sont énurétiques, pyromanes et tortionnaires d'animaux est très simplificatrice ? ajouta-t-il.
– Vous avez l'air d'en connaître un rayon sur les tueurs en série, répliqua Billy en se levant.
– J'écris mon mémoire de fin d'études sur ce thème. Entre autres.
– Quel est le titre de votre mémoire ?
– Quand les besoins des individus sont en contradiction avec la société civile.
Billy croisa le regard de Carl et eut soudain le sentiment que ce sujet était hautement autobiographique. Malgré la chaleur ambiante, un frisson le parcourut.

– Écœurant, ce type, dit Billy tout haut.
Ils sortirent dans le campus de Forskarbacken pour regagner la voiture. Vanja hocha la tête, mit ses lunettes de soleil et referma sa parka.
– Oui, écœurant et plus grand que toi.
– Oui, j'y ai pensé aussi, répondit Billy en appuyant sur un bouton pour ouvrir les portes de la voiture, bien qu'elle soit à plus de vingt-cinq mètres. Tu crois qu'on devrait le placer sous surveillance ?
– Il m'a paru un peu trop détendu. Si c'est lui le tueur, il devrait savoir qu'on dispose d'indices matériels.

– Peut-être qu'il a envie d'aller en taule ?

– Pourquoi donc ?

– Les médias n'ont pas encore fait le lien entre les différents meurtres. Il n'y aura pas de presse, pas de battage médiatique. Si l'excitation qu'il ressent quand il passe à l'acte commence à s'atténuer, il aura besoin d'autre chose. Une arrestation et une condamnation ne démontreraient pas seulement qu'il est passé à l'acte, mais en plus, il se verrait conforté dans sa mission. Il deviendrait quelqu'un.

Vanja s'immobilisa sur le trottoir et regarda Billy d'un air étonné. Non seulement elle ne l'avait jamais entendu parler aussi longtemps, mais encore moins avec une telle implication. Sauf quand il s'agissait de détails techniques. Mais au sujet de tueurs en série…

Quand Billy remarqua que Vanja s'était arrêtée, il se retourna. Il perçut son regard dubitatif sous ses lunettes de soleil.

– Qu'y a-t-il ?

– Tu t'es bien renseigné.

– Oui, ça te dérange ?

– Non, bien sûr que non.

Quelque chose dans la voix de Billy fit comprendre à Vanja qu'il valait mieux qu'elle s'abstienne de faire un commentaire, et encore plus de le tourner en dérision. En tout cas, pas ici, pas maintenant.

– On ne le lâche pas d'une semelle jusqu'à ce qu'on ait le résultat des tests ADN, dit-elle alors en montant dans la voiture.

Ils refermèrent les portières. Vanja attacha sa ceinture pendant que Billy démarrait.

– Alors, c'est qui, cette femme ?

– Quelle femme ?

– La femme du théâtre.

– Ah, personne.

Ce qui signifiait bien entendu qu'elle était bien quelqu'un. Vanja sourit intérieurement. Elle lui soutirerait bien quelques détails pendant le trajet.

Polhemsgatan. Encore. Sebastian était installé dans le café qui était désormais devenu son repaire, à sa table préférée, qui lui donnait la meilleure vue possible sur son ancien lieu de travail. La brigade criminelle nationale. Là où travaillait également Vanja. Il en était déjà à sa troisième tasse de café et jeta un nouveau coup d'œil à l'horloge en plastique accrochée au mur. Il se maudit lui-même. Et maudit Stefan, qui l'avait amené à se rendre à Frescati, chez cette femme qui, comme il avait pu le constater, le haïssait. Il aurait plutôt dû rester au café pour attendre Vanja. Cela lui aurait coûté moins d'énergie.

Il avait besoin de la voir.

Ici, dans ce café de la rue Polhemsgatan, il se sentait presque bien. Plus il s'approchait de son ancien lieu de travail, plus il se sentait en sécurité. Ici, il n'avait pas besoin de se cacher, car il avait plusieurs bonnes raisons de venir dans ce café. Si Vanja ou quelqu'un d'autre venait à l'apercevoir, il pouvait toujours prétexter qu'il avait rendez-vous avec un ancien collègue et que ce dernier lui avait fait faux bond. Si, pour une raison ou une autre, ils ne le croyaient pas, il pourrait toujours prétendre être là parce qu'il désirait réintégrer leur équipe. Ils le croiraient certainement.

Non pas qu'il le veuille réellement. Pas après ce qui s'était passé à Västerås.

Mais ce serait logique. Ils comprendraient pourquoi il était assis là, devant une tasse de café, à fixer le grand bâtiment gris. Il voulait revenir. Si par contre Vanja le découvrait perché sur la petite colline en face de son appartement, il serait bien plus difficile de trouver une explication plausible.

La grande aiguille avait fait presque la moitié du tour du cadran et indiquait dix-sept heures vingt-cinq. Le café était désert. Le jeune couple qui paraissait avoir des problèmes conjugaux avait disparu sans qu'il le remarque, et la vieille dame à qui appartenait manifestement le café commençait à retirer les sandwiches de la vitrine. Sebastian regarda à nouveau par la fenêtre. Vers le bâtiment gris. Mais il ne trouvait pas ce qu'il cherchait et sentait que le moment était venu de partir. La seule question qu'il se posait était : que devait-il faire à présent ? Il ne voulait pas retourner dans son appartement rempli des restes de son ancienne vie, et il ne savait pas non plus s'il oserait retourner à son poste d'observation. C'était beaucoup trop dangereux. Statistiquement, le risque d'être découvert augmentait de jour en jour. Mais il devait faire quelque chose pour diminuer son angoisse et son irritation. Il avait vraiment passé une sale journée. Un peu de sexe l'aiderait à se vider la tête. Il ne voulait pas retourner voir Ellinor Bergkvist, la femme de la veille, bien que ce soit la solution la plus commode. Ses tentatives incessantes de le retenir et d'en apprendre plus sur lui l'avaient profondément énervé, et quand elle lui avait pris la main, cela avait été le geste de trop. Il devait bien y avoir des limites à l'intimité.

Sebastian passa ses nerfs sur la patronne du café.

– Le café est dégueulasse, dit-il en la fixant.

– Je peux vous en faire un autre, répondit-elle sur un ton apaisant.

– Vous pouvez surtout aller vous faire foutre, grogna-t-il avant de s'en aller.

C'en était fini de son repaire, pensa-t-il en ressortant dans la tiède soirée d'été. Mais il avait tout le loisir de s'en trouver un autre.

S'il y avait une chose dont Stockholm regorgeait, c'étaient bien les cafés.

Et les femmes.

Après quelques incursions infructueuses dans des bars d'hôtels, Sebastian était sur le point d'abandonner sa quête d'une femme avec qui passer sa soirée. Cette journée prenait de plus en plus des allures de fiasco continuel. Et pour couronner le tout, même la Bibliothèque royale était à présent fermée. Ce bâtiment pompeux de Humlegården était son terrain de chasse préféré, son taux de prise y atteignait des records. Sa technique était pourtant des plus simples : s'installer à une table au centre de la salle de lecture, emprunter quelques livres, et surtout ne pas oublier d'apporter quelques exemplaires de ses propres ouvrages et les placer bien en évidence. Puis il s'asseyait et faisait mine de s'atteler à la rédaction d'un texte particulièrement ardu, et de se creuser la tête pour trouver comment formuler ses idées... avant de s'adresser au moment opportun à une femme qui passait devant sa table : « Bonjour, je travaille sur mon nouveau livre, et je me demandais si vous pourriez me donner votre avis sur cette phrase. » S'il s'y prenait correctement, il parvenait très vite à poursuivre l'échange autour d'un verre de vin à l'Hôtel Scandic Anglais juste à côté.

Sebastian commençait à être lui-même agacé de son obstination à arpenter ainsi sans but les rues de la ville enveloppée dans une chaleur moite. Aucune de ses résolutions n'aboutissait. La colère s'immisça en lui. Et plus il continuait à marcher, plus il sentait la moutarde lui monter au nez.

Quelle merde, que les choses soient comme elles étaient.

Quelle merde que rien ne se passe comme il le voulait.

Il se vengerait de tout et tout le monde. Il allait rappeler Trolle et lui demander de creuser aussi loin que possible. De fouiller dans la vie de cet homme parfait jusqu'à ce que la fange fasse enfin surface. Tout était de la faute d'Anna Eriksson et Valdemar Lithner. Il allait aussi devoir s'intéresser de plus près à Anna. C'était peut-être elle le maillon faible, le petit grain de sable qui pourrait gripper la mécanique parfaite de cette petite famille de classe moyenne en apparence exemplaire. Il finirait bien par dénicher quelque chose sur elle aussi. En tout cas, on pouvait dire qu'elle s'y connaissait en mensonges et autres dissimulations, sachant que Vanja ignorait tout de la véritable identité de son père. Anna se disait probablement que c'était pour le bien de sa fille. Mais de quel droit avait-elle pu prendre une telle décision ? Se prenait-elle pour Dieu ? Sebastian voulait se rapprocher de sa fille ; or, pour l'instant, la plus grande proximité qu'il pouvait espérer atteindre correspondait à une distance minimale de cent mètres. Comme si on lui avait retiré son droit de visite et prononcé une mesure d'éloignement à son encontre. Il s'arrêta. Il allait demander à Trolle d'étendre ses recherches. De s'intéresser également à Anna Eriksson. Cela pourrait se révéler utile, bien que Sebastian eût pu observer que Vanja était beaucoup moins proche de sa mère que de son usurpateur de père. Sebastian saisit son téléphone portable, mais se ravisa et remit l'appareil dans sa poche. Pourquoi appeler ? Il fit demi-tour et se dirigea vers la station de taxi la plus proche. Après tout, il n'avait rien d'autre à faire. Trolle habitait à Skärholmen.

Au moins, il pouvait compter sur lui.

Ce dernier le comprendrait, vu qu'il avait lui-même perdu sa famille.

Affalé sur le canapé, Billy surfait sur Internet sur son iPad pendant que My était sous la douche. Billy espérait qu'ensuite, ils iraient dîner en ville. Vanja et lui s'étaient arrêtés au McDonald's sur le chemin du retour, mais il n'avait rien commandé car il savait qu'il verrait My.

Ils sortaient ensemble depuis Midsommar. Un de ses ex-camarades de lycée possédait une maison de vacances sur une île dans l'archipel de Djurö, et c'était la troisième année qu'il organisait une fête pour célébrer le solstice d'été. L'un des invités avait amené un ami accompagné de sa sœur. My Reding-Hedberg. Ils avaient été placés l'un à côté de l'autre lors du traditionnel plat de harengs marinés, et avaient passé une bonne partie de la nuit à discuter autour de cette table. Depuis lors, ils sortaient ensemble et se voyaient presque tous les jours.

Malgré tout, Billy n'avait rien révélé lorsque Vanja avait tenté de lui tirer les vers du nez dans la voiture sur le chemin du retour vers le commissariat. Normalement, il racontait tout à Vanja. Enfin, presque tout. Parfois, il avait même l'impression qu'ils étaient comme frère et sœur plutôt que collègues. Mais, cette fois, il était resté discret. Il était pratiquement certain que Vanja n'apprécierait guère My.

Car My était coach professionnel et coach de vie.

Vanja avait de nombreux bons côtés. Mais ambitieuse comme elle l'était, elle avait du mal à supporter les gens qui ne géraient pas leur vie. Pour elle, il était normal de suivre continuellement de nouvelles formations et de tenter des concours, de se fixer des objectifs et de les atteindre. Mais quand on avait besoin d'aide pour trouver sa propre motivation et obtenir des résultats, Vanja assimilait cela à de l'indolence et à une faiblesse intrinsèque. Celui qui ne savait pas ce qu'il voulait ne le voulait tout simplement pas assez, c'était sa théorie. Et ceux qui avaient de sérieux problèmes n'avaient qu'à consulter un psychologue diplômé, et pas un de ces gourous New Age ayant suivi un vague séminaire et qui vous facturait mille couronnes pour un boniment d'une heure.

Non, Vanja n'apprécierait pas My.

Bien sûr, il n'avait pas besoin de l'approbation de Vanja, mais il valait mieux qu'elle ne soit pas au courant pour My. Ainsi, il s'épargnerait les piques et autres petites remarques ironiques. Et surtout, pas maintenant, alors qu'il venait de décider d'améliorer sa position dans l'équipe.

Cela avait commencé quand My lui avait demandé s'il se sentait bien au travail. À question simple, réponse simple. Oui, il se sentait bien. Il ne pouvait pas s'imaginer de meilleur travail ni de meilleurs collègues. Avec le temps, ils avaient commencé à en parler plus en détail. Elle s'intéressait sincèrement à ce qu'il faisait, et lui avait demandé quelles étaient ses missions concrètes. Pas comme beaucoup d'autres, qui attendaient seulement qu'on leur livre des détails croustillants sur des affaires de meurtres sanglants. Non, elle s'intéressait vraiment à son métier. À lui. Et c'était ce qu'il aimait chez elle – elle le faisait parler. Il avait donc commencé à lui parler de son travail. Ce qu'il avait fait dans la journée. Elle s'attachait au concret, aux détails pratiques. Au bout d'un moment, elle avait froncé les sourcils.

– Pour moi, on dirait plutôt que tu es un technicien et pas un policier.

Et cela l'avait marqué. Tout d'un coup, il avait réalisé quelles tâches lui étaient systématiquement dévolues. Les recherches sur Internet. Les transmissions d'informations. Les analyses de données.

Plus il y prêtait attention, plus il s'était rendu compte qu'il avait davantage le rôle d'un assistant amélioré que celui d'un enquêteur à part entière. Il en avait parlé à My, qui lui avait conseillé de prendre un moment pour réfléchir au tour que prenait sa carrière. Et d'être prêt à entendre la réponse. La réponse était qu'il n'en avait aucune idée. Il n'y avait encore jamais pensé.

Il allait au travail.

Il se sentait bien.

Il rentrait chez lui.

Il savait mettre à profit son talent pour structurer les choses, les replacer dans un contexte chronologique et recouper les informations provenant de différentes sources, mais utilisait-il vraiment tout son potentiel ? Non, on ne pouvait pas vraiment dire ça. Torkel Höglund était l'un des policiers les plus qualifiés de Suède, et Vanja et Ursula étaient parmi les meilleures dans leur domaine, si ce n'étaient les meilleures. Mais il n'avait pas pour objectif de les imiter. Il ne l'avait pas avoué à My, mais s'il était honnête avec lui-même, il doutait d'en avoir les capacités. Mais il pouvait au moins tenter de devenir un membre de l'équipe, au même niveau que les autres.

Et c'était ce qu'il allait faire.

Il avait déjà commencé à y travailler. Il avait même l'intention de lire les livres de Sebastian quand il en aurait le temps.

My sortit de la salle de bains en peignoir, la tête enturbannée dans sa serviette. Elle prit place à ses côtés sur le canapé.

– Tu as réfléchi à ce qu'on pourrait faire ? demanda-t-elle en déposant un léger baiser sur son front et en appuyant sa tête sur son épaule.

– J'ai faim.

– Moi aussi. En plus, il y a un concert en plein air au Vitabergsparken, ce soir. À huit heures.

Au Vitabergsparken. Un concert. Un soir d'été. Il voyait déjà le tableau : un troubadour poussant la chansonnette avec sa guitare sèche. Et tout le monde se balançant, l'air guilleret. Un divertissement sympa pour les plus de soixante-quinze ans amateurs de ce genre de spectacles. Billy fit tout simplement comme s'il n'avait pas entendu sa proposition.

– On pourrait aller au cinéma, dit-il.

– C'est l'été.

– Ce n'est pas une réponse.

– Mais ce serait mieux de rester un peu dehors.

– Il fait bien frais à l'intérieur.

Pendant un instant, My parut peser les mots « bien » et « frais » avant de hocher la tête.

– OK, mais alors c'est moi qui choisis le film.

– Tu choisis toujours des films ennuyeux.

– Je choisis de bons films.

– Tu choisis des films qui ont reçu de bonnes critiques. Ce n'est pas la même chose.

Elle détacha sa tête de son épaule et le regarda. La semaine précédente, il avait fait preuve d'un courage à toute épreuve quand la cinémathèque avait projeté une sélection d'été sur le thème de la Nouvelle Vague. Cette fois, il fallait donc que ce soient des vaisseaux spatiaux ou des robots, ou tout autre chose qu'il aimait bien voir dans des films. Elle haussa les épaules.

– OK, tu choisis le film, mais alors c'est moi qui choisis le restaurant.

– D'accord.

– Pendant ce temps, tu pourrais te servir de ton nouveau jouet pour réserver des places, dit-elle en désignant l'iPad sur ses genoux.

– Ce n'est pas un jouet, et il n'est pas nouveau.

– Si tu le dis…

Elle se leva, se pencha et lui donna encore un baiser sur le front avant de gagner la chambre à coucher pour se changer. Billy la regarda en souriant.

Elle lui faisait du bien.

Assez pour aujourd'hui.

Thomas Haraldsson éteignit son ordinateur. Il avait récemment vu la campagne d'un fournisseur d'électricité qui disait qu'on pouvait chauffer les trois plus grandes villes de Suède avec les seules économies d'énergie réalisées en éteignant les appareils au lieu de les laisser en veille. Chauffer – ou bien éclairer ? Peut-être que ce n'étaient que trois maisons dans les trois plus grandes villes de Suède ? Non, cela lui paraissait trop peu. Enfin, il ne s'en souvenait pas très bien, mais en tout cas, il faisait de son mieux pour faire des économies d'énergie et de ressources. Et c'était important, car les ressources sur cette Terre n'étaient pas infinies. Il aurait bientôt un enfant. Et lui aussi devait pouvoir avoir sa part. C'est pourquoi il éteignit son ordinateur.

Il se leva, remit sa chaise en place et se préparait à partir quand son regard tomba sur le dossier d'Edward Hinde, toujours posé sur son bureau. Cela ne pouvait pas faire de mal de le lire un peu. En tout cas, il n'avait plus beaucoup de temps. Il jeta un coup d'œil à sa montre. Jenny préparait le dîner qui serait servi à huit heures pile. Des rigatonis à la bolognaise d'agneau. Elle avait vu un grand chef préparer cette recette à la télé, et depuis, elle le mettait régulièrement au menu. La première fois, Haraldsson avait prétendu que c'était bon. À présent, il n'osait plus lui avouer la vérité. Jenny avait fait les courses à la sortie du travail, mais avait eu ensuite, une fois à la maison, une soudaine envie de glace à la réglisse. Il allait donc devoir faire un crochet par la station-service avant de rentrer. Peut-être devrait-il aussi louer un film, qu'ils pourraient regarder après le repas ? Dans ce cas, il n'aurait plus le temps de se plonger dans le dossier Hinde.

Toujours des dilemmes.

Il consulta à nouveau sa montre. Il lui fallait quarante-cinq minutes pour rentrer à la maison. Cinquante-cinq, si on comptait l'arrêt à la station-service. Il lui restait donc une demi-heure. Ce n'était sans doute pas une mauvaise idée de se faire une opinion sur Hinde avant que la Crim' ne se repointe. Les expertises psychiatriques et autres rapports, c'était bien beau, mais rien ne valait l'expérience personnelle, et il avait un certain savoir-faire quant au contact avec les criminels. Peut-être pourrait-il parvenir à mettre Hinde en confiance, et ce dernier lui ferait-il quelques confidences. Haraldsson ne venait pas en tant que policier, mais en tant qu'être humain. Après un dernier coup d'œil à sa montre, il décida de faire un petit tour dans le quartier de haute sécurité.

Edward Hinde fut surpris que les gardiens viennent le chercher dans sa cellule peu après six heures et demie. Après dix-huit heures. Après le dîner. Cela n'arrivait jamais. Normalement, il avait vingt minutes pour manger, avant qu'on ne vienne reprendre son plateau. Puis il se retrouvait seul jusqu'au jour suivant, où on le réveillait à six heures et demie. Douze heures seul avec ses bouquins et ses pensées. Jour après jour, en semaine comme le week-end. Des heures vides, qui composaient maintenant la moitié de sa vie.

Il ne se passait du reste pas grand-chose de plus durant les douze autres heures. Après le petit-déjeuner, il avait vingt minutes pour se laver puis une demi-heure de promenade. Seul. Celle-ci n'était pas obligatoire, il pouvait également choisir de se rendre directement à la bibliothèque. C'était ce qu'il faisait la plupart du temps. Le soir, il repassait par la salle de bains et regagnait sa cellule où il attendait le dîner.

Tous les quinze jours, il avait un rendez-vous d'une heure avec un psychologue. Edward en avait rencontré beaucoup au fil des ans, et tous avaient un point commun : ils l'emmerdaient. Au début de sa détention, il faisait encore des efforts pour leur dire ce qu'ils voulaient entendre, mais il ne se donnait plus cette peine aujourd'hui. Cela ne paraissait de toute façon intéresser personne. Quatorze ans sans progrès notable, cela freinait l'enthousiasme des plus motivés. Les derniers en date n'avaient même pas pris la peine de lire les dossiers de leurs prédécesseurs. Mais les visites des psychologues n'avaient pas cessé pour autant. Il ne suffisait pas de le punir.

Il fallait aussi le réhabiliter.

Le rendre meilleur.

Routine et absurdité. Voilà à peu de choses près de quoi étaient faites ses journées. Mais ce soir, il se passait enfin quelque chose. Deux gardiens étaient venus le chercher dans sa cellule pour l'amener au parloir. Cela faisait une éternité qu'il n'y avait plus mis les pieds. Combien d'années ? Trois ? Quatre ? Ou plus ? Il ne s'en souvenait pas. La pièce n'avait pas changé. Des murs nus. Un grillage à mailles serrées devant les fenêtres en verre blindé. Deux chaises. Et au milieu, une table fixée au sol. Deux ronds de métal sur la surface de la table. Les gardiens attendirent qu'il se soit assis sur l'une des chaises dures pour le menotter à la table. Puis, ils quittèrent la salle. Edward resta seul. Il allait bientôt connaître l'identité de son mystérieux visiteur, il était donc inutile de se creuser la tête pour savoir de qui il s'agissait. Au lieu de cela, il tenta de se remémorer qui lui avait rendu visite pour la dernière fois. Il n'eut pas le temps de s'en rappeler avant que la porte ne s'ouvre et que quelqu'un ne pénètre dans la salle. Edward résista à l'envie de se retourner. Il resta immobile et regarda droit devant lui. Il n'y avait aucune raison de donner à son visiteur l'impression qu'il était attendu. Les pas derrière lui se turent, la personne s'était arrêtée. Pour l'observer sans doute. Edward savait ce que le nouveau venu voyait. Un petit homme malingre d'à peine un mètre soixante-dix. Des cheveux fins qui dépassaient de son col, trop fins pour les porter aussi longs, en tout cas si l'on désirait faire bonne figure. Il portait le même uniforme que tous les détenus du quartier de haute sécurité. Un pantalon en coton fin et un sweat-shirt à manches longues. Si son visiteur s'approchait de lui, il verrait également des yeux bleus un peu vitreux derrière des lunettes sans montures. Des joues pâles et creusées garnies d'une barbe de trois jours. Un homme qui faisait plus que ses cinquante-cinq ans.

L'homme se remit à marcher. Edward était sûr que c'était un homme. Sa démarche et l'absence de parfum ne laissaient aucun doute.

Il avait raison. Un petit homme à l'allure plutôt ordinaire en chemise à carreaux et pantalon chino prit place en face de lui.

– Bonjour. Je m'appelle Thomas Haraldsson. Je suis le nouveau directeur de la prison.

Edward regarda son visiteur dans les yeux pour la première fois.

– Enchanté, Edward Hinde. Vous êtes mon troisième.

– Comment ?

– Directeur de prison. Vous êtes mon troisième.

– Aha…

Le silence se fit dans la pièce nue. On n'entendait plus que le faible murmure du système d'aération. Pas de bruit dans le couloir, aucun bruit extérieur ne pénétrait dans la pièce. Edward fixa le nouveau directeur sans aucune intention de briser le silence en premier.

Haraldsson s'éclaircit la voix.

– J'ai pensé que j'allais venir vous voir pour dire bonjour, expliqua-t-il avec un sourire nerveux.

Hinde lui rendit un sourire de politesse.

– C'est gentil de votre part.

Nouveau silence. Haraldsson se tortilla sur sa chaise. Edward resta muet et dévisagea son visiteur. Personne ne venait le voir sans raison, juste pour dire bonjour. Cet homme attendait quelque chose de lui. Hinde ne savait pas encore quoi, mais s'il restait immobile et silencieux, il l'apprendrait assez tôt.

– Vous vous sentez bien ici ? s'enquit Haraldsson, comme si Hinde venait de quitter le giron familial pour emménager dans son propre appartement.

Edward eut du mal à réprimer un fou rire. Il considéra l'homme hésitant qui lui faisait face. Le premier directeur de la prison avait été un dur à cuire et n'était plus qu'à deux ans de la retraite quand Hinde avait été incarcéré à Lövhaga. Il avait immédiatement fait comprendre à Edward qu'il ne tolérerait aucun « chichi ». Il s'avéra que cela signifiait que Hinde n'était autorisé qu'à prendre des couloirs spéciaux et n'avait le droit de parler que lorsqu'il y était autorisé. Au fond, il devait arrêter de penser par lui-même. Edward avait dû passer beaucoup de temps à l'isolement à cette époque. Il n'avait fait qu'entrapercevoir le deuxième directeur, qui était resté en place près de douze ans, et n'avait jamais échangé le moindre mot avec lui. Mais il pourrait peut-être se révéler utile de faire la connaissance de ce nouveau directeur, Thomas Haraldsson. Hinde lui adressa un sourire désarmant.

– Oui, très bien, et vous ?

– Oui, ce n'est que mon troisième jour, mais jusqu'ici…

Nouveau silence. L'homme de l'autre côté de la table paraissait bien apprécier cette petite discussion anodine, si bien que Hinde décida de changer de stratégie et de prendre la conversation en main. Il adressa un nouveau sourire à Haraldsson.

– Comment s'appelle votre femme ?

– Pourquoi ?

Edward désigna du menton la main gauche de Haraldsson, posée sur sa main droite devant lui sur la table.

– L'alliance. J'ai vu que vous étiez marié. Ou bien vous faites partie de ces hommes modernes qui se marient avec d'autres hommes ?

– Non, absolument pas, se défendit Haraldsson. Je ne suis pas…

Il se tut. Pourquoi Hinde pensait-il cela ? Comment avait-il pu avoir cette idée ? Personne n'avait jamais dit à Haraldsson qu'il avait l'air gay. Personne.

– Jenny. Ma femme s'appelle Jenny Haraldsson.

Edward sourit intérieurement. Il n'y avait aucun meilleur moyen d'en savoir plus sur la femme de quelqu'un que d'insinuer que ce dernier n'était peut-être pas hétéro.

– Des enfants ?

– Le premier est en route.

– Super ! Fille ou garçon ?

– On ne sait pas.

– Vous voulez garder la surprise.

– Oui.

– Je n'ai jamais tué de femme enceinte.

Soudain, Haraldsson commença à perdre son assurance. Tout s'était bien déroulé jusque-là. Un premier contact, un peu de bavardage insignifiant pour amadouer Hinde et orienter la conversation sur la Crim'. Mais il avait trouvé ce dernier commentaire troublant, voire effrayant. Cela signifiait-il qu'il ne pouvait pas imaginer s'en prendre à une femme enceinte, que c'était sa limite, ou bien simplement qu'il n'en avait jamais eu l'occasion ? Haraldsson frissonna. Il préférait ne pas savoir. Il était temps d'orienter la conversation dans la bonne direction.

– La brigade criminelle nationale aimerait vous parler, dit-il sur le ton le plus neutre possible.

C'était donc ça.

La vraie raison de sa visite.

Pour la première fois dans la conversation, Edward parut sincèrement intéressé. Il se redressa sur sa chaise, et son regard légèrement apathique s'éclaira soudain. En éveil. Pénétrant.

– Ils sont ici en ce moment ?

– Non, mais ils viendront dans un ou deux jours.

– Que veulent-ils ?

– Ils ne l'ont pas dit. Que croyez-vous ?

Hinde ignora sa question.

– Mais ils veulent me parler ?

– Oui. Que pourraient-ils bien vous vouloir ?

– Qui va venir ?

– Vanja Lithner et Billy Rosén.

– Et ils voulaient que je le sache à l'avance ?

Haraldsson perdit le fil, hésita, réfléchit. Il ne valait sûrement mieux pas… Son intention première avait été d'informer Hinde de la visite prochaine de la Crim' dans l'espoir qu'il dévoile lui-même la raison pour laquelle ils s'intéressaient à lui. Si, bien sûr, il le savait. Pour que Haraldsson puisse aider un peu ses collègues. Policier un jour, policier toujours. Il avait à présent le mauvais pressentiment que son plan n'allait pas réussir à la hauteur de ses espérances, mais la Crim' n'avait pas besoin de le savoir.

– Je ne sais pas vraiment, répondit-il d'un air grave. Mais je trouvais que vous aviez le droit de savoir. Vous n'êtes pas forcément obligé de leur dire, quand ils arriveront, que vous avez déjà été informé… je veux dire, par moi. Vous savez comment peuvent être les policiers.

Il conclut son petit discours par un large sourire qui se voulait de connivence, du style « ensemble contre les flics ».

Edward lui sourit à son tour. Il avait plus souri durant la minute qui venait de s'écouler que durant les quatorze dernières années. Mais le jeu en avait valu la chandelle. Il avait le sentiment que le directeur de la prison Thomas Haraldsson pouvait lui être d'une grande utilité.

– Oui, je sais comment peuvent être les policiers. Ne vous inquiétez pas, je ne dirai rien.

– Merci.

– Mais alors, vous me devez un service.

Haraldsson avait du mal à savoir si l'homme enchaîné plaisantait ou non. Il souriait toujours, mais quelque chose dans ses yeux trahissait qu'il était on ne pouvait plus sérieux. Haraldsson fut à nouveau parcouru d'un frisson, cette fois sans parvenir à le cacher, et il se leva rapidement de sa chaise.

– Je dois y aller maintenant… Content de vous avoir rencontré.

– Tout le plaisir était pour moi.

Haraldsson se dirigea vers la porte et frappa. Il jeta un dernier regard à l'homme qui fixait désormais un point par la fenêtre. Au bout de quelques secondes, la porte fut ouverte de l'extérieur, et Haraldsson quitta le parloir en ayant la conviction que cette conversation ne s'était pas déroulée comme prévu, et que Hinde en avait tiré plus de profit que lui. Ce n'était peut-être pas optimal. Mais pas une catastrophe non plus.

La Crim' ne serait jamais au courant qu'ils s'étaient parlé.

Maintenant, il allait partir, acheter de la glace et louer un film.

Et Hinde ne poserait jamais de problème.

Trolle refusa d'abord d'ouvrir. Sebastian pouvait l'entendre bouger dans l'appartement, mais il dut sonner au moins cinq minutes jusqu'à ce que son ancien collègue vienne enfin ouvrir lentement en jetant un regard méfiant à l'extérieur. Un œil injecté de sang fixait Sebastian à travers le mince interstice. Derrière ce visage, un appartement plongé dans le noir. Des relents d'ordures et de renfermé passaient à travers la fente jusque dans la cage d'escalier.

– Qu'est-ce qui t'amène ?

– Tu as dormi ?

– Non. Qu'est-ce qui t'amène ?

– J'aimerais te parler.

– J'ai pas le temps.

Trolle s'apprêtait à lui claquer la porte au nez quand Sebastian inséra le bout de sa chaussure dans l'ouverture. Il avait vu ça des centaines de fois dans les films, mais ne l'avait jamais essayé lui-même. Il y avait une première fois à tout.

– Ce que j'ai à te raconter va sûrement te plaire !

Sebastian marqua une petite pause, puis il sortit une autre carotte.

– J'ai de l'argent.

La porte s'ouvrit alors plus largement, et la lumière de la cage d'escalier éclaira le visage de Trolle. Il avait vraiment pris un coup de vieux. Il devait friser la soixantaine, mais en paraissait dix de plus. Ses cheveux en bataille avaient désormais des mèches grises. Pas rasé et d'une maigreur effrayante, il puait le schnaps et le tabac. Lorsqu'il travaillait encore, Trolle avait déjà un petit penchant pour la bouteille mais à présent, quinze ans plus tard, sans famille ni travail, il paraissait ne plus rien absorber d'autre. Il portait un tee-shirt blanc froissé et un boxer. Ses pieds nus étaient surmontés d'ongles jaunes et crochus bien trop longs. Il n'avait pas seulement vieilli. Il était détruit.

– Je m'en fous du fric.

– Certes, mais cela ne fait pas de mal d'en avoir un petit peu.

– Combien tu as ?

Sebastian retira son portefeuille de la poche intérieure de sa veste, et en sortit tout l'argent qu'il contenait. Quelques centaines de couronnes.

– Je ne fais pas ça pour l'argent, marmonna Trolle en saisissant les billets.

– Je sais.

Sebastian opina de la tête. Si Trolle n'avait pas complètement changé de personnalité au cours des dernières années, c'était vrai. Il ne faisait pas ça pour l'argent. Bien sûr, il n'était pas contre quelques petits à-côtés pour arrondir ses fins de mois, même lorsqu'il était encore policier, mais ces dédommagements n'avaient jamais été sa motivation principale. Il s'agissait plutôt de démolir les gens.

Les détruire.

Planifier, attendre, collecter des informations, influer sur le cours des événements pour faire de leur vie un enfer.

C'était ça, la vraie motivation de Trolle. Le sentiment de jouer avec les autres comme avec des marionnettes. L'argent n'était qu'un bonus appréciable.

– Je peux entrer ? demanda Sebastian en rangeant son portefeuille.

– Tu as changé d'avis alors ?

Trolle éclata de rire si fort que cela résonna dans toute la cage d'escalier. Il n'avait pas la moindre intention de le laisser entrer. Au lieu de cela, il passa sa tête dans l'ouverture d'un air condescendant.

– En tout cas, tu as l'air d'avoir besoin de l'aide du bon vieux Trolle.

Sebastian se pencha vers Trolle pour tenter d'être plus discret.

– Oui, mais je n'ai pas envie d'en parler ici.

Trolle se fendit d'un énorme sourire carnassier.

– Tu n'es pas si frileux d'habitude. Reste où tu es.

Sebastian observa l'homme en train de ricaner. Trolle avait toujours été fatigant, mais l'accumulation des années et l'alcool n'avaient rien arrangé. Pendant une seconde, Sebastian eut la vision effrayante de lui-même se tenant dans l'encadrement de cette porte à la place de Trolle. S'il avait continué à boire. S'il avait choisi les drogues, qu'il avait commencé à expérimenter dans l'année suivant le tsunami. S'il n'avait pas eu Stefan. S'il n'avait pas trouvé Vanja. Soudain, tout cela lui parut prendre une importance capitale. Il n'était qu'à quatre « si » de finir comme Trolle Hermansson. Un homme qui n'avait plus rien à perdre.

– J'aimerais que tu continues à creuser. Que tu cherches tout ce que tu peux trouver. Sur toute la famille, même la mère. Elle s'appelle Anna Eriksson.

– Je sais qui c'est, l'interrompit Trolle.

Il prit péniblement son inspiration et passa sa main sur sa barbe de trois jours, comme s'il réfléchissait à son offre.

– D'accord. Mais alors, tu devras me dire pourquoi.

– Pourquoi quoi ?

Sebastian craignait que Trolle ne connaisse déjà la réponse, tout en espérant se tromper.

– Qu'est-ce que la famille Lithner/Eriksson a de si intéressant ? Pourquoi est-ce que tu cours après la fille ? Elle est un peu jeune, même pour toi.

– Tu ne me croirais jamais.

– Essaie de m'expliquer.

– Non !

En voyant l'air résolu de Sebastian, Trolle comprit que ce n'était pas négociable. Enfin, peut-être qu'il allait pouvoir lui tirer les vers du nez un peu plus tard. Trolle avait déjà décidé d'accepter la mission, mais il voulut encore profiter de cet instant de gêne manifeste que provoquait cette situation sur Sebastian.

– Je t'aimais bien, Sebastian. Tu étais peut-être le seul. Quand tu m'as appelé, j'ai accepté parce que je t'apprécie.

Trolle fixa Sebastian avec un regard de chien battu, que l'on pouvait interpréter comme une supplique blessée.

– Des amis se disent tout.

– Tu n'as pas accepté pour me faire plaisir. Tu y as seulement vu l'occasion de pouvoir traîner quelqu'un dans la boue. Parce que ça t'excite. Je te connais, Trolle, alors n'essaie pas de me la faire. Acceptes-tu la mission, oui ou non ?

Trolle rit, cette fois de manière moins forcée.

– Tu ne m'aimes pas. Tu es ici seulement parce que tu n'as personne d'autre.

– Tout comme toi.

Les deux hommes se turent et se dévisagèrent. Trolle finit par tendre la main à Sebastian, qui la saisit après un court instant d'hésitation. La main de Trolle était moite. Froide. Mais ferme.

– Même si je ne le fais pas pour l'argent, je ne travaille pas gratuitement.

– Combien veux-tu ?

– Un billet de mille. Je te fais une petite réduction spéciale losers.

Sur ces mots, Trolle lui claqua la porte au nez. Sa voix résonna à nouveau de l'intérieur de l'appartement.

– Appelle-moi dans quelques jours !

Le silence se fit. Sebastian se retourna et descendit lentement les deux étages.

Annette Willén adorait ces soirées. Dès quinze heures, elle commençait à s'y préparer mentalement. Elle suivait toujours le même programme. D'abord, une bonne douche chaude pendant laquelle elle se lavait les cheveux et se faisait un peeling avec un savon à l'abricot acheté au Body Shop. Elle s'installait ensuite dans la salle de bains pour se sécher les cheveux avant d'enduire sa peau encore légèrement humide de lotion hydratante. Elle revêtait ensuite son peignoir et déambulait pieds nus dans la pièce qui lui servait de salon et de chambre à coucher. En fait, elle aurait pu prendre ses quartiers dans l'unique chambre de l'appartement, mais c'était celle de son fils, et elle ne voulait pas se l'approprier, même s'il était parti depuis longtemps maintenant. Cette pièce était son dernier espoir qu'il revienne un jour.

Qu'il en ait à nouveau besoin.

Qu'il ait à nouveau besoin d'elle.

Si elle débarrassait ses affaires, son départ prenait des allures définitives et réelles qu'elle ne souhaitait pas affronter.

Annette ouvrit son armoire et commença à passer prudemment en revue ses chemisiers, ses jupes, ses robes et ses pantalons. Elle toucha même un tailleur qu'elle avait acheté pour un entretien d'embauche auquel elle ne s'était jamais rendue. Il jurait dans sa garde-robe, comme un passager hésitant à l'intérieur d'un ascenseur bien trop chic. Elle disposa les différents vêtements sur son lit puis, quand il n'y eut plus assez de place, sur le canapé trois places et la table basse. Ensuite, elle se posta au milieu de la pièce et se laissa envelopper par les différents matériaux, tissus et couleurs. Elle sentait qu'elle avait le contrôle. Hors de son appartement, elle était peut-être une femme transparente, mais ici et maintenant, elle était celle qui prenait les décisions. C'était toute sa vie qui était étalée devant elle, sa vie dans laquelle elle allait bientôt se glisser pour l'essayer.

Quand elle se sentit enfin prête, elle alla dans le couloir et décrocha le miroir pour le poser contre le mur dans son salon-chambre à coucher. Elle fit un pas en arrière et s'observa des pieds à la tête, fraîchement douchée, dans le peignoir rose un peu trop court que son fils lui avait offert pour son quarantième anniversaire. À chaque fois, elle se rendait compte à quel point elle avait vieilli. Ce n'étaient pas seulement ses cheveux qui étaient plus fins et avaient perdu de leur vigueur, mais elle aussi. Elle avait arrêté depuis longtemps de se regarder nue devant le miroir. C'était vraiment trop déprimant de voir avec une telle impuissance le temps qui passe sur soi-même. Elle n'avait aucune honte à avoir de son corps. Elle avait toujours eu des formes féminines, mais jamais de problèmes de poids. Non, elle était mince, avait de belles jambes et une belle poitrine bien ferme. Seule sa peau était d'année en année plus terne et plus ridée. Comme une pêche desséchée après être restée trop longtemps au soleil, peu importait combien de crèmes anti-âge et de produits de beauté elle utilisait. Cela lui faisait peur, surtout car elle sentait que le temps avait entamé son voyage avec elle. Pourtant, elle avait encore bien du chemin à parcourir, et un jour, elle se tiendrait là et ne se reconnaîtrait plus. Justement maintenant qu'elle avait décidé de vivre.

Vivre pour de vrai. Pour de bon.

Elle commença à essayer les vêtements pour détourner ses pensées. Elle devait essayer toutes les combinaisons de vêtements. Qui voulait-elle être aujourd'hui ?

Si elle voulait être plus jeune, elle pouvait mettre son jean déchiré avec un pull informe, ou bien la femme sportive vêtue d'une courte robe noire à dentelle. Annette aimait être cette femme. Surtout quand elle osait l'assortir avec un rouge à lèvres foncé. Elle sentait que cette femme vêtue de noir serait parfaite si elle avait également le courage de teindre ses cheveux en noir. Mais elle n'osait pas, bien que ce soit adapté à ce style. Elle retira donc la robe, comme d'habitude. La remplaça par un chemisier blanc bien comme il faut et une jupe sombre. Annette se sentait bien aussi dans la peau de cette femme. Elle était intemporelle en quelque sorte, et c'était ce qui lui plaisait. Mais ce style aussi exigeait certaines choses. Des cheveux plus épais. Des formes plus généreuses. Une meilleure posture. Tout était à améliorer. Peut-être plus tard. Bientôt. Rhabillage, déshabillage. Le chemisier noir avec le pantalon blanc, les jeans avec le pull-over informe, la robe avec le gilet. Annette aimait changer d'identité, rencontrer toutes ces femmes qui apparaissaient dans le miroir. De nouvelles femmes, plus belles, plus ambitieuses, plus intéressantes qu'elle. Jamais Annette. Toujours d'autres. C'était là que résidait son problème. Elle avait beau aimer ces femmes qui apparaissaient en face d'elle, elle n'osait jamais les laisser sortir du miroir. La confiance en soi et le jeu faisaient peu à peu place au doute et à la peur. Son audace et ses choix se faisaient de plus en plus limités.

Elle passait une demi-journée avec ses vêtements. Elle commençait toujours par un look osé et chic pour finir par se dénigrer elle-même ainsi que ses vêtements.

À la fin, il ne lui restait que trois possibilités.

Chemisier noir. Chemisier blanc. Ou col roulé.

Avec un jean.

Stefan savait où chercher Sebastian. Devant le commissariat ou devant l'appartement de Vanja, les lieux qui revenaient sans cesse lors de leurs entretiens. Il décida donc de commencer par là. Vu qu'il était déjà vingt heures passées, le commissariat semblait peu probable. Stefan téléphona aux renseignements et obtint l'adresse d'une dénommée Vanja Lithner qui demeurait au numéro 44 de la rue Sandhamnsgatan. Il se laissa guider par son GPS. Il allait bientôt manquer de temps. La thérapie de groupe commençait à vingt et une heures, et il agissait contrairement à ses principes. Tout était basé sur le volontariat. La personne devait décider elle-même d'y participer, c'était l'une des conditions principales. Mais Sebastian était différent. C'était comme si ses connaissances faisaient barrière. Il prenait sciemment de mauvaises décisions. Ce n'était pas la première fois que Stefan rencontrait ce genre de patient. Il était souvent obligé de les laisser partir. De lâcher prise. D'une certaine manière, Sebastian était son ami. Peu importait la complexité de leur relation. Et dans ce genre de situation, il fallait parfois agir à l'encontre de ses principes. Si même Stefan le laissait tomber, qui essaierait encore de retenir Sebastian dans sa chute vertigineuse ?

Stefan gara sa voiture à quelques encablures du numéro 44 et fit le reste du chemin à pied. En marchant, il regarda autour de lui pour observer ce quartier résidentiel ombragé. Les immeubles se succédaient, bien alignés, avec une certaine distance dans la volonté de laisser régner la nature jusqu'à la porte. Quelques vélos d'adultes et d'enfants étaient garés dans un râtelier. Stefan s'arrêta et regarda de tous côtés, se demandant où pourrait se trouver le meilleur endroit pour observer tranquillement un appartement situé dans les étages supérieurs. Le plus loin possible de la rue, et le plus à l'abri des regards possible. À l'arrière de l'immeuble se trouvait une élévation de terrain couverte d'arbres feuillus cachés derrière d'épais buissons. En voyant apparaître la tête de Sebastian Bergman derrière le plus gros tronc d'arbre, il constata qu'il avait eu raison.

– Mais bon sang, qu'est-ce que tu fous là ? demanda Sebastian.

Stefan dut se retenir pour ne pas éclater de rire en voyant cet homme tapi dans le feuillage le fusiller du regard. Il ressemblait à un ado surpris en train de fumer.

– Je voulais te rendre visite dans ton nouveau chez-toi.

– Arrête. Et va-t'en avant que quelqu'un ne te voie.

Stefan secoua la tête et se rendit encore plus visible en reculant de quelques pas pour se poster au beau milieu du gazon.

– Pas avant que tu n'aies accepté de venir avec moi. Ta thérapie de groupe commence dans une demi-heure.

Sebastian fulminait.

– Tu ne respectes donc plus aucune règle ? Tu fais quoi du principe de volontariat ?

– Cela ne vaut pas pour les hommes d'âge mûr qui se cachent dans les fourrés pour espionner de jeunes femmes en prétendant qu'elles sont leurs filles. Tu viens maintenant ?

Sebastian secoua la tête. Il eut soudain des frissons. Son monde s'écroulait. Il se sentit honteux et n'avait qu'une envie : contre-attaquer. Mais en même temps, cet homme qui lui faisait face lui renvoyait une image de lui-même qu'il ne souhaitait pas voir, et il avait beau tourner et retourner la vérité dans tous les sens, la réponse était toujours la même.

Il était allé voir Trolle.

Il était venu ici.

Il était perdu.

– Stefan, va-t'en. Je te le demande. Fiche-moi la paix, je t'en prie.

Stefan quitta le gazon pour pénétrer dans le petit monde de l'ombre dans lequel se cachait Sebastian. Il lui prit la main.

– Je ne suis pas ici pour te mettre la pression. Je ne suis pas ici pour te faire du mal. Je suis ici pour toi. Si tu veux vraiment que je m'en aille, je le ferai. Mais au fond de toi, tu sais que j'ai raison. Tu dois te sortir de là.

Sebastian jeta un regard à son thérapeute et retira sa main.

– Je ne fréquenterai aucun groupe. J'ai encore ma fierté.

– Ah bon ? dit Stefan en le regardant d'un air grave. Regarde-toi, Sebastian, regarde où nous sommes.

Sebastian ne tenta même pas de lui répondre.

Même lui ne trouvait plus rien à répliquer.

– La semaine dernière, je vous avais dit que j'allais essayer de ranger le garage pour pouvoir y faire rentrer la voiture. Faire du tri. Vous croyez que j'ai réussi ?

L'homme que les autres appelaient Stig et qui était assis en face de Sebastian parlait maintenant depuis dix minutes. Il ne donnait pourtant pas l'impression d'avoir bientôt fini. Il continuait de se lamenter, encore et encore, comme si son corps massif abritait un volume incommensurable de mots.

– Je n'en avais tout simplement pas la force. Je n'arrive à rien. Même des choses simples comme faire la vaisselle ou sortir les poubelles me paraissent être des projets ahurissants. Vous savez comment c'est. Impossible d'avancer…

Sebastian opina du chef. Non pas qu'il partageât ce sentiment, il avait depuis longtemps classé ce gros lard dans la catégorie des inintéressants et avait cessé de l'écouter au bout de trente secondes. Mais quand il hochait la tête, ce bougre comprendrait peut-être enfin que le message était bien passé et qu'il n'avait pas besoin d'en rajouter pour illustrer son indolence. C'était donc cette assemblée d'existences vouées à l'échec qui – selon Stefan – était censée le sauver. Quatre femmes et deux hommes, sans compter Stefan et lui. Stig inspira profondément et s'apprêtait à continuer son sermon quand Stefan l'interrompit. Sebastian lui en fut incroyablement reconnaissant, même s'il était toujours en colère après lui.

– Mais on t'a également diagnostiqué une légère dépression. Tu es allé consulter ton médecin pour qu'il te prescrive des médicaments ?

Stig secoua la tête et parut vouloir en rester là pendant un instant. Puis il poussa un autre de ses soupirs que Sebastian avait déjà détestés au bout d'un quart d'heure.

Le soupir se mua en son.

Ce son se transforma en mots, beaucoup trop de mots.

– En fait, je n'ai pas envie de prendre des médicaments. J'ai essayé une fois, et il y a eu tellement d'effets secondaires…

Sebastian déconnecta et bâilla. Comment faisaient-ils pour le supporter ? Les autres, assis muets autour du gros. Partageaient-ils la frustration de Sebastian, ou attendaient-ils seulement une occasion de prendre à leur tour leur inspiration pour faire un exposé à rallonge sur leur vie ennuyeuse ? Ils ne pouvaient pas s'intéresser sérieusement aux banals problèmes des autres, non ? Sebastian tenta de lancer un regard mêlé de colère et de supplication à Stefan, mais ce dernier paraissait profondément concentré sur ce que disait Stig. Il fut alors sauvé par une femme svelte plutôt insignifiante en chemisier blanc et jeans assise en face de lui. Elle se pencha en avant et faillit interrompre le monologue larmoyant de Stig par son chuchotement.

– Mais si les médicaments t'aident à prendre les choses en main, peut-être devrais-tu quand même essayer. Ce n'est pas une honte d'y avoir recours.

Les autres membres du groupe hochèrent la tête et émirent un murmure approbateur, mais Sebastian ne pouvait distinguer s'il s'agissait du soulagement de voir quelqu'un d'autre entrer en scène ou s'ils approuvaient réellement ce conseil. Sebastian observa la femme. Elle avait un peu plus de quarante ans, mince, presque minuscule, des cheveux fins de couleur foncée et portant un maquillage discret. Elle était habillée simplement, à part une chaînette bien trop grande avec laquelle elle ne cessait de jouer. Elle chercha le regard des autres avant de continuer. Sebastian avait l'impression qu'elle voulait attirer l'attention sans oser s'imposer. Avait-elle été souvent rabaissée ? Était-elle habituée à ce qu'on la fasse taire ? Il lui offrit un sourire encourageant et tenta de capter son regard soudainement redevenu fuyant.

– Je me reconnais dans ce témoignage, dit-elle enfin. On a l'impression de tout laisser en plan, de ne rien arriver à faire.

Sebastian continua de lui sourire. Il venait de se rendre compte que cette soirée pourrait être plus fructueuse que prévu.

– Exactement, Annette, approuva Stefan. Si l'on n'avance pas, il faut tenter d'emprunter de nouveaux chemins, non ? C'est ce que tu as fait.

Annette opina de la tête et continua de parler. Sebastian la vit se redresser au fil des encouragements, oser expliquer plus avant ce qu'elle voulait dire. Elle et Stefan paraissaient bien se connaître, pensa Sebastian en les entendant parler. Dans la bouche d'Annette, il reconnaissait les mots de Stefan. C'était une ancienne. Une patiente qui était en thérapie depuis si longtemps qu'elle s'était mise à parler comme son thérapeute. Les paroles de réconfort de Stefan et son sourire familier confortèrent la théorie de Sebastian. La petite et insignifiante Annette était en thérapie avec Stefan depuis une éternité. Sebastian sourit. Stefan tenait à ses patients. Il en avait eu la preuve quelques heures plus tôt, sous un arbre en face du 44 rue Sandhamnsgatan.

Il prenait les choses un peu trop à cœur pour rester professionnel. Un peu trop pour pouvoir vraiment aider.

La petite et insignifiante Annette faisait sans nul doute partie des patients qui lui tenaient à cœur. De ceux qu'il aimait bien. Tout s'imbriquait tout seul, et soudain, il sut comment montrer à Stefan que l'on n'envoyait pas impunément Sebastian Bergman en thérapie de groupe.

Au bout de soixante-quinze minutes, le moment vint de prendre un café pour clore la séance. Stefan conclut la réunion avec quelques clichés bien choisis sur les bienfaits de la proximité et des contacts sociaux tout en adressant un regard sombre à Sebastian pour lui faire comprendre qu'il n'avait en aucun cas contribué à ce genre de résultats. Sebastian bâilla en guise de réponse, et quand ils se levèrent, il se dépêcha de s'éclipser vers la table où se trouvaient le café et la femme. Stefan fut immédiatement mêlé à une conversation avec Stig et un homme plus jeune qui parlait sans arrêt d'un « pingouin » et de sa femme qu'il appelait sans cesse « la vieille » ou « la générale ». Stefan était à l'aise en société, remarqua Sebastian tout en louchant vers Annette qui passa devant la table sans se servir de café et qui s'apprêtait déjà à partir. Sebastian accéléra le pas et se dirigea vers elle.

Annette marchait lentement vers la sortie, ne sachant pas si elle devait rester ou non pour le café. Normalement, elle le faisait toujours, car elle trouvait que c'était une bonne conclusion aux soirées. Après tout, elle était celle qui avait réussi à tenir le plus longtemps dans le groupe. Elle était importante. Une sorte de professionnelle de la thérapie de groupe, comme l'avait qualifiée une fois Stefan, et même si c'était sur le ton de la plaisanterie, ces mots avaient su la rasséréner pendant plusieurs semaines.

Elle. Une professionnelle.

Jamais personne ne lui avait dit ça. Sa place était là, elle le savait. Quand elle était assise dans ce cercle, elle osait monter sur le devant de la scène, se montrer, prendre la parole et recueillir les louanges des autres participants lors du café, et leur donnait volontiers un retour positif sur leur intervention pendant la séance. Mais ce soir, tout avait été différent – à cause de ce nouvel homme assis en face d'elle. Ses regards l'avaient troublée. D'abord, elle avait été plutôt effrayée. Ensuite, elle avait été plutôt curieuse. C'était comme s'il avait pu lire en elle. Elle ne pouvait pas le décrire différemment. Quand elle commençait à parler, il l'écoutait et la regardait. Pas d'un air méprisant, mais plutôt empli de désir, comme s'il la déshabillait du regard, pas sur un plan sexuel mais plutôt intellectuel. Elle ne pouvait pas mettre de mots sur ce sentiment, car elle ne l'avait jamais connu.

Il la regardait. Et vraiment.

C'était à la fois excitant et angoissant, c'est pourquoi Annette décida de rentrer aussitôt après la fin de la séance. Mais elle remarquait à présent qu'elle ne s'était pas dirigée assez vite vers la sortie. Une partie d'elle voulait repartir pour un tour et rencontrer à nouveau son regard. Une autre partie voulait tout simplement fuir. Du coin de l'œil, elle vit l'homme s'approcher. D'un air confiant. Déterminé. Il voulait la rencontrer, c'était clair. Elle devait s'y préparer. Si elle n'essayait pas d'échanger quelques mots avec lui, elle le regretterait plus tard. Il n'avait rien dit de la soirée. Mais à présent, il ouvrait la bouche :

– Bonsoir, vous ne voulez pas boire de café ?

Sa voix était agréable.

– Je ne sais pas… je…

Annette réfléchit une seconde. Elle ne voulait pas paraître sèche, mais pas non plus versatile ni hésitante. Oui, maintenant, elle voulait rester boire un café, mais comment le lui dire ? Au fond, c'était lui qui l'avait abordée alors qu'elle avait pratiquement déjà un pied dehors.

– Allez, vous aurez bien le temps de prendre un café et un bout de gâteau, non ?

Il la sauvait. Comprenait que c'était lui qui l'avait retenue. Maintenant, il serait presque impoli de refuser. Elle lui adressa un regard empli de gratitude.

– Oui, avec plaisir.

Ils retournèrent jusqu'à la table.

– Annette Willén. Enchantée de faire votre connaissance.

Il lui tint la main un peu trop longtemps, et elle eut soudain l'impression que tous ses doutes s'étaient envolés. Il la voyait comme la personne qu'elle voulait être.

– Vous n'avez pas dit grand-chose ce soir, remarqua-t-elle en versant du café d'une bouteille thermos.

– Est-ce que j'ai dit quelque chose ? demanda-t-il, toujours avec le sourire.

Annette secoua la tête.

– Je ne crois pas.

– Je suis une meilleure oreille.

– C'est rare. Je veux dire, de venir ici pour écouter. La plupart des gens viennent plutôt pour raconter quelque chose, dit Annette en s'éloignant de quelques pas de la table.

Elle ne voulait pas être dérangée par les autres à présent. Sebastian la suivit et décida de paraître sincèrement intéressé.

– Depuis combien de temps êtes-vous dans ce groupe ?

Annette réfléchit et se demanda si elle devait dire la vérité. Si longtemps qu'elle ne s'en souvenait même pas. Non, c'était trop triste. Ça faisait pitié. Elle lui ferait mauvaise impression. Elle décida donc de mentir, en tout cas sur la durée de sa participation.

– Environ six mois. J'ai divorcé, ensuite j'ai perdu mon travail, et puis mon fils a rencontré l'amour de sa vie et l'a suivi au Canada. Je suis tombée dans une sorte de… trou.

Elle en disait trop, trop tôt. Il ne lui avait pas demandé pourquoi elle venait, mais seulement depuis combien de temps. Annette haussa les épaules comme pour tenter de minimiser ses problèmes.

– J'avais besoin d'en parler. Mais je crois que je suis en train de m'en libérer, se dépêcha-t-elle d'ajouter. Il faut bien continuer à avancer dans la vie, non ?

Sebastian jeta un coup d'œil vers Stefan qui était toujours plongé dans une discussion avec les deux hommes. Son regard s'arrêta sur les trois hommes, et Annette eut soudain l'impression qu'il était déjà lassé d'elle et que leur rencontre allait bientôt tourner court. Elle respirait plus difficilement. Sentit la panique la gagner, l'espace d'une seconde, qui confirmait sa conviction selon laquelle, quoi qu'elle fasse, elle serait toujours condamnée à la solitude.

Mais il lui adressa à nouveau un charmant sourire.

– Et pourquoi êtes-vous ici ? poursuivit-elle sur un ton qui lui paraissait très naturel et spontané.

– Stefan a pensé que cela pourrait m'aider.

– Ah, et pourquoi le pense-t-il ? Quel problème avez-vous ?

Sebastian jeta un bref coup d'œil autour de lui avant de répondre.

– Je crois que nous n'en sommes pas encore là.

– Ah non ?

– Non, mais peut-être allons-nous finir par y arriver.

Le ton cru et direct de sa réponse lui fit plaisir.

– Vous voulez dire ici, dans le groupe ?

– Non, je voulais dire ailleurs, vous et moi.

Il avait un aplomb fascinant. Elle ne put s'empêcher de sourire, et eut même le courage de croiser son regard.

– Vous êtes en train de flirter avec moi ?
– Peut-être un peu. Ça vous dérange ?
– D'habitude, les gens ne viennent pas forcément ici pour faire des rencontres.
– Tant mieux, ça fait moins de concurrence, répondit-il en faisant un petit mais perceptible pas vers elle. Elle pouvait sentir son après-rasage.
Il parla plus bas.
– Mais je peux m'en aller si je vous importune.
Annette saisit sa chance. Elle effleura son épaule et réalisa que cela faisait une éternité qu'elle n'avait pas touché une autre personne.
– Non, ce n'est pas nécessaire. Pour votre gouverne, je suis aussi une bonne oreille.
– Je n'en doute pas un instant. Mais je n'ai pas envie de parler.
Cette fois encore, elle soutint son regard. Son courage la rendait téméraire.
Sebastian fit un signe de tête à Stefan avant de quitter la salle en compagnie d'Annette.
C'était un peu trop facile.
Mais ça devait faire l'affaire.

Dans le taxi, ils commencèrent à s'embrasser au bout de quelques minutes à peine, mais les baisers d'Annette étaient timides, et elle fit en sorte d'éviter de rencontrer sa langue. Elle était consciente qu'il le remarquait. Mais elle ne pouvait tout simplement pas s'abandonner, croire que l'homme qui lui caressait la nuque voulait vraiment d'elle. Peut-être s'arrêterait-il de l'embrasser pour la regarder. Pas d'un regard chaleureux et plein de désir, mais d'un air méprisant et froid. Il lui sourirait à nouveau, mais cette fois avec méchanceté. Annette se demanda ce qu'elle avait à lui apporter, mais la réponse était évidente : rien. Si elle ne se donnait pas à lui, elle pourrait se persuader que ce n'était pas important pour elle. Cela ferait alors moins mal quand il la quitterait. Cela avait déjà fonctionné.
Sebastian sentit Annette se raidir quand il se mit à la caresser. Mais elle le laissa faire. *Une névrosée sexuelle*, pensa Sebastian, fatigué, qui

se demandait à présent s'il devait arrêter le taxi et prendre la poudre d'escampette. Mais en même temps, Annette avait quelque chose d'attirant. Elle lui avait permis d'oublier un moment sa propre sensibilité et de flatter son ego. En fait, il se fichait totalement de savoir si elle était détendue et si cela lui plaisait. Il ne la suivait pas pour elle. Elle n'était qu'un passe-temps.

La conclusion plus ou moins agréable d'une journée merdique.

Une partie de sa vengeance.

Il l'embrassa à nouveau.

Son appartement se trouvait à Liljeholmen, à cinq minutes du nouveau centre commercial avec vue sur le périphérique. Ce ne fut que lorsqu'ils arrivèrent chez elle qu'elle commença enfin à se détendre. Le salon était poussiéreux, jonché de vêtements. Anna s'excusa et dégagea rapidement le lit en transportant les affaires dans une autre pièce.

– Pas la peine de ranger pour moi, lui lança Sebastian en s'asseyant sur le lit et en retirant ses chaussures.

– Je ne savais pas que j'aurais de la visite, l'entendit-il répondre de la pièce voisine.

Il balaya la pièce du regard. C'était un salon banal, mais qui comportait de nombreux détails révélateurs sur la personnalité de sa propriétaire. Un grand lit était placé sous la fenêtre. Sebastian avait pourtant vu qu'il y avait une deuxième pièce. Pourquoi n'y dormait-elle pas ? Il y avait un seul nom sur la boîte aux lettres, elle vivait donc seule.

Une collection de peluches occupait les étagères. Des animaux de toutes les tailles et de toutes les couleurs. Des ours, des tigres, des dauphins, des chats. Des peluches et un peu trop de coussins, couvre-lits et autres couvertures. Toute la pièce respirait le besoin de tendresse, de sécurité, d'un cocon bien chaud dans lequel se réfugier où la triste et dure réalité ne pouvait pénétrer. Sebastian se regarda dans le miroir posé contre le mur. Elle avait invité chez elle la triste vérité en personne. Mais elle l'ignorait.

Sebastian gambergea un peu, et se demanda quels événements de sa vie avaient pu à ce point détruire sa confiance en elle et créer ce besoin de sécurité. Un traumatisme, l'échec d'une relation, une mauvaise décision de vie ? Ou bien y avait-il quelque chose de plus grave, des abus, une relation malsaine avec ses parents ? Il ne le savait pas et n'avait pas envie de le savoir. Tout ce qu'il voulait, c'étaient du sexe et quelques heures de sommeil.

– Est-ce que je peux déplacer le miroir ? demanda-t-il en le soulevant.

L'idée de se voir en train de lui faire l'amour l'effrayait plus qu'autre chose. Il n'avait plus envie d'expérimenter quoi que ce soit en matière de sexe, et préférait se réfugier sous les couvertures et éteindre la lumière.

– Mets-le dans le couloir, cria-t-elle depuis une pièce qui devait être la salle de bains. Je l'amène toujours ici quand je veux essayer des vêtements.

Sebastian le transporta dans le couloir et trouva immédiatement le clou sur lequel il était normalement accroché.

– Tu aimes les vêtements ?

Sebastian se retourna, sa voix lui parut tout à coup différente. Elle s'était changée, portait une robe en dentelle noire très sexy et un rouge à lèvres foncé. Elle s'était transformée en une toute autre femme. Une de celles que l'on remarquait.

– J'aime les robes, dit-elle.

Sebastian opina de la tête.

– Cela te va bien. Très bien.

Et il le pensait sérieusement.

– Tu trouves ? C'est ma robe préférée.

Elle s'avança vers lui et l'embrassa. Sebastian lui rendit son baiser, mais à présent, c'était elle qui menait le jeu de séduction. Et il la laissa faire. Prendre ce dont elle avait besoin. Il essaya d'enlever la robe, mais elle voulait la garder. Cela semblait important pour elle.

De coucher avec lui dans cette robe.

Ursula venait d'aborder la dernière page du rapport d'autopsie préliminaire de Katharina Granlund quand Robert Abrahamsson frappa sur l'encadrement de la porte de la salle de réunion et passa sa tête à l'intérieur. C'était le responsable de la section de recherches, et elle ne le portait pas réellement dans son cœur.

– Putain, vous ne pouvez pas gérer votre merde tous seuls !

Ursula leva les yeux de son rapport.

– Les journalistes téléphonent jusque chez moi, continua Abrahamsson. Ils se plaignent que personne ne décroche.

Ursula jeta un regard irrité à cet homme au teint hâlé, engoncé dans sa veste étriquée. Elle détestait être dérangée en plein travail. *A fortiori* par ce bellâtre de Robert Abrahamsson. Même s'il était dans son bon droit. Elle se contenta de la réponse la plus sèche possible :

– Règle ça avec Torkel, s'il te plaît. C'est lui qui s'occupe de la presse. Tu le sais bien.

– Et où est-il fourré ?

– Aucune idée. Il va falloir le chercher.

Ursula retourna à son rapport, espérant avoir fait comprendre à Robert qu'il devait la laisser tranquille. Mais ce dernier s'avança vers elle d'un air décidé.

– Ursula, tu as sans doute mille choses à faire, mais si les gens commencent à m'appeler moi au sujet de votre affaire, cela ne peut avoir que deux raisons. Soit vous ne communiquez pas assez avec eux, soit ils ont découvert une nouvelle piste qu'ils veulent vérifier. À mon avis, c'est les deux.

Ursula poussa un soupir d'agacement. Elle était le seul membre de l'équipe à n'accorder aucune attention à ce qu'écrivaient les journaux pour ne pas perturber l'analyse rationnelle des preuves matérielles avec des informations parasites. Elle comprit néanmoins à quel point la situation était délicate. La Crim' voulait à tout prix empêcher les fuites sur le lien entre les trois meurtres pour éviter les gros titres tapageurs du style « Tueur en série à Stockholm ». La mise à distance des journalistes était l'un des piliers de la stratégie de Torkel. Car une fois que les journalistes entraient en scène, tout était possible. Surtout en interne. Une affaire de meurtre pouvait rapidement se muer en affaire politique, et l'influence politique pouvait avoir un effet dévastateur sur une enquête. Face au diktat de l'« action » et du « résultat », on abandonnait parfois la recherche de preuves pour agir conformément aux attentes des hautes sphères.

– Qui a appelé ? demanda-t-elle. Donne-moi les numéros, et je ferai en sorte que Torkel les rappelle.

– Il y en a seulement un pour l'instant. Axel Weber de l'*Expressen*.

Ursula prit le temps de digérer ce nom et se renversa sur sa chaise avec un sourire feint.

– Tiens, tiens, Weber ! Ça explique pourquoi c'est toi qu'il appelle, non ?

Robert eut le feu aux joues. Il pointa son index sur elle en ayant l'air d'un professeur sermonnant son élève dans un vieux film des années 1950.

– Tu sais que c'était un malentendu. Le commissaire divisionnaire a accepté mes explications.

– C'est vraiment le seul alors, dit Ursula en se penchant vers lui, l'air soudain très sérieux. Tu as transmis à Weber des informations confidentielles. Sur une affaire de meurtre.

Robert lui jeta un regard de défi. Il n'avait pas l'intention de se laisser faire.

– Pense ce que tu veux. On vit quand même au XXIe siècle, c'est pas facile de travailler avec la presse. Surtout dans les affaires compliquées.

– Surtout quand on a sa photo en page 7 en remerciement pour ses bons et loyaux services.

Ursula s'arrêta net. Elle était consciente qu'elle était mesquine, mais elle ne pouvait pas se maîtriser.

– Je reconnais la veste, continua-t-elle, mais à mon avis, tu étais plus mince autrefois. Tu devrais faire attention à ce que tu avales. Tu sais aussi que la caméra a tendance à faire paraître plus gros.

Robert ouvrit sa veste. Elle vit son regard s'assombrir et se préparer à la contre-attaque. Mais il réussit à ravaler sa fureur avant de tourner les talons et de gagner la porte.

– Je trouvais juste que vous deviez être au courant, dit-il enfin.

Mais Ursula ne baissa pas la garde.

– C'est sympa de ta part, Robert. Et si Weber dévoile des infos confidentielles, on saura d'où ça vient.

– Je ne sais rien sur votre affaire.

Robert quitta la salle de réunion. Ursula l'entendit remonter le couloir, puis claquer la porte vitrée. Elle se leva, s'approcha de la porte pour vérifier qu'il était bien parti et remonta le couloir, en passant devant les bureaux vides. Il n'y avait peut-être aucune raison de s'inquiéter, mais elle voulait laisser à Torkel l'opportunité de réagir. Son bureau était vide. Sa veste n'était plus sur le portemanteau, et son ordinateur était éteint. Quelle heure était-il au juste ? Elle regarda son téléphone portable. Vingt-trois heures vingt-cinq. Elle devait appeler Torkel. Même si cela la répugnait. C'était idiot, ridicule et mesquin. Mais ça la répugnait vraiment.

Le croiser au bureau ou travailler avec lui ne la dérangeait pas. Mais l'appeler tard le soir, oui. Ce n'était pas logique, mais elle avait ses raisons.

D'habitude, quand elle l'appelait tard le soir, ce n'était pas pour le travail. À moins qu'ils ne travaillent sur une nouvelle affaire et que de nouveaux indices matériels ne puissent faire avancer l'enquête. Mais ce n'était pas le cas. Elle pouvait évoquer le problème Weber le lendemain. Quand elle l'appelait le soir, c'était juste pour lui demander de venir. Dans sa chambre d'hôtel. Ou dans la sienne. Elle l'appelait quand elle avait besoin de lui.

Et c'était cela qui la faisait hésiter à présent. Avait-elle vraiment besoin de lui ? C'était ce qu'elle avait commencé à se demander ces derniers temps. Cela avait été plus facile que prévu de se passer de cette liaison, et au début, elle en avait même éprouvé une sorte de libération. C'était plus simple. Elle se concentrait sur son mari Mikael, et coupait avec l'autre partie de sa vie. Torkel était très pro et veillait à ce que leur vie privée ne déteigne pas sur leur relation de travail. Au début, elle avait certes senti les regards de Torkel, mais moins Ursula y répondait, plus ils s'étaient faits rares. Cela la confortait dans son sentiment d'avoir pris la bonne décision.

Mais elle ne pouvait s'empêcher de penser à lui.

De plus en plus.

Ursula regagna la salle de réunion, s'empara de ses affaires et du rapport d'autopsie et prit l'ascenseur pour descendre dans le parking souterrain. Elle n'avait plus envie de faire des heures sup. Il lui fallait refiler derechef le problème Weber à Torkel pour que lui en ait la migraine, et pas elle. C'était le principe de communication immuable de leur équipe. Une seule et même personne devait s'occuper des contacts avec la presse. Et c'était toujours Torkel. Les autres services avaient leur propre porte-parole, mais Torkel avait refusé. Il voulait garder le contrôle.

Les néons du garage clignotèrent automatiquement quand Ursula ouvrit la lourde porte en acier et se dirigea vers sa voiture garée quelques mètres plus loin. Dans son coin, en quelque sorte. Au milieu de la nuit, au milieu de l'été.

Elle l'ouvrit, s'assit, mit la clé dans le contact et la tourna. La voiture démarra au quart de tour.

Elle ne voulait pas appeler Torkel. Pas ce soir. Cela lui rappelait trop le passé. Les hôtels. Il allait mal interpréter son appel. Croire qu'elle l'appelait pour autre chose. Elle coupa le moteur. Resta un moment immobile au volant et laissa voguer ses pensées. Mais cela signifiait-il quelque chose ? Il n'avait qu'à croire ce qu'il voulait. Elle l'appelait pour des raisons professionnelles. Rien de plus. Elle décida de lui envoyer un simple SMS. Elle sortit son téléphone et pianota un message :

« Weber de l'*Expressen* veut nous parler. A déjà appelé plusieurs fois d'après R.A. de la section de recherches. » Ursula appuya sur « envoyer » et posa son téléphone à côté d'elle sur le siège, mais il resta muet. Elle ne put s'empêcher de penser à ce que Mikael lui avait dit quelques jours auparavant : « Tout le monde doit toujours s'adapter à tes conditions, c'est toujours toi qui mènes la danse, Ursula. »

Ce n'était pas tout à fait vrai. Elle avait vraiment essayé de changer. Elle avait même quitté son amant.

D'abord pas pour Mikael, mais plutôt parce qu'elle était déçue et en colère. Puis par amour pour lui. Car il en valait la peine.

Était-ce vraiment le cas ? Toute seule dans ce garage triste, elle s'affala dans son siège et regarda dans le vide à travers le pare-brise. Au bout de quelques instants, les néons s'éteignirent. Ils réagissaient à un détecteur de mouvement. Les seules sources de lumière étaient les panneaux lumineux indiquant les issues de secours dans chaque coin du garage et l'écran de son téléphone portable qui diffusait une faible lueur bleue dans l'habitacle. Au bout d'un moment, il s'éteignit lui aussi, et elle se retrouva dans le noir complet. Les paroles de Mikael résonnaient dans sa tête.

« C'est toi qui mènes la danse. »

« Toujours toi qui poses les conditions. »

Pourtant, elle avait bel et bien fait des efforts pour faire de son mari un véritable partenaire. Où chacun posait des conditions à part égale. Des escapades en week-end. Des dîners, des bains moussants. Mais en réalité, ce romantisme sympathique et cette détente étaient pour elle bien trop fades. Elle l'avait surtout remarqué pendant leur dernier voyage à Paris. Ils avaient flâné dans les rues, main dans la main, en bavardant. Ils avaient fait de longues promenades sur les grands boulevards, déambulé autour du Sacré-Cœur, et cherché des bistrots romantiques, un vieux guide à la main.

Tout ce qu'on devait faire à Paris.

Tout ce qu'un couple devait faire.

Mais ce n'était pas elle.

Elle était une personne complexe plongée dans le monde des Bisounours. Sa personnalité n'était pas adaptée à ce qu'on qualifiait de « relation ». Elle avait besoin de distance. Elle avait besoin de contrôle. Parfois aussi de tendresse. Mais seulement parfois. Quand elle le voulait. Mais quand elle le voulait, c'est qu'elle en avait vraiment besoin. Sincèrement. C'était exactement ce que Mikael avait voulu dire. Mikael. Il la connaissait tellement bien.

Elle fut tirée de ses pensées par la lumière qui s'allumait à nouveau, et vit Robert Abrahamsson pénétrer dans le garage avec un dossier sous le bras. Même sa démarche l'énervait. Cette élégance bien étudiée. Comme s'il était sur un podium en train de défiler pour la collection printemps-été et pas de rejoindre sa voiture dans un garage crasseux en plein milieu de la nuit. Il monta dans sa Saab noire et démarra. Ursula attendit qu'il eut disparu avant de démarrer à son tour, de passer la première et de s'en aller.

Elle devait rentrer chez elle avant qu'il ne soit trop tard.

Torkel réfléchit un moment à la façon dont il devait réagir au SMS d'Ursula. Axel Weber était un bon journaliste, et s'il était au courant d'une affaire, ce n'était plus qu'une question de temps avant qu'il ne fasse le lien entre les meurtres. Peut-être l'avait-il même déjà fait. Torkel s'installa devant son ordinateur et consulta la page d'accueil de l'*Expressen* pour voir si on y faisait allusion aux meurtres. Mais la vague de chaleur était toujours le thème numéro un. Ce ne fut que lorsqu'il utilisa le menu déroulant qu'il découvrit, quatre articles plus bas, une référence au meurtre.

Jusqu'à présent, ils ne savaient pas grand-chose. Mais Weber avait tenté de le joindre. Torkel saisit son téléphone. Cela lui mettrait sans doute la puce à l'oreille s'il le rappelait en dehors des heures de bureau, mais il voulait immédiatement savoir ce que le journaliste avait sous la dent. Le numéro de ce dernier figurait dans son répertoire.

– Oui, Weber. Bonsoir, c'est Torkel Höglund de la police criminelle nationale. Vous avez essayé de me joindre ?

– Ah, merci de me rappeler ! Je reviens de vacances… et j'ai lu que trois femmes ont été tuées.

Pas de banalités. Droit au but. Torkel resta silencieux. En vacances. Cela expliquait pourquoi il n'avait pas fait le lien plus tôt.

– En l'espace d'un mois, continua Weber devant l'absence de réaction de Torkel.

– Oui, oui…

– Et qui plus est, toutes dans la région de Stockholm… Je me suis un peu renseigné, et beaucoup de choses me font penser qu'il s'agit d'un seul et même tueur, d'autant plus que la Crim' est chargée de l'enquête donc… je me demandais si vous pouviez m'en dire plus ?

Torkel réfléchit une seconde. Il avait deux options : confirmer ou s'abstenir de tout commentaire. Dans la mesure du possible, Torkel évitait de mentir à la presse, sauf en cas de force majeure. Ce n'était pas le cas, ici. En fait, il avait déjà envisagé d'organiser une conférence de presse. Donner un minimum d'informations pour recevoir en retour quelques témoignages ou pistes. Mais il souhaitait d'abord s'y préparer et choisir soigneusement les informations qu'il rendrait publiques. Il voulait à tout prix éviter d'en dire trop. Il répondit donc simplement :

– Je ne peux faire aucun commentaire là-dessus.

– Vous ne voulez pas confirmer qu'il s'agit bien d'un tueur en série ?

– Non.

– Pouvez-vous démentir cette information ?

– Je ne veux faire aucun commentaire.

Torkel et Weber savaient tous deux que sans commentaire ni démenti, cela ne pouvait signifier qu'une chose, et en même temps personne ne pourrait reprocher à Torkel d'avoir divulgué des informations importantes à la presse. Il n'avait d'ailleurs pas besoin de le faire, car il y avait déjà assez de policiers qui révélaient un peu trop volontiers des informations. Pas dans son équipe mais dans la maison. Il y en avait d'ailleurs tellement que cela en devenait parfois problématique pour les confrontations de témoins et les interrogatoires.

Car de nombreuses personnes en savaient trop, trop tôt.

– J'organise une conférence de presse demain matin.

– À quel sujet ?

– Vous le saurez en y assistant.

– Je serai là. Et j'utiliserai les informations en ma possession.

– Je sais.

– Merci de m'avoir rappelé.

Torkel raccrocha. Conférence de presse. Demain matin. Pourquoi pas ? Avec Weber à leurs basques, ils allaient devoir communiquer sur toutes les nouveautés pour garder un tant soit peu de contrôle sur le flux des informations. C'était toujours un travail d'équilibriste. S'ils gardaient trop longtemps le silence sur ce qu'ils savaient, cela ferait naître les rumeurs. Et les rumeurs entraîneraient ensuite un débat éreintant sur l'insécurité. Et l'on se demanderait pourquoi la police avait caché qu'un tueur en série était à l'œuvre. En tout cas, ils avaient besoin de témoignages. Torkel aurait bien aimé avoir plus d'indices et disposer d'une liste de suspects. Mais ils n'avaient rien. Ils n'avaient pas avancé d'un pouce. Si tout se passait bien, le battage médiatique permettrait de récolter quelques indices. Car Torkel était sûr d'une chose. Dès que les gros titres paraîtraient, au moins une personne lirait le moindre article, la moindre brève et le moindre débat sur l'affaire : le tueur lui-même. Leur fameux imitateur. Ils pouvaient lui tendre un piège. Chatouiller son orgueil. Le pousser à commettre une erreur…

On pouvait toujours rêver.

Torkel ferma la fenêtre du moteur de recherche et s'étira. La journée de travail avait été longue.

Trop de questions, trop peu de réponses.

Il laissa vagabonder ses pensées. Vers ses filles, sa maison de vacances et ce qu'il allait en faire quand les filles ne voudraient bientôt plus s'y rendre. C'était surtout Elin qui avait commencé à protester de devoir y passer les dernières semaines de vacances. Mais Vilma allait sans doute bientôt se rebeller à son tour. Elle était adolescente maintenant. Torkel avait toujours redouté ce moment. Celui où elles allaient devenir grandes. Où elles préféreraient passer du temps avec leurs amis et mener leur propre vie, loin de leur vieux père et de sa minuscule maison de vacances dans l'Östergötland. C'était parfaitement naturel. C'était là le but de l'éducation : faire de ses enfants des individus autonomes. Torkel savait qu'il y était parvenu. Mais cela ne rendait pas les choses plus faciles pour autant.

Car il n'y avait pas que cela. Personne d'autre ne voulait bien l'y accompagner. Ou bien où que ce soit d'autre. Yvonne avait Kristoffer.

Non qu'elle soit une alternative, mais le fait qu'elle ait une nouvelle relation le renvoyait à sa propre solitude.

Torkel se leva péniblement du bureau et se mit à déambuler dans l'appartement. Ce qu'il vit ne lui plaisait pas. C'était plus poussiéreux que d'habitude, et il décida donc de faire un brin de ménage, malgré l'heure tardive. En premier lieu pour penser à autre chose, mais aussi parce qu'il avait un peu honte de ce désordre. Au fond, il était plutôt ordonné, mais cette série de meurtres brutaux lui avait pris tout son temps. C'était toujours comme ça. Rien qu'en regardant son appartement, on pouvait en déduire le degré d'implication que nécessitait son travail. Quand des affaires très compliquées atterrissaient sur son bureau, son logement était quasiment laissé à l'abandon. En tout cas depuis qu'il était divorcé. Après son entrée à la Crim', les choses s'étaient quelque peu améliorées, et ce pour une raison toute simple : son équipe travaillait là où on avait besoin d'elle, dans toute la Suède. L'idée avait été de créer au sein de la police nationale une unité spéciale spécialisée dans la résolution d'affaires d'homicides complexes et pour lesquelles les équipes policières locales ne possédaient pas les ressources nécessaires. Torkel était donc souvent par monts et par vaux et durant les périodes de travail les plus intensives, il dormait le plus souvent à l'hôtel. Cette fois, c'était Stockholm qui était touché. Et de la pire manière qui soit. Ranger son appartement n'avait donc pas été à l'ordre du jour, et à présent, il devait choisir entre le ménage ou quelques heures de sommeil.

Il décida de commencer par la cuisine. Les restes du dîner avec ses filles la semaine dernière étaient toujours posés à côté de l'évier, tandis que les journaux et le courrier de plusieurs semaines étaient éparpillés sur la table. Il s'affaira avec énergie, et eut fini au bout d'une demi-heure. Il enchaîna donc avec le salon. Il débarrassa la table basse et les fauteuils, et s'apprêtait à trier son courrier quand on sonna à la porte. Vu l'heure tardive, il préféra jeter un coup d'œil à travers le judas avant d'ouvrir.

Elle était là.

Il ouvrit la porte et balbutia un « salut » en la laissant entrer. Elle s'avança dans le couloir. La première pensée de Torkel fut de se féliciter d'avoir évacué le gros du désordre. Cela lui aurait sans doute été égal, mais quand même. Il se sentait mieux ainsi. Elle le regarda et passa devant lui pour gagner le salon.

– Tu as reçu mon SMS ?

– Oui.

– Weber a essayé de te joindre.

– Je sais, je l'ai déjà rappelé.

– Bien.

Torkel se tenait dans l'encadrement de la porte du salon et l'observait. Pourquoi cela l'intéressait-il tant de savoir s'il s'était occupé du problème Weber ? Elle l'avait prévenu, c'était donc désormais à lui de s'en charger. Mais il était content qu'elle soit là, et il aurait tout fait pour qu'elle reste.

– Je vais organiser une conférence de presse demain matin. Weber a compris qu'il y avait un lien.

– Avec Hinde ?

– Non, entre les meurtres.

– Ah.

Elle hocha la tête et retourna dans le couloir.

– Tu aurais pu appeler.

– Ma batterie était vide.

Un parfait mensonge. Ursula vit qu'il avait compris.

– Je dois y aller.

Il se demanda ce qu'il devait dire pour la convaincre de rester.

Ils restèrent donc à se regarder en chiens de faïence.

Finalement, il prit l'initiative de rompre le silence. Il tenta de bien choisir ses mots, mais les premiers qui lui vinrent étaient comme toujours beaucoup trop banaux à son goût.

– Comment tu vas, Ursula ?

Elle le regarda et s'assit sur la chaise blanche à côté de la porte, que personne n'utilisait jamais en temps normal. Elle fut plus directe.

– Qu'est-ce qu'on fait ?

– Qu'est-ce que tu veux dire ?

– Pour toi et moi ?

– Je ne sais pas.

Il se maudit de ne pas pouvoir exprimer ce qu'il ressentait. Il décida que sa prochaine réponse serait plus sincère. Absolument sincère. Il l'observa, mais ne put analyser son regard.

– Peut-être que je devrais changer d'unité ? suggéra-t-elle.

Cette proposition inattendue contra toutes ses résolutions de sincérité. Il sentit une boule d'angoisse se former en lui.

– Attends, de quoi tu parles ? Pourquoi ?

Rien ne se déroulait comme il l'avait espéré. Il parvint tout de même à garder le contrôle de son corps, et il lui prit la main. Il ne pouvait peut-être pas lui dire ce qu'elle voulait entendre, mais ses mains pouvaient le lui montrer.

– Je suis allée à Paris il y a quelques semaines.

– Je sais, avec Micke.

– C'était bizarre. On a fait tout ce qu'on peut faire pour un parfait week-end romantique. Mais plus on faisait des efforts, plus j'avais envie de rentrer.

– De toute façon, ce n'est pas ton genre, tout ça.

– C'est quoi, mon genre ?

Elle paraissait vraiment déboussolée. Torkel lui sourit et lui caressa la main qui se réchauffait progressivement dans la sienne.

– Tu es plus… compliquée. Jamais vraiment satisfaite, jamais vraiment détendue. Tu es Ursula.

– Tu veux dire que c'est toujours moi qui mène la danse ?

Il pouvait être sincère à présent.

– Oui. Ça a toujours été comme ça.

– Mais ça ne te dérange pas ?

– Non. Je ne pense pas pouvoir te changer. Et je crois même ne pas en avoir envie.

Elle le regarda et se leva.

Pas pour partir, mais pour rester.

En rentrant chez elle à trois heures du matin, elle se faufila d'abord dans la chambre de Bella. Sa fille y séjournait parfois encore quand elle venait en visite d'Uppsala et qu'elle avait besoin d'un endroit où dormir. Ursula espérait presque que sa fille lui ait fait une visite surprise, mais la chambre était vide. Bella n'était déjà plus passée depuis plusieurs semaines. La dernière fois, elle était venue accompagnée de son copain Andreas avant de partir en Norvège au début du mois de juin dans le but d'y travailler dans un restaurant pendant les vacances et d'accumuler un petit pécule avant le début du semestre. Ursula poussa une pile de vêtements appartenant à Bella et s'assit sur la chaise de bureau. Elle observa le lit vide et fait de sa fille. La chemise de nuit préférée de Bella était toujours sur la table de nuit, un tee-shirt Green Day qu'elle l'avait suppliée d'acheter lors d'un concert. C'était Ursula qui l'y avait emmenée. Dans la voiture, elle avait eu une longue discussion sur l'achat de ce tee-shirt, Ursula arguant qu'il était beaucoup trop cher et Bella soutenant avec tout autant d'énergie que son achat était indispensable, pour ne pas dire une question de vie ou de mort.

Sa fille était si douée, dans ses études, au volley-ball, partout en fait. En la voyant, Ursula se revoyait au même âge. Première de la classe, toujours un livre dans les mains, comme si le savoir était la seule chose dont on ait besoin pour comprendre la vie. Ursula avait le sentiment qu'il était urgent qu'elle se rapproche enfin de sa fille. Elles se ressemblaient tellement, les mêmes forces, les mêmes faiblesses. Elle aurait pu apprendre bon nombre de choses à sa fille. Par exemple que le savoir n'était pas le seul moyen d'avancer. Qu'il y avait des choses dont l'explication ne se trouvait pas dans les livres, dans les conclusions logiques d'une argumentation. La proximité avec les autres par exemple. C'était le plus dur. Sans cette proximité, on restait dans la distance. Ce lieu un peu à l'écart du centre de la vie qu'Ursula connaissait si bien. Mais peut-être était-il déjà trop tard pour chercher à se rapprocher de Bella. Sa fille commençait à réclamer la même distance que celle dont Ursula avait besoin. Ursula prit le tee-shirt soigneusement plié et y plongea le nez. Il était fraîchement lavé, mais Ursula avait tout de même l'impression d'y sentir l'odeur de sa fille. Elle pensait aux mots qu'elle devait toujours lui dire quand elle en aurait l'occasion, et qu'elle ne lui disait jamais.

– Je t'aime, je veux que tu le saches, je ne suis juste pas douée pour le montrer. Mais je t'aime.

Elle flaira une dernière fois le tee-shirt avant de le reposer sur la table de nuit et d'aller dans la salle de bains.

Elle se lava encore une fois. Bien qu'elle se soit déjà douchée chez Torkel, cela lui paraissait aller de soi, puis elle se brossa les dents. Elle se glissa ensuite dans le lit à côté de Mikael. Elle s'allongea sur le côté et admira ses cheveux en bataille et sa nuque. Il lui tournait le dos et paraissait profondément endormi. Elle se détendit, et bien qu'elle ne se sente pas parfaitement en harmonie avec elle-même, elle éprouvait une certaine satisfaction. Elle était consciente qu'elle ne prenait que des miettes des gens qui l'entouraient.

Toujours des petits bouts, jamais le tout.

Et elle ne donnait que des miettes en retour. Elle était incapable d'autre chose.

Comme le tee-shirt de Bella. Elle aimait sa fille, mais ne le disait qu'à son tee-shirt.

Sabine lui apparut dans ses rêves. Elle lui tenait la main.

Comme toujours.

Les vagues d'écume. La force. Le bruit. Il la lâchait. La perdait. Arrachée par les vagues.

Comme toujours.

Il la perdait.

Pour toujours.

Sebastian se réveilla en sursaut, pas très sûr de savoir où il se trouvait. Son regard tomba enfin sur Annette. Elle portait toujours sa robe noire. Son rouge à lèvres sombre avait laissé des traces sur l'oreiller. Elle était belle. Hier, il ne l'avait pas vraiment remarqué. Comme une fleur qui ne s'épanouissait que la nuit, à l'insu de tous. *Si seulement elle pouvait emmener ne serait-ce que la moitié de cette beauté en passant le seuil de la porte pour pénétrer dans le monde*, pensa Sebastian, mais il écarta immédiatement cette pensée. Ce n'était pas son devoir de la comprendre ou de l'aider. Il avait déjà à faire avec lui-même.

Il descendit du lit sans faire de bruit. Son dos était complètement raide, le lit était à la fois trop étroit et trop moelleux. De plus, il était toujours tendu après son rêve, et sa main droite lui faisait mal. Par terre à côté de ses vêtements se trouvait un nounours rose avec une petite rose et un texte sur son ventre : « pour la meilleure maman du monde ». Il se demanda si elle se l'était acheté elle-même. Il pouvait difficilement imaginer que cette femme en train de dormir dans ce lit soit la meilleure en quoi que ce soit. Il ramassa le nounours et le plaça à côté d'elle sur le lit en guise de bonjour. Puis il la regarda une dernière fois avant de s'habiller sans faire de bruit et de partir.

Il faisait chaud. Vraiment chaud. À peine eut-il franchi le seuil de la porte que la chaleur l'enveloppa immédiatement, bien qu'il ne soit pas encore cinq heures. À travers une fenêtre, il avait entendu s'échapper le son d'une radio diffusant les informations qui parlaient de « chaleur tropicale » à Stockholm. Il ignorait à partir de quel moment la chaleur pouvait être qualifiée de « tropicale ». Personnellement, il trouvait juste qu'il faisait une chaleur à crever. Tout le temps. Le jour comme la nuit. Il s'était éloigné d'à peine une centaine de mètres de la maison d'Annette que la sueur coulait déjà le long de son dos. Il ne savait pas exactement où il était ni comment regagner le centre de Liljeholmen. Il erra donc sans but jusqu'à ce qu'il reconnaisse le quartier.

Un kiosque se trouvait à côté de la station de métro. Il s'en approcha, ouvrit la porte et se rendit directement à la machine à café pour y chercher un grand gobelet en carton de cappuccino.

– Pour seulement six couronnes de plus, vous pouvez avoir un petit quelque chose avec, lui dit le jeune homme derrière le comptoir quand Sebastian se présenta pour payer.

– Je ne veux pas de petit quelque chose.

Le jeune caissier jeta un regard sceptique à Sebastian avant de lui adresser un sourire éloquent et compréhensif.

– Vous avez eu une nuit difficile ?

– Mêle-toi de tes oignons.

Sebastian prit son gobelet et s'en alla. Une fois sorti du magasin, il tourna à gauche. C'était quand même une trotte. Il devrait traverser Liljeholbro, puis remonter la rue Hornsgatan jusqu'à Slussen, prendre le pont Skeppsbro puis le pont Strömsbro, puis encore la rue Stallgatan jusqu'au bout avant d'atteindre Strandvägen qui le ramènerait chez lui. Il serait sûrement en nage en y arrivant, mais il n'avait aucune envie de reprendre le métro. Et s'il n'en pouvait plus, il n'aurait qu'à appeler un taxi.

En marchant dans la rue Hornsgatan, il se rendit compte que son lacet était défait. Sebastian posa son gobelet sur une armoire électrique, se pencha et le renoua. Quand il se releva pour prendre son café, il aperçut son reflet dans la vitrine un peu noircie d'une boutique de chemises. Ce matin-là, il paraissait plus vieux que son début de cinquantaine. Usé. Ses cheveux un peu trop longs collaient à son front. Il n'était pas rasé et paraissait fatigué, les yeux creux. À cinq heures du matin avec un gobelet de café tiède. Rentrant d'une nouvelle nuit avec une inconnue. Rentrant où ? Où voulait-il aller, en fait ? Chez lui. Mais qu'est-ce qui l'attendait là-bas ? À part la cuisine et la salle de bains, la chambre d'amis était la seule pièce qu'il utilisait dans son grand appartement de la rue Grev Magnigatan. Quatre pièces n'étaient pas utilisées. Inhabitées et silencieuses, toujours plongées dans la pénombre derrière les stores baissés. Où allait-il ? Où allait-il depuis ce 26 décembre 2004 ? La réponse était simple. Nulle part. Il s'était persuadé qu'il était bien comme cela. Que les choses étaient exactement comme il le voulait, et que passer à côté de sa vie comme devant ces pièces vides, toujours plongées dans le noir, avait été un choix conscient.

Il savait pourquoi il en était ainsi. Il avait peur de devoir abandonner Sabine pour revenir. Et Lily. De devoir oublier sa femme et sa fille pour avancer. Il ne le voulait pas. Il savait que nombreux étaient les gens, la plupart même, qui arrivaient à continuer leur vie après avoir perdu des proches. À aller de l'avant. La mémoire des morts finissait toujours par se réconcilier avec le présent. La vie continuait, même si un morceau manquait – tout n'était pas cassé comme chez lui. Il le savait. Mais jusqu'à présent, il n'avait tout simplement pas eu la volonté de le réparer. Il n'avait même pas essayé.

Vanja avait néanmoins redonné un vague sens à sa vie. Lui avait fait retrouver une forme de quotidien, et à présent, il avait osé faire quelques pas vers le changement. Si Trolle accomplissait sa mission avec succès, Sebastian serait en mesure de creuser un fossé entre Valdemar et sa fille. La question était seulement de savoir ce qui arriverait ensuite. S'il parvenait à pousser Vanja dans ses retranchements et à la précipiter dans une crise existentielle, ne devrait-il pas être là pour l'aider à ne pas sombrer ? Le mieux serait de trouver un moyen pour faire partie de son quotidien avant même que n'arrive la catastrophe. Une partie haïe sans doute, mais assez proche d'elle pour être à ses côtés au moment où elle en aurait besoin.

Ainsi, il pourrait faire d'une pierre deux coups. En entrant dans son quotidien.

Son quotidien, c'était avant tout la Crim'. L'ancien employeur de Sebastian. Le seul groupe auquel il s'était jamais senti appartenir. Où il avait contribué à quelque chose. Travaillé. Avait une vie.

Il fallait avoir sa propre vie avant de pouvoir espérer faire partie de celle de quelqu'un d'autre.

Peu après cinq heures, fatigué, en sueur et complètement vidé, il arriva soudain à rassembler toutes les pièces du puzzle, et il prit une décision. Il voulait reconstruire sa vie et entrer dans celle de Vanja.

Encore un dernier regard dans la vitrine sombre. Ce fut le coup d'envoi d'un nouveau départ.

Torkel roula dans le parking situé au sous-sol du commissariat, coupa le contact et descendit de son Audi qui, grâce à la climatisation, lui avait permis de profiter d'agréables 17 degrés. Bien qu'il ait peu dormi, il se sentait frais et reposé, et tentait de ne pas penser à sa soirée de la veille. De ne pas nourrir trop d'espoirs. Allongé à côté d'elle dans le lit, il s'était rendu compte à quel point elle lui avait manqué. Pendant un instant, il avait failli se blottir contre elle et la serrer dans ses bras, mais il n'avait pas osé. Il savait qu'elle ne le voulait pas. Hier pourtant, elle s'était montrée plus démonstrative que jamais. Elle était venue chez lui. Était revenue. L'avait choisi. Pas complètement, mais quand même.

Ursula ne pourrait vraisemblablement jamais choisir complètement quelqu'un. Et il était assez adulte pour pouvoir vivre avec.

Quand il s'était réveillé ce matin-là, elle avait disparu. Il ne l'avait pas entendue se lever ni partir. Elle ne l'avait pas réveillé pour lui dire au revoir. Mais à quoi s'attendait-il ? Ursula était comme ça.

En pénétrant dans le hall d'entrée, Torkel salua l'agent chargé de l'accueil qui lui tendit les journaux avant de sortir son badge pour ouvrir la première porte. Avant même qu'il n'ait pu le faire, il entendit une voix :

– Bonjour !

Un sans-abri, se dit d'abord Torkel, mais quand il se retourna, il reconnut immédiatement son visiteur. Sebastian quitta le coin canapé en face de l'accueil, où il avait somnolé, et se dirigeait vers Torkel.

– Sebastian. Qu'est-ce que tu fais ici ?

Torkel vint à sa rencontre et réprima son envie de lui donner une accolade. Sebastian lui serra la main.

– Je voulais te voir. Je n'ai pas pris rendez-vous, mais tu as peut-être quand même le temps ?

Typiquement Sebastian, pensa Torkel. Débouler comme ça. Si cela lui allait, il fallait que ça aille à tout le monde.

Depuis qu'ils avaient résolu cette affaire à Västerås, Sebastian avait disparu de la circulation. Il n'avait montré aucune velléité de garder contact ni de reprendre le fil de leur amitié laissée en suspens depuis des années. Torkel lui avait donné l'occasion de le faire plusieurs fois, mais Sebastian avait habilement déjoué toutes ses tentatives d'approfondir leur relation.

L'espace d'un instant, Torkel songea à l'envoyer sur les roses. Lui dire que ce n'était pas le moment. Qu'il n'avait pas le temps. Cela aurait bien sûr été la meilleure option. Le bon choix. Il savait d'expérience que la venue de Sebastian n'augurait rien de bon. Torkel se surprit tout de même à le saluer de la tête et à lui faire signe de le suivre en passant son badge dans le lecteur ouvrant la porte des locaux de la Crim'.

– Tu as l'air fatigué, remarqua Torkel une fois qu'ils furent dans l'ascenseur les emmenant au quatrième étage.

– C'est sûrement parce que je suis fatigué.

– Tu attendais depuis longtemps ?

– Quelques heures.

Torkel jeta un coup d'œil à sa montre.

– Tu t'es levé de bonne heure, dis donc.

– En fait, je ne me suis même pas couché.

– Devrais-je savoir où tu as passé la nuit ?

– Non, je préférerais moi-même ne pas le savoir.

Silence. Une voix de femme anonyme annonça qu'ils étaient arrivés à destination, et les portes automatiques de l'ascenseur s'ouvrirent. Sebastian sortit le premier, et ils longèrent le couloir côte à côte.

– Que fais-tu en ce moment ? lui demanda Torkel sur un ton neutre tandis qu'ils se dirigeaient vers son bureau.

Sebastian ne put s'empêcher d'être quelque peu impressionné. Malgré tout ce qui s'était passé, on l'accueillait plutôt bien.

– Tu sais bien, je fais ce que je fais d'habitude.

– C'est-à-dire rien, donc.

Sebastian ne répondit pas.

Torkel s'arrêta devant une porte, l'ouvrit et invita Sebastian à entrer dans son bureau. Il laissa la porte ouverte, enleva sa veste et la mit sur un cintre qu'il suspendit à une patère. Sebastian s'assit sur un canapé deux places.

– Tu veux un café ? lui demanda Torkel tout en s'installant derrière son bureau et en bougeant la souris pour sortir son ordinateur du mode veille.

– Non, je veux un boulot. Ou plutôt, j'ai besoin d'un boulot. C'est pour ça que je suis là.

Torkel se demanda à quoi il s'était attendu. Au fond de lui, il savait pertinemment qu'une seule et unique raison pouvait expliquer l'apparition soudaine de Sebastian à une heure si matinale : il voulait quelque chose. Qui pourrait lui procurer un certain avantage. Mais ça ? Avait-il bien entendu ?

– Tu veux un boulot. Ici ?

– Oui.

– Non.

– Pourquoi ?

– Je ne peux pas embaucher des gens comme ça.

– Si, tu le peux, si tu en as besoin.

– Mais en ce moment, c'est un peu…

Pour la première fois, Torkel eut du mal à soutenir le regard de Sebastian. C'était son point faible. Peut-être avaient-ils vraiment besoin de Sebastian à présent ? Mais si c'était le cas, pourquoi Torkel n'avait-il alors pas pris son téléphone pour l'appeler ? Était-ce dû à sa propre réticence à voir Sebastian réintégrer l'équipe ?

Il se sentait délaissé par son ancien ami – cela devait-il influer sur ses décisions professionnelles ? Oui, il s'était dit que la présence de Sebastian, même avec une troisième victime, nuirait plus à l'enquête qu'elle ne la ferait progresser.

Sebastian interpréta le silence de Torkel comme un réel délai de réflexion. Il se pencha vers lui.

– Allez, Torkel. Tu sais très bien de quoi je suis capable, tu sais ce que je peux apporter. N'avons-nous pas déjà eu cette discussion à Västerås ?

– Non, on ne l'a pas eue. D'après mon souvenir, tu es tombé sur nous par hasard, tu nous as traités, moi et mon équipe, comme les derniers des idiots, puis tu t'es volatilisé.

Sebastian hocha la tête : cela s'était vraiment passé ainsi.

– Mais ça a marché.

– Oui, pour toi peut-être.

Ce fut à ce moment-là qu'on frappa à la porte. C'était Vanja. Le bref regard qu'elle jeta au visiteur assis sur le canapé traduisait on ne peut plus clairement ce qu'elle pensait de lui.

– Qu'est-ce que tu fiches ici ?

Sebastian se leva d'un bond. Il ne savait pas pourquoi. Il trouvait tout simplement normal de se lever quand Vanja entrait dans une pièce. Comme un prétendant dans un roman de Jane Austen. Peu importait qu'il ne l'ait vue que vingt-quatre heures auparavant, cela lui paraissait une éternité.

– Bonjour Vanja !

Vanja ne daigna même pas lui accorder un regard. Mais elle fixa Torkel d'un air vindicatif.

– Il nous rend une simple visite. Il passait par hasard dans le coin, expliqua-t-il.

– Comment vas-tu ? tenta à nouveau Sebastian.

Vanja continua de l'ignorer et dit à Torkel :

– Tout le monde est là. On n'attend plus que toi.

– Bien, je me dépêche. On a organisé une conférence de presse pour ce matin.

– Une conférence de presse ?

– Oui, on en reparle tout de suite. Dans deux minutes.

Vanja hocha la tête et s'en alla sans un regard pour Sebastian. Torkel remarqua qu'il suivait Vanja des yeux tandis qu'elle quittait la pièce. Elle avait été plus dure que d'habitude. On pourrait même dire impolie. Peut-être devrait-il le lui faire remarquer. En même temps, son comportement le confortait dans sa décision de ne jamais réintégrer Sebastian dans l'équipe. Torkel se leva, et Sebastian se retourna vers lui.

– Une conférence de presse… Sur quoi travaillez-vous en ce moment ?

Torkel savait qu'il n'y avait pas de meilleur moyen pour appâter Sebastian. Il fit le tour de son bureau et posa une main sur son bras.

– Je crois aussi qu'un vrai boulot te ferait le plus grand bien.

– J'accepte bien volontiers.

– J'aimerais vraiment pouvoir t'aider.

– Mais tu le peux.

– Non, je ne peux pas, désolé.

Silence. Torkel crut voir quelque chose s'éteindre dans le regard de Sebastian.

– Allez, ne m'oblige pas à te supplier…

– Je dois y aller. Appelle-moi, si tu as envie d'aller boire un coup à l'occasion. Hors cadre professionnel.

Torkel pressa légèrement le bras de Sebastian avant de se retourner et de quitter le bureau.

Sebastian resta de marbre. Il aurait dû s'attendre à ce résultat, mais il était tout de même déçu. Il se sentait vide. Il se tint encore un moment debout, puis il se prépara à partir.

Avoir sa propre vie avant de faire partie de celle de quelqu'un d'autre, comment cela pouvait-il bien fonctionner, si personne ne lui donnait sa chance ?

Les fenêtres auraient bien besoin d'un peu de nettoyage, pensa Sebastian en regardant à travers les vitres grises de saleté qui donnaient sur Karlavägen. Dehors, un camion de location de Statoil bloquait deux places de parking. Deux types d'une trentaine d'années essayaient d'en sortir un piano bien trop grand. Sebastian observa attentivement la manœuvre dont il conclut au bout de quelques secondes qu'elle était impossible à réaliser. Le piano était trop lourd et les garçons trop gringalets. L'équation était simple.

Stefan venait de se rendre au 7-Eleven pour chercher du lait pour le café, et avait laissé Sebastian seul dans son cabinet. Sebastian avait écarté le rideau de gauche pour avoir une vue dégagée, puis il se rassit dans le grand fauteuil et continua d'observer les deux types en train de s'échiner avec ce piano. Il se renversa ensuite dans son siège et ferma les yeux.

Il se sentait presque nerveux. Peut-être à l'idée de ce qui allait probablement bientôt arriver.

Son retour.

Le moment où Sebastian reprendrait le contrôle et contre-attaquerait avec encore plus de force. Il rouvrit les yeux et se mit de nouveau à observer le manège des deux hommes avec le piano. La situation était un peu bloquée, car les deux types s'étaient arrêtés et paraissaient discuter de la marche à suivre. Sebastian perdit tout intérêt pour eux et saisit le *Dagens Nyheter* du jour qui était posé sur la table devant lui.

Quelques événements s'étaient déroulés à l'étranger.

Et d'autres choses dans le pays. En fait, il ne s'y intéressait pas vraiment, il cherchait seulement à s'occuper.

Son regard tomba sur le bouquet de fleurs fraîches posé sur la table. Une combinaison tout à fait représentative de Stefan. Un bouquet de fleurs et le *Dagens Nyheter*. Du café au lait. Stefan vivait le moment présent. Comme si chaque journée comptait.

Quelques minutes plus tard, Sebastian entendit la porte s'ouvrir, puis il vit Stefan apparaître avec une brique de lait demi-écrémé à la main. Sebastian posa le journal tout neuf sur la table et le remercia d'un signe de tête.

– Tu voulais du café, non ? demanda Stefan en s'approchant de la machine.

– Puisque tu es sorti exprès pour me chercher du lait, je n'ose pas dire non.

– Pourtant, tu oses toujours dire non, dit Stefan en souriant.

Sebastian sourit à son tour.

– Alors, je dis non.

Stefan hocha la tête et se versa du café dans la tasse. Il ouvrit ensuite le carton de lait tout juste sorti du magasin et y ajouta un nuage de lait.

– Je sais.

– Tu as l'air heureux. Il s'est passé quelque chose ?

– Non, qu'est-ce qu'il aurait dû se passer ?

Sebastian eut un rire aussi désarmant que possible. Il voulait se réserver le triomphe le plus longtemps possible.

– Je ne sais pas, c'est juste un sentiment.

Il posa le gobelet sur la table où se trouvait le bouquet et s'assit. Puis le silence se fit pendant quelques minutes. Sebastian sentit que le moment était venu d'entamer son récit.

– J'ai vu Vanja aujourd'hui.

Stefan avait l'air plus fatigué que surpris.

– Je pensais qu'on s'était mis d'accord pour que tu ne la contactes plus. Et qu'est-ce qu'elle a dit ?

Sebastian secoua la tête.

– Tu as promis.
– Ce n'est pas ce que tu crois. Je me suis présenté pour un boulot.
– Et où ça ?
– À la Crim'.
– Comme par hasard…
– Allons. Tu as dit que je devais chercher quelque chose, et j'ai décidé que j'allais retrouver du boulot pour remettre de l'ordre dans ma vie. Tu as vraiment raison. Mais il me faut un travail intéressant. Quelque chose qui me stimule.
– Aha. Contrairement à l'horrible soirée que tu as passée hier, c'est ça ?
Sebastian s'abstint de répondre et regarda à nouveau par la fenêtre. Les types s'étaient assis et fumaient. Le piano toujours bien en place à côté d'eux.
– Les thérapies de groupe fonctionnent bien mieux quand on y participe, poursuivit Stefan. Tu sais, quand on discute.
– Je t'avais pourtant dit que ce n'était pas mon truc. Mon Dieu, ce déballage incessant. Comment tu fais pour supporter ça ?
– On s'y habitue. J'ai d'autres patients bien plus difficiles, dit Stefan en lui adressant un regard éloquent.
Sebastian ignora cette pique, se préparant à lancer un missile bien plus dangereux.
– En tout cas, je ne viendrai pas ce soir.
– Je trouve que tu devrais te laisser une seconde chance.
– Je ne pense pas. Tu sais…
Sebastian se tut. Une pause artificielle. Il avait appris en donnant des cours que les brusques changements de tonalité étaient encore plus efficaces quand on les introduisait par une petite pause. Il tenta de produire le meilleur effet possible. Puis il lâcha la bombe.
– J'ai couché avec Annette après la réunion.
Stefan pâlit, incapable de cacher son irritation.
– Bon sang, pourquoi as-tu fait ça ?
Stefan essaya de se calmer en s'adossant dans le fauteuil. Avec un succès limité, comme put le constater Sebastian avec un certain plaisir.

– C'était une erreur. Je ne voulais pas faire ça.

– Comment ça, tu ne voulais pas ? Comment ça ? Comment ça, tu ne voulais pas le faire ?

– C'était juste… pour passer le temps. Pour penser à autre chose, quoi. Tu me connais. Je suis comme ça, dit-il en regardant Stefan avec un intérêt feint. Tu la connais bien ?

– Elle est en thérapie chez moi depuis un certain temps. Elle se sent abandonnée de tous, de son fils, de son ex-mari, de tous. Elle a du mal à faire confiance et une très mauvaise estime d'elle-même.

– Oui, j'ai remarqué. Un véritable aspirateur à tendresse. Une vraie éponge. Mais quel bon coup !

Stefan se leva si brusquement de son fauteuil qu'il renversa son café. Son air compréhensif et bienveillant avait complètement disparu. Il fulminait.

– Tu ne comprends pas ce que tu as fait ? Tu peux imaginer ce qu'elle a dû ressentir quand elle s'est réveillée toute seule ? Car je suppose que tu n'es pas resté pour le petit-déjeuner ?

– Non, j'ai fait de mauvaises expériences avec ça.

– Et maintenant, tu as l'intention de l'ignorer ?

– Oui, c'est mon plan. Il fonctionne toujours à merveille. Je suis désolé, Stefan, mais je t'avais dit que je n'avais rien à faire dans une thérapie de groupe.

– La question est de savoir si tu as quelque chose à faire quelque part. Et maintenant, casse-toi, dit Stefan en désignant la porte. Je ne veux plus te voir.

Sebastian hocha la tête et se leva. Il quitta Stefan, son numéro du *Dagens Nyheter* et son bouquet de fleurs.

Stefan avait raison.

Chaque jour comptait.

L'homme était aussi enthousiaste que sa nature le lui permettait quand il rentra à la maison. Il avait parcouru les gros titres et les unes dès leur parution. Il y avait eu une conférence de presse. Sur lui. Il mourait d'envie de les lire, mais il ne pouvait pas faire irruption dans l'appartement pour ouvrir les journaux qu'il venait d'acheter.

Il devait suivre son rituel.

D'un geste rapide et routinier, il alluma la lumière du couloir et referma la porte derrière lui. Il retira ses chaussures et les posa sur l'étagère, enfila ses chaussons, enleva sa veste fine et l'accrocha à l'unique crochet de son porte-chapeaux qui était vide, à part une lampe de poche. Quand il eut enlevé tout ce qu'il avait à enlever – en hiver, il fallait compter l'écharpe, le bonnet et les gants toujours dans le même ordre sur l'étagère –, il ouvrit la porte des toilettes et alluma la lumière. Comme toujours, il se sentait un peu mal à l'aise quand il se trouvait dans l'obscurité totale de cette pièce sans fenêtres, juste avant que le néon ne s'allume en clignotant. Il se rendit aux toilettes, et vérifia si la lampe de poche qui se trouvait toujours à portée de main sur la petite étagère fonctionnait encore avant d'ouvrir sa braguette et d'uriner. Il emporta la lampe de poche sur le lavabo où il se lava les mains, puis il la remit à sa place et laissa la porte des toilettes grande ouverte en sortant. Il alluma le plafonnier du salon, tourna à gauche et alla dans la cuisine pour y allumer la lumière, au plafond comme au-dessus de la cuisinière. Ici aussi, il avait deux lampes de poche à vérifier. Elles fonctionnaient toutes les deux. Il ne lui restait plus que la chambre. Le plafonnier et la liseuse, puis la lampe de poche sur la table de nuit.

La lumière était allumée partout à présent. Non que ce soit utile. Le soleil rayonnait à travers toutes les fenêtres de l'appartement. Rien ne l'en empêchait d'entrer, et rien n'obscurcissait les lieux. Pas de volets roulants ni de rideaux. Lorsqu'il avait emménagé, la première chose qu'il avait faite avait été d'enlever les stores. En réalité, il n'avait pas besoin de lumière électrique à ce moment-là. Mais cela faisait partie du rituel. Si on le suivait même lorsque c'était inutile, on n'avait pas besoin d'avoir peur de l'oublier quand c'était important.

De nombreuses années auparavant, il y avait eu une coupure d'électricité dans son quartier. Il avait fait noir, pas seulement chez lui, mais partout. L'obscurité totale. Il s'était immédiatement emparé d'une lampe de poche mais à chaque fois, soit les piles étaient vides, soit l'ampoule était cassée. À l'époque, il avait été tellement paniqué et pris d'une angoisse si paralysante qu'il avait vomi et était resté allongé plusieurs heures immobile sur le plancher jusqu'à ce que l'électricité revienne. En fait, il aimait bien l'été. Pas forcément pour la chaleur, mais pour la lumière. Il aimait par-dessus tout la période de Midsommar, pas pour les festivités, mais parce que le soleil ne se couchait pas. De manière générale, il n'aimait pas les jours fériés. Et encore moins celui dédié à Midsommar.

Car c'était un soir de Midsommar qu'il avait senti pour la première fois que quelque chose ne tournait pas rond chez lui.

Qu'il n'était pas comme les autres.

Il devait avoir trois ou quatre ans. Ils étaient allés en voiture à une fête donnée sur une grande pelouse au bord d'un lac. À leur arrivée, le mât avait déjà été planté. La foule était si dense qu'ils avaient été obligés de déplier leur couverture de pique-nique assez loin de la fête. Alors qu'ils dégustaient leurs sandwiches, leur tarte aux fraises et le vin blanc pour papa et maman, le vent leur avait envoyé quelques notes de musique. La danse avait commencé à trois heures. Beaucoup de gens y avaient participé, il y avait sûrement eu quatre ou cinq rondes de danseurs qui se tenaient la main. Il adorait danser sur « Le petit corbeau du curé » ou sur « Allons dans le genévrier », qui étaient ses chansons préférées. Les mouvements étaient si drôles.

Cela avait peut-être commencé avant, mais il ne s'en souvenait pas. Mais c'était là que c'était arrivé pour la première fois. Le soir de Midsommar. Sous le soleil, dans la deuxième ronde en partant de l'extérieur, quand elle avait dansé avec lui. Sa petite main dans la sienne. Il se souvint qu'il était heureux et avait levé les yeux sur elle. Mais elle, elle fixait un point au loin pendant qu'ils dansaient, comme si elle était ailleurs. Elle ne chantait pas, ne souriait pas. Son corps exécutait les mouvements de danse comme un robot. Sans aucun sentiment. Elle avait baissé la tête vers lui et lui avait souri au moment où leurs regards s'étaient croisés, mais ce sourire n'était pas parvenu jusqu'à ses yeux. C'était mécanique, étudié pour lui donner l'illusion que tout allait bien. Mais ce n'était pas le cas. Ni cet après-midi ni plus tard.

– Maman ne va pas très bien.

C'était ce qu'elle lui disait quand il ne devait pas monter sur ses genoux ou quand elle restait allongée dans sa chambre, les rideaux tirés. Quand elle était assise par terre les jambes recroquevillées, le menton sur les genoux, à pleurer, pleurer, et pleurer encore, quand papa devait le chercher au jardin d'enfants parce qu'elle n'avait pas réussi à y aller. Elle le disait les jours où elle n'avait pas envie de lui faire à manger. Ou bien juste avant de claquer la porte derrière elle et de le laisser seul pendant plusieurs heures.

– Maman ne va pas très bien en ce moment.

C'était ce que disait papa quand il venait de dire « Chut ! » et de lui expliquer pourquoi il devait toujours porter des chaussons souples dans l'appartement et ne devait jamais être triste, en colère ni avoir peur. Pour la simple et bonne raison qu'il devait se faire le plus discret possible pendant des heures quand maman se risquait enfin à sortir du lit. Ou bien pour expliquer pourquoi ils ne faisaient jamais rien tous les deux et pourquoi il devait être un bon fils et s'occuper de maman quand papa allait au travail.

Plus tard, il le disait lui-même, quand ses camarades de classe lui demandaient pourquoi il était si souvent absent de l'école, pourquoi il n'allait jamais nulle part après les cours ni aux fêtes et ne faisait pas de sport.

– Maman ne va pas très bien en ce moment.

Parfois, quand elle allait mieux, elle lui disait que c'était triste qu'il grandisse auprès d'une si mauvaise mère.

Mais elle lui disait beaucoup plus souvent que c'était de sa faute si elle était malade. Que tout irait mieux si elle ne l'avait pas eu. Qu'il l'avait détruite.

Quand il eut dix ans, elle ne put plus habiter avec eux. Elle disparut. Il ne savait pas où. Elle rendait visite à papa, mais jamais à lui. Bizarrement, à partir de ce moment-là, papa resta plus souvent à la maison. Juste au moment où il pouvait vraiment se débrouiller seul. D'un côté parce qu'il était assez grand, et de l'autre parce que sa mère n'était plus là et qu'il n'avait plus besoin de s'occuper d'elle. Bien plus tard, il avait compris que pendant toutes ces années, son père s'était réfugié dans son travail. Il n'avait pas su comment réagir face à la maladie et avait laissé son fils assumer ses responsabilités. Il aurait peut-être dû le haïr pour cela mais lorsqu'il en avait pris conscience, il y a avait déjà trop d'autres choses et d'autres personnes qu'il haïssait avec encore plus de ferveur.

Sa mère mourut un an et demi après avoir abandonné sa famille. Pendant l'enterrement, il crut entendre plusieurs fois certaines personnes chuchoter quelque chose à propos d'un suicide, mais il ne le sut jamais avec certitude.

Six mois plus tard, une femme qu'il n'avait jamais vue auparavant s'invita à son anniversaire. Elle s'appelait Sofia. Comme toujours, il n'avait pas fait de fête. D'ailleurs, qui serait venu ? Après plusieurs années sans contacts sociaux et de nombreuses absences à l'école, il n'avait plus d'amis. Mais Sofia lui avait apporté un cadeau. Une Super Nintendo. Il en rêvait depuis plus d'un an, mais il s'était toujours entendu dire que c'était trop cher et qu'ils n'avaient pas assez d'argent pour ça. Sofia, quant à elle, ne paraissait pas trouver ce cadeau excessif. En plus de la console, il avait eu pas moins de quatre jeux ! Il comprit immédiatement que cette femme avait plus d'argent que papa et lui. Plus qu'ils n'en auraient jamais.

Elle passa la nuit chez eux.

Dormit dans la chambre de son père.

Comme papa le lui avait raconté plus tard, ils s'étaient rencontrés dans une salle des ventes dans laquelle il travaillait. Sofia s'était montrée très compétente et intéressée. Elle avait mis pas mal d'objets en vente, mais avait aussi acheté quelques beaux bibelots. Des bibelots très chers. Il aimait bien Sofia. Elle rendait papa heureux, comme il ne l'avait plus été depuis bien longtemps.

Les mois qui suivirent, il vit Sofia plus souvent. Beaucoup plus souvent. Une fois, Sofia et papa étaient partis en week-end, et ils étaient revenus fiancés. Papa lui avait alors parlé. C'était une discussion sérieuse. Il avait l'intention de se marier, de partir loin de tout ça. De s'installer chez Sofia. Elle habitait dans le centre-ville et avait beaucoup de place. Il ne doutait pas un instant que papa aimait bien Sofia, mais il comprenait aussi que son argent jouait un rôle non négligeable dans leur relation. Papa disait souvent qu'il avait grimpé dans l'échelle sociale, que s'ils se débrouillaient bien, ils n'allaient plus jamais manquer de rien et que c'était leur chance de s'en sortir.

De prendre un nouveau départ.

Pour une nouvelle vie. Une vie meilleure.

Il le méritait, après tout ce qui s'était passé. Cette fois, tout irait bien. Rien ni personne ne pourrait détruire cela.

Quelques semaines après leurs fiançailles, il avait rencontré pour la première fois la famille de Sofia. Ses parents, Lennart et Svea, un couple qui devait avoir la soixantaine, et son frère Carl. Lors d'un dîner de la Villa Källhagen. Tous s'étaient montrés très accueillants. Il avait renversé sa boisson, puis s'était caché par peur des représailles, mais personne ne lui avait fait de sermon. Plus le dîner avançait, plus il s'était senti à l'aise. Sofia paraissait avoir une famille très sympathique et saine d'esprit. Quand papa et lui avaient voulu partir, le père de Sofia l'avait pris à part :

– Comme tu le sais, je m'appelle Lennart, mais tu peux m'appeler papi si tu veux – maintenant qu'on fait partie de la même famille.

Il le fit avec plaisir. Il aimait bien cet homme aux cheveux poivre et sel et aux yeux bruns rieurs.

À l'époque. Quand ils venaient de faire connaissance.

Avant leurs excursions.

Avant les jeux.

Avant qu'il ne commence à avoir peur du noir.

Une fois son rituel accompli, l'homme s'assit dans la cuisine et ouvrit les journaux, les mains tremblantes. Ils avaient enfin compris. Il leur avait fallu du temps, mais ils avaient enfin fait le lien entre les trois meurtres. Ils parlaient de lui. Il semait la terreur, pouvait-on lire à côté des photos des maisons dans lesquelles il était allé. Une voisine paniquée serrait sa fille dans ses bras d'un air grave. Il feuilleta le deuxième journal. On y trouvait à peu près la même chose. Mais aucune référence n'était faite à son modèle, bien que les meurtres en soient des copies conformes. Sans doute les journalistes n'avaient-ils pas été informés de ce détail, ou bien ils n'étaient pas conscients du prestige de son maître. La police avait fait une déclaration très brève. Elle n'avait pas voulu annoncer qu'il s'agissait probablement d'un tueur en série. Elle avertissait tous les Stockholmois et en particulier les femmes seules de ne pas laisser entrer d'inconnus chez elles. Les policiers indiquaient avoir trouvé quelques indices, sans plus. Ils s'étaient refusé à tout commentaire sur les parallèles entre les différents meurtres, et n'avaient révélé aucun détail. Ils essayaient de minimiser son importance. De le faire ressembler à quelqu'un de transparent dont les actes étaient insignifiants. Encore une fois. Mais ils ne réussiraient pas. Ce n'était pas fini. Au bout d'un moment, ils seraient bien obligés de reconnaître qu'il était un adversaire à la hauteur. Aussi terrifiant que son maître.

L'homme se leva, ouvrit le deuxième tiroir et en sortit des ciseaux. Il se rassit. Il découpa avec grand soin les articles qui parlaient de lui. Quand il eut fini, il plia les journaux et les empila sur le bord de la table. Puis il resta assis sans bouger. Il devait trouver un nouveau rituel. Il allait encore faire couler beaucoup d'encre, il en était sûr. Ce n'était que le début. Il eut des papillons dans le ventre, comme s'il venait soudain d'entrer dans la prochaine phase. Celle où tout le monde se mettrait à sa recherche, en vain. Celle où il allait apparaître au grand jour.

Il se leva et se dirigea vers le placard à balais. À côté de l'aspirateur se trouvait un sac à vieux papiers. Il prit les journaux sur la table et les fourra dans le sac. Il referma ensuite le placard, prit les coupures de journaux et gagna son bureau. Il tira le premier tiroir dans lequel se trouvaient des enveloppes de trois tailles différentes. Il prit l'une des plus grandes et y rangea les articles. Ceux de l'*Expressen* devant ceux de l'*Aftonbladet*. Si d'autres journaux venaient à écrire des articles sur lui, il les mettrait à part, décida-t-il. Si des articles paraissaient sur Internet, il les imprimerait et les mettrait dans une enveloppe différente. Il se leva, gagna la commode, ouvrit le tiroir du haut et y déposa l'enveloppe avec les articles sous le sac de sport noir. C'était cela qu'il devait faire. Découper, trier, empiler, jeter aux vieux papiers, mettre dans l'enveloppe puis dans la commode. Un rituel. Il se calma immédiatement.

L'homme se rendit enfin à son bureau et s'assit devant l'ordinateur, puis il tapa l'adresse « fyghor.se » dans le navigateur. Il avait transmis les observations de ces derniers temps et avait reçu un accueil positif. Après avoir cliqué sur un bouton bleu-violet inséré au milieu d'un paragraphe portant sur une inscription runique sur la page sept. Une nouvelle page s'ouvrit, et il entra son mot de passe. L'espace d'un instant, il retint son souffle en voyant le changement sur la page.

Il avait reçu une nouvelle mission.

Il était prêt pour la suivante.

La quatrième.

L'ascenseur était déjà en panne depuis plusieurs semaines. Sebastian monta les marches jusqu'à son appartement qui se trouvait au troisième étage. Il n'en était plus à quelques gouttes de sueur près. Pendant tout le trajet qui le ramenait chez lui, le soleil avait tapé fort. Cet été-là, ni l'heure ni la position du soleil ne semblaient plus avoir d'importance. Il paraissait être au zénith depuis qu'il s'était levé, à quatre heures du matin. L'ombre était un bien rare et précieux. L'anticyclone régnait depuis si longtemps sur la météo que la presse à scandales commençait à inventer de nouvelles expressions : « record de canicule », « hyper-été », « canicule infernale » ou « été d'enfer » faisaient partie des nouvelles trouvailles de la semaine précédente. On y rapportait également que de nombreuses personnes avaient été admises à l'hôpital pour déshydratation et que des chiens étaient morts dans des voitures surchauffées.

Des fleurs étaient accrochées sur sa porte. Un bouquet entouré de papier gris avec une petite carte fixée au ruban adhésif. Sebastian l'arracha, prit les fleurs et referma la porte. Il se déchaussa sans défaire ses lacets, lut la carte sur laquelle étaient écrites des choses qu'il savait déjà ou avait évidemment comprises. Sebastian alla dans la cuisine et retira le papier. Des roses. Peut-être une douzaine. Rouges. Sûrement chères. Une autre petite carte était fixée aux tiges. On voulait visiblement le féliciter de quelque chose. C'était tout ce qui était écrit :

« Félicitations ! ». Une écriture en pattes de mouches. Et en dessous, un nom : Ellinor.

La teneuse de main.

Il savait qu'il avait commis une erreur en prenant le petit-déjeuner avec elle. Il l'avait toujours su, et il en avait à présent la confirmation. Il jeta les fleurs dans l'évier, prit un verre dans le placard et le remplit d'eau, le but à grands traits et le remplit à nouveau. Puis il quitta la cuisine. L'espace d'un instant, il commença à se creuser les méninges pour se demander de quoi elle le félicitait, mais il abandonna bien vite.

Il ne faisait pas beaucoup plus frais à l'intérieur qu'à l'extérieur. Cela sentait le renfermé, la poussière. Même s'il ouvrait la fenêtre, cela ne changerait pas grand-chose. Il préféra enlever tout ce qu'il avait sur le corps et jeter les vêtements sur le lit défait de la chambre d'amis. Il remarqua soudain à quel point l'immeuble était silencieux. Pas de chuintement dans les tuyaux, pas de cris d'enfants dans l'appartement du dessus, pas de pas dans l'escalier. L'immeuble paraissait presque abandonné, les voisins absents. Certes, ils ne lui manquaient pas, il ne connaissait même pas le nom de la majorité d'entre eux. Il évitait soigneusement toutes les réunions de copropriétaires, les journées de nettoyage et les fêtes de quartier. Même les enfants ne venaient heureusement plus sonner à sa porte pour lui vendre leur calendrier, leur muguet ou autres âneries. Mais c'était silencieux. Trop silencieux.

Sa visite chez Stefan n'avait pas eu l'effet escompté. Il était allé chez lui triomphant, sûr de sa victoire. Avait voulu montrer à Stefan une fois pour toutes qui était maître de son emploi du temps. Lui faire comprendre qu'il devait s'attendre à des représailles s'il croyait pouvoir prendre impunément des initiatives comme celles de l'envoyer dans cette fichue thérapie de groupe. Il s'attendait à une joute rafraîchissante. Mais Stefan avait au contraire paru plutôt résigné. C'était très décevant.

Sebastian gagna la chambre d'amis et alluma la télé accrochée au mur en face de son lit. Alors qu'il s'apprêtait à se coucher dans sa couette en bataille, le téléphone sonna. Ce son inconnu le fit sursauter. Son téléphone fixe. Cela devait être Trolle. Il voulut laisser sonner, mais il finit par être titillé par la curiosité. Peut-être Trolle avait-il trouvé quelque chose. Quelque chose de sensationnel. Cela pouvait être drôle. Il décrocha.

– Oui ?

– Tu as bien reçu les fleurs ?

Sebastian ferma les yeux. Ce n'était pas Trolle. Absolument pas. Une voix de femme. Hélas.

– Qui est-ce ?

– Ellinor Bergkvist.

– Pardon, qui ? se força-t-il à articuler sur un ton délibérément ignorant. Bien sûr qu'il savait qui elle était. Mais il n'avait pas l'intention d'entretenir le moindre de ses espoirs.

– Ellinor Bergkvist. On s'est rencontrés à la conférence de Jussi Björling, et puis tu m'as raccompagnée chez moi.

– Ah oui, c'est vrai, répondit Sebastian comme si son nom lui était revenu à l'esprit.

– Tu savais exactement qui j'étais quand j'ai dit mon nom, hein ?

– Qu'est-ce que tu veux ? demanda Sebastian, agacé.

– Je voulais te souhaiter ta fête. C'est la Saint-Jacques aujourd'hui.

Sebastian resta coi. Elle avait sûrement trouvé son nom entier sur Wikipédia. Il pouvait parfaitement l'imaginer en train de chercher désespérément un prétexte sur Internet pour reprendre contact avec lui. Était-il encore sur liste rouge ? Il l'était autrefois, mais l'était-il toujours ?

– Tu t'appelles bien Jacob Sebastian Bergman, non ?

C'était un constat. Aucun doute dans sa voix.

– Je te prie de m'excuser maintenant. Je viens de baiser, et j'ai besoin d'une douche.

Et il raccrocha. Il resta encore quelques minutes immobile, s'attendant presque à voir le téléphone se remettre à sonner, mais ce dernier resta muet. Sebastian sortit de la cuisine. Après tout, c'était presque la vérité. Certes, il ne venait pas de faire l'amour, mais il avait vraiment besoin d'une douche. Au moment où il s'apprêtait à rejoindre la salle de bains, une voix à la télévision attira son attention :

– Selon la police, tout indique qu'il s'agit d'un seul et même tueur…

Sebastian se précipita dans la chambre d'amis. Un magazine d'informations. Un jeune homme devant une villa entourée d'un magnifique jardin.

– Ce qui signifie qu'il s'agit de la troisième femme assassinée à son propre domicile. La police demande à la population la plus grande vigilance, et en particulier…

Sebastian fixa l'écran.

Quand Torkel appuya sur le bouton pour déverrouiller la serrure donnant accès à l'entrée, il savait déjà à quoi s'attendre. Une minute auparavant, il avait reçu un appel en pleine réunion. La réception. Il avait de la visite. Sebastian Bergman.

Torkel avait fait savoir qu'il était occupé et que cette visite pouvait attendre, ce à quoi la policière chargée de l'accueil avait répondu que Sebastian avait prédit qu'il donnerait cette réponse, et que s'il ne descendait pas immédiatement, il allait révéler tout ce qu'il savait sur Torkel à tous ceux qui passeraient devant la réception. Tout. Tous les détails. Et il avait dit qu'il commencerait par une chaude soirée au Stadshotellet d'Umeå et des jumelles. Ce à quoi Torkel avait répondu qu'il était en route. La réceptionniste avait conclu l'appel en s'excusant, et Torkel avait quitté la réunion.

C'était à prévoir. Aussitôt que l'information serait sortie et que les télés et les journaux la relateraient, Torkel avait deviné que Sebastian serait immédiatement sur le pont.

À peine avait-il ouvert la porte que Sebastian était devant lui.

– C'est vrai ? Vous avez un tueur en série ?

– Sebastian…

– Vous en avez un, oui ou non ? Il paraît qu'il a déjà tué trois femmes. C'est extrêmement inhabituel. Je veux participer à l'enquête.

Torkel regarda autour de lui. Il ne voulait pas mener cette conversation à la réception. Mais il ne voulait pas non plus introduire Sebastian dans la maison.

– Sebastian… reprit-il, comme si la répétition du nom de son ancien collègue l'inciterait à se calmer voire à oublier immédiatement la raison de sa visite.

– Je n'ai pas besoin de faire partie de l'équipe, si ça pose un problème. Fais appel à moi comme consultant. Comme la dernière fois.

Torkel entrevit une échappatoire.

– Impossible, dit-il d'une voix ferme. Tu sais combien ça me coûterait ? En plus, on ne m'accorderait jamais le financement.

Pendant un moment, Sebastian parut vaciller. Il fixa Torkel quelques secondes pour s'assurer qu'il avait bien entendu.

– Tu prends votre organisation merdique et vos finances de merde comme prétexte pour m'éjecter ? asséna-t-il soudain. Putain, Torkel, tu peux faire mieux que ça.

C'était vrai, dut s'avouer Torkel. Ou plutôt, il aurait dû pouvoir faire mieux. Mais à présent, il avait choisi cette voie et était résolu à persister même s'il était quasiment sûr qu'elle n'aboutirait à rien. La petite sortie de secours s'éloignait de plus en plus, et le chas de l'aiguille était à présent microscopique.

– Tu peux penser ce que tu veux, mais c'est vrai. Cette fois, sa voix était moins déterminée. Je ne peux pas me payer tes services.

Sebastian lui jeta un regard empli de déception.

– Mais moi, je peux me payer. Je travaillerai gratuitement. Comme la dernière fois. Sans plaisanter. Torkel, si tu ne veux pas m'avoir ici, il va falloir trouver mieux que ça.

– Sebastian…

– Mais je peux au moins suivre l'enquête. Tu n'as rien à perdre. Ce genre d'affaire, c'est vraiment tout ce que je sais faire !

Torkel se tut. Peu importait ce qu'il dirait. Sebastian ne l'écouterait pas. Il était déterminé et ne lâcherait pas le morceau jusqu'à ce que Torkel lui dise ce qu'il voulait entendre.

– OK, je sais que ma présence est stressante pour certains membres de l'équipe, mais ce serait une putain d'entorse à ta déontologie de ne pas me laisser intervenir, si vous avez un tueur en série.

Torkel se retourna, sortit son badge et l'inséra dans le lecteur. La serrure se déverrouilla en un clic. Il ouvrit grand la porte.

Sebastian interpréta ce geste comme un refus et changea de tactique.

– J'essaie de reprendre ma vie en main, Torkel. J'essaie vraiment, mais pour ça, j'ai besoin d'un travail.

Torkel réfléchit un instant. Il n'accordait pas de crédit à la tirade de Sebastian sur son désir de reconstruire sa vie et de devenir un homme meilleur, c'était d'ailleurs la même qu'à Västerås. Revenir dans l'équipe ne l'aidait pas plus que cela, Torkel en était convaincu. Mais ce qu'il avait dit avant… Peut-être s'agissait-il vraiment d'une faute professionnelle de ne pas faire appel aux connaissances de Sebastian. Surtout quand on savait qui le tueur imitait. Trois femmes étaient mortes. Ils étaient tous convaincus qu'il y aurait d'autres victimes. Et en un mois d'enquête, ils n'avaient toujours pas l'ombre d'une piste. Ne devait-il pas mettre tous les moyens en œuvre pour arrêter ces meurtres ? Il se retourna vers Sebastian.

– OK, tu peux entrer. Par la porte. Mais pas dans l'enquête.

– Qu'est-ce que je suis censé faire ici alors ?

– Je dois d'abord parler à l'équipe.

– De moi ?

– Oui.

– Qu'as-tu l'intention de faire ? Tu veux leur demander de voter ?

– Oui.

En voyant l'air sérieux de Torkel, Sebastian comprit qu'il ne plaisantait pas. Il hocha la tête. Une chose après l'autre. Mais quand il était déjà parvenu aussi loin, il était dur de se débarrasser de lui.

Torkel pénétra à nouveau dans la salle de réunion. Les autres étaient toujours assis là où il les avait laissés. Et avaient à nouveau rempli les tasses de café. Y compris la sienne.

– Je t'ai resservi du café, je ne savais pas si tu en voulais un autre, dit Ursula en reculant sa chaise pour s'asseoir. Comme si elle avait lu dans ses pensées.

– Merci.

Il lui sourit. Elle lui rendit son sourire. Un sourire que Torkel interprétait intimement comme plus qu'amical. Il se demanda alors si sa réticence à intégrer Sebastian n'était pas purement égoïste.

– Je viens de dire que nous venons d'avoir les résultats de l'analyse ADN de Carl Wahlström, enchaîna Ursula. Ce n'est pas lui.

Torkel opina du chef. Il n'avait jamais nourri d'espoir particulier concernant cette thèse. Elle lui avait paru bien trop simpliste. S'ils trouvaient ce tueur, ce ne serait pas parce qu'il se serait trahi en envoyant une lettre. Les pensées de Torkel voguèrent vers d'autres sujets. Maintenant qu'Ursula et lui s'étaient retrouvés, il ne voulait pas commettre à nouveau la même erreur. Leur relation était basée sur des règles strictes. Des règles dont les trois quarts étaient édictées par Ursula.

Seulement quand ils étaient en mission à l'extérieur. Jamais à la maison. Aucun projet d'avenir.

Et Torkel devait faire preuve d'une loyauté absolue, il avait pu en faire l'amer constat.

Les deux premières règles étaient plus ou moins la même, mais Ursula avait elle-même pris l'initiative de les briser. Elle était venue dans son appartement. Ce qui signifiait indubitablement « à la maison ». C'était son idée à elle. Pas la sienne. Qui sait, peut-être briserait-elle un jour la dernière règle. Peut-être qu'il pourrait peu à peu parler d'avenir.

– Au fait, qui t'a appelé tout à l'heure ? demanda Vanja.

Torkel se tourna vers elle et tenta de mettre de l'ordre dans ses pensées. S'il voulait avoir un avenir avec Ursula, il ne devait jamais briser la quatrième règle, celle qu'il avait imposée à Västerås.

Rester loyal. Toujours.

C'est pour cette raison qu'il se racla la gorge et dit :

– C'était Sebastian. Je me demande si je ne devrais pas le laisser intégrer l'enquête.

Les réactions furent à la hauteur de ses attentes. Vanja et Ursula échangèrent un regard. Billy se laissa aller sur le dossier de sa chaise en esquissant un sourire.

– Je sais ce que vous pensez, en particulier Ursula et Vanja, enchaîna Torkel, mais je ne vous en parlerais pas si je n'étais pas convaincu que cela pourrait nous aider.

Vanja prit une profonde inspiration, comme si elle s'apprêtait à dire quelque chose, mais Torkel lui fit un signe pour l'en empêcher.

– Je sais également que cette contribution se fera au prix de tensions susceptibles de nuire à notre efficacité. C'est pourquoi j'aimerais que cette fois, nous votions pour décider ensemble de faire appel à lui ou non.

– Et si tout le monde n'est pas d'accord ? demanda Vanja.

– Alors, nous ne ferons pas appel à lui.

Le silence se fit dans la pièce. Vanja et Ursula se regardèrent à nouveau comme pour débattre de ce qui allait empêcher en premier Sebastian de franchir le seuil de la porte. Est-ce qu'une seule d'entre elles aurait ce plaisir, ou pourraient-elles s'en charger toutes les deux ?

– Personnellement, ça ne me pose pas de problème, dit soudain Billy. Je crois qu'il pourrait nous être utile.

Vanja lui jeta un regard courroucé. Quelle mouche l'avait piqué ?

– OK, d'accord, acquiesça Torkel.

Cela se déroulait mieux que prévu.

En remarquant le regard de Vanja, Billy se sentit obligé de se justifier.

– Après tout, il est expert en tueurs en série, et on recherche un tueur en série.

Au lieu de répondre, Vanja, en colère, recula violemment sa chaise, se leva et s'approcha du tableau. Elle étudia les photos qu'elle connaissait déjà par cœur. Torkel remarqua qu'elle se mordait la lèvre, et supposa qu'il n'était pas le seul à être tiraillé entre son avis personnel et sa décision professionnelle. Vanja se retourna vers lui.

– Tu crois vraiment que la présence de Sebastian augmenterait nos chances de trouver celui qui a fait ça ? dit-elle en désignant les photos.

La question était justifiée. Si Torkel faisait fi de ses sentiments pour donner une opinion objective, il ne pouvait formuler qu'une seule réponse.

– Oui, je le crois.

Vanja hocha la tête et retourna à sa place.

– Désolée, mais je ne suis pas de ton avis.

Torkel lui fit un signe de tête et se tourna vers Ursula qui venait de se renverser dans son fauteuil, les bras croisés, fixant un point en face d'elle. Les autres attendaient tous sa réponse.

– Maintenant que nous pouvons rayer Wahlström de la liste, il ne nous reste plus rien. Si on avait l'ombre d'une piste je dirais : non, jamais de la vie. Ursula leva les yeux et regarda Torkel : Mais on n'a rien.

– Alors tu serais disposée à l'accueillir ?

– Pas vraiment, mais pour répondre à la question de savoir s'il pourrait contribuer à faire avancer l'enquête, la réponse est : oui.

Le silence se fit à nouveau dans la salle. Puis Vanja se leva :

– Cet homme est une catastrophe ambulante !

– S'il ne se tient pas à carreau, on n'a qu'à tout simplement le virer, proposa Billy. Il se leva à son tour et regarda Vanja et Ursula. Il était quand même loin d'avoir tout faux à Västerås, non ? Et tu as dis toi-même du bien de ses bouquins.

Vanja dévisagea Billy, qui se tenait devant lui, d'un air inquisiteur. On aurait dit qu'il avait changé. Au bout de quelques secondes, elle leur adressa un signe de tête affirmatif, à lui et à Torkel.

– Si vous croyez vraiment tous les trois que ça peut augmenter nos chances, alors il n'y a plus lieu d'en discuter. Appelez-le.

– C'est ça que tu veux ?

Vanja s'obstina à secouer la tête.

– Non, mais je me soumets. Je ne veux pas être l'empêcheuse de tourner en rond. Sebastian s'en chargera très bien tout seul.

– S'il ne s'intègre pas, alors on fera exactement ce qu'a proposé Billy. On le virera, dit Torkel.

Ursula eut un petit rire sec qui trahissait son scepticisme. Torkel décida de jouer la carte de l'indifférence, se leva et regagna la porte.

– Alors, je vais le chercher.

Cela avait été plus simple que ce qu'il avait imaginé. Beaucoup plus simple.

Ce qui hélas montrait à quel point ils étaient désespérés.

Sebastian entra dans la salle de réunion et se dirigea directement vers le tableau sans prendre la peine de saluer l'assistance. Il paraissait excité et plein d'attente, pensa Torkel. Comme un enfant le soir de Noël.

Sebastian resta immobile devant les images et les parcourut du regard. Il ne comprenait pas. Était-ce une blague ?

– Ce sont les nouvelles ?

– Oui.

Sebastian se retourna vers le tableau et étudia à nouveau les clichés, cette fois plus attentivement. À première vue, les meurtres étaient une imitation parfaite, mais à présent, il voyait également des différences. D'autres pièces, d'autres femmes.

Un imitateur.

Il se retourna à nouveau vers Torkel, cette fois plus en colère qu'étonné.

– Bon Dieu, mais pourquoi ne m'avez-vous pas appelé dès la première ?

– Ce n'est pas Hinde, dit Vanja.

– Je sais que ce n'est pas Hinde, mais pourquoi ne m'avez-vous rien dit ? vociféra Sebastian, incapable de contenir sa colère. Je m'en serais déjà rendu compte s'il s'était évadé ou s'il avait été libéré, mais ici, on a affaire à un tueur qui imite ses crimes dans les moindres détails. Les lieux des crimes sont quasiment identiques ! Vous auriez dû m'appeler immédiatement.

– Et pourquoi ? demanda Vanja d'un air de défi.

Malgré elle, elle s'était sentie provoquée dès que Sebastian avait franchi le seuil de la porte. Aucune parole de remerciement ou exprimant sa satisfaction d'être de retour. Aucune formule de politesse, pas de « comment ça va ». Rien de ce qu'une personne normale ne ferait en pareille situation. Il avait tout simplement déboulé comme ça, comme un membre à part entière de l'équipe. Cela l'agaçait. Exactement comme ce petit sourire en coin qu'il arborait à présent. Comme si elle en savait moins que lui. Le même sourire que lui avait décoché Carl Wahlström.

– Pourquoi, selon toi ? répliqua Sebastian. J'en sais plus sur Hinde que n'importe qui.

– Et alors ?

Vanja avait décidé de ne pas en démordre. Depuis combien de temps Sebastian était-il dans la pièce ? Deux minutes ? Et il s'était montré plus imbu de sa personne que jamais, sans aucun respect pour quiconque. Torkel ne venait-il pas de lui expliquer qu'ils avaient daigné le reprendre dans l'équipe ? Et voilà qu'il faisait le coq et prenait la direction de la réunion. Ou non, on aurait dit plutôt l'enquête toute entière. Il était temps de regagner du terrain.

– Le tueur est une autre personne avec un tout autre mobile. Ce que tu sais sur Hinde ne nous est pas d'un grand secours dans le cas présent.

– Ce que je sais est toujours utile. Sinon, vous ne m'auriez pas fait venir. Je ne suis pas ici parce que vous me trouvez charmant. Vous pouvez me dire quels résultats vous avez obtenus jusqu'ici ?

Vanja soupira.

Billy se leva.

– Je peux te faire un résumé de ce qu'on a jusqu'à présent.

Il se dirigea immédiatement vers le tableau sans attendre un mot ou une réaction. Torkel jeta un regard à Vanja qui haussa tout simplement les épaules.

– OK…

Sebastian prit une chaise et s'assit à côté d'Ursula.

– Ça fait plaisir de te voir ! chuchota-t-il. Ursula lui jeta un regard qui signifiait clairement que le plaisir n'était pas partagé. Je t'ai manqué ?

Ursula secoua brièvement la tête et concentra son attention sur Billy devant son tableau. Il était en train de désigner une femme qui avait à peine plus de quarante ans, les yeux marron et une queue de cheval, et qui souriait à l'objectif.

– Le 24 juin. Maria Lie à Bromma. Célibataire. Une de ses copines s'est inquiétée en ne la voyant pas revenir après Midsommar. Le doigt de Billy passa du portrait à la photo du corps. Elle était là, ligotée avec des bas Nylon, allongée sur le ventre sur le lit. Violée et tuée d'un coup de couteau qui lui avait tranché la carotide et la trachée.

Sebastian ne cessait de hocher la tête. Tout lui était familier. C'était comme s'il se retrouvait plongé dans le passé. Il passa en revue dans sa tête ce qu'il savait sur les imitateurs. Il y en avait quelques-uns de cette sorte, mais peu d'entre eux copiaient des tueurs en série. Les imitations concernaient en général plutôt les massacres dans les écoles ou bien des crimes violents tirés de films ou de jeux vidéo. Bien sûr, l'imitateur éprouvait une fascination maladive pour son maître, mais quoi encore ? Il était dérangé, c'était clair, mais autrement que son modèle. Alors qu'un tueur en série parvenait souvent à garder une normalité de façade et à paraître plutôt banal, l'imitateur menait généralement une existence marginale. Il vivait habituellement retiré. Avait une mauvaise image de lui-même. Peu de confiance en lui. Il était le produit de ses expériences et de son enfance.

Comme toujours.

Quelqu'un qui, comme son maître, était capable d'une extrême violence mais pas assez fort pour prendre lui-même l'initiative de trouver sa propre méthode et de choisir lui-même ses victimes. Il avait besoin d'un modèle. Cela dirigeait tous ses actes. L'homme qu'ils recherchaient n'attirait pas l'attention.

– Pas de traces d'effraction, poursuivit Billy. On dirait qu'elles ont ouvert leur porte au tueur, comme les autres victimes. Mais il y avait tout de même des traces de lutte dans l'appartement. Et on a trouvé du sperme, des poils pubiens et des empreintes digitales sur le lieu du crime.

Il pointa du doigt un autre cliché. Une femme blonde d'environ quarante-cinq à cinquante ans. Des yeux bleus. Une petite cicatrice sur la lèvre supérieure, certainement due à une opération de la fente labiale dans son enfance. Elle ne présentait aucune ressemblance apparente avec la première. En la voyant, une pensée traversa l'esprit de Sebastian, mais trop fugace pour pouvoir l'appréhender et l'analyser.

– 15 juin. Jeanette Jansson Nyberg, Nynäshamn. Son mari et ses fils l'ont trouvée chez eux en rentrant d'un tournoi de football. Elle avait écrit sur son blog qu'elle allait passer la soirée seule et se détendre. Le meurtrier avait donc pu savoir quand passer à l'acte.

– Est-ce que l'autre aussi avait un blog ? s'enquit Sebastian.

Billy fit un signe de tête négatif.

– Non, mais elle avait indiqué « célibataire » sur son profil Facebook.

Sebastian hocha la tête. Il n'était lui-même présent sur aucun réseau social, mais il était souvent très étonné du nombre d'informations que certaines personnes partageaient avec de parfaits inconnus. De nos jours, les cambrioleurs pouvaient sans peine se rendre compte quand une maison était vide, car leur propriétaire le clamait haut et fort sur son blog ou son statut en annonçant son départ pour des vacances qui promettaient d'être magnifiques. C'était la même chose pour leur propre sécurité. Indiquer « célibataire » dans son statut signifiait qu'on était seul, et donc sans défense.

– On a trouvé des traces de pas dans les plates-bandes, qui ne correspondent pas au mari ni aux enfants. Le sperme provient de la même personne que Maria Lie.

– Il laisse donc délibérément des traces ?

– On dirait, oui, répondit Torkel. Ou alors, il est extrêmement maladroit. Mais si c'était vraiment le cas, il aurait déjà eu affaire à nous.

– Oui, en fait, il devrait déjà être connu des services de police, dit Sebastian d'un air préoccupé. Les copycats ont souvent un passé criminel. Il est extrêmement rare qu'ils commencent directement à tuer.

– Tu crois que le fait qu'il sème des indices peut signifier quelque chose ? l'interrogea Billy.

Sebastian le dévisagea. Quelque chose avait manifestement changé. La dernière fois, Billy s'était contenté d'assurer la partie technique de l'enquête – les caméras de surveillance, les téléphones portables, les listes d'appels. On s'adressait à lui quand on pensait pouvoir trouver la réponse quelque part sur un ordinateur. À présent, il s'engageait sur des questions sur lesquelles il ne paraissait même pas avoir d'avis jusque-là. Il était beaucoup plus… actif que la dernière fois où ils avaient travaillé ensemble.

– C'est une démonstration de force. Vous n'arrivez pas à me trouver, malgré tous les indices que je laisse. Il se sent supérieur à la police. De plus, c'est un moyen de montrer que tous les meurtres sont liés. Même le meilleur avocat ne pourrait lui enlever son triomphe.

– Cela signifie-t-il qu'il veut être arrêté ? demanda Vanja d'un air dubitatif.

– Non, mais si cela arrive, il veut être sûr que les choses ne s'arrêteront pas là pour lui.

– En tout cas… reprit Billy pour continuer son exposé, c'est le même mode opératoire. Et la même chemise de nuit. Il désigna la troisième photo de femme accrochée sur le tableau. Encore une femme aux cheveux bruns. Et enfin, avant-hier. Katharina Granlund, quarante-quatre ans. Toujours les mêmes traces, la même chemise de nuit, tout pareil. Mais rien de plus.

Billy regagna sa place et s'assit. Tandis que ses collègues restaient silencieux, Sebastian se pencha vers lui.

– Il accélère la cadence.

– C'est important ?

– Hinde avait une période de cool-off assez constante qui n'a jamais diminué de manière significative.

– C'est quoi, une période de cool-off ?

– C'est le temps qui s'écoule entre chaque meurtre.

Sebastian se leva et commença à faire les cent pas dans la salle. Vanja le suivit des yeux avec une méfiance ostensible. Il remarqua avec étonnement qu'il n'avait eu aucune pensée pour elle depuis qu'il avait pénétré dans cette salle de conférence. Il avait immédiatement été plongé dans l'enquête, et toutes ses autres pensées étaient soudain passées à l'arrière-plan. Il y avait un lien avec Hinde. Et avec le Sebastian d'avant.

Celui qui était meilleur.

Le meilleur.

– En général, les tueurs en série se comportent normalement et font tout pour ne pas attirer l'attention après leurs meurtres, non seulement à cause de la peur d'être démasqués mais aussi parfois parce qu'ils éprouvent un sentiment de culpabilité d'avoir réalisé leur fantasme. Mais pour la plupart, il ne s'agit que d'un temps de repos. Jusqu'à ce que la pulsion, l'obsession reprenne le dessus. Ce cycle peut se raccourcir, mais pas autant que dans le cas présent.

Il marqua une pause et fit un geste en direction des photos.

– L'homme qui a fait ça n'a pas l'air de réfléchir. Il ne paraît pas traverser ces différentes phases.

– Ce qui veut dire ?

De nouveau Billy. Il était définitivement plus actif.

– Il n'éprouve pas le besoin de tuer. Il le perçoit comme une mission. Quelque chose qui doit être accompli.

– Comment peut-on l'arrêter ?

Sebastian haussa les épaules.

– Je ne sais pas. Il se tourna vers Torkel. Je dois voir les lieux du crime. Au moins le dernier, celui d'avant-hier.

– Comme tu le sais, nous avons déjà inspecté les lieux, intervint Ursula avant même que Torkel n'ait eu le temps de répondre. Si tu veux savoir quelque chose en particulier, tu peux nous le demander.

– Si c'est un imitateur consciencieux, il y a une chose que vous n'avez pas vue.

Ursula bouillonnait. Rien ne lui échappait. Durant toute sa carrière au laboratoire national d'analyses criminelles puis à la Crim', rien ne lui avait jamais échappé. Et Sebastian le savait pertinemment.

– Qu'est-ce qui nous a échappé ? demanda-t-elle, peinant à dissimuler sa colère.

Sebastian ne répondit pas, mais se tourna à nouveau vers Torkel.

– Je peux aller voir, oui ou non ?

Torkel poussa un profond soupir. Il connaissait assez Ursula pour savoir qu'on ne mettait pas impunément en doute ses compétences professionnelles. Elle avait de nombreux défauts, mais c'était la meilleure dans son domaine, et gare à celui qui prétendrait le contraire. Torkel avait le sentiment qu'elle regrettait déjà de ne pas avoir protesté contre l'intervention de Sebastian.

– Bon, Vanja, tu vas emmener Sebastian à Tumba.

Vanja se raidit. Son visage, tout son corps trahissait ce qu'elle ressentait à l'idée de se retrouver seule dans une voiture avec Sebastian.

– Je suis obligée ?

– Oui, tu es obligée.

– Bon, alors allons-y, dit Sebastian avec un large sourire avant d'aller ouvrir la porte donnant sur le couloir.

En voyant Vanja fusiller Torkel du regard et tant rechigner à se lever, il éprouva un sentiment qu'il n'avait plus connu depuis des années.

Il était gai et confiant.

Il travaillait à nouveau, et se retrouvait dès le premier jour dans une voiture avec sa fille.

Avoir sa propre vie avant de faire partie de celle d'une autre.

Il avait comme l'impression que cette affaire pouvait réellement être le premier pas vers un retour à la vie.

Ils roulaient dans une Volvo bleu foncé habitée par un silence pesant. Dans le garage, Vanja prit la sortie qui débouchait sur Fridhelmsplan, s'arrêta brièvement devant le gardien pour montrer son badge et s'engagea dans Drottnigholmvägen. Sebastian l'observa attentivement. Elle était manifestement furieuse. Chacun de ses mouvements exprimait sa colère : ses brusques passages de vitesses, ses changements de voie intempestifs, jusqu'aux regards qu'elle lui jetait en baissant la vitre pour laisser entrer l'air moite et chaud dans l'habitacle.

– La climatisation ne fonctionne pas quand la vitre est ouverte.

– On ne peut pas tout avoir.

Il aimait sa franchise. Elle la rendait si réelle.

Vivante et forte.

Il l'avait observée depuis si longtemps de loin qu'il en avait presque le vertige. Il débordait de fierté. Peu importait à quel point elle était en colère ou agacée – il rêvait de pouvoir arrêter le temps pour que ce moment dans la voiture se fige pour l'éternité. À cet instant, même le trafic stockholmois lui parut harmonieux. Ils roulèrent en silence sur la E4 en direction du sud. Arrivée au niveau des îles Essinge, excédée par ce silence pesant, elle décida de le briser :

– Dis-moi, tu es maso ?

Sebastian revint à la réalité. Il la fixa d'un air interrogateur.

– Quoi... ? Non.

– Pourquoi es-tu revenu alors ? dit-elle en le fusillant du regard. Pourquoi veux-tu à tout prix faire partie d'une équipe dans laquelle personne ne peut te blairer ?

– Billy m'aime bien.

– Billy dissimule seulement très bien qu'il ne t'aime pas.

Sebastian réprima un sourire. Pensait-elle vraiment qu'il tenait compte de l'opinion des gens pour agir ?

– Tu es déjà tellement habitué à ce qu'on te haïsse que tu te contentes qu'on te supporte ?

– Sûrement, oui.
– Si tu n'étais pas un connard, tu pourrais presque faire pitié.
– Merci.
Le regard reconnaissant qu'il lui jeta l'agaça encore plus. C'était étrange d'être si proche d'elle tout en étant le seul à connaître le lien qui les unissait.
Il voulait savoir tellement de choses sur elle. À quoi rêvait-elle ? À quoi pensait-elle quand elle prenait son petit-déjeuner le matin ? De quoi riait-elle avec l'homme qu'elle croyait être son père ? La connaîtrait-il un jour aussi bien que lui ?
– Arrête, dit-elle soudain, gênée.
– Arrête quoi ?
– Ne me regarde pas comme ça.
– Comment donc ?
– Comme ça ! Comme tu le fais là. Je n'aimerais pas savoir ce que tu penses.
– Tu n'y croirais pas.
Vanja détourna les yeux.
– Arrête de me mater comme ça !
Sebastian reporta son regard droit devant lui. Sans le savoir, elle avait soudain été très près de la vérité et l'avait abordée à tâtons, à l'aveugle, sans arrière-pensée. Il aurait bien aimé pouvoir continuer à toucher du doigt l'impossible, mais il avait du mal à y penser, et encore plus à l'exprimer avec des mots.
– Si toi et moi, à un autre… commença-t-il à bégayer. Il reprit. À un autre moment de la vie. Je veux dire… Tu sais, il y a des raisons pour lesquelles…
Elle l'interrompit au milieu de sa phrase.
– Sebastian ?
– Oui ?
– La ferme.
Il se tut.
Elle appuya sur le champignon.
Et ils n'échangèrent plus un seul mot durant tout le reste du trajet.

La demeure du 19 Tolléns Väg était l'une de ces charmantes maisons individuelles dans l'une des nombreuses banlieues de Stockholm. Cependant, le jardin avait reçu plus de soins et d'amour que la moyenne, pensa Sebastian. Sinon, rien ne sautait aux yeux. Seul l'écriteau jaune où était écrit « Scène de crime – défense d'entrer » sur la porte d'entrée révélait la tragédie qui s'y était déroulée. Vanja le précéda de quelques mètres et ouvrit la porte avec une clé. Sebastian n'était pas très pressé, il resta donc un instant dans le magnifique jardin à observer la maison. Deux étages. Un toit en briques rouges. La façade était peinte en jaune et les fenêtres en blanc. Tout était propret et ordonné, avec des rideaux et des pots de fleurs. Jusqu'à peu, un couple plein de rêves et de désirs habitait cette maison. Ils n'avaient peut-être pas voulu se distinguer de la masse.

Mais vivre.

Vanja ouvrit la porte et lui jeta un regard.

– Tu viens ?

– Bien sûr.

Sebastian la rejoignit, et tous deux pénétrèrent dans la maison. L'air était moite et chargé d'une odeur métallique et douceâtre teintée de renfermé. *Elle a dû perdre beaucoup de sang pour que l'odeur en soit encore perceptible*, pensa Sebastian.

– Où est la chambre ?

– Elle a été tuée à l'étage. Qu'est-ce qu'on cherche ?

– Je veux d'abord voir la chambre.

Agacée, Vanja hocha la tête et se chargea de la visite.

– Si vous voulez bien me suivre.

Ils montèrent l'escalier à pas feutrés. C'était toujours comme ça. La mort avait le pouvoir de faire baisser les voix et les tempos. Ils gagnèrent la chambre à coucher et s'arrêtèrent sur le pas de la porte. Les murs étaient ornés d'une tapisserie à motifs apaisants. Les rideaux étaient tirés, les draps avaient été retirés, mais la grande tache sombre sur le matelas résumait tout. Sebastian entra prudemment dans la pièce.

– Alors, qu'est-ce qui nous a échappé ? demanda Vanja avec impatience.

– Une petite pièce, un cagibi ou un débarras, répondit Sebastian en s'accroupissant à côté du lit.

Consternée, Vanja désigna les portes coulissantes blanches de l'autre côté du lit.

– Il y a un placard par là.

Sebastian secoua la tête sans même regarder.

– On doit pouvoir le verrouiller de l'extérieur.

Il resta accroupi et scanna la chambre à coucher. Sur la table de nuit se trouvaient quelques livres de poche et, dans un cadre, une photo en noir et blanc d'un couple souriant. La photo était éclaboussée de sang. Un homme et une femme. Richard et Katharina Granlund. Il l'avait reconnue d'après les clichés que Billy avait présentés dans la matinée. Sebastian saisit la photo avec précaution.

– OK, et qu'est-il censé y avoir dedans ? s'exclama Vanja depuis la porte.

Sebastian ne répondit pas et continua d'observer la photo qu'il avait dans les mains. Ils étaient sur une plage et paraissaient très amoureux. La femme enlaçait son mari et fixait l'objectif. Sûrement prise à Gotland, ou peut-être Öland. Une plage de galets. Un été pas si lointain. Qui paraissait sûrement une éternité pour l'homme en deuil. Il reposa prudemment la photo. Une pensée.

Lointaine.

Furtive.

Sebastian s'apprêtait à reprendre la photo quand Vanja revint à la charge.

– Et que devrait contenir ce satané cagibi ?

Elle paraissait de plus en plus agacée. Sebastian abandonna la photo et la regarda.

– De la nourriture.

Vanja descendit, tandis que Sebastian passait au peigne fin l'étage supérieur. Il y avait encore trois autres pièces. L'une d'elles semblait être le bureau du couple, équipé d'une photocopieuse et d'une imprimante. Sebastian supposa que Billy avait emporté leur ordinateur. Sur l'un des murs se trouvait une étagère remplie de toutes sortes de bouquins méthodiquement rangés allant des thrillers de Tom Clancy aux livres de cuisine. Sebastian ne savait pas ce qu'il cherchait et alla donc dans le petit salon.

Puis il jeta un œil dans la salle de bains fraîchement rénovée. Blanche, d'une propreté étincelante et carrelée jusqu'au plafond. Une baignoire balnéo et une cabine de douche séparée. Le tout dans des proportions généreuses. La salle de bains idéale d'un jeune couple. Mais ce n'était pas ce qu'il cherchait. Bien que le dressing eût été l'endroit idéal, on ne pouvait pas le verrouiller de l'extérieur.

Il descendit les escaliers. La cuisine qui se trouvait à l'arrière de la maison et donnait sur une grande terrasse en bois entourée du luxuriant jardin. Elle était aussi claire et moderne que la salle de bains. Une cuisine ouverte, agréable, avec des placards blancs et des plans de travail en ardoise noire ainsi qu'un îlot central avec deux chaises de bar. À part un peu de vaisselle dans l'évier, tout était d'une propreté extraordinaire. Il s'apprêtait à continuer en direction de la salle à manger quand Vanja l'appela.

– Sebastian !

Sa voix paraissait lointaine. Elle l'appela encore.

– Sebastian !

– Oui, qu'y a-t-il ?

– La cave !

La porte de la cave se trouvait juste à côté de la porte d'entrée, et il ne la trouva pas tout de suite. Un petit escalier menait au sous-sol plongé dans la pénombre. Bien que le couple Granlund y ait accroché plusieurs affiches d'art moderne, on comprenait tout de suite que cette partie de la maison n'était pas prioritaire. Il y régnait une légère odeur de renfermé qui, comparée aux relents douceâtres qui emplissaient le reste de la maison, était presque agréable. L'escalier menait à une pièce assez grande qui devait sans doute avoir été une salle de fêtes mais qui semblait désormais plutôt servir de débarras. À part un faible rai de lumière qui passait à travers une lucarne, une lampe sur pied était la seule source de lumière. Vanja se tenait devant la porte écaillée d'un garde-manger, arborant un air triomphant. La lumière jaune donnait à ses cheveux une teinte dorée. Elle désigna la porte, dont la serrure renfermait une simple clé.

– Est-ce que cela pourrait être ce qu'on cherche ?

– Tu as regardé à l'intérieur ?

Intrigué, Sebastian rejoignit Vanja.

– En fait, j'espère plutôt me tromper.

– Oh que non, j'en suis sûre.

N'ayant aucune envie de réagir à sa remarque, il saisit simplement la poignée. La porte était fermée. De l'autre main, il tourna la clé. Il faisait sombre à l'intérieur, mais on pouvait tout de même distinguer les contours de ce qui était posé par terre. Sebastian se figea. Il tâtonna à la recherche de l'interrupteur qui devait se trouver derrière la porte. Lorsqu'il le trouva enfin, la lumière de l'ampoule nue mua son angoisse fébrile en vérité glaçante.

Tout était parfaitement disposé.

Une bouteille de jus de fruits. Un paquet de biscuits. Deux bananes. Des BN. Une bouteille de chlore vide.

C'était lui. C'était lui qui avait fait ça.

Hinde.

De retour dans la salle de réunion, Vanja accrocha sur un tableau les photos qu'ils avaient prises dans la maison des Granlund. Sebastian faisait les cent pas. Agité. En surrégime. De toutes les choses susceptibles de revenir le hanter, il ne pensait pas que Hinde en ferait partie.

– Notre homme a des connaissances sur le mode opératoire de Hinde qu'il n'a pu obtenir que d'une seule façon, dit Sebastian lorsqu'ils furent tous assis.

– Tes livres ? suggéra Ursula.

Cela avait aussi été la première idée de Vanja quand il lui avait expliqué sa théorie dans la voiture. Sans interrompre ses allers et venues, il donna à Ursula la même réponse qu'à Vanja.

– Dans mes livres, on apprend seulement qu'il mettait de côté des provisions. Rien sur le détail de leur contenu ou la manière dont il les disposait. Sebastian s'arrêta et désigna du doigt la photo des provisions soigneusement arrangées dans la cave de la famille Granlund. Le contenu et le positionnement sont absolument identiques à ceux d'Edward à l'époque, continua-t-il. Cela n'est écrit nulle part. Notre homme a été en contact avec lui, d'une manière ou d'une autre.

– Comment ?

Cette question avait aussi été celle de Vanja face à l'assurance de Sebastian. Ce dernier soupira. Il n'en savait pas plus maintenant que dans la voiture vingt minutes plus tôt. Mais il était sûr de son fait.

– Je ne sais pas, mais il ne peut avoir obtenu ces informations que d'Edward.

– Ou de l'un des policiers impliqués dans l'enquête précédente.

Tous les yeux se tournèrent vers Billy. Ce dernier écarta les bras en signe d'incompréhension face aux regards surpris des autres.

– Hinde ne peut pas communiquer avec le monde extérieur, donc j'essaie juste de trouver une autre explication.

– C'était moi, Sebastian, Ursula et Trolle, dit Torkel d'une voix calme et tempérée. Trois d'entre nous sont présents dans cette pièce, et il me semble invraisemblable que Trolle ait décidé de revivre ses heures de gloire en fomentant des meurtres de femmes. Mais on devrait quand même aller lui parler.

Sebastian sursauta. Se pouvait-il que Trolle soit mêlé à ça ? Il s'était laissé aller dernièrement, mais ça ? Peut-être avait-il, après un verre de trop, fait des révélations à la mauvaise personne, au mauvais moment. Personne dans l'équipe ne pensait qu'il était impliqué, mais que se passerait-il si Vanja se rendait chez lui pour lui soutirer des informations ? Sebastian eut le vertige. Il s'imaginait Vanja harceler Trolle. Et Trolle raconter ce que Sebastian lui avait demandé de faire. Merde. Sebastian déglutit et essaya de se concentrer sur la discussion.

– Je n'ai pas dit que c'était l'un de vous. Ça devait grouiller de personnel en uniforme et de techniciens sur les scènes de crime, expliqua Billy. Si vous avez trouvé les provisions, l'un d'eux aurait pu les voir aussi, non ?

– J'ai trouvé la nourriture plus tard. Sur les indications de Hinde. Si nous l'avions trouvée, dit Sebastian en faisant un geste désignant ses collègues, Torkel et Ursula s'en seraient souvenus. Sebastian jeta un regard sévère à Billy. Réfléchis, putain.

– J'ai réfléchi. J'ai essayé de formuler une nouvelle hypothèse, c'est tout. OK, j'ai eu tort.

Vanja regarda son collègue, surprise. C'était la voix de Billy mais les mots d'un autre. Depuis quand Billy formulait-il des hypothèses ? Il le faisait peut-être, mais depuis quand employait-il ce langage ?

– Il faudra que vous abordiez le sujet avec Hinde demain matin, coupa Torkel. On vous a accordé un permis de visite.

– C'est quoi, cette histoire de provisions ? demanda Ursula. Pourquoi les mettait-il de côté ?

– Tout est expliqué dans mes livres, répondit sèchement Sebastian.

– Je ne les ai pas lus, tes livres.

Sebastian se tourna vers elle. Elle croisa son regard avec un sourire satisfait. Était-ce possible ? Avait-elle décidé par pur défi de ne pas lire les meilleurs livres sur les tueurs en série écrits en suédois ?

– Moi non plus, ajouta Billy.

Sebastian soupira. Était-il possible que la moitié de l'élite de la police judiciaire du pays n'ait pas lu ses livres ? Vanja les avait lus, ça, il le savait, mais qu'en était-il de Torkel ?

Il les avait quand même lus, lui ? Non ? Sebastian soupira de nouveau. Il s'était servi de l'histoire d'Edward Hinde dans plusieurs conférences. Il la connaissait par cœur. Il semblait qu'il allait devoir la raconter encore une fois. Au moins la version courte.

– Edward a grandi seul avec sa mère. Elle était alitée. Malade. De plus d'une manière, hélas. Il raconte qu'il se souvient de la première fois. Un mercredi. Il s'en souvient bien. Il vient de rentrer de l'école et il… prépare à manger. Des bâtonnets de poisson dorent dans la poêle. Les pommes de terre cuisent à couvert, comme elle le lui a appris. Il a hâte de passer à table. Il aime le poisson pané et, pour le dessert, il aimerait qu'ils se partagent le reste de son gâteau d'anniversaire. Il chantonne un peu. « A Hard Day's Night » des Beatles. Numéro un du top dix. Il vient de commencer à couper des tomates quand elle l'appelle. Il lâche le couteau et éteint la cuisinière par sécurité avant de monter les escaliers. Elle veut parfois qu'il lise pour elle, mais ça prend du temps. Il ne lit pas bien. Ne l'a appris que récemment. Ils finissent avec difficulté de simples livres pour enfants, mais elle aime entendre sa voix, dit-elle. Et c'est un bon exercice. Sa maman est presque toujours couchée. Elle ne se lève que quelques heures par jour. Plus dans les bons jours, moins dans les mauvais. Aujourd'hui semble être un assez bon jour. Elle a l'air en forme dans sa chemise de nuit quand elle l'invite à s'installer à côté d'elle sur le lit.

« Il vient s'asseoir sans rechigner. Il est un enfant obéissant. Obéissant et bien élevé. Il s'en sort bien à l'école. La maîtresse l'aime bien. Il aime apprendre de nouvelles choses et a des facilités. Il est intelligent. C'est ce que disent sa maman et sa maîtresse. On dit qu'il va pouvoir commencer les maths de CE2 au printemps. Sa maman lui dit qu'il est devenu si grand. Qu'il est si bon. Elle lui caresse le bras et prend sa main. Il est son grand garçon si doué. Il y a maintenant autre chose qu'elle aimerait qu'il fasse. Elle serre sa main plus fort et la fourre sous la couverture. Dans la chaleur. Elle la pose sur l'une de ses cuisses. Edward la regarde d'un air interrogateur. Pourquoi veut-elle mettre sa main là ? Il chauffe parfois ses mains entre ses propres cuisses quand il a froid, mais là, il n'a pas froid.

« La première fois, il venait tout juste d'avoir huit ans. Il ne comprenait pas vraiment ce qui lui arrivait. Il avait trente-huit ans quand ça s'est arrêté. Ça l'a détruit.

– Ça a continué pendant trente ans ? demanda Vanja, sceptique.

– Oui.

– Pourquoi ne s'en est-il tout simplement pas allé ? Ou n'a-t-il pas arrêté ?

Sebastian avait souvent entendu cette question. Pourquoi était-il resté ? Sa mère était malade, alitée, et il était devenu adulte. Pourquoi n'était-il pas parti ? Pourquoi ne l'avait-il pas quittée ? Ou… autre chose.

– D'abord, il était trop petit. Ensuite, il avait trop peur. Après… c'était déjà allé trop loin. Sebastian secoua la tête. Je ne peux pas mieux l'expliquer sans rentrer plus dans les détails de ce qui fait de nous ce que nous sommes, mais ça n'apporterait rien dans ce cas précis. Tu n'as pas l'imagination nécessaire pour comprendre leur relation.

Vanja opina du chef. C'était peut-être un affront de la part de Sebastian, mais elle se sentait capable de l'accepter. Elle était contente de ne pas pouvoir imaginer ce que cet enfant de huit ans esseulé avait traversé.

– Personne ne savait ? Personne n'a jamais eu le moindre soupçon ? Billy se pencha en avant avec intérêt. Je veux dire, ses résultats scolaires devaient s'en ressentir.

– Sa mère le menaçait de se suicider s'il racontait quoi que ce soit. Elle insistait pour qu'il se comporte normalement afin que personne ne se doute de rien. Il pensait que s'il changeait d'attitude, les gens se poseraient des questions ou comprendraient d'une manière ou d'une autre. Étrangement, plus cela durait, plus il devenait « normal ». Il devint maître dans l'art de la dissimulation. C'était une question de vie ou de mort. S'il ne se conduisait pas bien, elle allait mourir.

« Maman se couche sur le ventre sur le lit et remonte sa chemise de nuit. Il ne voit jamais son visage. Il est enfoncé dans le coussin. Au début, elle lui expliquait qu'il devait se mettre sur elle, lui disait ce qu'il devait faire et comment il devait bouger. Elle ne le fait plus maintenant. Maintenant, elle se tait. Au début, en tout cas. Il sait exactement comment les choses vont se passer. Toujours le même scénario. Elle l'appelle, lui demande de s'asseoir à ses côtés, lui dit qu'il est si grand et si fort, qu'elle est fière de lui, qu'il la rend si heureuse. Ensuite, elle prend sa main et l'introduit sous la couverture. Tout se passe exactement de la même façon à chaque fois. Au bout d'un moment, viennent les bruits. Depuis les profondeurs du coussin. Il déteste les bruits. Il aimerait qu'ils disparaissent. Les bruits signifient que c'est bientôt terminé. Il n'aime pas ce qu'ils font. Il a compris que les autres mamans ne font pas des choses pareilles avec leurs enfants. Il n'aime pas ça. Mais il aime encore moins ce qui se passe après. Après les bruits…

« Chaque fois qu'il était forcé à coucher avec elle, elle le punissait juste après. Il était impur. Sale. Il avait fait quelque chose de très mal, et sa maman ne pouvait plus supporter de le voir.

« Elle tourne la tête quand elle ouvre la porte de l'espace sans fenêtres sous l'escalier. Il y rentre et s'assoit. Directement sur le sol froid. Ce n'est pas la peine de pleurer ou de demander pitié. Ça ne ferait qu'empirer les choses. Rallonger son supplice. Il entoure ses genoux de ses bras. Elle ferme la porte sans un mot. Elle n'a rien dit depuis les bruits dans le coussin. Et il n'est pas sûr que ce soient des mots. Il fait noir. Il ne sait jamais combien de temps il y passe. Il ne sait pas lire l'heure. Personne ne le lui a appris. Ils ont commencé à l'école. Il connaît les heures, les demis et les quarts. Mais ça n'a pas d'importance, de toute façon il n'a pas de montre.

« Il pense parfois que c'est mieux comme ça. S'il avait une montre, il saurait depuis combien de temps il est enfermé. Il pourrait paniquer. Penser qu'elle l'a oublié. Ou qu'elle est partie en voyage. Qu'elle l'a abandonné. Là, le temps se mêle à l'obscurité. Sa maîtresse leur a expliqué une fois que les chiens n'ont aucune notion du temps. Ils ignorent s'ils sont restés seuls une heure ou une journée. Dans le noir, il a l'impression d'être un chien. Il a perdu toute perception. Cinq heures ou deux jours. Il ne le sait jamais. Mais il est toujours content quand la porte s'ouvre. Comme un chien.

« Il ne comprend pas. Ne comprendra jamais. Il fait tout ce qu'elle dit et pourtant, il est puni, là. Dans le noir, le froid. Ce n'est jamais lui qui propose qu'ils fassent ça. Ce n'est jamais son idée. C'est elle qui l'appelle. Lui désigne le lit. Malgré ça, elle est incapable de le regarder après. Le trouve sale. Moche. Il a faim, mais la faim disparaît. La soif est bien pire. Il fait pipi par terre. Il ne préférerait pas. Il sait qu'il devra essuyer après. Quand elle ouvrira. Quand la punition sera levée. Avant la leçon qu'il va recevoir pour ne pas recommencer. Il fait parfois caca aussi. Quand il doit y rester longtemps. Il ne peut pas se retenir. Quand elle tarde à ouvrir…

« Au bout d'un certain temps, il pouvait sortir. Il était pardonné, mais ce n'était pas fini. Il devait se souvenir de ses péchés et, pour qu'il ne recommence pas, elle lui plaçait un gros trombone autour du prépuce. Et il devait le garder jusqu'à ce qu'elle l'autorise à l'enlever.

Sebastian vit ses collègues grimacer. Billy et Torkel un peu plus peut-être.

– Je ne comprends pas, fit Billy. Comment peut-on traverser tout ça sans que personne ne remarque rien ? Il devait manquer l'école assez souvent.

– Elle disait qu'il était malade. Asthme et migraine. Sinon, il se débrouillait vraiment bien à l'école. Il a traversé l'école élémentaire, le lycée et l'université avec brio. D'excellents résultats. Ensuite, il a pris un boulot alimentaire. Il était clairement trop qualifié, mais il a menti sur son CV et avait des contacts superficiels, cordiaux, avec ses collègues. Son QI avoisine les 130, il était donc suffisamment intelligent pour jouer au type « normal », mais incapable de tisser des liens plus profonds, impliquant de l'empathie ou n'importe quelle forme d'émotion. Il aurait pu se trahir.

Sebastian marqua une pause et but une gorgée d'eau.

– Sa mère est morte en 1994. Un peu plus d'un an plus tard, Edward a commencé à chercher la compagnie d'autres femmes. Sa première victime a été l'une de ses collègues de l'administration des services sociaux, qui lui témoignait un certain intérêt et lui parlait de temps en temps.

« Il attend. Dans la main, il a un sac contenant la chemise de nuit et les chaussettes. Il sait qu'elle le veut. Elle veut prendre le contrôle. Elle veut poursuivre ce que faisait sa mère. Faire des saletés. Le forcer à faire ces choses qui mènent à la punition. À la douleur. Au noir et à l'humiliation. C'est ce qu'elles veulent toutes. Mais il ne se laissera pas faire. Pas cette fois.

« Il sonne à la porte. Elle sourit. Il sait pourquoi. Il sait ce qu'elle veut, mais elle va avoir une surprise. Cette fois, c'est lui qui va prendre le contrôle. Elle a à peine le temps de l'inviter à rentrer qu'il la frappe. Fort. Deux fois. Il la force à lui montrer la chambre à coucher. Lui fait retirer ses vêtements. Mettre la chemise de nuit. Sur le ventre. Il l'attache avec les chaussettes. Quand elle ne peut plus bouger, il quitte la chambre à coucher. Il prend le sac de provisions et la bouteille vide, dans laquelle il compte uriner. Il cherche un endroit. Là où elle l'enfermera. Verrou à l'extérieur. Noir à l'intérieur. Il y place ce qu'il a apporté.

« Maintenant, il devrait pouvoir supporter la punition. Après.

« Mais il n'y aura pas d'après. Il leur tranche la gorge pour échapper à la punition.

Le téléphone portable de Torkel sonna. Tous sursautèrent au bruit de cette sonnerie qui brisait l'ambiance pesante. Torkel prit le téléphone, se tourna et répondit.

– Mais il devait le savoir, qu'elles ne survivraient pas ? Vanja relança la discussion. Pourquoi déposait-il des provisions ?

– Une mesure de sécurité. Si, contre toute attente, elle survivait et le punissait. Il ne voulait pas mourir de faim. Mais, comme vous le savez, il n'a jamais eu à faire usage de ses provisions.

Torkel mit fin à la courte conversation et se retourna vers le groupe. Son visage trahissait clairement que ce n'étaient pas de bonnes nouvelles.

– Il y a une quatrième victime.

Vanja arriva avant les autres. Les policiers qui avaient découvert le cadavre avaient déjà bouclé le périmètre autour de l'immeuble gris. Vanja bondit hors de la voiture et rejoignit au pas de course l'agent qui se tenait derrière le ruban bleu et blanc. Sebastian resta dans le véhicule et observa l'immeuble. Pour une raison apparemment évidente mais qui l'agaçait, il avait de nouveau pris place sur le siège passager, mais Vanja avait senti qu'il serait déplacé de se disputer avec lui lors d'une intervention aussi urgente. Qu'il se comporte comme un gamin, s'il en avait envie. Elle ne le ferait pas. Elle était en service. Mais lorsque la situation se serait apaisée, elle expliquerait à Torkel que Sebastian Bergman n'avait qu'à se déplacer dans un autre véhicule. Dans celui de Torkel par exemple. Après tout, c'était lui qui avait insisté pour qu'ils se coltinent à nouveau cet énergumène.

Le policier qui gardait la porte reconnut Vanja et lui fit un signe de tête. Elle se souvenait également de lui. Erik quelque chose. Un bon policier, calme et consciencieux. Après son court récit, elle n'eut aucune raison de changer d'avis sur lui. Dès qu'ils avaient découvert la victime ligotée, son collègue et lui avaient immédiatement alerté la Crim'. Ils n'avaient touché à rien et avaient quitté les lieux sur-le-champ pour éviter la contamination de la scène de crime. Vanja remercia Erik et alla à la rencontre d'Ursula, Billy et Torkel qui venaient d'arriver.

– Ils ont tout bouclé là-haut. Troisième étage. Billy, tu pourrais sûrement pondre un bon rapport avec Erik – c'est le policier qui s'est retrouvé le premier sur les lieux.

– Pourquoi tu ne t'en chargerais pas ?

Vanja lui jeta un regard interloqué.

– Et toi, tu fais quoi ?

– Je monte directement.

– Tu parles d'abord avec Erik, et tu montes après, intervint Torkel.

Billy ravala ses protestations. Rappeler à Vanja qu'ils occupaient la même position dans l'équipe était une chose, ne pas respecter les ordres du chef en était une autre.

– Bien.

Il tourna les talons et s'en alla.

Les autres pénétrèrent dans l'immeuble.

Sebastian resta dans la voiture.

Il vit Billy lui faire un signe, mais ne sut comment réagir. Ruminer son angoisse ou aller vérifier si ses pires craintes étaient confirmées. C'était pourtant impossible. L'immeuble était grand. Non, c'était absolument impossible. Il y avait beaucoup d'immeubles semblables. Mais il ne parvenait pas à chasser cette pensée de son esprit. Comme un pressentiment qui avait envahi tout son corps et le paralysait.

Billy lui fit à nouveau signe.

– C'est pour aujourd'hui ou pour demain ?

Sebastian ne pouvait plus se dérober. Bien qu'une partie de lui s'y refusât, il avait besoin d'en avoir le cœur net. Il l'apprendrait tôt ou tard, alors autant en finir tout de suite. Il se dirigea vers Billy. Il le laisserait le précéder. Se laisserait porter par son énergie.

Ils entrèrent et commencèrent à monter les escaliers en pierre. Billy montait à pas rapides, tandis que Sebastian ne cessait de ralentir. C'était une cage d'escalier grise on ne peut plus ordinaire. Des comme ça, il y en avait des milliers, voire des dizaines de milliers. Anonymes et identiques, qui se ressemblaient comme deux gouttes d'eau. Que pouvait-elle avoir de si particulier ? Il chercha désespérément des éléments susceptibles de calmer son inquiétude, en vain.

Il entendit Billy arriver au troisième étage. Parler à quelqu'un. Arrivé au palier suivant, il vit qu'il s'agissait d'un policier. Ils se tenaient devant la porte grande ouverte d'un appartement. Torkel se trouvait également dans le couloir. Pris de panique, il fut incapable d'effectuer les derniers pas vers eux et tomba à genoux, tremblant et à bout de souffle.

Puis il se ressaisit suffisamment pour se lever et jeter un œil à l'intérieur de l'appartement, caressant un dernier espoir de s'être trompé.

Mais non.

Il le vit immédiatement, sur le sol du salon.

Un ours rose portant une inscription : « pour la meilleure maman du monde ».

Torkel avait enfilé des protections sur ses chaussures, mais il s'abstint de pénétrer dans le salon où se trouvait le lit. Il ne faisait aucun doute qu'il s'agissait du même tueur. La chemise de nuit. Les pieds et les mains liés, la plaie béante au cou – tout le confirmait. Il se sentait à la fois impuissant et en colère. Encore une victime qu'il n'avait pas su protéger.

Ursula se tenait penchée au milieu de la pièce en train de photographier méthodiquement la scène de crime. Cela prendrait sûrement quelques heures jusqu'à ce qu'ils aient fait les premières constatations. Entre-temps, avec les autres, Torkel pourrait commencer l'enquête de voisinage. Il avait l'intention de commencer par la femme qui avait prévenu la police quelques heures auparavant.

Soudain, il entendit la voix de Sebastian derrière lui.

– Torkel.

Elle paraissait plus faible que d'habitude. Il se retourna et vit un Sebastian livide appuyé contre le mur de béton. On aurait dit que ce mur était la seule chose qui pouvait encore lui permettre de se maintenir debout.

– Qu'est-ce qu'il y a ?

– Il faut que je te parle, dit-il en chuchotant presque.

Sebastian l'attira un peu plus bas dans les escaliers. C'en était assez à présent ! Torkel commençait à être sérieusement agacé. Il était confronté à ce qui allait sûrement s'avérer être la pire affaire de sa carrière, et n'avait absolument pas le temps de jouer aux devinettes.

– Sebastian, qu'est-ce que tu veux ?

Sebastian le regarda d'un air suppliant.

– Je crois que je la connais. Est-ce qu'elle s'appelle Annette Willén ?

– Oui, c'est ce qu'on pense. C'est en tout cas le nom de la femme qui habite ici.

Le sol parut se dérober sous les pieds de Sebastian, et il dut reprendre appui sur le mur.

– Tu la connais ? demanda Torkel sur un ton sec.

Sebastian paraissait sincèrement ébranlé.

– On a participé à la même thérapie de groupe. Juste une fois. J'y suis allé seulement une fois… Et puis, on a couché ensemble.

Bien sûr. À quoi aurait-il pu s'attendre, sinon ? Arrivait-il à Sebastian de rencontrer des femmes sans finir dans leur lit ? Torkel en doutait. Mais normalement, ces femmes ne signifiaient rien pour Sebastian. En voyant le désarroi de Sebastian, Torkel eut un mauvais pressentiment.

– C'était il y a combien de temps ?

– Je suis parti d'ici peu avant cinq heures ce matin.

– Comment ça, ce matin ?

– Oui…

Torkel remarqua la façon dont tous les bruits autour de lui s'effacèrent d'un seul coup pour ne se concentrer que sur ceux de l'homme en face de lui. Celui qui venait de prononcer des mots qu'il aurait préféré ne jamais entendre.

– Mais comment ça, bordel ?

– Désolé, je ne sais pas… Sebastian cherchait ses mots. En vain. Je veux dire… qu'est-ce que je suis censé faire ?

Torkel regarda autour de lui. Vit l'agent de police qui préparait l'enquête de voisinage avec Billy et Vanja. Ursula qui cherchait dans une sacoche noire de nouveaux objectifs pour effectuer des gros plans. Puis son regard se posa à nouveau sur le visage blême de Sebastian.

Sur celui de l'homme qu'il avait intégré à une enquête qui se transformait à présent en véritable cauchemar.

– Tu rentres au commissariat, et tu y restes jusqu'à ce que j'arrive.

Sebastian aquiesça sans faire l'ombre d'un mouvement pour partir.

Frustré, Torkel secoua la tête et s'adressa à l'agent de police.

– Cet homme doit être conduit au commissariat. Pouvez-vous vous en charger, s'il vous plaît ?

Puis il rejoignit Ursula dans l'appartement. Replongea dans ce crime atroce qui lui paraissait être une broutille à côté du nouveau problème qu'il avait sur les bras.

Sebastian n'avait gardé aucun souvenir du trajet de retour vers le commissariat. Obsédé par ses tentatives de comprendre ce qui avait pu se passer, il se souvenait seulement qu'il s'était assis sur la banquette arrière et qu'une femme était au volant. À mi-chemin, la panique avait cessé de le paralyser, et il avait été, à son grand soulagement, à nouveau en mesure de penser de manière logique. Il devait fonctionner. Il avait besoin de son intelligence. L'heure était grave. Annette Willén était morte. Assassinée. La grande question était de savoir s'il avait quelque chose à voir avec cette histoire. Il avait couché avec Annette Willén. Et elle avait été tuée juste après.

Il voulait croire au hasard.

À un mauvais coup du sort.

Il ne souhaitait rien de plus que cela. Mais quelle était la probabilité pour que le meurtrier choisisse Annette Willén par hasard ? Quasiment nulle.

Jusque-là, ils n'étaient pas parvenus à circonscrire géographiquement les meurtres, ni à discerner aucune logique dans le choix des victimes. Une à Tumba, une autre à Bromma, et encore une à Nynäshamn. Et maintenant, une autre à Liljeholmen. Les autres femmes avaient été tuées à leur domicile, deux grandes maisons individuelles et une maison mitoyenne. Et à présent, il avait frappé dans un grand immeuble locatif. Ceci accroissait sensiblement le risque d'être découvert, et écartait l'hypothèse que ce soit le fruit du hasard. Hélas. Sebastian avait beau tourner et retourner tout cela dans sa tête, il en arrivait toujours à la même conclusion.

Tout cela était lié.

Lui et Annette.

Annette et son meurtrier.

Sebastian monta les marches de la Crim' sans but. Il devait attendre Torkel. Mais il ne savait même pas s'il faisait encore partie de l'équipe.

Il décida de se rendre dans la salle de réunion où il pourrait s'isoler pour réfléchir. Posté devant le grand tableau, il observa la chronologie de Billy et les photos des premières victimes. Annette Willén allait bientôt s'y retrouver, elle aussi. Aucune de ces femmes n'était vraiment jeune, elles avaient toutes la quarantaine. Peut-être ce détail avait-il une signification. Elles avaient déjà un vécu. Cela offrait la possibilité de fouiller leur passé. Billy s'en était certes déjà chargé, mais Torkel n'arriverait sûrement pas avant plusieurs heures. Autant qu'il s'occupe. Cela pourrait en outre permettre de chasser ses autres pensées. En quittant les lieux à la hâte pour se rendre à Liljeholmen, ils avaient laissé trois dossiers sur la table, contenant toutes les informations collectées sur chaque victime. Des feuilles d'impôts, des extraits d'état civil, jusqu'aux rapports des techniciens d'identification criminelle et aux interrogatoires de l'entourage immédiat des victimes. Pourrait-il y trouver quelque chose que personne n'aurait vu jusque-là ? Les chances étaient minces. L'équipe de Torkel était la meilleure de Suède. Mais il voulait tout de même essayer.

Il devait le faire.

Il devait essayer de percer le mystère.

Alors il commença à lire. La première victime. Maria Lie. Séparée de son mari, Karl, depuis un certain temps, elle était en instance de divorce, mais celui-ci n'avait pas encore été prononcé. Le dossier comprenait l'interrogatoire du futur ex-mari, si l'on pouvait l'appeler ainsi, dix pages remplies de texte. Karl et Maria Lie avaient été mariés longtemps, mais n'avaient jamais eu d'enfants et s'étaient perdus dans la routine. Maria Lie était responsable commerciale dans une agence d'intérim de la ville. L'homme travaillait chez Tele2 et avait rencontré l'année précédente une femme plus jeune avec laquelle il avait entamé une liaison. Mais Maria avait découvert le pot aux roses, ce qui avait précipité la fin de leur couple. Maria Lie avait remboursé à Karl sa part de la maison, car il avait besoin d'argent. Sa nouvelle compagne était déjà enceinte, et ils cherchaient un appartement. Maria Lie venait de déposer une demande pour retrouver son nom de jeune fille, Kaufmann, et ils avaient…

Sebastian bloqua sur ce nom. Le relut. Cela ne pouvait pas être vrai.

KAUFMANN.

K-A-U-F-M-A-N-N.

Ursula venait de finir de tout photographier, et voulait à présent attendre l'arrivée du médecin légiste qui examinerait le cadavre. Il était en retard à cause d'un grave accident de la route sur son chemin. Ursula se mit à la fenêtre du salon pour échapper un instant à la vue de ce cadavre de femme grisâtre et de ces taches de sang répandues sur les draps.

Dehors, régnait un beau ciel bleu digne d'un parfait jour d'été. Même si le soleil avait migré à l'ouest et ne tapait plus de plein fouet sur l'appartement, il y faisait toujours une chaleur étouffante. Ursula ouvrit prudemment la porte-fenêtre du balcon et sortit sur les caillebotis. Il faisait tout de même un poil plus frais à l'extérieur. Le balcon était minuscule, mais décoré avec soin, et un gros rosier grimpant jaune sortant d'un pot en argile courait le long du mur. Le rosier était bien entretenu, Ursula était pratiquement sûre qu'il s'agissait de la variété Leverkusen. Sa mère Ingrid était une véritable passionnée des roses, et en avait planté deux spécimens à côté de l'entrée de sa maison de vacances dans le Småland. Elle avait essayé de transmettre sa main verte à sa fille, mais Ursula n'en avait retenu que le nom des différentes espèces ainsi que l'odeur des sprays anti-pucerons. Elle observa le mobilier. Deux chaises pliantes en bois réparties autour de la table de bistrot ovale en métal poli. Une boîte à sucre en émail bleu clair avec un fin motif floral blanc était la seule chose qui se trouvait sur la table. Quelqu'un allait sûrement bientôt la soulever et se demander qu'en faire, ainsi que de toutes les autres affaires qui se trouvaient dans l'appartement. Ces choses qu'on laissait derrière soi.

Ursula se tenait devant la rambarde et avait vue sur le périphérique avec la forêt en arrière-plan. Elle regarda les voitures défiler sous ses yeux. Une vie s'était terminée à l'intérieur de cet appartement, tandis que dehors, d'autres continuaient inlassablement leur route. C'était comme ça, la vie suivait son cours, un flux continu que l'on ne pouvait arrêter, même avec la meilleure volonté. Même si c'était dur à supporter pour les personnes concernées, dehors la vie continuait comme d'habitude, comme s'il ne s'était rien passé. Elle prit une profonde inspiration pour remplir ses poumons d'oxygène. Puis elle ferma les yeux et réfléchit. Il ne faisait aucun doute qu'il s'agissait du même tueur. Tout concordait, de la chemise de nuit aux bas Nylon en passant par la plaie béante à la gorge et les viols par-derrière. Pour en être tout à fait sûre, Ursula avait recherché un garde-manger verrouillable de l'extérieur. L'appartement n'en comportait aucun, mais Ursula supposa que ce genre d'immeuble n'avait pas significativement changé depuis l'époque où elle en avait elle-même été locataire. Il y avait sûrement quelque chose de ce genre quelque part.

Et c'était effectivement le cas. Dans la cave, une porte en acier s'ouvrait sur un long couloir au sol de béton. Tous les cinq mètres, une ampoule nue éclairait une porte en bois donnant sur une cave individuelle faite de planches et de grillage en fil de fer. Chaque emplacement possédait sa propre porte, verrouillée par un cadenas. Une faible odeur de moisissure bien reconnaissable planait dans l'air. La réfection des caves ne paraissait pas avoir été la priorité des bailleurs au cours des trente dernières années.

Ursula passa devant toutes les portes identiques jusqu'au numéro 19, celui dévolu à la cave d'Annette. Le cadenas avait été forcé. De sa main gantée, Ursula ouvrit la porte avec précaution et jeta un œil à l'intérieur. La cave faisait dorénavant partie de la scène de crime. La plupart des autres devant lesquelles Ursula était passée étaient pleines à craquer. Celle d'Annette ne renfermait que quelques cartons de déménagement et autres boîtes à chaussures, une lampe, ainsi qu'une table et des chaises pliantes en bois empilées les unes sur les autres. Au milieu, sur le sol, Ursula trouva les provisions soigneusement disposées : le jus de fruits, les petits gâteaux, les bananes, les BN et la bouteille vide destinée à l'urine. Elles étaient parfaitement alignées à égale distance les unes des autres. Exactement comme sur les autres scènes de crime. Un frisson la parcourut, elle qui était pourtant une technicienne expérimentée, bien qu'elle ne l'admettrait jamais en présence de ses collègues. Cette exactitude avec laquelle le tueur préparait cette installation était proprement angoissante.

Elle se mit prudemment à genoux, sortit un petit mètre en métal et mesura l'espace entre chaque objet. Exactement 4,5 centimètres. Il devait le mesurer avec exactitude à chaque fois, se dit-elle. Cela devait prendre du temps. Mais il le prenait, car il était important pour lui de faire les choses bien.

Un rituel. Comme pour Hinde.

Pour le copier. Jusque dans les moindres détails.

Elle en avait la chair de poule.

Après avoir pris des photos de la cave, elle était de retour sur le balcon. L'arrivée de Torkel dans l'appartement l'arracha à ses pensées. Il paraissait la chercher et se dirigea vers la petite cuisine sans remarquer qu'elle se trouvait sur le balcon.

– Torkel, je suis là ! s'exclama-t-elle en frappant contre la vitre.

Torkel ressortit de la cuisine et lui fit un signe de tête. Son regard était sombre.

Il la rejoignit sur le balcon et commença par le plus simple, ce qu'il arrivait encore à comprendre.

– L'enquête de voisinage n'a rien donné pour l'instant. Annette était une femme ordonnée et sans histoires qui n'attirait pas beaucoup l'attention. Son ex-mari était un sacré connard apparemment. Mais personne ne l'a vu depuis des mois.

Ursula hocha la tête et fixa à nouveau l'horizon.

– Et qu'a dit l'amie qui l'a trouvée ?

– Lena Högberg, elle habite le quartier. Elles devaient déjeuner ensemble, mais Annette n'est pas venue au rendez-vous. Cette amie a ensuite essayé de la joindre tout l'après-midi, mais elle n'a pas décroché.

Ursula opina de la tête.

– La mort remonte à moins de douze heures.

– Annette a connu des moments difficiles ces dernières années, poursuivit Torkel, Lena s'est donc fait du souci et a décidé de passer la voir après son travail. C'est là qu'en regardant à travers la fente de la boîte aux lettres, elle a aperçu des traces de sang sur le sol.

– Quels moments difficiles ?

– Un divorce, le départ de son fils à l'étranger et un licenciement. Elle était plutôt déprimée.

Torkel jeta un regard au périphérique avant de poursuivre :

– Vanja est en train d'interroger l'ex-mari.

– Bien, mais on a toujours affaire au même tueur.

Torkel prit péniblement son inspiration. Ursula le regarda. Il avait un air étrangement pincé, comme oppressé, mais pas de la manière habituelle sur une scène de crime. Ne pas avoir pu empêcher un nouveau meurtre était bien sûr pour tous un constat d'échec, mais Torkel paraissait encore plus accablé que d'habitude.

– Nous ne devons plus commettre d'erreurs à présent, dit-il tout d'un coup, plus pour lui-même qu'à son intention. Rien ne doit nous échapper.

Ils se turent un moment et fixèrent l'autoroute. Torkel prit la main d'Ursula et se tourna vers elle. Elle le dévisagea avec étonnement, mais ne retira pas sa main.

– Nous avons un plus gros problème. Un très gros problème.

– C'est-à-dire ?

– Tu es sûre qu'elle est morte depuis moins de douze heures ?

– C'est difficile à dire à cause de la chaleur, mais je pense qu'elle est décédée il y a six à douze heures. Pourquoi ?

Torkel pressa sa main encore plus fermement.

– Sebastian a passé la nuit avec elle.

– Comment ?

– J'ai dit que notre Sebastian Bergman a couché avec elle cette nuit et a quitté son appartement il y a environ douze heures.

À présent, elle avait véritablement froid dans le dos.

Tout s'écroulait autour de Sebastian. Il manquait de tout. D'oxygène. D'énergie. D'équilibre. Il faillit tomber dans les pommes, mais parvint au dernier moment à se rattraper au rebord de la table. Il s'y cramponna à sa dernière planche de salut avant de tomber dans un précipice.

C'était impossible.

Absolument impossible.

Mais vrai.

Il était tombé dessus par hasard en cherchant fébrilement des indices entre les photos, interrogatoires, dépositions et autres données personnelles. Partout, il découvrait des détails qu'il n'avait pas vus jusqu'à présent. La vérité se profilait devant lui et prenait possession de son âme comme une force surnaturelle. Il tremblait et suffoquait. Cette force qui le ramenait à la réalité brutale lui rappelait celle qui l'avait terrassé sur une plage de Khao Lak. Mais à l'époque, il s'était retrouvé à moitié nu et couvert de sang au milieu des flaques de carburant et des feuilles de palmiers, paralysé par la tristesse. Cette fois, dans les locaux de la police criminelle nationale, cette prise de conscience se muait en angoisse. Une angoisse incommensurable. Il tenta de se concentrer, de chasser cette sensation pour ne pas céder à la panique. Il frappa du poing sur la table et réprima un hurlement. Au bout de quelques minutes, il parvint au prix d'un effort surhumain à se relever. Il tituba, mais retrouva l'équilibre et se dirigea d'un pas hésitant vers la fenêtre pour voir autre chose que les photos des mortes éparpillées sur la table et sur le tableau. Dehors, c'était toujours la même fournaise.

Ursula avait d'abord exprimé son étonnement. Lui qui s'attendait à ce qu'elle explose de colère fut surpris de la voir troublée et silencieuse. Puis elle l'avait assailli de questions. Comment était-ce possible ? Pouvait-on vraiment y croire ? Le comportement transgressif de Sebastian n'était pas nouveau, mais qu'il commette un tel faux pas dépassait l'entendement. Sur le petit balcon, Ursula chancela avant de tenter de mettre de l'ordre dans ses pensées. Sebastian avait couché avec la femme qui gisait dans le salon. Celle qui avait été assassinée. Tout cela s'était déroulé en l'espace d'une journée, à quelques heures près. Quelqu'un imitait Hinde. Jusque dans les moindres détails. Sebastian était celui qui avait permis de mettre Hinde derrière les barreaux, celui qui avait fourni les éléments déterminants permettant de résoudre l'affaire grâce à laquelle il était parvenu au sommet de sa carrière de profileur. Ursula avait beau tout tourner et retourner dans sa tête, elle en arrivait toujours à la même conclusion aussi incroyable qu'angoissante.

Il y avait un lien.

Aussi improbable que cela puisse paraître.

D'un commun accord, ils avaient immédiatement décidé d'en informer le reste de l'équipe. En dévalant les marches de l'escalier, Torkel se félicita d'avoir consulté ses collègues avant de réintégrer Sebastian dans l'équipe. Si cela n'avait pas été le cas, il aurait dû assumer seul la responsabilité de résoudre ce problème. Il trouvait pitoyable d'avoir de telles pensées, alors que le corps de la femme assassinée se trouvait là-haut. Mais il avait beau essayer de chasser cette pensée récurrente, elle était bel et bien dans sa tête.

Billy s'était quelque peu éloigné des voitures de police et des badauds qui commençaient à s'amasser. Il téléphonait en faisant les cent pas. Vanja rejoignit Ursula et Torkel avant de faire un signe de tête en direction de Billy.

– Il essaie de mettre la main sur l'ex-mari pour qu'on puisse y envoyer une patrouille.

Billy leur tournait le dos, poursuivant sa discussion avec la personne à l'autre bout du fil.

– Nous avons débusqué le fils d'Annette au Canada. La police locale va bientôt aller le voir pour lui parler. S'il ne nous contacte pas, nous le rappellerons plus tard, ajouta Vanja.

Torkel fit un signe de tête trahissant son impatience. Tout cela était bien beau, mais informer les proches de la mort de la victime était désormais la dernière des priorités.

– Dis-leur que tu rappelleras plus tard, ordonna sèchement Torkel à Billy.

– Mais ils sont en train de chercher l'ex-mari.

– Tu les rappelleras plus tard. Il faut qu'on parle. Tout de suite.

Billy raccrocha. Il avait rarement entendu Torkel s'exprimer sur ce ton. Et les rares fois où il l'avait fait, l'affaire était sérieuse. Et ne pouvait pas attendre.

Ils s'éloignèrent tous les quatre du périmètre de sécurité sous le regard curieux des badauds qui observèrent les quatre enquêteurs former un cercle bizarre.

– La situation est inédite, commença Torkel.

Vanja avait les yeux rivés sur Torkel et Ursula. Elle ne se rappelait pas la dernière fois où il avait eu l'air aussi résolu.

– Sebastian a eu un rapport sexuel avec la victime il y a environ douze heures, dit Torkel, comme s'il venait d'annoncer une funeste nouvelle.

Billy et Vanja restèrent pétrifiés, tentant de digérer l'information. Ce fut à ce moment précis que le téléphone de Billy se mit à sonner. On avait sûrement retrouvé l'ex-mari de la victime. Billy ne décrocha pas.

Torkel et Billy rentrèrent de toute urgence au commissariat. Ils avaient chargé Ursula de se rendre à l'institut médico-légal pour que l'heure de la mort d'Annette puisse être déterminée au plus vite.

Vanja était naturellement sur le pied de guerre. Plus que jamais d'ailleurs, mais Torkel lui avait demandé de se maîtriser vis-à-vis de Sebastian. Au moins pour un petit moment. Ils devaient faire la lumière sur les circonstances et le déroulement des faits avant d'agir. Car ils ne devaient pas oublier que quatre femmes étaient mortes. Rien d'autre ne comptait. Il fallait rester professionnel et ne pas se laisser submerger par les sentiments. Aussi forts soient-ils. Vanja serra les dents et se tut, mais Billy la voyait clairement bouillir de l'intérieur.

Ils se garèrent dans le parking souterrain, et marchèrent en silence jusqu'à l'ascenseur. Arrivés dans la salle de réunion, ils furent étonnés de ne pas y trouver Sebastian. La salle était aussi vide qu'ils l'avaient laissée, hormis un grand désordre sur la table : les dossiers des victimes précédentes avaient été ouverts, les photos, les rapports et les feuilles étaient éparpillés. Une chaise avait été renversée par terre. Sûrement Sebastian.

– Tu restes ici pour remettre un peu d'ordre, ordonna Torkel à Billy.

– OK.

L'espace d'une seconde, Billy avait envisagé de demander si Vanja ne pouvait pas s'en charger à sa place. Mais ce n'était visiblement pas le moment.

– Et vérifie soigneusement si rien ne manque. Si c'est le cas, préviens-nous immédiatement, ordonna Torkel en se dirigeant vers la porte.

Mais Billy le retint :

– Tu ne crois quand même pas que Sebastian a quelque chose à voir avec le meurtre ?

Torkel resta sur le seuil de la porte et s'adressa à Billy d'un air grave.

– D'après ce que nous savons, il est le dernier à avoir vu Annette Willén vivante. Il est donc forcément impliqué.

Torkel quitta la pièce. Lui et Vanja pressèrent le pas. Ils passèrent devant la cafétéria où quelques agents en uniforme buvaient le café qu'ils venaient de prendre au distributeur. L'un d'eux avait vu Sebastian un moment auparavant. Le policier dit qu'il l'avait salué, mais que Sebastian ne lui avait pas répondu. Ils continuèrent leur ronde. La porte du bureau de Torkel était ouverte. Il passa sa tête à l'intérieur et aperçut Sebastian, avachi sur le canapé marron réservé aux visiteurs. Sa tête était baissée, on aurait dit qu'il dormait ou qu'il était sonné. Torkel resta planté sur le seuil et considéra la silhouette recroquevillée, puis il fit quelques pas résolus dans la pièce, ce qui poussa Sebastian à relever lentement la tête. Son regard était à la fois intense et résigné. Comme s'il était parvenu au bout d'un chemin sans issue mais où il avait tout de même décidé de continuer. Il se leva.

Vanja apparut dans l'encadrement de la porte et fixa Sebastian. Il resta debout face à elle, immobile et silencieux. Vanja secoua la tête, en colère.

– Laisse-nous seuls, dit Torkel.

À quelques mètres de son vieil ami, il sentait à présent qu'il valait mieux s'efforcer de parler calmement. Sebastian avait besoin de s'exprimer, pas de se retrouver en situation de conflit.

– Et ferme la porte derrière toi.

Sans un mot, elle referma la porte derrière elle. Un peu fort. Sebastian se tenait toujours devant le canapé.

– Assieds-toi.

Torkel s'approcha de Sebastian. Il avait d'abord besoin de réponses. C'était la première des choses. Puis il devait l'exclure de l'enquête. Au plus vite.

– Nous avons certains éléments à tirer au clair, toi et moi, annonça Torkel d'un ton ferme.

– Plus que tu ne crois.

La voix de Sebastian était assurée, au moins autant que celle de Torkel.

Torkel fut agacé par la force inattendue dont faisait preuve Sebastian, étant donné les circonstances. Il enchaîna :

– Juste histoire de mettre les points sur les « i ». Ta participation à l'enquête s'arrête là. Tu n'y participeras plus, de quelque manière que ce soit.

– Oh que si.

– Écoute-moi bien, Sebastian ! Torkel ne pouvait plus contenir sa colère. Il dut réprimer cette envie de coller son ex-collègue au mur et de le secouer. Ne comprenait-il décidément pas ? Tu as couché avec l'une des victimes.

– J'ai couché avec toutes les victimes, intervint Sebastian.

Soudain, Torkel se tut.

– Pas récemment, mais… j'ai couché avec les quatre…

Torkel pâlit, ne pouvant masquer son étonnement face au regard perçant de Sebastian.

– Ce n'est pas un imitateur quelconque, Torkel. C'est quelque chose de personnel. Dirigé contre moi.

Il fallut un bon moment pour rassembler tout le monde. Ursula fut rappelée de l'institut médico-légal. L'autopsie était encore loin d'être terminée, et ils n'avaient donc aucune information supplémentaire pour l'instant. Mais en entendant la raison de cette soudaine convocation, elle lâcha tout ce qu'elle était en train de faire et se mit en route. Billy avait remis de l'ordre dans les dossiers, et tout rangé. D'après ce qu'il avait pu constater, ils étaient tous complets. Vanja, un peu à contrecœur, avait pris le relais de Billy pour retrouver l'ex-mari d'Annette Willén. Avec ses collègues, elle avait réussi à mettre la main sur lui, et elle lui avait envoyé une patrouille chargée de lui annoncer le décès de son ex-femme. Les agents en avaient profité pour effectuer un bref interrogatoire pour vérifier, l'air de rien, si l'homme avait un alibi. Vanja arriva la dernière, et resta délibérément debout à côté de la porte, les bras croisés. Aussi loin que possible de Sebastian. Ce dernier lui fit un signe de tête pour la saluer, mais il ne reçut qu'une moue méprisante en guise de réponse.

– Nous sommes confrontés à une situation inédite, commença-t-il.

Vanja secoua la tête, elle ne pouvait plus se retenir.

– *Tu* es dans une situation extrême, pas nous.

Torkel lui intima l'ordre de se taire.

– Laissez-le d'abord s'exprimer.

Sebastian esquissa un vague signe de tête reconnaissant et lança un dernier regard suppliant à Vanja pour s'excuser. Il ne voulait plus se disputer avec elle. Tout sauf ça. Cela faisait longtemps qu'il ne s'était pas senti aussi seul.

Puis il se retourna et désigna l'une des photos de la première victime.

– Je n'avais pas reconnu Maria Lie, car durant ses études, elle s'appelait encore Kaufmann. D'après son CV, nous avons fait nos études ensemble, et je me souviens être sorti un temps avec elle.

Sebastian avala sa salive et enchaîna avec la photo de Katharina Granlund.

– J'aurais dû reconnaître Katharina. Elle est venue à une séance de dédicaces au Salon du livre en 1997. Elle était déjà mariée à cette époque. Nous nous sommes vus plusieurs fois, et je l'ai seulement réalisé quand j'ai lu qu'elle avait un petit lézard tatoué sur une… partie intime de son corps…

Vanja explosa.

– Non mais c'est une blague, ou quoi ? Tu ne te rappelles même plus le nom des femmes que tu as baisées, ni à quoi elles ressemblaient, mais tu te souviens de leurs tatouages au bas-ventre ?

– Je ne sais pas quoi dire, répondit Sebastian d'un air penaud.

– Il est plus facile de se souvenir d'un tatouage que d'un visage, remarqua Billy.

Vanja se tourna vers lui et lui jeta un regard noir.

– Ah, parce que tu le défends maintenant ?

– Je dis seulement…

– Arrêtez ! Tous les deux ! les interrompit Torkel, comme pour séparer des gamins en train de se bagarrer. Continue, Sebastian.

Sebastian évita le regard de Vanja, puis se tourna vers la photo suivante. Une femme blonde originaire de Nynäshamn. La victime numéro deux.

– Jeannette Jansson… Je ne la reconnais pas, et je ne me souviens pas du tout d'elle. Mais j'ai lu dans l'un des rapports d'interrogatoire que son surnom était « Jojo » et j'ai… j'ai couché avec une certaine « Jojo » durant mes études. C'était à Växjö. Elle était blonde et avait une cicatrice. Sebastian désigna sa lèvre supérieure. Jeannette Jansson vient de Växjö et a été opérée d'une fente labiale durant son enfance…

On entendait une mouche voler dans la pièce. Vanja fixa Sebastian d'un air méprisant.

Ce dernier paraissait soudain très fatigué et vieilli.

– Ces femmes sont donc mortes entièrement par ma faute, souffla-t-il. Je suis le lien que vous avez cherché. Moi, et Hinde.

Billy reprit là où la partie logique de son cerveau parvenait encore à saisir quelque chose.

– Mais Edward Hinde est derrière les barreaux à Lövhaga. Pouvons-nous être vraiment sûrs qu'il est mêlé à tout ça ?

– Il est peu probable que quelqu'un copie exactement les meurtres de Hinde et tue des femmes avec qui j'ai couché sans qu'il n'ait rien à voir avec tout ça. Il y a quatre victimes ! Quatre femmes avec qui j'ai couché ! Il y a un lien, ça crève les yeux !

Nouveau silence. Ils savaient que Sebastian avait raison. C'était absolument évident.

Ursula se leva et se dirigea vers le tableau où étaient accrochées les photos des femmes.

– Pourquoi maintenant ? Pourquoi cela arrive-t-il maintenant ? Les crimes de Hinde remontent à plus de quinze ans.

– C'est ce que nous devons découvrir, répondit Torkel, qui venait de se rendre compte que Sebastian était probablement la clé de l'énigme. Il le regarda. As-tu eu des contacts avec lui sous quelque forme que ce soit depuis que tu l'as interrogé dans les années 1990 ?

– Non, aucun.

Ils se turent. Torkel observa son équipe. L'un après l'autre. Cela faisait longtemps qu'il n'avait plus observé un tel mélange de choc et de colère. Et soudain, il comprit ce qu'il devait faire. Sans doute personne ne le comprendrait-il. Mais il était sûr de lui. Torkel ne connaissait pas Hinde aussi bien que lui, mais il savait que son adversaire était un psychopathe calculateur à l'intelligence exceptionnelle. À l'époque, il avait toujours eu une longueur d'avance sur l'enquête, jusqu'à ce qu'il fasse monter Sebastian Bergman à bord du navire.

À l'époque déjà, la plupart des enquêteurs s'étaient montrés sceptiques à l'idée d'intégrer ce psychologue égocentrique au groupe d'investigation, mais Torkel avait fini par changer d'avis. Depuis l'arrivée de Sebastian dans l'équipe, ils avaient pu faire des avancées majeures qui les avaient mis sur la piste de Hinde. C'était vrai. Il avait besoin de Sebastian. Cette fois encore. Il se tourna alors vers Vanja et Ursula et s'éclaircit la voix.

– Vous n'allez pas être d'accord avec moi. Mais vous devez me faire confiance. Je veux que Sebastian nous accompagne pour interroger Hinde.

– Comment ?

Vanja, qui avait paru s'être calmée, se retrouva sur des charbons ardents. Elle était rouge de colère.

– Vous devez me faire confiance. Si Hinde considère Sebastian comme son adversaire, et s'il est prêt à aller si loin pour démontrer sa…

Torkel s'interrompit et regarda Sebastian qui paraissait étrangement indifférent.

– Nous allons donc lui fournir son adversaire. Et pour de bon.

– Pourquoi ? La question venait à nouveau de Vanja. Évidemment. Qu'est-ce que c'est censé nous apporter ?

– Si on ne le fait pas, il risque de récidiver. Jusqu'à ce qu'on lui fasse comprendre que le message est passé.

– Ça veut dire que tu penses qu'il s'arrêtera si Sebastian entre dans le jeu ?

– Peut-être. Si on a de la chance. Je ne sais pas.

Les autres restaient silencieux. Personne ne savait par où commencer.

Torkel s'adressa à Vanja.

– Vanja, tu vas accompagner Sebastian à Lövhaga demain matin.

– Jamais de la vie ! Il y a d'autres personnes dans ce groupe.

– Mais tu es la plus à même de garder Sebastian à l'œil. Quelqu'un doit lui donner un coup de pied au cul s'il ne se tient pas à carreau. Et qui pourrait le faire mieux que toi ?

Vanja se tut et regarda d'abord Sebastian puis Torkel. D'une certaine manière, elle pouvait comprendre les intentions de Torkel, même si l'idée semblait insensée. Quelque chose paraissait bel et bien relier Sebastian à Hinde. Mais Torkel voulait maintenant livrer à Hinde son adversaire sur un plateau. C'était enfreindre les règles. Et cela pouvait se finir très mal. Elle fit quelques pas vers son chef.

– Tu es sûr que tu sais ce que tu fais ?

– Oui.

Vanja chercha du soutien autour d'elle, mais n'en trouva aucun. Billy s'étira puis se pencha.

– Je viens de penser à une chose : doit-on avertir la population ?

Les autres le regardèrent d'un air ahuri.

Billy avait presque l'air gêné.

– Je veux dire, il doit y avoir beaucoup de femmes qui… vous savez… sont concernées.

Vanja secoua la tête.

– Comment veux-tu qu'on fasse ? Se balader avec le portrait de Sebastian et demander : « Avez-vous couché avec cet homme ? » Il y en a combien, en fait ? Cent, deux cents ? Cinq cents ?

Sebastian lui jeta un regard, puis considéra les photos accrochées au tableau.

– Je ne sais pas. En fait, je n'en ai aucune idée.

Ursula secoua la tête et se leva.

– J'y vais. Je vais appeler l'institut médico-légal, je pourrai enfin parler avec des personnes sensées.

Torkel tenta de capter son regard, mais il n'y parvint pas. Juste avant qu'elle n'ait atteint la porte, Billy se leva d'un bond. Une idée semblait lui avoir traversé l'esprit, et il paraissait monté sur ressorts.

– Attends, il y a encore une chose. Comment choisit-il ses victimes ?

Il trottina en direction du tableau rempli de photographies et les pointa du doigt.

– On peut partir du principe qu'il est possible de retrouver toutes tes anciennes conquêtes en faisant quelques recherches et de planifier les crimes. Mais comment pouvait-il être au courant pour la nouvelle victime, Annette Willén ? Alors que tu l'as rencontrée hier à peine ?

Les autres réalisèrent ce que Billy venait de dire. On aurait dit qu'ils pouvaient tout à coup sentir l'haleine du monstre.

Billy regarda Sebastian d'un air grave :

– As-tu déjà eu l'impression que tu étais suivi ?

Cette question prit Sebastian au dépourvu. Pourquoi n'avait-il pas encore envisagé cette possibilité ? Comment n'avait-il pas pu voir que le temps écoulé entre le moment où il avait rencontré les victimes et leur mort était soudain passée de plusieurs dizaines d'années à moins de vingt-quatre heures ? Peut-être que le choc déjà insupportable d'être mêlé à tout cela l'avait empêché de faire ce constat.

– Je n'y ai pas encore réfléchi.

Mais à présent, il y réfléchissait. Avec la plus grande concentration.

Le matin suivant, tous deux prirent l'ascenseur. Vanja fixait le bandeau lumineux juste au-dessus de la porte, qui indiquait le numéro des étages dans l'ordre décroissant. Ils devaient se rendre au niveau moins un, dans le parking souterrain.

Sebastian réprima un bâillement et se frotta les yeux, épuisé. Il n'avait pas beaucoup dormi. Ses pensées l'avaient tenu éveillé. Hinde, les quatre femmes décédées et leur point commun. Il avait fini par s'endormir vers quatre heures du matin pour être réveillé une heure plus tard par son cauchemar. Ensuite, il n'avait plus été question de se rendormir. Il s'était donc levé, et avait préparé un café puis pris une douche avant de se rendre au commissariat pour y attendre Vanja. Ils avaient rendez-vous avec Hinde.

Peu après huit heures, Vanja était arrivée et l'avait trouvé assis sur l'une des chaises de bureau.

– Prêt ? lui avait-elle demandé avant de sortir sans attendre sa réponse.

Sebastian s'était levé et l'avait suivie jusqu'à l'ascenseur.

– Si tout cela est vrai, quatre femmes ont trouvé la mort par ta faute, dit Vanja sans un regard.

Sebastian ne souffla mot. Que devait-il répondre ? Le seul point commun entre les victimes était qu'elles avaient toutes couché avec lui. Couché avec Sebastian Bergman.

Une condamnation à mort.

– Tu devrais peut-être porter une pancarte autour du cou. Tu es pire que le sida.

– Je comprends que tu puisses penser que je l'aie bien mérité, rétorqua Sebastian. Mais rends-moi un service : ferme-la deux minutes, tu veux ?

Vanja se retourna et le fusilla du regard.

– Oh, je suis désolée de t'embêter ! Mais tu sais quoi ? La victime, ici, ce n'est pas toi !

Sebastian s'abstint de répondre. Cela ne servirait à rien. De toute façon, elle ne comprendrait pas. Ça faisait mal. Bien plus que Vanja ne pouvait l'imaginer.

Non, il n'était peut-être pas une victime à proprement parler, mais il n'était pas coupable non plus. Il n'aurait jamais pu deviner que quelqu'un irait débusquer ses conquêtes de plusieurs dizaines d'années en arrière pour les assassiner sauvagement afin de lui prouver sa supériorité de la manière la plus perverse qui soit. De même, il n'aurait jamais pu prévoir ni empêcher le tsunami. Il se tut. Il ne savait plus quoi dire.

As-tu déjà eu l'impression que tu étais suivi ?

Il ne parvenait plus à ôter les mots de Billy de sa tête. Comment se rendre compte que l'on était suivi ? Il n'en avait aucune idée. Assis dans le taxi qui le conduisait vers Kungsholmen, il avait jeté quelques coups d'œil par la lunette arrière, mais il était impossible de savoir si quelqu'un le suivait. Les policiers avaient sûrement plus de flair pour détecter ce genre de choses, or il n'était pas policier. Enfin, ce n'était pas tout à fait vrai. Après tout, il avait suivi Vanja pendant plusieurs mois sans se faire remarquer. Il était sûr qu'elle ne se doutait de rien, sinon ils ne seraient jamais assis ensemble dans cette Volvo bleu foncé.

Vanja manœuvra habilement la voiture pour sortir du garage. Une fois le poste de surveillance franchi, elle enclencha le clignotant droit.

– Attends une minute.

Vanja le regardait toujours avec un brin d'agacement. Il se demanda s'il était le seul à déclencher ce genre d'expression chez elle. Mais il n'avait pas le temps d'y penser.

– Tourne à gauche. Passe devant l'entrée principale.

– Pourquoi donc ?

– Juste un vague sentiment. Si je suis vraiment suivi, il m'attend peut-être là-bas. Je passe toujours par là, et quand je ne me déplace pas à pied, je demande toujours au taxi de m'y déposer.

Vanja hésita un instant, puis elle actionna le clignotant de gauche et s'inséra dans la circulation. Après un autre virage à gauche, ils atteignirent la rue Pollhemsgatan.

– Arrête-toi.

Vanja s'exécuta. Sebastian scanna la rue qui s'étendait devant lui. Les trottoirs étaient pratiquement déserts. Mais juste en face du commissariat, il y avait le parc Kronoberg. Sebastian s'adressa à Vanja :

– Tu as des jumelles sur toi ?

– Non.

Sebastian parcourut une nouvelle fois la rue du regard. Il savait beaucoup de choses sur les ficelles de la filature. Il fallait se tenir à distance tout en restant assez près pour pouvoir suivre le parcours de la personne surveillée. Tous les individus qui arpentaient la rue semblaient avoir un objectif. Personne ne paraissait déambuler sans but précis ni être en train d'attendre. Il ne restait plus que le parc. Tout à coup, il se rappela le café du coin. Bien sûr ! Il offrait la meilleure vue sans éveiller le moindre soupçon. C'était bien pour cette raison qu'il s'y était lui-même souvent installé.

– Avance jusqu'au café au prochain angle, dit Sebastian en le pointant du doigt.

En passant lentement devant l'entrée, une idée traversa l'esprit de Sebastian. Et s'ils s'étaient tous deux trouvés dans ce café ? Lui et son poursuivant ? Si quelqu'un le suivait effectivement.

C'était possible, voire probable, mais en aucun cas certain.

Sebastian observa par la vitre les voitures garées à leur droite. Il tenta de se souvenir d'autres habitués des lieux. Quelqu'un qui y serait assis aussi souvent que lui. Il ne s'y intéressait jamais vraiment, mais de toute façon, il ne s'était jamais vraiment intéressé au monde qui l'entourait. Il était concentré sur autre chose.

Ne trouvant de place de parking nulle part, Vanja se gara à moitié sur le trottoir sur un passage piéton. Ils descendirent et traversèrent la rue. Vanja gravit d'un bond les marches du café et ouvrit la porte. La petite cloche tinta, un son bien familier aux oreilles de Sebastian. Il s'apprêtait à monter les marches à son tour quand il se figea.

Un flash.

Un événement qui avait eu lieu récemment.

Dans la voiture.

Juste avant qu'ils ne passent devant le commissariat. Une voiture était garée sur leur droite. Une Ford Focus bleue. Bleu ciel. Bleu layette. Conduite par un homme portant des lunettes de soleil.

Les pensées de Sebastian revinrent au jour où il avait décidé de ranger son bureau. Il avait regardé par la fenêtre pour observer son ancienne place, devant la boutique d'antiquaire. Une voiture s'y était garée. Elle était bleu ciel.

– Tu viens ?

Vanja se tenait toujours devant la porte ouverte, et l'attendait.

Sebastian l'entendit à peine, trop occupé à faire travailler sa mémoire. Son rendez-vous avec Stefan. Quand Stefan était allé chercher du lait. Les types qui s'échinaient à transporter le piano. Derrière la camionnette… une voiture bleu ciel. Sûrement une Ford Focus.

– Sebastian ?

Sans prendre la peine de répondre, Sebastian fit demi-tour et revint sur ses pas pour rejoindre la voiture devant laquelle ils étaient passés.

– Où vas-tu ? lui lança Vanja.

Il accéléra la cadence, entendant tinter la cloche dans son dos lorsque Vanja lâcha la poignée de la porte pour lui emboîter le pas. Il se mit à courir. Ses soupçons se virent confirmés quand il vit le conducteur de la voiture commencer à bouger. Se pencher. Démarrer la voiture. Il agrandit ses foulées.

– Sebastian !

La voiture bleue sortit de son créneau. Sebastian se précipita entre deux véhicules, dans une tentative désespérée de l'arrêter avec la seule chose qu'il avait à sa disposition : son corps. L'espace d'un instant, il eut l'impression que le conducteur de la Ford Focus s'apprêtait à faire demi-tour, mais Sebastian vit qu'il n'y parviendrait jamais, la rue étant bien trop étroite. Le conducteur parut le réaliser à son tour, car il décida d'appuyer sur le champignon. Il fonçait droit sur Sebastian.

– Sebastian ! hurla Vanja.

Mais elle était trop loin. Sa voix perçante montrait qu'elle avait compris ce qui était en train de se passer.

Alors même que la voiture n'était plus qu'à dix mètres de lui, elle ne montrait aucune intention de ralentir. Bien au contraire. Le moteur vrombit, et le conducteur passa la vitesse supérieure. Sebastian resta sur place aussi longtemps que possible, mais le conducteur ne paraissait pas avoir l'intention de ralentir. À la dernière seconde, Sebastian se jeta sur le bas-côté, entre deux voitures en stationnement.

Ce n'était peut-être que le fruit de son imagination, mais Sebastian eut l'impression que cette Ford Focus venait de frôler ses talons. L'automobile continua sur sa lancée et disparut à toute allure.

Vanja sortit son arme de service, mais réalisa bien vite qu'elle ne pouvait pas tirer sur une voiture en fuite en plein centre de Stockholm. Puis elle accourut auprès de Sebastian. De là où elle se tenait, elle n'avait pas pu voir s'il avait été blessé ou non.

Elle s'agenouilla près de lui.

– Ça va ?

Sebastian se tourna vers elle. Il était à bout de souffle. Excité. Éraflé au front et aux mains.

– La plaque ! Note le numéro de la plaque !

– C'est fait. Tout va bien ?

Sebastian se tâta pour vérifier. Passa sa main sur son front et considéra le sang sur ses doigts. Il s'était sûrement cogné au pare-chocs d'une voiture et s'était rattrapé sur les mains. Cela aurait pu finir bien plus mal.

Il souffla.

– Oui, je vais bien.

Vanja l'aida à se relever. Des deux côtés de la rue, des badauds s'étaient arrêtés sur le trottoir pour observer la scène. Sebastian tapota ses vêtements pour les remettre en ordre tant bien que mal.

Puis ils rejoignirent leur véhicule mal garé.

– Est-ce que tu as pu voir le conducteur ?

Sebastian haussa les épaules, ce qui s'avéra douloureux. Il avait manifestement été plus durement touché que ce qu'il croyait.

– Il avait un bonnet et des lunettes de soleil.

Ils effectuèrent les derniers mètres jusqu'à la Volvo en silence. Avant de monter dans la voiture, Sebastian ajouta :

– Billy avait raison. J'ai été suivi.

Sebastian comprit lui-même qu'il s'agissait désormais d'une évidence, mais il éprouva le besoin de l'exprimer à voix haute, comme pour le confirmer. Il avait été suivi. Partout. Sans le savoir. C'était un sentiment irréel. Irréel et surtout incroyable. Il avait été filé.

– Oui.

Quand Vanja le regarda par-dessus le toit de la voiture, ce fut pour une fois sans irritation. On pouvait même aisément lire une certaine pitié sur son visage. À cet instant, Sebastian décida de ne plus jamais la suivre, quoi qu'il advienne. Il ne se posterait plus jamais devant chez elle. Ne monterait plus jamais dans le wagon voisin du sien dans le métro. Il devait abandonner son plan. Appeler Trolle et mettre fin à tout cela. C'en était assez.

Moins d'une heure plus tard, ils se garaient à nouveau. La journée s'annonçait ensoleillée, et la chaleur les assomma dès qu'ils eurent ouvert la portière de la voiture. Ils avaient à peine échangé deux mots durant le trajet, ce que Sebastian trouva plutôt agréable. Il voulait pouvoir réfléchir tranquillement.

Alors qu'ils descendaient de la voiture, le portable de Vanja se mit à sonner. Elle s'isola pour répondre. Sebastian observa le grand bâtiment gris et impersonnel derrière le mur. Un autre vestige de son passé. Encore un lieu qui n'avait pas changé. Rien de tout cela ne faisait partie de son plan. Il avait pourtant voulu se construire une nouvelle vie, repartir à zéro.

Il fallait avoir sa propre vie avant de pouvoir faire partie de celle de quelqu'un d'autre.

Mais à présent, c'était le passé qui le rattrapait en la personne de Hinde. Et des mortes. Tout dans cette affaire le faisait revenir en arrière. De nombreuses années s'étaient écoulées depuis sa dernière visite à Lövhaga. Cela remontait à l'été 1999, pour son dernier entretien avec Hinde, et à ce moment-là, il était convaincu qu'il n'y remettrait plus jamais les pieds. Et le voilà de retour.

Derrière les fenêtres à barreaux, les barbelés sur les murs d'enceinte et les sas de sécurité se trouvait le criminel le plus dangereux et le plus dérangé de Suède. Sebastian se sentait étrangement nerveux. Hinde était extrêmement intelligent. Manipulateur. Calculateur. Et en plus, il avait le don de lire en tout et tout le monde. Il fallait être au mieux de sa forme pour l'affronter, sans quoi il prenait facilement le dessus. Après tout ce qu'il avait traversé ces dernières heures, Sebastian n'était pas sûr d'être à la hauteur.

Vanja venait de terminer sa conversation téléphonique, et elle le rejoignit.

– On cherche la Ford Focus. Elle a été déclarée volée à Södertälje.

Sebastian hocha simplement la tête.

– Elle a été volée au mois de février.

Sebastian jeta à Vanja un regard interrogateur, comme pour s'assurer qu'il avait bien entendu. Elle le lui confirma. Cela ne signifiait certes pas qu'il était suivi depuis six mois, mais c'était bel et bien une possibilité. Sebastian n'osait pas imaginer ce que cela impliquait. Il prit une profonde inspiration : il fallait maintenant se préparer à la rencontre avec Hinde.

Ils se dirigèrent vers l'entrée où un gardien les observait en silence depuis leur arrivée.

– Comment est Hinde au juste ? demanda Vanja d'un air inquisiteur. Pour une fois, son ton était totalement dénué de reproche. Apparemment, elle avait elle-même le sentiment de se trouver dans l'antre de la bête.

Sebastian haussa les épaules. Il était sûr que Vanja n'avait jamais rencontré personne comme Hinde. Il valait mieux s'en féliciter, car Hinde ne pouvait pas être comparé avec une personne normale. Vanja n'avait donc aucun point de comparaison. Il n'était ni un mari jaloux ni un jeune délinquant issu d'une famille à problèmes. Elle n'était donc pas non plus en mesure de comprendre le comportement pervers de Hinde, ni le mécanisme intérieur qui avait conduit à la série de meurtres des années 1995-1996. Comparer Hinde aux criminels qu'elle avait rencontrés jusqu'à présent dans sa carrière revenait à mettre en parallèle un élève de cinquième en cours de physique à un prix Nobel.

– Tu devrais lire mes livres.

– J'ai lu tes livres.

Vanja effectua les derniers pas pour rejoindre le gardien.

– Vanja Lithner et Sebastian Bergman, police criminelle nationale.

Ils montrèrent leur badge et leur permis de visite. Le gardien prit les documents et se rendit dans le petit poste de surveillance situé à côté du portail. Il saisit le combiné pour appeler quelqu'un.

Vanja insista :

– Allez, tu l'as déjà rencontré.

– Tu pourras bientôt en dire autant.

– Je dois faire attention à quelque chose en particulier ?

Le portail grésilla, et Sebastian le poussa, laissant Vanja le précéder. Le gardien leur rendit leurs documents.

– Fais attention à tout.

Puis ils se dirigèrent vers Lövhaga. Et Hinde.

Edward Hinde était de retour au parloir. Un gardien était venu le chercher dix minutes plus tôt et l'avait menotté aux pieds et aux mains.

Puis il l'avait amené dans la salle.

Assis sur une chaise.

Et attaché à la table.

Tout était comme d'habitude, à la différence que cette fois, il y avait deux chaises en face de lui. La Crim' était en route. Vanja Lithner et Billy Rosén, c'étaient les noms des deux policiers censés venir le voir, d'après ce que Thomas Haraldsson lui avait dit. Ils voulaient lui parler. Il ne savait rien de plus. Voyons où ils en étaient.

La porte derrière lui s'ouvrit, et il eut enfin de la compagnie. À nouveau, il résista à son envie de se retourner. Il devait attendre. Les laisser venir à lui. Un vrai signe de souveraineté, si petit soit-il. Ils s'approchèrent. Du coin de l'œil, il les vit passer devant sa table, tous deux du même côté, à sa droite. Il continua de regarder par la fenêtre, alors même qu'ils se trouvaient directement devant lui. Ce fut seulement quand la femme s'assit en face de lui qu'il posa les yeux sur elle. Blonde, jolie, la trentaine, les yeux bleus, sportive à en juger par ses bras musclés dépassant de son chemisier à manches courtes. Elle posa un classeur anonyme sur la table devant lui en soutenant son regard, sans sourciller. Sans un mot, Edward transféra son attention sur son collègue, toujours appuyé contre le mur à côté de la table.

Mais ce n'était pas Billy Rosén. C'était quelqu'un qu'Edward connaissait très bien. Il fut obligé de faire preuve d'un sang-froid incroyable pour ne pas trahir sa surprise.

Sebastian Bergman.

Ils avaient bien avancé.

Au-delà de ses espérances. Edward fixa Sebastian jusqu'à ce qu'il soit sûr de pouvoir parler sans paraître troublé. Puis il s'efforça d'afficher un sourire satisfait, comme pour lui souhaiter la bienvenue.

– Sebastian Bergman. Quelle surprise !

Sebastian resta impassible. Edward ne le quittait pas des yeux.

Les souvenirs remontaient dans la mémoire de Sebastian. Ce regard observateur. Perçant. On avait parfois l'impression que Hinde ne regardait pas seulement dans les yeux, mais aussi directement dans la tête où il venait capter toutes les informations qui pouvaient lui être utiles.

– Et vous êtes accompagné de… ? poursuivit Edward d'une voix détendue tout en se tournant vers Vanja.

– Vanja, répondit-elle avant même que Sebastian n'ait pu la présenter.

– Vanja…

Edward parut se délecter de son nom sur sa langue comme un bonbon.

– Vanja comment ?

– Vanja, ça suffira, répondit laconiquement Sebastian.

Il n'y avait aucune raison de divulguer plus d'informations que nécessaire à Hinde.

Edward s'adressa de nouveau à Sebastian, toujours avec un sourire désarmant.

– Que me vaut cette visite après tant d'années ? L'argent des ventes de vos livres est épuisé ? Vous vous décidez finalement à écrire une trilogie ?

Puis Edward regarda Vanja.

– Il a écrit des livres sur moi, vous savez, et même deux.

– Je sais.

– J'étais son faire-valoir… Est-ce que j'ai bien utilisé l'expression, cette fois ?

Vanja était assise les bras croisés et ne disait pas un seul mot, feignant un désintérêt total pour le discours d'Edward. Il était clair qu'elle n'allait pas perdre son temps en futilités autour du choix de son vocabulaire.

– En tout cas, reprit Edward, il m'a d'abord mis derrière les barreaux et puis ensuite… il a fait la lumière sur le fonctionnement du monstre.

Il sourit. Pas tant à l'intention de Vanja que pour lui-même, comme s'il se souvenait d'une période heureuse de sa vie. Ou comme s'il trouvait sa formule particulièrement bien choisie.

– On a pulvérisé le classement des meilleures ventes. Il y a eu des séances de dédicaces, des conférences et des lectures dans toute l'Europe. Peut-être même aux États-Unis, n'est-ce pas, Sebastian, c'était comment là-bas ?

Sebastian ne répondit pas. Visiblement indifférent, il croisa également les bras tout en fixant Hinde d'un regard presque provocateur.

Hinde, nullement intimidé, inclina la tête avant de s'adresser à nouveau à Vanja.

– Il garde le silence. Une bonne tactique. On n'aime pas trop les silences gênants dans ce pays. Alors on essaie de les combler. On bavarde. On se rebat les oreilles.

Edward hésita un instant, comme s'il se demandait s'il n'en avait pas trop dit et n'avait pas illustré lui-même ce qu'il venait de démontrer.

– Je suis psychologue, moi aussi, expliqua-t-il à Vanja. J'ai fait mes études avec Sebastian. Deux promos avant lui. Il ne vous l'a pas dit ?

– Non.

Sebastian observa Hinde, sur ses gardes. Où voulait-il en venir ? Pourquoi racontait-il tout cela ? Cet homme ne faisait rien sans réfléchir. Tout avait un but. La question était juste de savoir lequel.

– Il n'a jamais voulu admettre à quel point on se ressemble, poursuivit Hinde. Des psychologues d'âge mûr qui ont une relation compliquée avec les femmes. En l'occurrence, nous avons un gros point commun, vous ne trouvez pas, Sebastian ?

Le regard de Hinde passa de Vanja à Sebastian. Soudain, Vanja eut la certitude que Hinde était impliqué dans les meurtres. Pas seulement en tant qu'inspirateur. Il y était concrètement mêlé. Elle ne savait pas exactement comment, mais il était clair qu'il connaissait la raison de leur présence.

C'était un simple sentiment, difficile à formuler, une intuition. Cela lui arrivait parfois en interrogeant des suspects ou en vérifiant des alibis. Une conviction qui s'ancrait en elle et qui lui disait qu'une personne était impliquée, voire coupable, même en l'absence de preuves matérielles ou de l'ombre d'un début d'indice qui pouvait lui indiquer qu'elle était sur la bonne voie. Mais le sentiment était là. Il pouvait trouver sa source dans n'importe quoi : un langage corporel, un regard, ou même une intonation qui pouvait sonner faux dans le cadre d'une conversation à première vue anodine. Le ton sur lequel Hinde s'adressait à Sebastian l'avait interpellée. Une petite intonation triomphante et suffisante à peine perceptible. Quelque chose qui aurait pu facilement passer inaperçu, mais bel et bien présent, et Vanja n'avait pas besoin de plus. Torkel avait manifestement visé juste, même si elle ne l'admettrait jamais ouvertement. Confronter Hinde et Sebastian avait été la bonne décision.

– Que savez-vous sur moi et mes relations avec les femmes ? demanda Sebastian sans montrer qu'ils étaient en train d'aborder la véritable raison de leur venue.

– Je sais qu'il y en a eu beaucoup, ou du moins qu'il y en avait. Je ne sais pas ce qu'il en est aujourd'hui.

Sebastian se décolla du mur, tira la chaise libre et s'assit.

Edward Hinde le scruta. Il avait vieilli. Edward en soupçonnait la raison. Pas seulement le temps qui passe. La vie ne lui avait pas fait de cadeaux. Edward se demanda s'il devait évoquer son mariage avec l'Allemande. Ainsi que sa fille.

Et le tsunami.

L'information qu'il avait été si heureux de débusquer, non sans difficultés. Le deuil de Sebastian n'avait pas fait les choux gras de la presse. Edward Hinde avait dû fournir un véritable travail de détective pour assembler tous les morceaux du puzzle.

Tout avait commencé quand il avait repéré deux noms qui lui avaient paru familiers dans la liste des victimes et personnes disparues. Une liste de Suédois et d'autres personnes ayant un lien avec la Suède. Parmi les cinq cent quarante-trois noms, il lui avait semblé en reconnaître deux : Lily Schwenk et Sabine Schwenk-Bergman. Il avait ensuite fouillé dans les archives pour retrouver d'autres informations. Il trouva ce qu'il cherchait durant l'année 1998. Une petite brève rapportait que le célèbre profileur Sebastian Bergman s'était marié. Avec une dénommée Lily Schwenk. Plus tard, dans un journal allemand, Edward avait découvert le faire-part de naissance de la petite Sabine. Et quelques années plus tard, le nom de la femme et de la fille de Sebastian dans une liste de personnes disparues. Il s'en était d'abord réjoui, puis ce sentiment avait fait place à de la déception. Il s'était senti floué, presque jaloux. Comme s'il avait voulu lui-même avoir été emporté par ce raz-de-marée. Par cette force surhumaine qui avait brisé Sebastian en lui enlevant sa famille. Mais peu importait, l'information était utile et il allait sans doute pouvoir s'en servir un jour, mais pas ici, pas maintenant. Pas dès la première rencontre. Aujourd'hui, il voulait plutôt savoir ce qu'ils avaient découvert. À quel stade ils en étaient. Edward opta donc pour le silence. C'était à leur tour de parler.

– Quatre femmes ont été assassinées.

Vanja vit les yeux de Hinde se mettre à briller tandis qu'il se penchait d'un air intéressé.

– Puis-je espérer avoir quelques détails ?

Sebastian et Vanja échangèrent un regard. Sebastian hocha imperceptiblement la tête, pendant que Vanja ouvrait le classeur posé devant elle sur la table. Elle en sortit une photo de la première scène de crime. Un plan d'ensemble sur lequel on pouvait apercevoir tous les détails.

– Chemise de nuit, bas Nylon, provisions cachées, viol d'une victime allongée sur le ventre, expliqua Vanja en avançant la photo vers lui.

Il y jeta un bref coup d'œil et lui lança un regard empreint d'un étonnement sincère.

– Quelqu'un me copie.

– Ça alors ! lança Sebastian d'une voix monocorde.

– C'est donc pour ça que vous vouliez me parler. Je commençais à m'interroger.

La voix de Hinde semblait réellement trahir un certain étonnement. Comme s'il venait d'obtenir la réponse à une question qui le travaillait depuis longtemps. C'était une représentation parfaite de la surprise, qui aurait pu convaincre n'importe qui. Même Vanja, si elle n'était pas autant sur ses gardes. Car elle cherchait activement des signes pour confirmer son intuition, et elle vit que Hinde n'était nullement en train de réfléchir. Il savait quelque chose. Et l'avait toujours su. Il ne faisait que jouer la comédie.

Hinde secoua nerveusement la tête.

– On est un peu envieux, mais aussi un peu vexé. Les gens ont-ils si peu d'imagination aujourd'hui ? C'est un travers du monde moderne. Le manque d'originalité. On reprend tout, et on le copie. En moins bien.

– Personne d'autre n'a ce genre d'idées tout seul. Vous êtes derrière tout ça.

La voix de Sebastian était dure. C'était une vraie accusation. Claire et sans ambages.

Vanja n'était pas sûre que ce soit la meilleure technique à adopter avec Hinde, mais Sebastian le connaissait mieux qu'elle, elle ravala donc ses protestations.

Avec le même air sincèrement étonné, Edward considéra la photo sur la table.

– Moi ? Je ne quitte jamais le quartier de haute sécurité. Je n'ai jamais de permission de sortir. Ma liberté de mouvement est strictement limitée.

Il leva les bras, jusqu'à ce que ses menottes entravent ses mouvements pour montrer ces dernières.

– Quelqu'un vous aide.

– Vraiment ?

Edward se pencha à nouveau et montra un réel intérêt. Il sentit que de telles situations lui avaient manqué. Le dialogue. Le jeu. Une remarque de Sebastian à laquelle il pouvait réagir. Le choix de confirmer ou infirmer son argumentation, de le remettre en cause ou de tenter de tromper son attention, de s'encercler, se défier. Mon Dieu, comme cela lui avait manqué. La plupart de ceux qu'il rencontrait ici étaient des sous-hommes sans le moindre soupçon d'intelligence. Il n'y rencontrait jamais de résistance intellectuelle à sa hauteur. Quelle libération.

Il se renversa dans sa chaise.

– Et comment cela devrait se dérouler selon vous ?

– Comment les choisissez-vous ? le questionna Sebastian, qui avait décidé d'ignorer le petit jeu de Hinde.

Dès que l'on répondait à ses questions, on perdait le contrôle sur la conversation. On n'en était plus maître, on était soumis à son bon-vouloir. Sebastian ne pouvait pas le laisser faire. Pas Hinde.

– Qui donc ?

– Vos victimes.

Hinde soupira bruyamment et secoua la tête. Il était déçu. Sebastian avait jugé qu'il valait mieux ne pas répondre à sa question. L'avait laissée en suspens. Leurs regards auraient pourtant dû se croiser, comme pour un duel. Qui saisirait la balle au bond le premier ? Et comment ? Répondre franchement et sans détour à une question était la plus mauvaise stratégie qui soit. Pour Hinde, cela tuait tout le suspense. Le dialogue. L'intérêt.

– Sebastian, Sebastian, Sebastian… Que vous est-il arrivé ? Droit au but. Sans aucune finesse. Vous posez les questions et attendez que je vous donne la réponse. Qu'en est-il de la rencontre d'égal à égal ?

– Nous ne sommes pas égaux.

Hinde soupira un peu trop bruyamment. Il ne saisissait même cette perche. Même à ce niveau, Sebastian refusait d'ouvrir le dialogue, de mesurer ses forces avec lui. Edward s'appuya contre le dossier de sa chaise, déçu.

– Vous êtes devenu ennuyeux, Sebastian Bergman. Ce n'était pas le cas avant. Vous avez toujours été une sorte de... Hinde cherchait le mot juste... défi stimulant. Que vous est-il arrivé ?

– Je n'ai plus envie de faire joujou avec des psychopathes.

Edward décida de laisser tomber Sebastian. Il était trop barbant, cela ne servait à rien. Il n'était manifestement plus l'adversaire de taille qu'il avait été autrefois. Hinde s'adressa donc à sa charmante collègue. Peut-être allait-elle lui donner un peu satisfaction. Elle était assez jeune pour se faire piéger dans le labyrinthe.

– Vanja, je peux toucher vos cheveux ?

– Arrêtez !

Les mots de Sebastian étaient cinglants comme un coup de fouet.

Hinde tressauta. Une réaction violente. Une voix aiguë. Visiblement sincèrement en colère. Intéressant. Jusqu'à présent, Sebastian s'était montré calme et déterminé. Bien décidé à ne pas entrer dans un dialogue et à ne rien divulguer. Mais ce petit coup de sang valait décidément la peine de s'y intéresser de plus près. Hinde pencha la tête de côté et laissa glisser son regard le long des cheveux de Vanja.

– Vos cheveux ont l'air si doux. Je parie qu'ils sentent tout aussi bon.

Vanja considéra cet homme décharné au crâne dégarni et à l'œil vitreux assis en face d'elle. Que voulait-il ?

Quatorze ans.

Il était derrière les barreaux depuis quatorze ans.

Il n'avait sans doute pas rencontré beaucoup de femmes durant cette période. Peut-être quelques psychologues, ou une bibliothécaire. Mais personne qu'il aurait pu toucher. Elle pouvait donc comprendre ce désir. Ce manque. La question était de savoir à quel point Hinde ressentait ce manque. Vanja pouvait-elle se rendre utile ? Elle décida de pousser la chose un cran plus loin.

– Et qu'est-ce que je recevrai en échange, si je vous laisse toucher mes cheveux ?

– Arrête ça, l'interrompit Sebastian avec une voix toujours aussi cinglante. Ne lui parle pas.

Sans la quitter des yeux, Edward évalua la situation. Cette fois, il y avait plus que de la colère et de l'impatience dans la voix de Bergman. Comme un ton protecteur. Était-elle sa maîtresse ? Elle devait bien avoir vingt ans de moins que lui. Le Sebastian qu'il connaissait depuis la fin des années 1990 avait plutôt des liaisons avec des femmes de son âge. Mais cela pouvait bien sûr avoir changé. En même temps, rien dans son comportement n'indiquait qu'ils étaient amants. Ce serait même plutôt le contraire, vu la froideur dont faisait preuve Vanja vis-à-vis de son collègue. Les regards qu'elle lui jetait, et toute sa gestuelle trahissant une répulsion au moins aussi forte pour lui que pour Edward. Mais peut-être qu'ils ne dissimulaient que trop bien la vraie nature de leur relation ? Il entreprit de creuser la question.

– Vous couchez ensemble ?

– Oh, mon Dieu non ! s'exclama Vanja.

– Cela ne vous regarde pas ! vociféra au même instant Sebastian.

Edward était satisfait, la réponse de Sebastian était une non-réponse pour garder le contrôle. La réponse de Vanja quant à elle était sortie droit du cœur. Authentique. Ils n'avaient pas de liaison. Alors pourquoi employer ce ton protecteur ? Edward s'adressa à nouveau à Vanja.

– Si vous vous penchiez un tout petit peu et mettiez vos cheveux là-dedans…

Edward tordit sa main menottée en formant un petit récipient tout en frottant ses doigts les uns contre les autres. Un geste qui paraissait presque obscène.

– Si je le fais, vous répondrez à mes questions ? dit Vanja en reculant sa chaise comme pour se lever.

– Mais bon sang ! aboya Sebastian. Assieds-toi tout de suite !

Ce bon vieux Sebastian était décidément inquiet à l'idée du scénario qui se profilait. Il était temps d'avancer ses autres billes.

– Une réponse pour vos cheveux. À n'importe quelle question, dit-il en la regardant d'un air sincère. Trois réponses pour vos seins.

Sebastian se leva si violemment que la chaise se renversa, alors qu'il bondissait par-dessus la table pour empoigner le poing ouvert d'Edward. Il lui écrasa la main en la serrant violemment. Cela faisait mal, mais Edward n'en laissa rien paraître. La douleur n'avait rien de nouveau pour lui. Il savait comment garder la maîtrise sur elle. Il lui fut autrement plus difficile de cacher sa joie de voir Sebastian perdre son sang-froid.

– Vous n'avez pas entendu ce que je vous ai dit ? siffla Sebastian.

Il était maintenant tout près de lui, son regard noir à quelques centimètres du visage de Hinde. Hinde sentit l'haleine de Sebastian et la moiteur de ses mains. Il avait gagné.

– Si, j'ai très bien entendu.

Edward détendit sa main, ce qui obligea Sebastian à lâcher prise. Hinde se laisser aller contre le dossier de sa chaise. Avec un petit sourire en coin. Il fixa Sebastian d'un air triomphant.

– Même si vous ne voulez plus faire joujou, vous venez de perdre.

Vanja et Sebastian sortirent du quartier haute sécurité en silence. Après l'accès de colère de Sebastian, l'entretien avec Hinde n'avait plus lieu d'être. Il était resté muet, assis contre le dossier de sa chaise, souriant, considérant Sebastian avec un contentement manifeste. Ils regagnaient à présent la sortie, accompagnés d'un gardien.

– Je peux me défendre moi-même, lâcha Vanja.

– Vraiment ? Ce serait bien de le montrer, alors.

Sebastian ne ralentit pas la cadence. Il était toujours aussi énervé. Edward avait raison, il avait perdu. Ou plutôt, Vanja avait fait en sorte qu'il perde. C'était autre chose. Ce n'en était pas moins énervant, mais tout de même différent. Juste parce qu'elle n'avait pas compris qu'on ne faisait pas de cadeaux à Hinde. On ne tentait même pas de négocier. Chaque proposition de sa part cachait une arrière-pensée, chaque promesse une trahison. Mais peut-être que c'était de sa faute. Vanja lui avait demandé comment était Hinde. Elle avait vraiment voulu savoir. Il ne s'était pas suffisamment préparé, c'était évident. Et cela l'agaçait d'autant plus.

– Je n'en ai même pas eu l'occasion !

Vanja courait presque pour emboîter le pas à Sebastian.

– Il fallait absolument que le grand Sebastian Bergman s'en mêle pour protéger la pauvre petite femme sans défense.

Ils avaient atteint la sortie, une lourde porte en acier dotée d'une vitre en son milieu. Pas de serrure ni de poignée à l'intérieur. Le gardien à leurs côtés essaya de faire comme si leur conversation ne l'intéressait pas le moins du monde. Il frappa à la porte. Un visage apparut à la vitre. Le gardien observa attentivement le groupe pour s'assurer que tout était en ordre et que les deux civils étaient effectivement autorisés à quitter le quartier.

Pour la première fois depuis qu'ils étaient sortis du parloir, Sebastian regarda Vanja.

– Tu crois vraiment qu'on aurait pu apprendre quoi que ce soit en le laissant te peloter les nichons ?

– Tu crois vraiment que je l'aurais laissé me peloter ?

La serrure vibra, et la porte s'ouvrit. Sebastian et Vanja sortirent du quartier de haute sécurité pour s'engager dans un long couloir. Vanja ne savait pas ce qui l'énervait le plus. Le fait qu'il l'humilie en employant le terme de « nichons », qu'il croie devoir la défendre, qu'il marche si vite, ou bien qu'il n'ait pas confiance en elle.

– Je suis seulement entrée dans son jeu, dit Vanja, revenue à sa hauteur. Si tu n'avais pas joué au chevalier servant, on aurait peut-être obtenu quelque chose.

– Non, on n'aurait rien obtenu.

– Comment le sais-tu ? Tu t'en es mêlé tout de suite.

– Tu ne peux pas jouer avec Hinde.

– Pourquoi ?

– Parce qu'il est bien plus rusé que toi.

Vanja ralentit et laissa Sebastian filer devant elle. Elle le regarda et décida d'abandonner toutes ses bonnes résolutions et de tout simplement haïr cet homme. Une bonne fois pour toutes.

Annika Norling avait tout essayé pour inciter Vanja et Sebastian à attendre sur les deux canapés situés à côté de la machine à café pendant qu'elle irait voir son chef pour l'avertir de leur visite, en vain. Sebastian fila devant son bureau, s'élança directement vers la porte et l'ouvrit brusquement sans prendre la peine de frapper. Assis derrière son bureau, Thomas Haraldsson sursauta. Il fut lui-même surpris de se sentir pris en défaut. Il leva les yeux et reconnut immédiatement l'homme qui s'était figé sur le seuil de la porte, arborant un air qui signifiait clairement qu'il avait du mal à croire ce qu'il voyait. Ce que ses premiers mots confirmèrent.

– Bordel, mais qu'est-ce que vous foutez là ?

Haraldsson se racla la gorge et se redressa. Il tenta de retrouver un brin d'assurance, bien qu'il n'en ait jamais vraiment eu.

– Je travaille ici maintenant.

Sebastian digéra cette information et en arriva à la seule conclusion possible. La police de Västerås avait enfin trouvé un moyen de se débarrasser de Thomas Haraldsson et l'avait viré. Il avait fini par trouver un job de gardien à la prison de Lövhaga. Haraldsson n'était pas le premier policier dont la carrière avait pris ce virage. Souvent, ce type de reconversion indiquait qu'une personne était trop violente, que le policier avait eu trop de plaintes ou démontré un autre comportement déviant. La pure incompétence n'avait jusqu'à présent jamais été la raison d'une telle dégringolade, mais s'il était l'un des premiers du genre, il n'y aurait pas d'autre meilleur candidat que Haraldsson.

– Oui, oui, le métier de policier ne convient pas à tout le monde, dit Sebastian en entrant dans le bureau.

Vanja le suivit et hocha la tête à l'intention de Haraldsson. Une salutation qu'il ne remarqua même pas. Que voulait dire Sebastian par « le métier de policier ne convient pas à tout le monde » ? Pourquoi croyait-il que Haraldsson était ici ?

– Où est votre chef ? demanda Sebastian en s'asseyant dans l'un des fauteuils réservés aux visiteurs.

– Comment ?

Haraldsson comprenait de moins en moins où il voulait en venir.

Vanja s'arrêta quand elle se rappela que personne n'avait informé Sebastian de l'identité du nouveau directeur du centre pénitentiaire de Lövhaga et que Haraldsson était au-delà de son imagination. Cela pourrait s'avérer intéressant.

– Qu'est-ce que vous faites ? demanda Sebastian en désignant l'ordinateur derrière lequel était assis Haraldsson. Vous utilisez son compte pour surfer sur des sites pornos ? C'est à cause de ça qu'on s'est débarrassé de vous à Västerås ?

Haraldsson n'y comprenait rien. Il y avait sûrement un malentendu. Sebastian ne savait pas qui il était, ou plutôt, ce qu'il était.

– Je travaille ici, déclara Haraldsson en articulant d'une manière qui aurait même vexé un enfant de cinq ans.

– Oui, vous l'avez déjà dit.

– Je travaille ici, insista Haraldsson en tapotant du poing sur son bureau pour illustrer ses propos. C'est mon bureau. Je suis le directeur de ce centre pénitentiaire.

Sebastian se raidit. Il avait le sentiment que quelqu'un venait de faire irruption par une porte de derrière et de lui annoncer que c'était une caméra cachée.

– C'est vous le directeur de la prison ?

– Oui. Depuis la semaine dernière.

– Comment cela s'est-il passé ? Le poste a été mis en jeu à la tombola ?

Une question plutôt justifiée, trouva Vanja. Mais même si elle n'avait pas vraiment une haute opinion de Haraldsson et de ses compétences, elle était consciente qu'il pouvait énormément compliquer leur travail. Et à présent qu'elle était sûre que Hinde était impliqué dans les meurtres, elle voulait à tout prix éviter cela. Mais comme lors de leur dernière coopération, Sebastian semblait dénué de toute perspicacité pour juger du moment opportun pour la fermer. Elle vit le regard de Haraldsson s'assombrir suite à ce dernier commentaire et décida d'intervenir avant que Sebastian ne dise quelque chose de vraiment débile. Mais il était peut-être déjà trop tard.

– Nous venons de parler à Hinde, dit-elle en s'asseyant dans un autre fauteuil.

Haraldsson lui adressa un sourire.

– Je sais, j'ai signé votre autorisation de visite.

– Pour laquelle nous vous sommes très reconnaissants car cela nous a vraiment bien aidés, mais nous aurions besoin de plus d'informations sur lui.

Vanja s'arma de son sourire le plus chaleureux, ce qui parut avoir un effet apaisant sur l'homme assis derrière le bureau. Pourvu que Sebastian soit assez raisonnable pour la fermer maintenant. Ce dernier paraissait d'ailleurs avoir besoin d'un peu de temps pour digérer la nouvelle.

– J'aimerais réellement pouvoir vous aider, dit Haraldsson avec déférence, mais pour cela, je suis obligé de connaître l'objet de votre enquête.

Il regarda Vanja avec le plus de fermeté possible. Il n'avait pas l'intention de mettre des bâtons dans les roues de la Crim', mais il voulait être traité avec respect. Ils avaient peut-être pu se comporter de la sorte à Västerås, mais pas ici.

Sa prison, ses règles.

Non, tu n'es pas obligé, pensa Vanja sans se départir de son sourire. *Ce ne sont pas tes oignons*, pensa-t-elle fugacement tout en passant en revue les alternatives à sa disposition. Soit elle quittait immédiatement Lövhaga avec les informations demandées, soit elle devait remplir une demande. La dernière option prendrait du temps et causerait une irritation inutile. C'était à Vanja de donner quelque chose à Haraldsson pour faire preuve de bonne volonté.

– Nous sommes convaincus que Hinde est impliqué dans plusieurs meurtres sur lesquels nous enquêtons actuellement.

C'était la seule information qu'elle pouvait divulguer. Mais de toute façon, ce n'était qu'une question de temps avant que la presse ne fasse le lien, elle en était sûre.

– Et comment a-t-il pu s'y prendre ? s'enquit Haraldsson dont le doute était légitime. Il ne quitte jamais sa division.

– Nous ne disons pas qu'il a commis les faits, expliqua Sebastian, qui s'était remis de l'effet de surprise.

À sa grande joie, il était encore plus en colère depuis qu'il avait appris pour son nouveau poste, et il écumait littéralement de rage. Une formidable énergie négative parcourait son corps.

– Nous disons seulement qu'il est impliqué, ce n'est pas la même chose.

– Puis-je vous demander ce qui vous fait croire ça ?

– Vous pouvez, mais nous ne vous répondrons pas.

– Nous pensons qu'il a reçu de l'aide de l'extérieur, expliqua Vanja en s'inscrivant en faux contre son collègue Sebastian. Savez-vous si quelqu'un qui a été en contact avec Hinde a été récemment libéré ? poursuivit-elle en ignorant le soupir bruyant de Sebastian.

– Je ne sais pas.

– Savez – vous seulement si quelqu'un a été libéré récemment ?

Sebastian se leva, trop frustré pour rester assis sans dire un mot.

– Quelle fonction avez-vous dit exercer ? Celle de directeur ?

– C'est ma première semaine ici, et je n'ai pas encore étudié tous les dossiers, c'est normal…

Haraldsson se garda de finir sa phrase. Il se défendait alors qu'il n'y avait aucune raison de le faire. Jenny essayait de lui faire abandonner cette mauvaise habitude de se mettre sur la défensive à chaque fois qu'on le remettait en cause. Il valait mieux qu'il ignore ce casse-pieds de psychologue, car il ne lui dirait de toute façon pas ce qu'il voulait savoir. Il s'adressa donc à nouveau à Vanja.

– Je vais chercher cette information.

Il prit le combiné et appuya sur une touche de raccourci. Sebastian commença à faire les cent pas sur le sol nu. Haraldsson passa un coup de téléphone. Sans but précis. Sebastian gagna la porte.

– Où vas-tu ? demanda Vanja.

Sebastian quitta le bureau sans lui répondre. Il pénétra dans le petit espace d'accueil où se trouvaient des canapés, une machine à café et l'assistante de Haraldsson. Annika quelque chose, comme elle s'était présentée. Elle leva les yeux et sourit à Sebastian avant qu'elle ne se consacre à nouveau à son travail. Il l'observa. La quarantaine, quelques kilos en trop parfaitement soulignés par un sous-pull moulant serti d'une ceinture à la taille. Des cheveux cuivrés, teints, dont la racine montrait la véritable couleur. Un maquillage discret sur un visage légèrement arrondi, une chaîne avec un pendentif qui se balançait entre ses seins. Des bagues à deux doigts mais pas d'alliance. Pour une fois, Sebastian ne se sentit pas du tout tenté. Il ne pouvait vraiment pas s'imaginer coucher avec quelqu'un en ce moment, même en essayant de toutes ses forces.

– Je peux vous aider ? dit Annika en levant les yeux vers lui. Elle s'était probablement rendu compte qu'il l'observait depuis qu'il était sorti du bureau de Haraldsson.

Haraldsson venait de prouver la théorie selon laquelle la plupart des gens gravissaient souvent un ou deux échelons de plus que leur compétence réelle. Un plan diabolique se forma dans l'esprit de Sebastian.

– Votre chef vous fait dire de lui apporter immédiatement un café.

– Comment ?

– Avec du lait, sans sucre et le plus rapidement possible, ajouta-t-il en voyant à quel point cet ordre l'avait vexée.

Peut-être pas le fait de lui chercher du café, mais plutôt la précision que cela devait aller vite.

Elle poussa un autre profond soupir et se leva pour se diriger vers la machine à café. Elle prit un gobelet en plastique. Sebastian décida de pousser le bouchon encore un peu plus loin.

– Il a dit qu'il ne voulait en aucun cas cette merde de café soluble. Il veut du vrai café de la cantine. Dans une vraie tasse.

Annika se retourna pour s'assurer qu'elle avait bien entendu. Sebastian haussa les épaules d'un air innocent comme pour souligner qu'il n'était qu'un messager.

– Tant que j'y suis, vous en voudrez aussi ?

Annika tentait de se maîtriser pour ne pas exploser de colère.

– Non, merci.

Sebastian lui adressa un sourire à la fois chaleureux et compatissant.

– Si on change d'avis, on pourra toujours aller en chercher à la machine.

Annika hocha la tête et lui fit comprendre en un regard que Haraldsson pouvait bien faire de même selon elle, avant de quitter la pièce. Elle referma la porte derrière elle.

Sebastian regagna le bureau de Haraldsson d'humeur un peu plus guillerette.

Le timing ne pouvait être meilleur. Haraldsson venait de raccrocher le téléphone, se tournait vers l'ordinateur et pianotait quelque chose sur le clavier.

– D'après ce que j'ai compris, personne n'a été particulièrement en contact avec Edward Hinde. Roland Johansson, qui a purgé sa peine dans le QHS avec lui, a un peu bavardé avec lui, mais il a été libéré il y a presque deux ans. Il scruta l'écran et déroula le menu. Oui, cela fera deux ans en septembre.

– Personne d'autre ? s'enquit Vanja en notant ce nom.

– Il jouait parfois aux échecs avec José Rodriguez dans la bibliothèque, poursuivit Haraldsson en continuant de pianoter sur le clavier. Ici, il est écrit qu'il a été libéré il y a plus de huit mois.

– J'aimerais avoir toutes les informations en votre possession sur ces deux personnes, déclara Vanja en notant le deuxième nom.

– Bien sûr, je vais imprimer les dossiers, vous pourrez passer les prendre chez Annika à votre départ.

Armée d'un sourire, elle hocha la tête. Cela avait été plus facile que prévu.

Sebastian et Vanja s'apprêtaient à se lever quand on frappa doucement à la porte. Annika entra dans le bureau avec une tasse de café. Sebastian désigna Haraldsson, assis derrière son bureau.

– C'est pour le chef.

Annika s'avança vers Haraldsson et posa la tasse devant lui sans un mot. Son chef semblait agréablement surpris.

– Merci, c'est bien gentil de votre part ! dit-il en prenant l'anse et en tournant la tasse comme pour l'examiner. Et même dans une vraie tasse !

Sebastian aperçut le regard noir qu'Annika lança à Haraldsson avant de quitter le bureau, toujours sans un mot. La scène l'amusait. Peut-être devait-il encore titiller Annika en l'envoyant chercher des viennoiseries pour son chef ? Non, ça serait sans doute exagéré. Il entendit Vanja remercier Haraldsson pour son aide, et la suivit vers la sortie.

Après le départ de la Crim', Haraldsson prit la tasse et se renversa dans la chaise de bureau. Il le goûta. C'était vraiment bon. Pas le jus de chaussette habituel de la machine à café. Il demanderait à Annika si elle ne pouvait pas toujours aller lui chercher son café à la cantine. Mais pas tout de suite.

Hinde était donc impliqué dans plusieurs meurtres.

Plusieurs.

Au pluriel.

Il ne pouvait s'agir que de la série de meurtres qui faisait la une des journaux. Le fameux « boucher de la canicule », comme l'avait baptisé un canard de caniveau. Quatre victimes en un mois. D'après les journaux, elles avaient été poignardées. Une grosse enquête. Et la Crim' pensait que Hinde y était mêlé.

Le même Edward Hinde qui était dans son quartier de haute sécurité.

Il prit une deuxième gorgée de son délicieux café bien chaud. La police recherchait visiblement le meurtrier hors des murs de la prison, mais sans la moindre idée de son identité. Hinde le connaissait-il ? Haraldsson pourrait-il les aider dans leur enquête ? Ou mieux, pourrait-il amener Hinde à révéler ce qu'il savait sur les meurtres ? Évidemment, Haraldsson n'était plus dans le métier, mais l'instinct de policier, c'était comme le vélo, ça ne s'oubliait pas. Il n'y aurait sûrement pas de mal à tenter d'être celui qui contribuerait à assembler les pièces du puzzle. Qui sait, il ne voudrait peut-être pas rester directeur de prison jusqu'à la fin de ses jours. Il y avait d'autres postes intéressants. Plus haut dans la hiérarchie. Haraldsson but encore une gorgée de café et décida qu'il rendrait une petite visite à Hinde. Il allait tenter de se lier d'amitié avec lui.

Gagner sa confiance.

Il voyait déjà les gros titres.

Il pouvait littéralement sentir les honneurs à venir.

Peu après midi, ils étaient à nouveau réunis dans la salle de conférence. Sebastian était repassé chez lui et avait pris une douche. Il n'avait pas encore digéré l'échec de sa visite à Lövhaga. Non seulement ils n'avaient rien appris, mais en plus Hinde était ressorti vainqueur. L'avait battu à plate couture. Sous la douche, Sebastian s'était repassé le film de l'entretien et en était arrivé à la conclusion que tout était bien la faute de Vanja. Pas parce qu'elle avait commencé à négocier avec lui. S'il avait mordu à l'hameçon, ils n'auraient peut-être pas gagné, mais ils auraient au moins atteint le match nul. Le problème était venu de Vanja. De sa personnalité. Sa fille. Sebastian avait emmené des secrets dans leur rencontre. Lors de sa dernière entrevue avec Hinde dans les années 1990, il n'avait rien à cacher. Il avait joué cartes sur table et réagi comme bon lui semblait. Il avait pu prendre toutes ses décisions au dernier moment, sans craindre que l'homme en face de lui n'en apprenne plus sur lui qu'il n'en fallait. Cette fois, ce n'était plus le cas. Pour pouvoir affronter Hinde, il fallait occuper tout le terrain. S'il y avait le moindre angle mort, le moindre point faible, on pouvait être sûr que Hinde allait immédiatement s'y engouffrer. Mais cette fois, il avait dû cacher des choses non seulement à Hinde mais aussi à Vanja. Une situation inextricable.

Et c'était la faute de Torkel.

Ou la sienne.

Il aurait dû refuser de se rendre à Lövhaga avec elle. Y aller avec Billy.

Mais l'idée lui était venue bien trop tard.

L'air dans la salle de réunion était moite. Quelqu'un avait ouvert la fenêtre, mais cela ne servait strictement à rien. La pièce n'était pas climatisée ; elle était seulement connectée au système d'aération qui n'avait aucune chance contre la canicule.

Sebastian s'installa à côté d'Ursula. Quand il furent tous assis, Billy alluma le projecteur du plafond et pianota sur l'ordinateur portable posé devant lui.

– J'ai retrouvé la trace des deux ex-détenus, ça n'a pas été difficile vu qu'on les a toujours à l'œil.

Il appuya sur une touche, et la photo d'un quinquagénaire apparut sur le mur. Il portait une queue de cheval, avait un visage massif, le nez cassé et une cicatrice rouge qui partait de l'œil gauche et traversait sa joue. On aurait dit la caricature d'un avis de recherche.

– Roland Johansson. Né à Göteborg en 1962. Deux tentatives de meurtre et des agressions. Consommation de diverses drogues dures. Détenu à Lövhaga entre 2001 et 2008. À sa libération, il est revenu à Göteborg. J'ai parlé à son assistant social. Ils étaient en voyage ensemble quand le deuxième et le troisième meurtre ont été commis. Un séjour à Österlen avec les alcooliques anonymes.

– Il se drogue toujours ? demanda Vanja.

– Non, les travailleurs sociaux disent qu'il est clean. Mais il fréquente souvent les réunions de l'association, dit Billy en jetant un œil à ses notes. Il n'a pas d'alibi pour le premier meurtre, mais son assistant social peut certifier qu'il était à Göteborg hier.

Torkel poussa un soupir. On pouvait visiblement rayer Johansson de la liste des suspects.

– Qui est son assistant social ?

– Un certain... Billy feuilleta les documents posés à côté de son ordinateur portable : ... Fabian Fridell.

– Qu'est-ce qu'on a sur lui ?

Billy savait pertinemment pourquoi Torkel posait cette question. Tous les alibis provenaient de la même personne. Il était certes improbable que les meurtres aient été commis par deux personnes différentes, mais

Johansson avait éventuellement pu faire chanter Fridell pour qu'il lui fournisse un alibi.

– Pas grand-chose. Casier judiciaire vierge d'après ce que j'ai pu voir, mais je vais m'y intéresser de plus près.

– Oui, s'il te plaît.

– Je vais aussi interroger les autres participants au voyage.

Torkel fit un signe de tête approbateur. Roland Johansson s'était sûrement bel et bien trouvé à Österlen à ce moment-là, visitant des usines de jus de fruits et peignant des aquarelles, ou quoi que fussent les activités organisées pour les alcooliques anonymes dans le cadre de ces voyages. Mais plus vite ils vérifieraient ces renseignements, plus vite ils pourraient l'exclure de la liste des suspects.

– J'ai demandé à ce qu'on me sorte ses empreintes et celles des autres du registre, annonça Ursula. Pour pouvoir les comparer à celles présentes sur les lieux du crime.

– Bien, répondit Torkel, nous allons vérifier les activités et prendre l'ADN de ces messieurs pour le comparer à celui retrouvé sur les lieux du crime.

– Et je peux m'occuper de Fridell, dit Billy.

– Comment Johansson s'est-il fait cette cicatrice ? demanda Sebastian.

– Il n'en est fait mention nulle part. Est-ce que c'est important ?

– Non, simple curiosité.

Billy cliqua pour afficher l'image suivante. Un homme plus jeune. Un physique de Latino. Une grosse boucle à chaque oreille.

– José Rodriguez, trente-cinq ans. Incarcéré à Lövhaga dès 2003. Pour coups et blessures, et pour vol avec violence. Il habite à Södertälje.

– C'est là que la Ford Focus a été volée, intervint Vanja.

– Exact. Je l'ai remarqué aussi. J'ai donc immédiatement appelé les collègues sur place pour qu'ils l'interrogent.

Billy se redressa sur sa chaise, fier d'avoir une longueur d'avance. D'avoir réglé les choses avant même qu'ils n'en aient parlé. Il poursuivit :

– D'après les collègues, Rodriguez ne pouvait pas se souvenir avec précision de ce qu'il a fait ce jour-là. Il semble avoir de sérieux problèmes d'alcool. Du moins, de temps en temps.

Billy referma l'ordinateur portable, se leva et se dirigea vers le tableau où il accrocha les photos qu'il venait de projeter.

Torkel reprit les rênes de la conversation et s'adressa à Sebastian :

– Qu'a donné votre entretien avec Hinde ?

– Rien.

– Comment ça rien ?

Sebastian haussa les épaules.

– Il a beaucoup maigri et voulait peloter les nichons de Vanja, mais à part ça, rien.

– Mais il sait quelque chose sur les meurtres, intervint Vanja, ignorant la pique de Sebastian.

Torkel lui jeta un regard interrogateur.

– Comment le sais-tu ?

Vanja haussa les épaules à son tour.

– Je le sens.

– Tu le sens ?

Torkel recula sa chaise et se leva abruptement. Il commença à faire les cent pas dans la salle.

– J'ai donc dans mon équipe un homme qui se prétend expert en tueurs en série et Edward Hinde en particulier et qui ne tire absolument rien de lui.

Il fusilla Sebastian du regard. Ce dernier resta détendu et le fixa à son tour, impassible, avant de saisir une bouteille d'eau. Il s'abstint de répondre, par égard pour la tension de Torkel. En temps normal, le chef de la Crim' était le calme incarné, mais il lui arrivait de dérailler. Dans ces moments, il fallait simplement attendre que l'orage passe. Sebastian ouvrit la bouteille et but une gorgée. Torkel en avait manifestement fini avec lui, il s'adressa alors à Vanja :

– Et là, j'ai une enquêtrice qui sent que Hinde est impliqué. Qui le sent ! Alors, qu'est-ce qu'on fait maintenant ? On fait son putain de thème astral ? Mais bordel ! Torkel s'immobilisa et frappa du plat de la main sur la table. Des femmes se font tuer !

On entendait une mouche voler dans la pièce. Une guêpe s'engouffra dans la pièce par la fenêtre avant de changer d'avis et de se cogner contre la vitre. Ils étaient tous pétrifiés sur leur chaise et fixaient un point devant eux. Tous sauf Ursula dont le regard passait d'un collègue à l'autre, visiblement contente de n'avoir subi aucun savon. Sebastian but encore une gorgée de son eau minérale. Billy appuya sur une photo déjà bien fixée au tableau. Vanja tritura les cuticules de son index. Torkel s'arrêta un instant devant la table avant de retourner s'asseoir d'un air souverain. Si quelqu'un pouvait dissiper le malaise, c'était lui. Il prit une profonde inspiration.

– Si je vous organise une nouvelle entrevue avec Hinde, pourrais-je espérer que vous en appreniez un peu plus ?

– Peut-être si j'y vais seul, répondit Sebastian d'un air toujours aussi décontracté.

Vanja réagit immédiatement.

– D'accord, alors c'est de ma faute si on n'a rien pu en tirer, c'est ça ?

– Ce n'est pas ce que j'ai dit.

– Tu as dit que tu aurais plus de succès sans moi. Comment suis-je censée l'interpréter ?

– Interprète ça comme tu veux, je m'en fous.

Sebastian vida le reste de sa bouteille d'eau et émit un petit rot, aggravant encore son cas.

– Alors, tu as l'impression qu'on fait une bonne équipe ? Hein, tu trouves ?

– Vanja…

– Tu te souviens de ce qu'on a dit si cela ne fonctionnait pas ? On a dit qu'on le virerait.

Torkel soupira. Il avait perdu son sang-froid, l'ambiance était donc déjà délétère. La question était simplement de savoir si c'était dû à la frustration de ne rien savoir sur le meurtrier ou au fait d'avoir intégré Sebastian à l'équipe. Torkel ignorait pourquoi, mais il avait le sentiment qu'il fallait apaiser la situation, ne serait-ce que pour un instant. Il se leva tranquillement de sa chaise.

– OK, reprenons nos esprits. Il fait chaud, on a du pain sur la planche, et on a eu une longue journée qui est loin d'être finie.

Il se dirigea vers le tableau et balaya les photos du regard. Puis il s'adressa à nouveau à l'assistance :

– Il faut nous rapprocher de cet homme. Il faut le coffrer. Ursula, tu vas comparer les prélèvements avec les profils ADN du fichier national.

Ursula opina du chef et quitta la pièce. Torkel poursuivit :

– Vanja, tu vas à Södertälje pour essayer de rafraîchir la mémoire de Rodriguez.

– Est-ce qu'on ne devrait pas plutôt attendre les résultats des analyses d'Ursula ?

– La voiture qui a filé Sebastian vient de la même ville. Pour l'instant, c'est un élément qui justifie de s'intéresser de plus près à Rodriguez.

Vanja opina de la tête.

– Mais j'y vais sans lui, dit-elle en faisant un geste dédaigneux vers Sebastian.

Torkel soupira.

– Oui, sans lui.

– Je ne te comprends vraiment pas, dit Torkel en pénétrant dans son bureau en compagnie de Sebastian.

– Tu n'es pas le seul.

Sebastian prit place sur le canapé tandis que Torkel restait debout, appuyé contre le rebord de son bureau.

– Tu as fait des pieds et des mains pour être réintégré, et à peine es-tu revenu que tu fais tout pour être viré.

– Tu envisages vraiment de me virer, simplement parce que j'ai poussé quelques personnes hors de leur zone de confort ?

– Il ne s'agit pas de ça, plus maintenant.

– Je ne pouvais pas deviner qu'Annette Willén allait être assassinée.

– Je prends un gros risque en te gardant. Tu as un lien avec les quatre victimes. Pense un peu de quoi ça aurait l'air aux yeux de la hiérarchie.

– Depuis quand ça te préoccupe ?

Torkel poussa un soupir.

– J'ai toujours pensé à ce genre de choses, car c'est ce qui donne un maximum de marge de manœuvre à mon équipe. Je sais que tu t'en fiches complètement. Mais je te le dis pour la dernière fois. Ressaisis-toi.

Sebastian repensa à ses actes et à ce qu'il avait fait depuis qu'il participait à cette enquête. Il en vint rapidement à la conclusion qu'il s'était comporté comme d'habitude. Il disait ce qu'il pensait et ne brossait pas les gens dans le sens du poil pour leur montrer sa gratitude. Mais il ne voulait en aucun cas être écarté. Son besoin de rester auprès de Vanja n'était même plus la principale raison. Si quelqu'un lui avait demandé quelques jours auparavant ce qui pourrait détourner son intérêt – ou son obsession – pour Vanja, il aurait répondu : rien. Mais il s'était trompé. Ce qui venait d'arriver l'occupait bien plus, et éclipsait tout le reste, y compris Vanja. Quatre femmes étaient mortes par sa faute.

– Je vais faire des efforts, promit Sebastian en regardant Torkel d'un air sincère. Je n'ai pas envie de m'en aller maintenant.

Torkel se leva et referma la porte qui était restée entrouverte. Sebastian observa son collègue d'une façon quelque peu suspicieuse, quand il s'assit dans le fauteuil en face de lui. Où voulait-il en venir ?

– Qu'est-ce qui se passe avec Billy ? Il a l'air de vouloir grimper les échelons, dit Sebastian d'un ton sec en espérant étouffer dans l'œuf la séance de thérapie.

– Tu changes de sujet.

– Oui, je veux voir si tu as compris le signal.

– Je parlerai volontiers de Billy avec toi. Mais une autre fois.

Torkel se pencha en avant et joignit les mains comme s'il s'apprêtait à prier. Mauvais signe, Sebastian le savait. La position classique de l'oreille attentive.

– Que s'est-il passé, Sebastian ? Tu as toujours été égocentrique, crâneur et antipathique, mais depuis que nous nous sommes retrouvés… j'ai l'impression que tu es sur le pied de guerre avec tout le monde.

Torkel laissa la question en suspens. Oui, que s'était-il passé ? L'espace d'une seconde, Sebastian se demanda s'il devait dire la vérité. Sur Lily. Sur Sabine. Sur un bonheur qu'il n'avait jamais connu avant, ni après. Sur le raz-de-marée qui lui avait tout pris. Peut-être que cela lui donnerait plus de liberté au sein du groupe. Torkel avait pitié de lui, c'était clair. Et pas seulement ça. Il lui témoignerait une compassion que Sebastian n'avait jamais connue depuis l'accident. Il n'avait jamais donné cette chance à personne, mais tout de même.

Un Torkel qui interprétait toutes les réactions de Sebastian comme celles d'un homme en deuil pouvait lui être utile. Il serait plus indulgent avec lui. Surtout si Sebastian lui demandait de ne pas le raconter aux autres. Si c'était un secret entre eux. Quelque chose qui les reliait.

C'était son joker.

Sa carte maîtresse.

Il n'avait pas l'intention de la jouer avant que cela ne soit absolument nécessaire. Mais il fallait bien qu'il donne une réponse à Torkel. Se lever tout simplement et lui souhaiter bonne chance n'était pas forcément la bonne option. Mais Sebastian savait exactement ce qu'il allait dire. Il allait être honnête.

– Je me sens responsable.

– Des meurtres.

Ce n'était pas une question mais un simple constat. Sebastian fit un signe de tête approbateur.

– En un sens, je peux te comprendre, dit Torkel. Mais tu n'es aucunement responsable de sa mort.

Sebastian le savait. Sa raison le savait. Mais ses sentiments disaient le contraire. Cela lui faisait un bien fou d'en parler. Peut-être aurait-il dû en parler avec Stefan, mais il n'était pas sûr qu'après tout ce qui s'était passé, Stefan soit toujours son thérapeute. Sebastian l'avait appelé et avait même laissé un message d'excuse sur son répondeur. Stefan n'avait pas rappelé. À ce moment-là, il ne savait pas encore qu'Annette Willén avait été assassinée. S'il venait à apprendre que ce crime avait quelque chose à voir avec le fait qu'elle avait passé une nuit avec Sebastian, leur relation serait détruite à jamais. Il était peut-être temps de se trouver un nouveau confident. Pour le moment, Torkel pouvait bien faire l'affaire.

– La dernière, tu sais, Annette. J'ai couché avec elle seulement pour me venger de mon thérapeute.

– Ah, et tu as couché avec les autres pour la même raison ?

Cette question et la décontraction avec laquelle elle était posée surprirent Sebastian. Il s'était plutôt attendu à ce qu'il le condamne. Le compas moralisateur de Torkel était très précisément calibré.

– Qu'en penses-tu ?

– Corrige-moi si je me trompe, mais tu n'es même pas à la recherche de la femme de ta vie. Toutes tes liaisons sont plutôt une espèce de… passe-temps. Torkel se renversa dans son fauteuil. Tu es addict. Les femmes te sont complètement égales. Aussi bien avant qu'après.

Sebastian n'essaya même pas de le contredire. Ce n'était pas une révélation. Finalement, Stefan et toutes les femmes qui s'étaient attendues à quelque chose de sérieux avait posé ce diagnostic des années auparavant. Ce qui était nouveau et étonnant était l'aisance avec laquelle Torkel en parlait.

Le meurtre des trois premières qu'il avait connues par le passé le rongeait, mais il y avait une limite au-delà de laquelle on pouvait regretter ses actes passés. Pour Annette, par contre, c'était plus grave.

Elle n'avait aucune confiance en elle. Annette. Elle cherchait désespérément la reconnaissance.

– Ça a été si facile…

– Tu as mauvaise conscience. Encore une fois, ce n'était pas une question, mais un constat.

Sebastian se força à réfléchir. Il y avait bien longtemps qu'il n'avait plus eu mauvaise conscience, et il n'était pas sûr de connaître ce sentiment.

– Sûrement, oui.

– Tu l'aurais eue aussi si elle n'avait pas été assassinée ?

– Non.

– Alors, ça ne compte pas.

La dure vérité. Cela ne lui faisait ni chaud ni froid de l'avoir tout simplement utilisée. Mais il ne pouvait pas ignorer que sa mort était directement liée au fait qu'il avait eu une mauvaise journée.

– Tu as gardé contact avec certaines femmes ?

Torkel tentait de faire progresser leurs échanges.

– Presque quarante ans se sont écoulés entre la première et la dernière. Je ne me souviens même pas du dixième d'entre elles.

Torkel se surprit à compter le nombre de ses propres partenaires. Deux femmes, quatre ou cinq avant sa femme. Plutôt quatre.

Quelques-unes entre ses deux mariages. Et puis, Ursula. Douze, tout au plus. Il n'avait même pas besoin de faire un effort particulier pour se souvenir de leurs noms. Mais en ce qui concernait Sebastian, il fallait sans doute multiplier ce nombre par trente, voire quarante. Peut-être plus. Et les souvenirs s'effaçaient.

– Je veux seulement dire, reprit Torkel, que cela nous aiderait peut-être si tu mettais tout en œuvre pour éviter que cela ne se reproduise. Il se leva pour signifier que leur conversation était terminée. Mais si tu ne te souviens pas, on ne peut sans doute rien faire de plus.

Sebastian resta sur le canapé et regarda dans le vide.

Réfléchit.

Il se souvenait bien de quelques-unes…

Vanja s'était arrêtée pour admirer le centre-ville. On aurait dit une zone piétonne comme une autre, mais elle se trouvait à Hovsjö, dans Södertälje, l'un des trente-huit quartiers de Stockholm que la ville avait classé en 2009 comme « prioritaire » pour le protéger ainsi que ses habitants de la « marginalisation ». Une « initiative pour sauver les quartiers menacés ». De belles formules pour désigner des barres d'immeubles qui n'étaient ni plus ni moins que des cages à lapins, abritant plus de problèmes que de solutions. Vanja ignorait si cette initiative avait porté ses fruits, mais cela ne semblait pas être le cas.

Une demi-heure auparavant, elle avait entré le nom de la rue Granövägen dans son GPS. Quelques mètres plus loin, à la première à gauche, se trouvait la rue Kvarstavägen où la Ford Focus bleue avait été volée six mois auparavant. José Rodriguez était de plus en plus intéressant.

Vanja s'était garée puis, après être descendue de la voiture, elle avait observé la barre marron de huit étages. Elle trouva immédiatement la bonne entrée ainsi que la porte de l'appartement. Personne n'étant venu lui ouvrir, elle avait sonné chez le voisin d'en face. La sonnette indiquait le nom de « Haddad ». Une femme âgée d'un peu plus de quarante ans leur ouvrit. Vanja lui montra sa carte et lui demanda si elle avait vu José Rodriguez ou si elle savait où il pouvait se trouver.

– Il est sûrement sur la place du marché, répondit la femme avec un léger accent et en haussant les épaules comme pour préciser que ce n'était qu'une supposition.

– Est-ce qu'il y travaille ? l'interrogea Vanja en s'imaginant un grand marché aussi animé que sur la place Hötorget au centre de Stockholm.

La femme derrière la porte sourit comme si Vanja venait de dire quelque chose de drôle.

– Non, il ne travaille pas.

Ces quatre mots résumaient l'opinion qu'elle avait de son voisin. Ou plutôt le ton sur lequel elle les avait prononcés et l'expression de son visage firent comprendre à Vanja que ces deux-là n'entretenaient pas de relation particulièrement amicale. Vanja la remercia pour ces informations et se rendit à pied dans le centre-ville.

Un salon de coiffure, un restaurant, un supermarché, un fast-food, une pizzeria, un tabac et un magasin de jeans étaient répartis autour de la barre en béton. En hiver, ce paysage désolé devait être fouetté par le vent, tandis qu'à présent, en plein été, il ressemblait à un véritable désert de pierre. Quelques personnes s'étaient rassemblées sur des bancs à l'ombre d'un cabinet médical. Un berger allemand décharné et haletant et deux canettes de bière qui passaient de main en main entre les hommes et la seule femme assise sur le banc convainquirent Vanja que c'était par là qu'il fallait commencer les recherches. Elle se dirigea vers le banc. Arrivée à une dizaine de mètres du groupe, toutes les têtes se tournèrent vers elle. Le seul à rester indifférent à sa présence était le chien. Vanja tira de sa poche la photo de Rodriguez, tout en pénétrant à son tour dans l'ombre du cabinet médical.

– Savez-vous où je peux trouver ce type ? demanda-t-elle en leur présentant la photo.

Inutile d'y mettre les formes ou de trouver un quelconque prétexte. Ces personnes l'avaient sans doute déjà identifiée comme policier quand elle s'était engagée sur la place.

– Pourquoi ? demanda un homme aux cheveux gris d'âge indéfini qui tenait la laisse et leva les yeux vers elle après un bref coup d'œil à la photo. Ses incisives étaient manquantes et lui donnaient un léger cheveu sur la langue.

– Parce que j'ai à lui parler, continua Vanja, toujours aussi directe.

– Et lui, il veut vous parler ?

La question venait encore de l'homme aux cheveux gris. Son léger zozotement lui donnait presque un côté attendrissant.

Vanja se dit que cela ne devait pas être facile de se faire respecter quand on parlait comme un enfant de six ans qui a mué. D'où peut-être la présence du berger allemand. Pour compenser.

– Je pense qu'il pourra en décider lui-même, rétorqua Vanja.

Ce n'était manifestement pas la réponse à laquelle ils s'attendaient. Comme télécommandés, ils reprirent donc ce qu'ils étaient en train de faire avant l'arrivée de Vanja. Bavarder. Allumer des cigarettes. Boire une gorgée de bière et passer la canette à son voisin. Caresser un peu le chien. Personne ne prêtait la moindre attention à Vanja. Pas même un regard. C'était comme si elle s'était évaporée. Vanja soupira. Bien sûr, elle aurait pu passer son chemin et interroger d'autres personnes sur la place qui aurait même peut-être pu la renseigner, mais il faisait chaud, elle était fatiguée et elle voulait rentrer chez elle. Elle farfouilla dans la poche avant de son jean et sortit un billet de cent couronnes.

– Je veux seulement savoir où il est. Il ne saura jamais comment je l'ai appris.

– Le plus souvent, il traîne dans les jardins ouvriers, bredouilla un homme maigre aux cheveux longs portant une veste en jean qui tendit une main sale vers le billet de cent avant même qu'elle n'ait jugé si le renseignement valait bien ce prix ou non. Vanja tint le billet à distance.

– Et où est-ce ?

– Là-bas, dit le chevelu en pointant son doigt dans la direction par laquelle Vanja était arrivée. En bas près du lac, mince, comment s'appelle la rue… Tomatstigen…

Un nom de rue. C'était suffisant. Vanja lui donna le billet de cent que le maigrelet fourra rapidement dans la poche de sa veste, visiblement indifférent aux regards désapprobateurs de ses camarades.

Quand Vanja entra Tomatstigen dans son GPS quelques instants plus tard, elle constata que c'était effectivement à deux pas. Mais il fallait faire un sacré détour pour y accéder en voiture.

Elle remonta donc la rue Kvarstavägen, se gara aussi près que possible de sa destination, s'engagea dans le bois encadrant le quartier résidentiel voisin et tomba immédiatement sur les jardins. On aurait plutôt dit un village de vacances que des jardins ouvriers. Au lieu des cabanes à outils dans les coins des terrains, elle trouva des maisons de plus de vingt mètres carrés. Les jardins étaient bien entretenus et dotés de meubles de jardin, barbecues, balancelles et autres équipements de loisirs qu'on pouvait utiliser quand on ne s'occupait pas de ses plantes. Vanja elle-même n'avait pas envie d'être en contact trop étroit avec la nature. En tout cas, pas de cette manière : semer, désherber, creuser, débroussailler – ce n'était pas pour elle. Elle avait déjà tout le mal du monde à faire survivre ses quelques plantes d'intérieur. Mais en cette saison, l'endroit était vraiment agréable. La nature était verdoyante et florissante, tandis que les bourdons et les abeilles virevoltaient derrière chaque clôture.

Vanja arpenta le chemin caillouteux descendant vers un lac voisin, tandis qu'elle scannait son environnement. Ce n'était pas vraiment l'endroit où l'on s'attendait à trouver des âmes perdues imbibées d'alcool. Difficile d'imaginer qu'on tolère une personne susceptible de gâcher le paysage idyllique. Venait-elle de se faire arnaquer d'un billet de cent ? Vanja atteignit le bout de la colonie et s'apprêtait à faire demi-tour quand elle les découvrit. Plusieurs personnes réunies sur un banc, au bord d'un chemin asphalté à la lisière de la forêt. Au sol autour d'eux se trouvaient des sacs violets du Systembolaget, bien remplis de cartons de vin et de canettes de bière. C'était un groupe assez important d'une petite dizaine de personnes. Cette fois accompagné de deux chiens. Vanja se précipita vers eux. En s'approchant, elle vit un homme et une femme qui se tenaient un peu à l'écart en train de manger une pomme qu'ils venaient sans doute de subtiliser dans l'un des jardins. Vanja s'avança vers eux, sortit la photo de sa poche et alla droit au but :

– Je cherche José Rodriguez. L'avez-vous vu ?
– C'est moi.
Vanja fit un quart de tour vers la droite et fut obligée de baisser les yeux pour pouvoir regarder en face l'homme dont elle avait la photo. Bordel, c'était impossible !
– Vous êtes assis depuis longtemps dans ce truc ?
– Pourquoi ?
– Oui ou non ?
– J'ai été renversé par une voiture il y a quelque temps…
Vanja soupira bruyamment et resta un instant immobile pour reprendre des forces avant de tourner les talons et de s'en aller.
– Pourquoi ? Qu'est-ce qu'il y a ? hurla l'homme à sa suite.
Sans se retourner, Vanja répondit par un geste de refus et poursuivit son chemin. Elle prit son téléphone et composa le numéro de poste de Torkel. Occupé. Elle appela donc Ursula.

Ursula était à la cafétéria, le regard vide fixé sur une portion de gratin au poisson qui tournait dans le micro-ondes. Un déjeuner tardif. Ou un dîner anticipé. Pour pouvoir dire qu'elle avait déjà mangé, au cas où Micke appellerait. Pour une raison inconnue, elle repoussait le moment de rentrer à la maison.

Auprès de Micke.

À passer une nouvelle soirée dans ce mensonge de vie de famille.

Elle fut tirée de ses pensées par la sonnerie de son téléphone portable, posé juste à côté d'un verre d'eau et des couverts sur la table. Elle quitta la cuisine et traversa la pièce au design spécialement étudié pour la rendre moins stérile et impersonnelle. Les six tables rectangulaires étaient couvertes d'une nappe à carreaux rouges assortie aux rideaux et aux tableaux accrochés au mur. Les chaises en plastique blanc étaient équipées de coussins tandis que les murs étaient agrémentés d'une frise composée de fleurs dessinées au pochoir. On retrouvait le même motif floral sur quelques portes de placards et appareils électroménagers. Les néons aveuglants au plafond avaient été remplacés par des lampes au-dessus de chaque table et d'autres sources de lumière ponctuelles. Trois sellettes en acier garnies de plantes vertes et un aquarium à côté de l'entrée devaient souligner qu'il ne s'agissait pas seulement « d'un endroit où manger » mais aussi d'un refuge où trouver « un peu de repos et d'harmonie », comme l'avait exprimé une petite affichette laissé sur les lieux après la rénovation. Combien avaient bien pu coûter les travaux ? Ursula ne se sentait jamais particulièrement reposée ni en harmonie après y avoir mangé. Rassasiée peut-être, mais elle y parvenait aussi avant la rénovation.

Son téléphone sonna. Elle le saisit et jeta un regard à l'écran. Vanja. Ursula décrocha.

– Hello, quoi de neuf ?

– C'est moi, entendit-elle Vanja souffler d'une voix haletante, comme si elle était pressée d'aller quelque part.

– Je sais. Comment ça va ?

– Mal, cracha Vanja avec colère. Les policiers qui ont interrogé Rodriguez nous ont dit qu'il était alcoolo, mais ils ont oublié un tout petit détail : il est cloué sur un putain de fauteuil roulant !

Ursula ne put réprimer un petit sourire. Elle ne faisait de toute façon aucune confiance aux policiers locaux. Cet épisode ne faisait que confirmer que les fonctionnaires, quand ils n'entravaient pas directement l'enquête, ne la faisaient jamais avancer. Elle se demanda si le moment était opportun pour dire à Vanja qu'elle avait de toute façon déjà rayé Rodriguez de la liste des suspects. Ni ses empreintes digitales ni son ADN ne correspondaient aux traces retrouvées sur les lieux du crime. Elle décida qu'elle la mettrait au courant plus tard. Elle avait l'impression que sa collègue avait déjà eu son lot de déconvenues pour la journée.

Le micro-ondes sonna, son poisson était prêt. Ursula alla le chercher.

– Vois le côté positif, ça t'aura permis de faire une belle balade à Södertälje.

Ursula ouvrit la porte du four et en sortit son assiette.

Elle entendit quelqu'un pénétrer dans la pièce derrière elle. Quand elle se retourna, elle vit Sebastian appuyé contre l'encadrement de la porte. Ursula resta impassible et se concentra sur sa conversation téléphonique.

– Je ne viendrai plus au bureau aujourd'hui, dit Vanja. Tu peux transmettre le message à Torkel ?

– Bien sûr. À demain, alors !

Ursula raccrocha, empocha son téléphone et alla s'asseoir à une table avec son repas. Elle jeta un bref regard à Sebastian.

– C'était Vanja. Elle m'a dit de te passer le bonjour.

– Je n'en crois pas un mot, répliqua Sebastian d'un ton neutre.

– Tu as raison, confirma Ursula en s'asseyant.

Sebastian resta figé dans l'encadrement de la porte. Ursula commença à manger en silence. Elle aurait espéré avoir de la lecture, une chose sur laquelle fixer son attention. Pourquoi restait-il planté là ? Que voulait-il ? Peu importait ce dont il s'agissait, cela ne l'intéresserait sans doute pas. Ursula était résolument d'avis que cet homme ne devait plus faire partie de l'équipe. Sans compter ce qui se passerait si la presse venait à découvrir qu'un membre du groupe d'investigation avait un lien avec les différentes victimes. Torkel n'en avait sûrement pas référé à ses supérieurs quand il avait pris cette décision, et si les choses tournaient mal, il pourrait lui-même perdre son poste. Il prenait de gros risques pour Sebastian. Elle se demanda si Sebastian en était conscient et s'il en éprouvait une quelconque reconnaissance. Sûrement que non.

Mais à présent, d'autres choses tourmentaient Ursula. Des affaires privées. Comme par exemple de savoir ce qui la retenait de rentrer chez elle. Et si Torkel représentait une alternative ce soir. Elle n'en était pas sûre. Quand ils s'étaient couchés dans son lit lors de leur dernière nuit ensemble, Torkel avait parlé de son ex-femme Yvonne et du nouvel homme dans sa vie. Ursula avait oublié son nom, mais elle avait eu l'impression que c'était pour Torkel une façon de tenter de savoir si quelque chose de plus était désormais possible entre eux.

Quelque chose de plus durable.

Elle était sûrement elle-même à l'origine de tout cela, car elle avait brisé deux règles qui avaient défini leur relation jusque-là, et il n'était donc peut-être pas étonnant qu'il croie qu'elle soit disposée à revoir sa position sur la règle numéro trois. Mais elle ne l'était pas.

– Comment va Micke ? s'enquit Sebastian sur un ton anodin, pour briser le silence. Comme s'il pouvait lire dans ses pensées.

Ursula sursauta et laissa échapper son couteau. Il rebondit en tintant sur son assiette avant de tomber par terre.

– Pourquoi cette question ? bougonna Ursula en se penchant pour ramasser son couvert.

– Juste comme ça, répondit Sebastian en haussant les épaules. Histoire de faire un peu la conversation.

– Toi ! La conversation !

Ursula posa sa fourchette à côté du couteau qu'elle venait de ramasser et se leva. Elle n'avait plus faim. Savait-il quelque chose ? Sur elle et Torkel ? Ce ne serait pas bien. Vraiment pas bien. Moins Sebastian Bergman en savait, mieux c'était. C'était valable dans tous les domaines. Il avait le don de pouvoir utiliser l'information la plus insignifiante contre n'importe qui. À partir du moment où il pouvait lui-même en tirer parti, il le faisait sans hésiter.

Sebastian tira une chaise et s'assit.

– J'ai pensé à une chose…

– Mmh, répondit Ursula.

Le dos tourné, elle s'essuya les mains à l'aide d'un torchon et s'apprêta à partir.

– Assieds-toi donc un instant, dit Sebastian en désignant la chaise en face de lui.

– Et pourquoi ?

– Parce que je te le demande.

– Je n'ai pas le temps.

Alors qu'elle allait passer devant lui, il lui saisit le poignet. Il avait un ton inhabituel, ni cynique ni condescendant, et son regard lui fit comprendre que c'était important. Cette fois, il ne s'agissait manifestement pas de servir ses propres intérêts, mais de quelque chose de bien plus important.

Essentiel même.

Et il avait dit « s'il te plaît », un mot qui d'ordinaire ne faisait pas partie de son vocabulaire. Ursula se rassit, cette fois sur le bord de la chaise, prête à bondir à tout moment pour prendre la tangente.

– Je viens de parler à Torkel, dit Sebastian avec une légère hésitation.

– Aha, répondit Ursula sur la défensive et déjà convaincue que ce qu'il avait sur le cœur n'allait pas lui plaire.

– Du fait que j'ai eu des relations avec les quatre victimes, poursuivit Sebastian sans la regarder. Des relations sexuelles.

Tout à coup, Ursula comprit où il venait en venir. Il ne voulait pas parler d'elle et Torkel, mais d'un sujet qu'elle était encore moins encline à aborder.

– Si la série de meurtres devait continuer, chuchota Sebastian d'un air grave, d'autres femmes sont en danger…

– Je peux faire attention à moi, rétorqua Ursula en se levant brusquement.

– Je sais, c'est seulement que… dit Sebastian en la regardant d'un air sincère. Je ne veux pas qu'il t'arrive quelque chose par ma faute.

– C'est sympa de ta part, répondit Ursula sur un ton monocorde en se dirigeant vers la porte avant de se retourner. Mais j'aurais préféré que tu aies fait preuve de la même sollicitude à l'époque.

Sur ces mots, elle tourna les talons et disparut.

On frappa à la porte de la cellule. Hinde posa le livre qu'il était en train de lire et regarda furtivement autour de lui. Est-ce que plus rien ne traînait ? Quelque chose qui aurait pu le trahir ? Très vite, il s'en assura en observant en détail sa table, sa petite table de nuit et l'unique étagère. L'avantage d'une si petite cellule était évident : on avait tout à l'œil. Rien de ce qui ne devait pas s'y trouver ne pouvait passer inaperçu. Hinde balança les jambes par-dessus le bord de son lit et s'assit juste au moment où la porte s'ouvrit pour laisser apparaître la tête de Thomas Haraldsson.

– Bonjour, est-ce que je vous dérange ?

Cette courtoisie étonna Hinde. Comme si Haraldsson venait rendre une visite impromptue à un voisin, ou saluer un collègue de bureau. Cette politesse était sans doute censée donner l'impression que la direction de la prison ne venait pas dans le cadre de son service mais pour d'autres raisons. Cela pouvait s'avérer intéressant.

– Non, non, j'étais en train de lire sur mon lit, répondit-il en adoptant le même ton familier que son interlocuteur. Entrez donc, ajouta-t-il en faisant un geste d'invitation.

Haraldsson entra dans la cellule, et la porte se referma derrière lui. Hinde l'observa sans un mot. Haraldsson regarda autour de lui, comme s'il pénétrait pour la première fois dans une cellule du quartier de haute sécurité. Hinde se demanda si Haraldsson n'allait pas pousser la politesse jusqu'à le complimenter sur son intérieur. Fantastique, ce qu'on pouvait faire dans un espace si petit – compact living.

– Je vais bientôt rentrer chez moi, mais avant je voulais passer vous voir, dit Haraldsson en finissant son inspection de la cellule. C'était la première fois qu'il en voyait une de l'intérieur. C'était si étroit. Comment faisaient-ils pour supporter cela ?

– Vous allez retrouver Jenny, remarqua Hinde de son lit.

– Oui.

– Et votre enfant.

– Oui.

– Elle en est à combien de mois ?

– Dans la onzième semaine.

– Super.

Edward Hinde sourit à Haraldsson, qui venait de tirer la seule et unique chaise pour s'asseoir.

Assez de bavardages.

– Je suis juste un peu curieux, commença Haraldsson sur un ton informel, de savoir comment s'est déroulé votre entretien avec la Crim' ?

– Comment ça ? l'interrogea Hinde en se penchant vers lui.

– Eh bien, apparemment, vous n'avez pas dit grand-chose.

Haraldsson réfléchit à ce que Vanja et Sebastian lui avaient réellement divulgué après leur rendez-vous avec Hinde. Ils lui avaient dit qu'ils le soupçonnaient d'être impliqué dans plusieurs meurtres, mais cela, ils auraient également pu le lui dire sans avoir vu Hinde. Mais il remarqua à présent qu'ils n'avaient absolument rien dit sur l'entrevue en elle-même.

– En fait, rien du tout… compléta-t-il.

Hinde hocha la tête d'un air compréhensif. Haraldsson se demanda s'il devait lui confier sa mauvaise expérience avec la Crim' à Västerås. Il pourrait s'allier à Hinde pour médire un peu ensemble. Pourrait se mettre du côté de Hinde. Mais soudain, Haraldsson se rendit compte que l'homme sur le lit ne pouvait pas savoir qu'il avait été policier.

Et il n'avait pas besoin de le savoir, il valait mieux que Hinde croie qu'il était un vulgaire gratte-papier.

– Quelle impression gardez-vous de cet entretien ?

Hinde parut tourner la question dans sa tête. Il posa les coudes sur ses cuisses et le menton sur ses mains croisées.

– Pour être honnête, j'ai été plutôt déçu, répondit-il pensivement.

– De quoi ?

– De ne pas avoir eu de réel échange.

– Mais pourquoi ?

– Je leur ai fait une proposition qu'ils n'ont pas prise en considération.

– Ah, et quelle était cette proposition ?

Hinde se redressa, et parut chercher ses mots.

– Il y avait certaines… choses, que j'ai demandées et si je les avais obtenues, j'aurais pu répondre honnêtement à l'une ou l'autre question.

Il jeta un bref coup d'œil à Haraldsson qui avait l'air plutôt troublé.

– Comme un échange de bons procédés, précisa Hinde. Comme dans un jeu, si je puis dire. J'ai quelque chose que vous voulez, vous avez quelque chose que je veux, pourquoi ne pas saisir cette chance ? Mais Sebastian n'a pas eu envie de jouer.

Hinde regarda Haraldsson dans les yeux. Avait-il été trop clair ? Pouvait-on comprendre facilement où il voulait en venir ? Après tout, son visiteur avait été policier, et même jusqu'à récemment. Cela ne tirait-il pas la sonnette d'alarme dans son esprit ? Edward n'en avait pas l'impression. Il décida d'aller au bout de sa démarche.

– D'ailleurs, je pourrais vous faire la même proposition.

Haraldsson ne répondit pas immédiatement. Que voulait-il lui proposer ? Fournir des informations en échange de quoi ? Il l'apprendrait bien assez tôt. Mais pourquoi Hinde lui proposait-il un tel marché ? Il espérait sûrement en tirer un certain avantage. Des privilèges. Il se pouvait également qu'il saisisse l'occasion de tromper l'ennui et de pimenter un peu son quotidien si monotone. Haraldsson pesa brièvement le pour et le contre.

Les avantages étaient évidents. Hinde répondrait à sa question. Peu importait laquelle. Ainsi, il pourrait obtenir des informations importantes qu'il serait le seul à détenir. Et qui lui permettraient, dans l'idéal, de résoudre quatre affaires de meurtre.

Les inconvénients ? Il ne savait pas ce que Hinde demanderait en échange. Mais s'il n'acceptait pas sa proposition, il ne le saurait jamais. S'il s'agissait de quelque chose d'absolument interdit par le règlement ou qu'il ne souhaitait pas lui fournir pour une raison ou une autre, il pouvait toujours dire non. Et mettre fin à tout cela.

En fait, rien ne pouvait aller de travers.

Haraldsson hocha la tête.

– Pourquoi pas ? À quoi pensez-vous ?

Edward dut faire un grand effort pour réprimer un petit rire satisfait. Il se contenta d'offrir un grand sourire ingénu à Haraldsson avant de se pencher comme pour lui faire une confidence.

– Je vais vous dire ce que je veux et quand je l'aurai obtenu, vous pourrez me demander tout ce que vous voulez, et je vous répondrai.

– En disant la vérité.

– Promis.

Hinde tendit la main droite pour montrer qu'ils concluaient un marché. Scellé par une poignée de main. Entre hommes, il n'en fallait pas plus.

– OK, dit Haraldsson en soulignant son consentement par un signe de tête.

Ils se serrèrent la main. Edward s'enfonça un peu plus sur le lit, s'adossa contre le mur et croisa les jambes. Une posture décontractée. Qui ôtait tout aspect dramatique à la situation. Il dévisagea Haraldsson. Par où devait-il commencer ? Il devait savoir jusqu'où l'homme assis sur cette chaise était prêt à aller.

– Avez-vous une photo de votre femme sur vous ?

– Oui…

Une réponse hésitante.

– Je peux l'avoir ?

– Comment ? demanda Haraldsson, décontenancé. Juste pour la regarder ou pour la garder ?

– La garder.

Haraldsson hésita. Cette idée ne lui plaisait pas. Pas du tout. Il ne s'attendait pas à une telle demande. Plutôt à un allongement de la durée de la promenade. Une amélioration de la nourriture. La libre utilisation de l'ordinateur. Peut-être une bière. Des choses susceptibles d'améliorer le quotidien de Hinde à Lövhaga. Mais pas ça. Qu'avait-il l'intention de faire avec une photo de Jenny ? D'après le rapport de l'expert-psychiatre, l'homme n'avait aucune activité sexuelle, il était donc peu probable qu'il se masturbe en regardant la photo. Mais alors, à quoi lui servirait-elle ?

– Pourquoi la voulez-vous ?

– C'est la question que vous vouliez me poser ?

– Non…

Haraldsson se sentait sous pression. Devait-il mettre fin à cette négociation immédiatement ? Ou bien devait-il accepter ?

Ce n'était qu'une photo.

La Crim' avait la conviction que l'homme assis sur ce lit était impliqué dans quatre meurtres. Si Haraldsson abattait ses cartes habilement, il pourrait résoudre l'affaire à lui tout seul. Après tout, Hinde resterait bien là où il est. Derrière les barreaux. Il ne pouvait pas aller bien loin. Au fond, Haraldsson n'avait même pas besoin d'informer la brigade criminelle nationale. Avec les renseignements, il pourrait aller directement voir l'échelon supérieur. Pour en récolter les lauriers. Résoudre une affaire devant laquelle d'autres avaient échoué.

Ce n'était qu'une photo.

Il sortit son portefeuille de la poche arrière de son pantalon et l'ouvrit. Derrière le film plastique d'un côté, se trouvait la photo de Jenny. Elle avait été prise un an et demi auparavant dans une chambre d'hôtel de Copenhague. On ne distinguait pas grand-chose à l'arrière-plan, Haraldsson l'avait découpée de manière à ce qu'elle puisse rentrer dans le petit compartiment. Jenny était resplendissante. Heureuse. Haraldsson adorait ce cliché. Elle montrait Jenny exactement comme elle était. Mais il avait toujours cette photo sur sa carte-mémoire. Il pourrait la réimprimer.

Ce n'était qu'une photo.

Pourtant, en déposant le cliché dans la main tendue de Hinde, il ne put s'empêcher d'avoir le sentiment de commettre une grosse erreur.

– Êtes-vous impliqué dans les quatre meurtres de femmes qui ont été commis récemment ? demanda Haraldsson, dès la transmission de la photo.

– Expliquez-moi ce que vous entendez par « impliqué », répondit Hinde en jetant un coup d'œil à la photo qu'il avait dans sa main. Une petite trentaine. Mince. Gaie. Brune. Il creuserait les détails plus tard. Il plaça la photo sur le livre posé sur sa table de nuit.

– Étiez-vous au courant pour les meurtres ?

– Oui.

– Et comment ?

Hinde secoua la tête et s'adossa contre le mur.

– C'était la question numéro deux. Mais je vais y répondre sans demander de contrepartie. Pour vous montrer à quel point j'apprécie votre compagnie.

Il fit une petite pause cérémonieuse et croisa le regard de Haraldsson. Il y vit toute l'attente, tout l'espoir. Cet homme était prêt à beaucoup de choses, cela ne faisait aucun doute.

– C'est la brigade criminelle nationale qui m'en a informé, finit-il par répondre.

– Mais avant ? poursuivit Haraldsson avec ferveur. Saviez-vous déjà quelque chose avant ?

– La réponse à cette question a un prix.

– Et lequel ?

– Laissez-moi réfléchir. Et revenez me voir demain.

Hinde s'allongea sur son lit et reprit son livre. La photo de Jenny glissa sur la table de nuit, comme s'il l'avait déjà oubliée.

Haraldsson réalisa que la conversation était terminée. Il n'était pas satisfait, mais c'était toujours un début qui pouvait résolument aboutir à quelque chose. Il se leva, regagna la porte et quitta la cellule. En revenant à son bureau, Haraldsson prit deux décisions.

Premièrement, il ne dirait pas à Jenny qu'il avait donné sa photo à Edward Hinde. Il ne savait pas comment lui présenter les choses de manière convaincante. Il allait aussi vite que possible en imprimer une nouvelle copie et remplacer l'ancienne.

D'un autre côté, il décida de considérer sa journée comme réussie. Par deux fois, il avait été confronté à des choix difficiles et avait pris la bonne décision. Avait fait un pas dans la bonne direction.

– Tout s'est bien passé, dit-il à voix haute dans le couloir.

Mais on aurait dit qu'il voulait s'en convaincre. Il s'éclaircit à nouveau la voix et le répéta.

Plus fort.

Plus fermement.

– Ça s'est vraiment bien passé !

Allongé dans sa cellule en train d'étudier la photo de Jenny, Edward Hinde se dit la même chose.

Vanja roulait trop vite. Comme toujours. Elle avait la sensation d'un trop-plein d'énergie. Quand elle rentrerait à la maison, elle commencerait par faire un jogging. Il ferait encore jour quelques heures, et il faisait à présent un peu plus frais.

En réalité, elle n'avait pas envie de courir.

En fait, elle aurait préféré travailler.

Avancer. Trouver quelque chose. Un mois après le premier meurtre, ils pédalaient toujours dans la semoule. Hinde était impliqué. Mais comment ? Les victimes avaient un lien avec Sebastian. Mais pourquoi ? La vengeance, bien sûr. Mais que se serait-il passé si Sebastian n'avait pas intégré l'équipe ? Personne n'aurait jamais pu prévoir qu'ils feraient à nouveau appel à lui. Et dans ce cas, ils n'auraient jamais pu faire le lien entre les victimes. Et que valait une vengeance que la personne concernée ne remarquait même pas ? Ou bien Hinde avait-il prévu que Sebastian allait s'en mêler ? Était-ce la raison pour laquelle il était si important que les meurtres soient des répliques exactes des siens ? Pour que tout les mène à Hinde ? Pour que l'on soit obligé de demander conseil à Sebastian, suite à quoi il ferait le lien ?

Et que se passerait-il maintenant que Sebastian participait à l'enquête et qu'il avait compris que tout cela avait un rapport avec lui ? La série prendrait-elle fin ?

Tellement de questions.

Aucune réponse.

Cette série de meurtres avait de bonnes chances de se voir décerner le titre de « pire affaire qu'ils aient jamais connue ». Vanja appuya encore sur le champignon. L'aiguille sur le tableau de bord indiquait cent quarante kilomètres heure. Elle voulait oublier au plus vite le temps perdu à Södertälje.

Elle enclencha le kit mains libres et composa un numéro.

Billy était debout dans la cuisine en train de couper des brocolis, des poivrons et des oignons quand son téléphone sonna. À côté de lui, My faisait sauter un filet de dinde dans une poêle et des noix de cajou dans une autre. La viande aurait dû être cuite au wok, mais Billy n'en avait pas. Ses parents lui avaient offert cette grande poêle à frire pour Noël, il y a une éternité. Depuis Midsommar, il l'avait plus utilisée que durant ces dernières années.

– Oui, Billy à l'appareil, dit-il, le portable coincé entre son oreille et son épaule tout en continuant à couper les légumes.

– Salut ! Tu es où, là ?

Vanja était au volant, et Billy avait du mal à la comprendre à cause du bruit de la circulation. Le kit mains libres et la position de son portable coincé sous l'oreille ne facilitaient pas les choses.

– À la maison. Et toi ?

– Je suis en train de rentrer de Södertälje. Rodriguez est handicapé suite à un accident de voiture, ce ne peut donc pas être lui.

– Ah. Attends, je vais mettre le haut-parleur.

Il fit comprendre à My qu'il s'agissait de Vanja, appuya sur la touche du haut-parleur et déposa le téléphone sur le plan de travail. Elle hocha la tête, comme si elle avait déjà deviné.

– OK, c'est bon, je t'entends.

– Qu'est-ce qui chuinte comme ça ?

– Ça doit être la poêle.

– Qu'est-ce que tu fais ?

– Je cuisine.

– Quoi ? Pour de vrai ?

– Oui.

Silence troublé à l'autre bout du fil. Billy comprenait l'étonnement de Vanja. En temps normal, il était un gros consommateur de plats cuisinés et de fast-food. Les 7-Eleven, les kiosques et les rayons surgelés des supermarchés n'avaient aucun secret pour lui. Ce n'était pas qu'il ne savait pas cuisiner, mais il n'y trouvait tout simplement aucun intérêt et pensait qu'on pouvait passer son temps à faire des choses plus intéressantes. Mais il ne voulait pas discuter sur ce thème en présence de My. Il se souvenait hélas du matin qui avait suivi Midsommar où il avait prétendu qu'il aimait bien cuisiner.

– Il y a quelque chose de spécial dont tu veux me parler ? dit Billy en poussant les légumes sur le côté avec son couteau. Avant de commencer à hacher le piment rouge, il regarda du coin de l'œil My qui écoutait la conversation avec intérêt.

– Je voulais te demander si tu pouvais rechercher quand cet accident a eu lieu.

– Il ne s'en souvenait pas lui-même ?

– Il a seulement dit qu'il s'était fait renverser il y a quelque temps. J'étais tellement en colère que la police locale ne nous ait pas dit qu'il était paralysé. Mais maintenant, je pense qu'il pourrait tout de même avoir quelque chose à voir avec le vol de la Ford. Je veux dire, il habite tout près du lieu où elle a été volée.

Billy interrompit ce qu'il était en train de faire. Elle l'appelait pour lui demander de faire une banale recherche. Quelque chose que n'importe qui, vraiment n'importe qui était capable de faire. À côté de lui, My secouait la tête. Billy posa son couteau, prit son portable et le porta à son oreille.

– Attends, est-ce que j'ai bien compris ? Tu as oublié de lui demander quand il a eu son accident, et maintenant, c'est à moi de le chercher ?

– C'est ça.

– Mais je suis déjà chez moi.

– Je veux dire, tu n'es pas obligé de le faire maintenant. Tu peux aussi bien t'en occuper demain.

– Et pourquoi tu ne pourrais pas le faire toi-même demain ?

Nouveau silence. Billy savait pourquoi. Vanja n'avait pas l'habitude qu'on la contredise ou qu'on remette en question ce qu'elle disait. Eh bien, il y avait une première fois à tout, et elle allait devoir s'y habituer.

– Parce que tu es spécialisé dans ce genre de choses. Ça va beaucoup plus vite quand tu t'en occupes, dit Vanja dont la voix trahissait l'irritation.

Ce qu'elle disait était vrai, mais l'argument n'était pas suffisant. Il jouait depuis trop longtemps le rôle de la gentille secrétaire dans cette équipe. Il était temps que ça cesse.

– Je pourrais te montrer comment on fait.

– Je sais comment on fait.

– Alors, fais-le.

Vanja se tut. Billy jeta un bref regard à My qui affichait un sourire d'encouragement.

– OK, ça marche, dit sèchement Vanja.

Il y eut un nouveau silence, et le bruit de la circulation disparut. Vanja avait raccroché.

Billy prit le téléphone et le mit dans sa poche. My s'approcha de lui et pressa son bras.

– Alors, comment tu te sens maintenant ?

– Bien, dit Billy avant de marquer une courte pause. Il voulait lui parler à cœur ouvert. Et en même temps, je me sens un peu mesquin. J'aurais pu faire cette recherche en une seconde.

– Mais elle sait vraiment comment faire ?

– Oui. Mais maintenant, elle m'en veut pour une broutille.

My se glissa entre lui et le plan de travail et l'entoura de ses bras. Elle le regarda droit dans les yeux.

– La prochaine fois qu'elle te demandera un service, tu pourras le lui rendre. Il ne s'agit pas de ne pas s'entraider, mais simplement de ne pas considérer que cette aide va de soi.

Elle déposa un baiser sur sa joue qu'elle caressa avant de regagner la cuisinière.

Ursula était assise à son bureau. Elle essayait de travailler, mais ne parvenait pas à se concentrer. Ses pensées la ramenaient toujours au passé. Pas à la discussion de la cafétéria mais beaucoup plus loin.

À cette époque lointaine.

À eux.

Ils s'étaient rencontrés pour la première fois à Göteborg à l'automne 1992. Sebastian Bergman, expert en profilage criminel formé aux États-Unis, tenait une conférence sur les comportements caractéristiques des tueurs en série et les détails qui, sur une scène de crime, peuvent mettre sur la piste d'un tel criminel. À cette époque, Ursula travaillait encore au laboratoire d'analyses criminelles de Linköping et avait demandé à assister à ce séminaire dans le cadre de sa formation continue.

Elle avait trouvé les conférences intéressantes et instructives. Et Sebastian, dans son élément, était charmant, spontané, charismatique. L'assistance était suspendue à ses lèvres. Ursula, assise au premier rang, lui avait posé beaucoup de questions. Puis ils avaient couché ensemble dans sa chambre d'hôtel.

En fait, elle s'était attendue à ce qu'ils en restent là. Son environnement professionnel était assez restreint, et elle avait déjà entendu de nombreuses rumeurs au sujet de Sebastian. Elle était donc rentrée à Linköping. Auprès de Micke et Bella, qui venait d'entrer au CP. Micke l'avait accompagnée à l'école pour sa première journée, et rentrait désormais plus tôt chaque après-midi pour que sa fille ne reste pas trop longtemps à la garderie. Ursula travaillait. Comme toujours. Elle avait beaucoup à faire. Comme toujours.

Micke avait arrêté de boire depuis plus d'un an, et étant chef d'entreprise, il était maître de son emploi du temps. Ils possédaient une maison bien située, leurs finances se portaient bien, ils avaient une vie professionnelle épanouie, et Bella aimait bien aller à l'école. La vie typique d'une famille de classe moyenne en banlieue. Une belle vie. La meilleure possible, selon Ursula.

Mais un jour, alors qu'elle regagnait sa voiture sur le parking du laboratoire d'analyses criminelles, quelqu'un derrière elle l'appela. C'était Sebastian Bergman. Surprise, elle se demanda pourquoi il se trouvait là.

Pour la revoir.

Espérait-elle.

Elle était contente qu'il soit venu. Plus qu'elle n'avait voulu se l'avouer. Elle appela donc Micke et prétexta devoir faire des heures supplémentaires. Ils se rendirent ensuite dans un motel. Elle était excitée par l'interdit. Ils étaient à Linköping, n'importe qui aurait pu les reconnaître et les surprendre. Ursula ne s'en souciait guère.

Sebastian venait de terminer sa tournée de lectures. Il était en vacances. Et il pouvait bien les passer à Linköping. Si elle le voulait.

Durant les deux mois suivants, ils se virent le plus souvent possible. Parfois à la pause de midi, parfois même avant qu'elle ne se rende au travail. Souvent le soir et la nuit. Il était disponible à tout moment. Toujours prêt. Elle était celle qui décidait quand et combien de temps ils se voyaient. La situation idéale.

En décembre, elle avait proposé à Micke de déménager à Stockholm. Elle voulait poser sa candidature à la Crim'. Elle y pensait déjà depuis un certain temps, car elle avait l'impression d'avoir fait le tour de son travail au labo. Et elle en avait assez de ne pas participer activement à la traque. Elle avait besoin d'adrénaline, d'être au cœur de l'enquête, des arrestations. La Crim' avait désormais un nouveau chef, Torkel Höglund, dont on lui avait dit beaucoup de bien. Il était temps de s'engager dans un nouveau défi.

Ce n'était pas seulement à cause de Sebastian. Le fait qu'ils habiteraient la même ville et travailleraient ensemble si elle obtenait le poste était plutôt un bonus. Un argument positif mais pas suffisant pour motiver seul son déménagement. Elle n'était plus une petite fille fleur bleue qui sacrifiait tout par amour.

Elle n'avait jamais été comme ça.

Cela pouvait s'arrêter à tout moment, elle le savait parfaitement. Mais peut-être que s'ils se rapprochaient et se voyaient plus souvent, cela approfondirait leur lien. Pour la première fois, elle avait la sensation que cette histoire avec Sebastian pouvait aboutir à quelque chose de plus. Une relation dans laquelle elle pourrait se lâcher et baisser la garde. Abandonner cette distance vis-à-vis de son entourage.

Micke.

Bella.

Tout le monde.

De plus, sa sœur habitait à Mälarhöjden, et ses parents à Norrtälje. C'était parfait pour faire garder Bella le week-end. Tous les arguments étaient réunis en faveur du déménagement, alors qu'aucun ne pouvait la convaincre de rester à Linköping.

Micke n'était pas de son avis.

Son entreprise était bien établie à Linköping, et toute sa clientèle se trouvait à l'ouest de la Suède. Que devait-il faire à Stockholm ? Tout recommencer à zéro ? Et Bella ? Elle allait déjà à l'école depuis six mois, avait trouvé de nouveaux amis et adorait sa maîtresse. Pouvait-on l'arracher ainsi à son environnement ? Ursula énuméra tous les arguments contraires. Elle lui dit que les enfants se faisaient facilement de nouveaux amis et que Micke pourrait tout aussi bien gérer son entreprise depuis Stockholm. Il allait tout simplement devoir faire plus de déplacements et peut-être passer quelques jours sur place. Mais tout en tentant de convaincre son mari, elle se rendit compte que ce ne serait pas une catastrophe si son mari et sa fille ne la suivaient pas. Elle pourrait ainsi découvrir elle-même ce qui se passait en elle. Si le temps était venu d'envisager une rupture radicale.

Elle eut de la chance. Micke évoqua lui-même l'idée. Il ne voulait pas faire obstacle à sa carrière et si d'autres arrivaient à avoir des relations à distance – pourquoi pas eux ?

Ursula protesta par principe, mais sans grande conviction. Elle parla avec Bella et lui promit de venir la voir aussi souvent qu'elle le pourrait. Bien sûr, sa fille fut triste. C'était un grand changement, presque comme un divorce. Mais Ursula était sûre que sa fille aurait réagi plus violemment si c'était Micke qui était parti. Dans la perspective de Bella, c'était le bon parent qui restait avec elle.

Ursula obtint le poste et déménagea. Elle loua un deux-pièces à Södermalm, mais passait le plus clair de son temps chez Sebastian. À la Crim', ils gardaient des relations purement professionnelles, et personne ne pouvait deviner qu'ils étaient plus que de simples collègues. En dehors du travail, leur relation semblait de plus en plus solide. Ils faisaient des choses qu'on pouvait faire entre collègues, comme aller au théâtre, au cinéma, au restaurant, mais ils fréquentaient aussi la sœur d'Ursula et son beau-frère. Des soirées entre couples. Ursula rentrait toujours presque chaque week-end à Linköping, mais rien n'était plus comme avant. Elle ne se sentait plus chez elle. Ce n'étaient pas des retours chez soi. Elle était sûre qu'elle prenait sa relation avec Sebastian beaucoup plus au sérieux que lui. Parfois, cela l'effrayait. Au printemps, elle avait fini par se l'avouer. Elle aimait quelqu'un.

Pour la première fois de sa vie.

Ursula quitta son bureau. De toute façon, elle n'arrivait à rien, et rester assise à ruminer des événements qui dataient de vingt ans ne lui apporterait rien. Elle allait partir. Peut-être rentrer chez elle, mais en tout cas partir d'ici. Roland Johansson et José Rodriguez avaient été rayés de la liste des suspects. Les empreintes digitales et le sperme prélevés sur la scène de crime appartenaient à quelqu'un d'autre. Cela ne signifiait pas automatiquement que les deux hommes n'étaient pas impliqués dans l'affaire, par exemple pour la voiture qui avait servi à prendre Sebastian en filature, volée à quelques pas du domicile de Rodriguez. Mais la décision de suivre ou non cette piste était remise au lendemain. En rejoignant l'ascenseur, Ursula jeta un œil dans le bureau de Torkel. Vide. Elle ressentait un brin de déception de ne pas être allée dîner avec lui. À présent, elle avait faim, car son déjeuner tardif avait été interrompu par l'homme qui se tenait un peu plus loin dans le couloir et qui semblait l'attendre. Ursula passa devant lui sans lui accorder un regard.

– À demain.

– Je te raccompagne à ta voiture, dit Sebastian en lui emboîtant le pas.

– Ne sois pas ridicule. Ce n'est pas nécessaire.

– S'il te plaît. Ça me fait plaisir.

Ursula soupira et poursuivit son chemin vers l'ascenseur, appuya sur le bouton et attendit. À ses côtés, Sebastian resta silencieux. Au bout de trente secondes, les portes s'ouvrirent, et Ursula pénétra dans l'ascenseur, suivie de Sebastian. Elle appuya sur le G pour « garage », et fixa les portes métalliques.

– J'ai pensé à Barbro, dit soudain Sebastian pour rompre le silence. Je devrais peut-être lui parler aussi.

Ursula ne répondit pas. Elle voulait tout simplement faire comme si elle n'avait rien entendu.

– Je ne sais même pas où elle habite aujourd'hui, continua Sebastian. Peut-être qu'elle s'est mariée et qu'elle a changé de nom…

– Je n'en sais rien, l'interrompit sèchement Ursula.

– Je pensais que vous vous seriez peut-être…

– Non, le coupa-t-elle une nouvelle fois.

Sebastian se tut. L'ascenseur s'immobilisa, et les portes s'ouvrirent. Ursula sortit et pénétra dans le parking souterrain, Sebastian à sa suite. Ursula marchait à pas rapides et résolus, ses talons claquant sur le sol et résonnant sur le béton nu. Sebastian restait à quelques pas derrière elle, tentant de percevoir un changement ou un mouvement. Mais le parking était vide. Ursula se servit d'une télécommande pour déverrouiller la voiture, jeta son sac sur la banquette arrière, puis s'installa au volant.

– Bonne nuit alors, fais attention à toi.

Sebastian tourna les talons et se dirigea vers l'ascenseur. Ursula réfléchit une seconde. Ce n'était peut-être pas utile mais pour plus de sécurité…

– Sebastian !

Sebastian s'arrêta et se retourna. Ursula laissa la portière ouverte et le rejoignit. Surpris, il lui adressa un regard interrogateur.

– Je te demande de ne jamais raconter ce qui s'est passé entre nous. Ursula chuchotait, mais elle avait paradoxalement l'impression que ses mots résonnaient plus fort que d'habitude. À personne !

Sebastian haussa les épaules.

– OK.

Durant ces dix-sept dernières années, il n'avait jamais rien dit à personne, il pouvait donc rester discret un peu plus longtemps encore. Ursula avait manifestement interprété son haussement d'épaules et sa réponse laconique comme de l'indifférence.

– Je suis sérieuse. Je ne te le pardonnerais jamais !

Sebastian la regarda.

– Tu m'as déjà pardonné un jour ?

Ursula le fixa droit dans les yeux. Y lisait-elle un désir ? Un espoir secret ?

– Bonne nuit, on se voit demain.

Ursula fit demi-tour et se dirigea vers sa voiture. Sebastian ne bougea pas jusqu'à ce qu'elle ait quitté le garage, puis il regagna l'ascenseur.

La soirée allait être longue.

12 rue Storskärsgatan.

Un lieu gravé dans la mémoire de Sebastian. C'était l'adresse indiquée sur les lettres qu'il avait trouvées chez ses parents. C'était là qu'il avait eu une fille. Pour la deuxième fois. Il ouvrit la porte d'entrée et s'engouffra dans la sombre cage d'escalier. C'était la deuxième fois qu'il se rendait dans cet immeuble. La première fois, il y était allé épris d'angoisse, convaincu que ses espoirs avaient de grandes chances d'être déçus. Mais cela avait été bien pire. Il atteignit le troisième étage. Les noms « Eriksson/Lithner » étaient apposés sur la porte. Sebastian prit une profonde inspiration. Puis il sonna.

– Qu'est-ce que tu fiches ici ? fut la première chose qu'elle dit en le découvrant sur le pas de la porte.

Anna Eriksson.

Elle avait les cheveux plus courts que la dernière fois. Une sorte de coupe au bol. Les mêmes yeux bleus. Les mêmes pommettes saillantes et lèvres fines. Elle portait un jean troué et un chemisier à carreaux en coton si grand qu'il devait appartenir à Valdemar.

– Tu es seule ? demanda Sebastian, décidant lui aussi de se passer de salutations et autres politesses.

Sa question avait pour seul but de vérifier qu'aucune amie ou autre personne ne se trouvait dans l'appartement, car il avait vu Valdemar quitter l'immeuble cinq minutes auparavant.

– Nous étions convenus de ne plus jamais nous revoir.

– Je sais. Tu es seule ?

Anna sembla comprendre où il venait en venir. Elle fit un pas en avant pour bloquer définitivement l'accès à l'appartement. Après avoir jeté un regard par-dessus l'épaule de Sebastian et s'être assurée que personne n'était avec lui.

– Tu ne peux pas venir comme ça, tu as promis de te tenir éloigné de nous.

Aussi loin qu'il pouvait s'en souvenir, il n'avait jamais rien fait de tel. Une promesse. Il ne s'agissait que d'un accord tacite, par lequel il avait consenti à ne plus prendre contact avec Vanja, Valdemar ou Anna. Mais il n'avait rien promis. Et puis, la situation avait changé désormais.

– Il faut que je te parle.

– Non ! dit Anna en secouant la tête pour souligner son refus. Tu as travaillé avec Vanja, c'est déjà assez grave comme ça. On n'aura plus jamais de contacts.

Sebastian fut surpris par le ton qu'elle avait employé. « Tu as travaillé. » Vanja n'avait visiblement pas raconté à sa mère qu'il avait réintégré l'équipe.

– Il ne s'agit pas de Vanja, expliqua Sebastian d'un air presque suppliant. Il s'agit de toi.

La femme se crispa. Pendant un instant, Sebastian comprit ce qu'elle avait dû traverser ces derniers mois. Depuis trente ans, elle vivait avec ce mensonge sur lequel reposait toute son existence. Trente ans. C'était assez long pour finir par y croire soi-même. Mais il était arrivé. Comme un intrus menaçant soudain de tout détruire. Tout ce qu'elle avait construit. Tout ce qu'elle possédait. Tout. Et voilà qu'il réapparaissait, alors qu'ils n'auraient jamais dû se revoir. C'était de pire en pire.

– Comment ça, de moi ? demanda-t-elle sur la défensive.

Sebastian décida de ne pas y aller par quatre chemins :

– Il se peut que tu sois en danger.

– Comment ça, pourquoi ?

Anna paraissait plus déroutée qu'effrayée. Il n'était pas sûr qu'elle ait saisi la portée de ses mots.

– Est-ce que je peux entrer ? demanda Sebastian de sa voix la plus douce. Je veux seulement t'expliquer la raison de ma venue, et je repartirai tout de suite après.

Anna le scruta d'un air sceptique, comme pour déceler s'il mentait. S'il avait d'autres intentions, moins avouables.

Sebastian la regarda droit dans les yeux, aussi sincèrement que possible. Anna parut envisager de lui claquer la porte au nez.

– S'il te plaît… implora Sebastian. Je ne serais pas venu si ce n'était pas important.

Après un soupir, Anna baissa les yeux, ouvrit la porte et s'écarta pour le laisser entrer. Sebastian passa devant elle et pénétra dans le couloir. Après un dernier coup d'œil dans l'escalier, Anna referma la porte derrière lui.

L'homme se trouvait dans une voiture, à trente mètres du 12 rue Storskärsgatan. Une nouvelle voiture. Quelqu'un s'était chargé de le débarrasser de la Ford peu après que Sebastian Bergman s'était lancé à sa poursuite devant le commissariat. Il ne savait pas ce que son ancienne voiture était devenue, ni d'où provenait celle-ci. Sûrement encore une voiture volée. Il avait reçu un message sur « fyghor.se » lui indiquant quand et où aller la chercher. Il s'était rendu sur place à l'heure dite et avait trouvé le véhicule, les clés sur le contact. Il pouvait à nouveau suivre Sebastian. Mais cette fois, il veillait à garder ses distances. Il restait au volant, enfoncé dans son siège. Il se courbait encore un peu plus qu'avant et était encore plus attentif, mais Sebastian ne semblait pas particulièrement sur ses gardes. Il n'avait pas une seule fois regardé autour de lui, ni fait de détour qui aurait pu compliquer une filature. Pendant un temps, l'homme avait cru qu'on lui tendait un piège. Que le psychologue paraissait désintéressé et insouciant, car il se savait sous surveillance policière. Mais cela ne semblait pas être le cas, sans quoi, l'homme l'aurait repéré.

Ils avaient maintenant découvert la quatrième. Dans l'appartement. Les médias en avaient fait leurs choux gras, et ce jour-là, l'homme avait acheté tous les journaux, posés à côté de lui sur le siège passager. Il était très pressé de rentrer chez lui pour les lire. S'en nourrir. Après avoir lu les nombreuses actualisations sur Internet, il était d'avis que le rituel de l'archivage devait être perfectionné.

La quatrième cible n'avait pas été facile. D'après ce qu'il avait pu constater, c'était une nouvelle conquête de Sebastian Bergman. Ce dernier avait suivi son ami psychologue, venu le chercher sur son rocher devant la maison où habitait Vanja Lithner, la policière de la Crim'. Ils s'étaient rendus ensemble dans une salle de conférences de laquelle Bergman était ressorti deux heures plus tard en bonne compagnie. Ils étaient montés dans un taxi pour rejoindre l'appartement de la femme.

L'homme avait pu espionner le code qu'elle avait composé pour ouvrir la porte, puis il les avait suivis dans l'immeuble sans se faire remarquer. Là-bas, il avait pu entendre à quel étage ils étaient montés. Pendant que Sebastian était avec la femme, il était remonté dans sa voiture et avait commencé ses recherches. Après avoir noté tous les noms des boîtes aux lettres du troisième étage, il avait constaté qu'une seule personne habitait seule au troisième étage. Annette Willén. Il y avait bien sûr un risque minime que Sebastian ait raccompagné une veuve de paille et que la femme avec qui il était en train de coucher ait en réalité un mari ou un compagnon. Mais il paraissait plus probable que ce soit Annette Willén. C'était par elle qu'il comptait commencer.

Aux environs de cinq heures du matin, Sebastian était sorti de l'immeuble. L'homme avait vu qu'il paraissait épuisé, et l'avait suivi du regard jusqu'à ce qu'il ait disparu de son champ de vision. Le moment était venu de vérifier. Il n'avait pas droit à l'erreur. L'homme était descendu de sa voiture, avait composé le code et s'était faufilé à l'intérieur de l'immeuble, puis il avait monté les trois étages. Sonner à la porte à cette heure-ci aurait inutilement attiré l'attention. Un voisin se serait sans doute levé pour regarder à travers le judas. Mais comment pouvait-il s'assurer que c'était bien la bonne porte ? Il avait frappé doucement. Aucune réaction. Il avait frappé à nouveau, cette fois plus fort et plus longtemps. Quelque chose avait bougé à l'intérieur. Des pas.

– Qui est là ? avait demandé une voix ensommeillée de l'autre côté de la porte.

– Excusez-moi de vous réveiller, mais je cherche Sebastian, avait dit l'homme à voix feutrée et éloignant le plus possible son visage du judas, sans que cela ne paraisse suspect.

– Qui ?

La femme dans l'appartement n'était manifestement pas encore réveillée.

– Sebastian Bergman. Il devrait être ici en ce moment…

– Un instant…

Le silence s'était fait à l'intérieur. Quelques secondes. Quelques secondes avant qu'Annette Willén ne comprenne qu'elle était seule. Cela lui avait suffi. Elle avait essayé de trouver Sebastian, il avait donc dû être là. Il n'avait pas eu besoin d'en savoir plus. Il avait déjà fait un pas en arrière avant d'entendre à nouveau la voix de la femme.

– Il n'est pas là. Il est parti…

Même à travers la porte, il avait pu entendre sa surprise empreinte de déception. On aurait dit qu'elle était sur le point de fondre en larmes.

– Oh, d'accord, veuillez m'excuser pour le dérangement.

L'homme avait descendu rapidement les escaliers avant qu'Annette n'ait l'idée d'ouvrir la porte pour lui parler. Pour lui demander qui il était. Ce qu'il voulait à Sebastian. Comment il pouvait savoir que Sebastian se trouvait là.

L'homme n'avait encore rien à faire dans l'appartement. Il allait d'abord faire son rapport et attendre les instructions. Puis il reviendrait.

Et l'ordre était arrivé. Elle serait la quatrième.

L'homme était donc retourné dans l'immeuble, et s'était garé à bonne distance avant de s'y rendre à nouveau, le sac de sport noir sous le bras. Il avait remonté les marches et frappé une nouvelle fois à la porte. Annette était chez elle, mais ne voulait pas lui ouvrir. Elle avait demandé qui était là.

– C'est moi. Je suis passé cette nuit, à la recherche de Sebastian.

L'homme avait échafaudé un plan pour qu'elle lui ouvre la porte. Il le faisait toujours. Pour chaque victime, il avait une nouvelle stratégie. Dans la situation présente, il avait pu constater que le départ de Sebastian n'était pas exactement ce qu'elle avait prévu. Sebastian avait filé à l'anglaise pendant qu'elle dormait. L'avait abandonnée. L'avait laissée toute seule. L'homme allait pouvoir s'en servir.

– Je travaille avec lui, avait-il encore chuchoté, la bouche collée contre la porte. Il a un peu mauvaise conscience de la façon dont il est parti ce matin. Dont il vous a quittée.

Aucune réaction de l'autre côté. Silence. Finalement, elle lui avait dit d'aller se faire voir. C'était un début.

– Il n'est pas très doué pour les… lendemains matins. Mais si vous me laissez entrer, je pourrai vous expliquer pourquoi.

– C'est lui qui vous envoie ? avait-elle demandé, méfiante.

L'homme avait ri, comme si elle avait dit quelque chose de non seulement drôle, mais aussi complètement impensable.

– Non, non, il deviendrait fou s'il savait que je suis là.

Il avait voulu lui donner l'impression qu'il était de son côté. Gagner sa confiance. Eux deux contre Sebastian Bergman. C'était la stratégie qu'il avait choisie.

– Il se comporte vraiment comme un idiot, parfois, avait-il soufflé à travers la porte.

Pas de réponse. Était-il allé trop loin ? Puis la chaînette de l'entrebâilleur avait tinté, et la porte s'était ouverte.

Il avait pénétré dans l'appartement.

Il attendait maintenant dans la rue Storskärsgatan. Encore une fois. Sebastian s'y était déjà rendu plusieurs fois. Pas à l'intérieur, mais devant l'immeuble. La plupart du temps le jeudi, quand Vanja Lithner rendait visite à ceux qui étaient vraisemblablement ses parents. Anna Eriksson et Valdemar Lithner. Mais aujourd'hui, Sebastian y était entré.

Valdemar Lithner était déjà parti. Sebastian avait attendu qu'il sorte pour y pénétrer. Avait-il une liaison avec la mère de Vanja ? C'était possible. Tout était possible. Il n'avait pas vraiment compris ce qui reliait Sebastian à cette famille. Il n'avait pas de liaison avec Vanja, il en était sûr. C'était pour cette raison qu'il n'avait jamais fait état du temps qu'il passait devant sa maison dans ses rapports.

L'homme se pencha et regarda le numéro 12. Il espérait que Sebastian en sortirait bientôt. On était certes en plein été, mais la nuit n'allait pas tarder à tomber. Comme dans la cave. Quand l'ampoule s'éteignait.

Les pensées tourbillonnaient dans la tête d'Anna Eriksson. Elle avait déjà lu cette formule dans les livres, mais elle n'avait jamais imaginé qu'une chose pût être bouleversante au point d'en perdre le fil de ses pensées. Elle comprenait parfaitement cette réaction à présent.

Quelqu'un tuait les anciennes maîtresses de Sebastian. Les meurtres dont elle avait entendu parler dans les journaux… et elle était concernée.

Elle était en danger.

Bien que personne n'ait été au courant de leur liaison à l'époque. Mais il avait dit qu'il avait été suivi.

Comme si la venue de Sebastian au mois d'avril n'était déjà pas assez grave en soi.

Quelqu'un pouvait-il savoir quelque chose ? Peut-être même au sujet de Vanja ?

Elle était en danger. C'était de la folie furieuse.

Sebastian était assis à côté d'elle sur le canapé. Elle ne lui avait rien offert à boire, il ne devait absolument pas rester. Mais il était encore là.

Sur son canapé.

Dans son salon.

Dans sa vie.

Sa vie, devenue soudain si compliquée depuis son arrivée. Elle ne disait pas un mot et avait le regard fixe. Vide.

Sebastian se pencha vers elle.

– Tu as compris ce que j'ai dit ?

Anna fit un lent signe de tête affirmatif, et le regarda comme pour donner plus de poids à sa réponse.

– Oui, c'est dingue. Personne n'est au courant !

– Je n'aurais jamais pensé que quelqu'un puisse être au courant pour les autres. Mais s'il a trouvé les autres, il peut te trouver aussi.

Anna hocha encore la tête. Des quatre victimes, il en avait connu deux plus de vingt ans auparavant. Toutes habitaient la région de Stockholm. Avaient des amis et de la famille. Mais elles étaient quand même mortes. La menace était réelle. L'angoisse la prenait aux tripes. Il bomba le dos. Bizarrement, elle avait l'impression que se savoir en danger de mort lui faisait toujours moins peur que l'idée que la vérité n'éclate au sujet de Vanja.

– Est-ce que cela voudrait dire que quelqu'un sait pour Vanja ? demanda Anna d'une voix blanche.

– Ce n'est pas du tout sûr, et là n'est pas la question. Sebastian se tut. Il céda à la tentation de tendre la main pour serrer la sienne. Tu dois t'éloigner un moment.

Anna retira sa main et se leva. Il ne devait pas la consoler. Ne pas la toucher ni vouloir essayer de l'aider. Tout était de sa faute. Si elle avait besoin d'aide, Sebastian Bergman serait le dernier vers lequel elle se tournerait.

– Je ne peux pas disparaître comme ça.

Elle se mit à faire les cent pas dans le salon, signifiant par ses gestes que c'était inenvisageable.

– J'ai un travail. Une famille. Une vie.

– Justement !

Anna s'arrêta au milieu de la pièce. Il avait raison. Hélas.

– Tu n'as personne à qui tu pourrais rendre visite quelques jours ? demanda Sebastian sur le canapé.

– Si, bien sûr. Mais disparaître comme ça du jour au lendemain ? Qu'est-ce que je pourrais dire ? À Valdemar ? Et à Vanja ? Qu'est-ce que je pourrais dire à Vanja ?

– Rien. N'explique pas les raisons de ton départ. Elle comprendra.

Anna hocha la tête, l'air concentré. Sebastian se leva et s'approcha d'elle.

– Va rendre visite à quelqu'un. Tu as toujours tes parents ?

– Oui, ma mère.

– Alors, va la voir.

– Je ne sais pas…

Anna laissa sa parole en suspens, pensive. À présent, son cerveau tournait à plein régime. Ses pensées encore insaisissables un instant auparavant lui apparaissaient désormais nettement.

– Cela paraîtrait-il si bizarre que tu passes une semaine chez elle ? s'enquit Sebastian, résolu à obtenir un engagement de sa part avant de la quitter.

– Du jour au lendemain ? Oui, ça lui mettra sûrement la puce à l'oreille. On n'est pas vraiment proches.

Mais malgré ses doutes, Anna avait déjà commencé à échafauder un scénario dans sa tête. Une pensée qui prenait corps, et dont il fallait aller au bout en un temps record.

Sa mère aurait pu l'appeler après le départ de Valdemar. Lui demander de la rejoindre. Le soir même. Elle ne se sentait pas très bien, ou avait un problème à la maison. En tout cas, elle avait besoin d'aide. Valdemar la croirait. Et puis, elle pourrait partir. Elle raconterait un bobard à sa mère pour expliquer sa visite. Trop de travail. Un burn-out imminent. Un besoin de prendre l'air. Si Valdemar appelait, maman serait gentille de lui dire qu'elle ne se sentait pas très bien ou qu'elle avait un problème à la maison. Elle ne voulait pas qu'il s'inquiète. Pas alors qu'il venait à peine de se remettre du cancer. Sa mère jouerait le jeu. Pour lui faire plaisir. Anna pourrait y rester quelque temps. Revenir quand le meurtrier serait arrêté. Dire à sa mère qu'elle allait beaucoup mieux. Et si le sujet était évoqué lors d'une réunion de famille ou d'une fête quelconque, elle pourrait en rire et prétendre que sa mère l'avait mal comprise. Personne ne chercherait à en savoir plus. Ça pouvait fonctionner. Il le fallait.

– En tout cas, tu ne peux pas rester ici, l'avertit Sebastian. S'il t'arrivait quelque chose, si quelqu'un te retrouvait… alors Vanja découvrirait tout. Et de la pire manière qui soit.

– Je sais, mais je ne peux pas partir tout de suite.

– Pourquoi ?

Car cela ne coïncidait pas avec ses plans. Son départ ne devait pas paraître trop précipité. Sinon, Valdemar insisterait pour y aller avec elle. L'accompagner. Elle ne pouvait pas partir avant le lendemain. C'était déjà un délai atrocement court, mais elle parviendrait à le justifier.

– C'est impossible, c'est tout, rétorqua-t-elle. Elle n'avait pas la moindre envie de lui expliquer le pourquoi du comment. Mais ce n'est pas grave, Valdemar va bientôt rentrer.

– Je peux rester monter la garde dans la cage d'escalier jusqu'à son retour, proposa Sebastian.

– Non ! Tu dois t'en aller. Tout de suite.

Le choc était passé, et elle avait repris ses esprits. Elle s'en sortirait, comme elle y était toujours arrivée durant toutes ces années. Mais Sebastian devait déguerpir. Elle l'empoigna par le bras pour lui intimer l'ordre de lever ses fesses du canapé. Il y avait tant de choses à faire, elle ne devait pas s'embrouiller. Il fallait que tout se déroule comme prévu. Pour le bien de tous.

Sebastian comprit que sa mission était terminée. Il avait fait tout ce qui était en son pouvoir. Il montra qu'il avait saisi le message et gagna le couloir.

– N'ouvre à personne à part Valdemar.

– Il a sa propre clé.

Lorsque Sebastian se retourna et vit Anna plongée dans ses pensées, il comprit ce qu'il venait de provoquer en elle. Son mari venait d'être déclaré en rémission à peine quelques semaines auparavant. Combien de temps avait-elle vécu avec la hantise que son mari meure du cancer ? Des mois ? Des années ? Et voilà qu'il arrivait avec une nouvelle menace. Faisait à nouveau entrer la mort dans ce bel appartement.

– Je suis désolé.

C'étaient des mots qu'il prononçait très rarement, mais cette fois, il était vraiment sincère. Sebastian se pencha pour mettre ses chaussures. Anna le rejoignit dans le couloir comme pour s'assurer qu'il quittait bien les lieux. Sebastian se redressa, mais une fois la main sur la poignée, il marqua une pause. Il voulait vraiment en avoir le cœur net, au risque de l'insupporter encore plus.

– Il n'a jamais voulu savoir ?

– Qui ?

– Valdemar. Il n'a jamais voulu savoir qui était le père de Vanja ?

On pouvait lire sur le visage d'Anna qu'elle n'avait aucune intention d'aborder le sujet. Ni avec lui. Ni avec personne d'autre.

– Si, une fois, répondit-elle laconiquement. Mais je ne lui ai rien dit.

– Et il s'est satisfait de cette réponse ?

Anna haussa les épaules.

– C'est un bon mari.

– J'avais compris.

Ils se turent. Qu'y avait-il d'autre à dire ? À peine avait-il lâché la poignée qu'Anna la saisit, impatiente de le voir enfin disparaître.

– Je suis désolé, répéta Sebastian en s'engageant dans l'escalier.

– Oui, tu l'as déjà dit…

Elle referma la porte derrière lui. Sebastian s'arrêta un instant. Il était épuisé. Physiquement et psychologiquement. C'était la journée la plus longue de sa vie, et elle était encore loin d'être terminée. Encore une station. Puis une autre. Il descendit les marches d'un pas lourd.

L'homme était sur le point d'abandonner quand il vit Sebastian franchir la porte de l'immeuble, le portable vissé sur l'oreille. Il s'enfonça le plus possible dans son siège jusqu'à ne plus voir que le haut de son corps. Il était quasiment sûr que, même s'il regardait dans sa direction, Sebastian ne pourrait pas l'apercevoir à travers les vitres légèrement teintées qui réfléchissaient les dernières lueurs du crépuscule. Mais de toute façon, ce ne fut pas le cas. Il rangea son portable dans sa poche et partit dans la direction opposée. L'homme ne bougea pas d'un pouce et le suivit du regard. Sebastian s'arrêta au carrefour, comme s'il attendait quelque chose.

Au bout de cinq minutes, un taxi s'arrêta devant lui. Sebastian s'y engouffra et partit. L'homme démarra et se mit à la suivre. Il avait encore un peu de temps. Une demi-heure, avant que le devoir ne l'appelle.

Il adorait ça. Pas la filature en soi, mais le fait qu'elle lui apporte de nouvelles cibles potentielles.

La cinquième.

Peut-être même une sixième.

Des trois premières, il ne connaissait que le nom. Il avait eu leurs coordonnées par le site. Il avait fait quelques recherches sur elles, et s'était procuré les renseignements dont il avait besoin avant d'attendre le bon moment. Pour la quatrième, cela ne s'était pas passé comme ça. Tout d'un coup, ce devait être une femme que Sebastian avait rencontrée récemment. Pour faire apparaître le lien. Ça avait bien fonctionné. La brigade criminelle nationale avait fait le rapprochement, il le savait. Le fait que Sebastian ait intégré l'équipe en était la preuve. D'après le maître, Sebastian serait amené à fouiller dans sa mémoire et à recontacter d'anciennes conquêtes pour les prévenir. Pas toutes, c'était évidemment impossible. Mais au moins celles qu'il avait connues récemment ou qui étaient proches de lui d'une manière ou d'une autre. La mère de Vanja Lithner en faisait-elle partie ? Possible. Il allait de toute façon mentionner cette visite dans son rapport.

Le taxi remontait Valhallavägen. Ce n'était pas la direction de l'appartement de Sebastian. Allait-il prévenir d'autres femmes ? L'homme ne put s'empêcher de sourire. Peut-être allait-il pouvoir choisir lui-même cette fois. Avoir le droit de vie ou de mort. Il en serait éternellement reconnaissant.

Dommage qu'il ne l'ait pas eu plus tôt.

Après leur mariage et leur emménagement dans le grand appartement du centre-ville, Lennart était souvent passé les voir. Parfois, il venait avec sa femme, mais la plupart du temps, il était seul. Quand Sofia et son père partaient faire les courses, ce qui était souvent le cas, Lennart se proposait de le garder.

Il aimait son « papi ». Le vieux monsieur l'aidait à faire ses devoirs, jouait aux cartes avec lui, tandis qu'il lui apprenait à jouer à la Nintendo. Depuis qu'il avait changé d'école, il ne s'était pas fait de nouveaux amis, mais Lennart l'emmenait souvent faire des excursions. Ils avaient visité le parc d'attractions Skansen, la tour de la télévision Kaknäs, et ils se promenaient dans le zoo de Djurgården et le château, des lieux que la plupart des enfants de son âge connaissaient déjà au moins de nom, mais qui lui étaient totalement inconnus. Lennart lui fit essayer plein de choses pour voir ce qui lui plaisait. Ils allaient à la pêche, faisaient du patin à glace, récoltaient des myrtilles, jouaient au bowling ou allaient à la piscine. Il devait tout essayer. Quand quelque chose lui plaisait, ils y retournaient, et quand quelque chose ne lui plaisait pas, ils passaient à autre chose. Il se réjouissait vraiment de ces excursions avec son papi.

Son père et Sofia ne les accompagnaient jamais. Ils paraissaient contents de pouvoir se débarrasser de lui quelques heures. Ils ne le disaient naturellement pas aussi directement, mais durant les années passées avec sa mère, il avait acquis cette capacité à décoder les regards et la gestuelle des adultes pour en déduire leur humeur. Ce talent s'était développé tout naturellement, comme une possibilité d'éviter les problèmes. De s'adapter totalement à sa maman. De toujours se soumettre à sa volonté.

Un jour, Lennart était venu le chercher comme d'habitude. Il s'était réjoui à l'idée de faire une nouvelle excursion.

– Où est-ce qu'on va ? avait-il demandé.

– Tu verras, avait-il obtenu pour toute réponse.

Ils avaient poursuivi leur route sans un mot. Papi avait paru plus tendu que d'habitude. Peu bavard, presque renfrogné. Il avait tenté d'interpréter l'attitude du vieil homme pour tenter de s'y adapter, mais il ne comprit pas les signaux. Lennart paraissait secret, chose qu'il n'avait jamais connue. Il se contenta de rester assis sans dire un mot. C'était sans doute la meilleure chose à faire.

Ils sortirent de la ville. Prirent des petites routes. Beaucoup de virages. Il avait parfois l'impression qu'ils revenaient sur leurs pas, mais il ne posa aucune question. Finalement, il ne savait plus du tout où ils étaient quand Lennart s'engagea dans un étroit chemin forestier menant à un petit chalet en bois au bord d'une clairière. Un toit de tôle, des planches et des fenêtres en bois peint en vert.

Lennart coupa le moteur, et ils restèrent assis à observer l'habitation.

– C'est quoi, ça ? demanda-t-il.

– C'est une maison de vacances, lui signifia-t-il.

– Elle est à toi ?

– Non.

– Alors à qui ?

– Peu importe.

– Et qu'est-ce qu'on va faire ici ?

– Tu verras.

Ils descendirent de la voiture et gagnèrent la maison. C'était l'été, et la forêt avait cette odeur caractéristique des jours sans vent. Une légère brise courait entre les pommes de pin. Les insectes bourdonnaient. Il crut voir les eaux d'un lac étinceler entre les arbres. Peut-être allaient-ils se baigner ?

Quelques marches en pierre menaient à une vieille porte verte. Ils pénétrèrent dans un petit couloir. Des lambris. Un porte-chapeaux au mur, une étagère à chaussures par terre. Bien qu'aucune veste ne fût accrochée dans le couloir et que pas une paire de chaussures ne se trouvât sur l'étagère, il avait le sentiment qu'ils n'étaient pas seuls. Il ne voyait ni n'entendait personne. C'était une simple sensation. Il y avait une pièce plus grande sur la droite du couloir et une petite cuisine à gauche, mais Lennart avait ouvert une porte juste derrière la porte d'entrée, et désignait un escalier qui menait à la cave.

– Qu'est-ce qu'il y a là en bas ? l'interrogea-t-il.

– Contente-toi de descendre ! lui répondit Lennart.

Il descendit donc l'escalier exigu bordé de lambris. Tout au bout, une ampoule nue éclairait non seulement l'escalier mais aussi la petite pièce sur laquelle il débouchait. Sa surface faisait environ la moitié de la maison. Des poutres en bois au plafond. Des murs de pierre. Pas de fenêtres. Un air froid et humide. Une odeur de moisi et quelque chose d'autre, de métallique qu'il ne pouvait pas identifier. Des tapis ornaient le sol. Sinon, la pièce était vide. Pas un fauteuil, rien pour s'occuper. Il s'apprêtait à lui demander ce qu'ils faisaient là quand il entendit des bruits. Sûrement des pas, de plusieurs personnes. Au moins deux. Apparemment pressés, agités. Plus étonné qu'effrayé, il se retourna vers Lennart, resté près de l'escalier, les mains sur l'interrupteur de la lumière. Sans un mot, il appuya dessus. Un clic, suivi du noir total.

Il faisait si noir qu'il ne savait plus s'il avait les yeux ouverts ou fermés. Pendant un court moment, il crut apercevoir un rai de lumière en haut de l'escalier et des ombres défiler, avant d'être happées par l'obscurité. Mais il n'en était pas sûr. L'image de l'ampoule nue était toujours imprimée sur sa rétine sous forme de zébrures troublantes. Il cligna des yeux plusieurs fois. Il faisait désespérément noir. Mais il entendait des pas dans l'escalier, il en était sûr. Des pas et des respirations laborieuses et haletantes.

– Papi, hurla-t-il.

Mais personne ne répondit.

Pendant le trajet du retour, Lennart se comporta comme d'habitude. S'excusa de lui avoir fait peur. Ce n'était qu'un jeu. Et un grand garçon comme lui pouvait bien supporter une petite frayeur ? Il ne lui était rien arrivé, non ?

Il secoua la tête. Mais il avait eu peur. Des bruits et en plus… Il ne savait pas combien de temps il était resté dans le noir, mais quand Lennart avait rallumé la lumière, la pièce était vide. Plus aucune trace des autres.

En réalité, il aurait voulu lui dire qu'il n'avait pas aimé ce jeu. Pas du tout. Mais il resta bouche cousue. Il ne s'était vraiment rien passé. Et dans la lumière du jour, dans la voiture, il n'était même plus certain que d'autres personnes s'étaient trouvées dans la pièce. Peut-être que la peur lui avait fait imaginer des choses. Il n'osa pas poser de question à Lennart. Ils s'arrêtèrent au MacDo pour acheter une glace. Ensuite, il eut droit à un nouveau jeu vidéo. Quand il rentra à la maison, tout était presque comme d'habitude. Il avait eu peur, mais le souvenir de cet événement s'estompait. Il avait de plus en plus l'impression de l'avoir rêvé. Comme si rien ne s'était passé en vrai. Pendant ses années avec maman, il avait appris à s'adapter à toutes les situations. Les sautes d'humeur. Les promesses non tenues. Les résolutions qui changeaient tout à coup. Il était devenu maître dans l'art du refoulement et de l'oubli. Il pouvait bien faire de même à présent.

Lennart et lui continuèrent leurs excursions. Il avait d'abord hésité, n'avait pas voulu le suivre, mais finalement tout était redevenu comme avant. Ils faisaient des trucs supers. Des trucs marrants. Le souvenir s'estompait de plus en plus. À un moment, il s'était quasiment évaporé.

Jusqu'au jour où, des mois plus tard, ils retournèrent à la maison de vacances. Des mois plus tard. À contrecœur, il suivit Lennart dans la maison brune dans la clairière. Lennart le tenait par la main. L'y traînait presque. Les jambes lourdes. Le souffle coupé. Encore ce couloir. Ce silence si spécial qui ne naissait que lorsque plusieurs personnes tentaient de ne pas faire de bruit. Il avait l'impression de sentir leur présence dans la pièce qu'il ne voyait pas. Leur attente. Puis il descendit l'escalier. L'ampoule nue. Lennart la main sur l'interrupteur. Cette fois, il ne regarda pas l'ampoule avant qu'elle ne s'éteigne, et put distinguer davantage de choses par la lumière qui filtrait à travers la porte à chaque fois qu'elle était ouverte. C'étaient des silhouettes humaines. Nues. Qui portaient des masques d'animaux. Il put reconnaître un renard et un tigre. Vraiment ? Il n'en était pas sûr. Tout allait si vite. Il avait peur. La porte ne s'était ouverte que quelques secondes. Puis de nouveau, le noir complet.

Les frôlements.

Les respirations.

– Qui est-ce ? demanda-t-il dans la voiture alors qu'ils rentraient à la maison.

– Qu'est-ce que tu veux dire ? demanda Lennart à son tour.

– Ceux qui portent des masques, expliqua-t-il.

– Je ne sais pas de quoi tu parles, avait-il répondu.

Après la deuxième fois, il avait décidé de ne plus faire d'excursions avec lui. Plus jamais. Il en parla à papa. Sans lui dire pourquoi. Ne pouvait-il pas rester à la maison ? Papa ne voulut rien entendre. Il était important qu'ils s'entendent bien avec leur nouvelle famille. Après tout, Lennart n'avait pas d'autres petits-enfants. Il était naturel qu'il veuille le voir. Il devait être content d'avoir un grand-père d'adoption qui s'occupe si bien de lui. Qui investisse autant de temps et d'argent pour lui. Il devait être content. Content et reconnaissant.

Il tenta alors de lui expliquer qu'il ne voulait absolument pas et se vit opposer une fin de non-recevoir : peu importait. Il y était obligé. Un point, c'était tout. En fait, il n'était pas vraiment étonné. Pas même triste. Il aurait dû le savoir. C'était exactement comme avec maman. Ce qu'il ressentait ne comptait pas.

Ce que les autres voulaient était toujours plus important. Alors, les excursions se poursuivirent. La plupart des fois, tout se passait comme d'habitude. Des après-midi normales entre gens normaux. Mais à des intervalles réguliers qui lui paraissaient de plus en plus courts, ils se rendaient dans la maison de vacances.

Il tenta de comprendre ce qu'il avait fait de différent lorsqu'ils y allaient. Était-ce lui qui provoquait cela ? À cause de son comportement ? Était-ce de sa faute ? Il commença à analyser son comportement, entre le moment où il apprenait que papi venait le chercher et celui où ils se retrouvaient dans la voiture. Quand ils faisaient quelque chose de bien ou d'amusant, il tentait de refaire exactement la même chose la fois suivante. S'ils se rendaient dans la maison de vacances, c'était qu'il avait sûrement oublié quelque chose. Rien ne devait lui échapper. La disposition de la nourriture dans son assiette. Le temps qu'il passait à se brosser les dents. Le plus petit écart, le moindre détail qu'il faisait différemment pouvait le mener droit dans la cave. Combien de pas il faisait entre sa chambre et la cuisine quand il allait prendre le petit-déjeuner. Dans quel ordre il mettait ses affaires dans son sac de sport. Toute sa vie se trouva réglée par les rituels. Un jour, alors qu'ils le croyaient endormi, il entendit Sofia parler avec papa de quelque chose que l'on appelait « tocs ».

Elle avait paru inquiète, et papa avait promis de lui en parler.

Il le fit donc quelques jours plus tard. Lui demanda ce qu'il faisait exactement. Alors, il lui raconta tout. Il lui dit pour la maison de vacances. Les gens déguisés en animaux. Qui au début s'étaient contentés de lui tourner autour dans le noir pour lui faire peur. Mais qui faisaient d'autres choses à présent. Ils étaient partout. Autour de lui. Sur lui. En lui.

Papa ne le crut pas. Des gens déguisés en animaux ! Il tenta de lui décrire les masques, mais perdit le fil. Se mit à bredouiller. À bégayer. Eut honte. Où était cette maison ? Il ne le savait pas. Il avait l'impression qu'ils prenaient à chaque fois un autre chemin. Dès qu'il comprenait où ils allaient, il perdait toute concentration. Tout se troublait devant ses yeux. La maison était dans la forêt. Dans une clairière.

Papa le saisit dans ses bras et le serra très fort. Il était sérieux. Il ne devait plus jamais dire un mot là-dessus. Avait-il compris ? Pourquoi voulait-il tout détruire, alors qu'enfin, tout allait pour le mieux ? Son comportement bizarre mettait Sofia mal à l'aise. Qu'adviendrait-il si un jour, elle ne voulait plus de papa et lui ? Que feraient-ils ?

– Je ne sais pas, répondit-il.

– Mais moi, je sais, dit son père avant de lui rappeler ce qu'il en avait été pour sa mère. Elle qui avait été malade, qui tout comme lui s'imaginait des choses et avait des problèmes avec la réalité. Peut-être avait-il hérité de son problème. S'il continuait, ils seraient peut-être obligés de l'abandonner lui aussi. De le faire enfermer. Et ce n'était pas ce qu'il voulait, n'est-ce pas ?

Il ne raconta donc plus jamais rien sur ce qui s'était passé dans la maison de vacances. À personne.

Mais cela recommença.

Encore et encore. Ce ne fut que quelques semaines après son seizième anniversaire que tout s'était arrêté. À la mort de Lennart. Le jour de l'enterrement, il avait affiché un sourire béat en imaginant que c'était lui qui l'avait tué.

Le taxi s'arrêta, et Sebastian descendit. Vasastan. Ellinor Bergkvist. L'homme la connaissait déjà, mais il referait un rapport sur elle, puisque Sebastian avait repris contact avec elle. Il regarda sa montre. Même si Sebastian parvenait à rencontrer encore une ou deux femmes, l'homme était à présent obligé d'interrompre sa surveillance. Il enclencha la première et dépassa le taxi en trombe. Il espérait pouvoir choisir lui-même cette fois. Alors, son choix se porterait sur Anna Eriksson. Le fait que Sebastian travaille avec sa fille ne serait que la cerise sur le gâteau.

Sebastian monta l'escalier jusqu'à l'appartement d'Ellinor. Avant de sonner, il eut un instant d'hésitation. Il allait en finir au plus vite. Elle lui avait tenu la main, l'avait amené à prendre le petit-déjeuner avec elle et lui avait envoyé des fleurs pour sa fête. Elle n'était décidément pas le genre de femme que Sebastian désirait connaître plus avant. Entrer, parler, sortir.

Bref et efficace.

C'était son plan. Il ne voulait en aucun cas laisser planer la moindre ambiguïté quant à l'objet de sa visite, car il était sûr qu'elle allait saisir la moindre perche. Il prit une profonde inspiration et appuya sur la sonnette. La porte fut grande ouverte avant même qu'il n'ait lâché le bouton. Ellinor lui sourit.

– Je t'ai vu arriver par la fenêtre, dit-elle en faisant un pas de côté pour l'inviter à entrer. Entre, tu m'as manqué.

Sebastian soupira intérieurement. Il eut du mal à résister à l'envie de tourner les talons et de s'en aller sur-le-champ. Filer. Envoyer tout balader. Mais non, il devait la mettre au courant. Ne serait-ce que pour sa conscience.

Entrer, parler, sortir.

Il s'en tiendrait à son plan.

Sebastian pénétra dans le couloir.

– Tu ne m'as pas manqué. Ce n'est pas pour ça que je suis là.

– Mais tu es venu quand même, dit Ellinor en lui décochant un clin d'œil d'un air entendu.

Puis elle passa devant lui et referma la porte.

– Enlève-moi tout ça, dit-elle en désignant le portemanteau.

– Je ne veux pas rester.

– Mais tu vas quand même entrer un peu, non ?

Ellinor lui lança un regard plein d'espoir. Après un instant de réflexion, Sebastian convint que ce n'était pas le genre de nouvelle que l'on pouvait annoncer debout dans un couloir. Même pas à Ellinor Bergkvist. Tout en gardant son manteau, il la suivit dans le salon. De nombreuses plantes sur le rebord de la fenêtre. Un petit coin salon, une table basse avec une tablette pour les magazines ; au mur, une bibliothèque contenant quelques livres isolés. Et puis, un alignement de bibelots, des souvenirs de voyages peut-être. Pas de photos. Deux étagères garnies de plantes vertes des deux côtés de la porte.

– Tu veux boire quelque chose ? demanda-t-elle en s'asseyant sur le canapé.

– Non.

– Tu es sûr ? Même pas un petit café ?

– Non.

– J'ai même acheté du café depuis la dernière fois que tu es venu, et même une vraie cafetière.

– Non merci, je ne veux pas de café ! J'ai quelque chose à te dire.

– Quoi donc ?

Il n'avait aucune idée de ce qu'elle espérait entendre, mais trouvait inutile de tourner autour du pot. Sebastian prit une profonde inspiration et débita son petit discours.

Quatre femmes étaient mortes. Oui, elle l'avait lu dans le journal.

Le seul point commun entre elles était qu'elles avaient eu une relation sexuelle avec Sebastian. Ça alors !

Il avait sûrement été suivi sur une longue période, il y avait donc un risque pour que le meurtrier soit également au courant pour leur one-night-stand.

Que voulait-il dire par là ?

Elle était peut-être en danger. Ellinor glissa sur le bord du fauteuil en regardant Sebastian, l'air préoccupé.

– Tu crois qu'il pourrait venir ici ?

– Il y a effectivement un risque.

– Qu'est-ce que je peux faire ?

– Le mieux serait que tu rendes visite à quelqu'un. Que tu disparaisses quelques jours.

Ellinor posa ses mains jointes sur ses genoux et parut réfléchir à ce qu'il venait de dire. Sebastian attendit. Comme pour Anna Eriksson, il voulait s'assurer qu'Ellinor avait saisi la gravité de la situation et qu'elle avait bien l'intention de se mettre au vert.

– Mais chez qui je pourrais aller ?

La question étonna Sebastian. Comment pouvait-il le savoir ? Tout ce qu'il savait sur Ellinor était ce qu'elle lui avait confié après la conférence de Jussi Björling, et elle n'avait alors pas mentionné qui que ce soit susceptible de l'accueillir si elle était obligée de quitter son appartement du jour au lendemain. Elle savait parfaitement qu'il l'ignorait. Mais elle lui posait tout de même la question. Cela l'agaçait. Évidemment.

– Eh bien, je ne sais pas. Il doit bien y avoir quelqu'un ?

– Je ne sais pas…

Ellinor se tut. Sebastian se leva. Il avait rempli sa mission. Comment elle réagirait à cette information, ce n'était plus son problème. Il se surprit tout de même à éprouver une certaine pitié pour elle. Sa question laissait supposer qu'elle n'avait personne sur qui compter en cas d'urgence. Était-elle réellement si seule ? Il ne le savait pas. En fait, cela lui était bien égal. Mais elle paraissait si petite, assise au bord de ce fauteuil, les mains jointes.

– Au pire, tu pourras toujours aller à l'hôtel.

Ellinor se contenta de hocher la tête. Sebastian hésitait. Pouvait-il s'en aller comme ça ? Il n'y avait pas de règles de comportement sur le temps à passer avec quelqu'un à qui on venait d'annoncer qu'il était en danger de mort. Et même s'il y en avait, il ne les aurait de toute façon pas suivies. Mais devait-il tout de même rester un peu ? Boire cette tasse de café ? Sans doute que ce serait mal interprété. Il ne voulait en aucun cas alimenter ses espoirs. Il restait à espérer que c'était la dernière fois qu'ils se voyaient. Pourquoi s'éterniser ? Ce n'était pas une tasse de café qui romprait sa solitude. Il s'en tiendrait à son programme.

– Je dois y aller.

Ellinor fit un signe de tête et se leva.

– Je te raccompagne.

Ils allèrent dans le couloir. En ouvrant la porte, Sebastian s'immobilisa. Il avait l'impression de devoir dire quelque chose, mais il ne savait pas quoi. Une dernière mise en garde ne servirait à rien. Elle avait compris la gravité de la situation, cela se voyait sur son visage. Il descendit donc l'escalier, entendant derrière lui le cliquetis de la chaînette de sécurité.

Après le départ de Sebastian, Ellinor s'adossa contre la porte, le sourire aux lèvres. Son cœur battant la chamade. Les jambes tremblantes. Il était revenu. Évidemment. Ellinor retourna dans le salon et s'installa sur le canapé, exactement là où Sebastian était assis quelques minutes plus tôt. La place était encore chaude, et cette chaleur se répandit en elle, touchée par sa prévenance envers elle. Tout ce blabla sur le fait qu'elle ne devait laisser entrer personne et se méfier des inconnus – ce n'était qu'une manière détournée de lui dire que cela ne lui plairait pas qu'elle voie d'autres hommes. Qu'elle lui appartenait.

Elle s'affala sur le canapé. Crut percevoir son parfum sur le dossier. Même si cela ne se voyait pas au premier abord, il était plutôt timide. Il le cachait bien derrière une façade bourrue. Elle lui avait tendu plusieurs perches pour qu'il exprime la vraie raison de sa venue, mais il n'y était pas parvenu. Au lieu de cela, il avait inventé une histoire abracadabrante. Tout ça pour se rapprocher d'elle. Elle ne pouvait soi-disant pas rester chez elle. Elle allait être obligée de déménager. Ellinor s'était efforcée de garder son sérieux. Et avait joué le jeu. Elle aurait préféré sauter de son fauteuil et le prendre dans ses bras, pour le serrer fort et lui dire qu'elle le comprenait. Mais elle voulait le laisser faire comme il l'entendait. Ellinor sourit de plus belle. Il était presque attendrissant de voir quel mal il avait à avouer qu'il voulait l'avoir auprès de lui. Mais elle le comprenait. Elle le comprenait si bien. C'était son âme sœur. Elle ferma les yeux et se lova encore à la place où il était assis quelques minutes auparavant. Elle pouvait encore en profiter quelques instants.

Ursula se laissa glisser dans l'eau chaude. Elle posa la tête sur le bord de la baignoire. Elle essaya de se détendre. Elle en avait grand besoin. La journée avait été pathétique, c'était le moins qu'on puisse dire. L'affaire avait pris un nouveau tournant que personne n'aurait pu prévoir. Personne dans l'équipe n'en était sorti indemne, mais Ursula sentait qu'elle était probablement la plus durement touchée.

Le lien établi avec Sebastian avait fait resurgir de vieux souvenirs qu'elle s'était pourtant efforcée d'oublier. Elle les avait à jamais bannis de sa mémoire. Et voilà qu'ils refaisaient surface. Tout d'un coup. Sans crier gare. La rendaient nerveuse et irritable.

Elle sursauta. Avait-elle entendu un bruit ? À l'étage du dessous ? Elle resta pétrifiée dans son bain, prêtant l'oreille, mais tout était silencieux.

Ce n'était que son imagination. Micke n'était pas à la maison. Il était allé dîner avec quelques clients. Il pouvait rentrer tard, et ce serait sûrement le cas aujourd'hui. Il ne l'avait pas conviée. Il le faisait rarement d'ailleurs. Pratiquement jamais. Les dîners d'affaires de Micke ne nécessitaient pas forcément la présence d'une femme à ses côtés. Heureusement, car pour être honnête, son métier ne l'intéressait pas vraiment. Les affaires marchaient bien et son travail lui plaisait, c'était l'essentiel. Elle n'avait pas besoin d'en savoir plus.

En rentrant à la maison, elle avait toujours un creux. Dans la cuisine, elle s'était préparé un bol de corn-flakes au yaourt et une tranche de pain de seigle garnie de fromage et de poivron. Après avoir mangé, elle avait pris une bière dans le réfrigérateur et s'était installée devant la télévision sans parvenir à se concentrer. Sebastian Bergman. Toujours lui. Toujours ce passé en commun. Excédée, elle avait éteint la télé et décidé de prendre un bon bain.

Ursula avait vérifié si toutes les portes et les fenêtres étaient bien fermées, avant de monter dans la salle de bains. Elle avait placé une boule de bain aux huiles essentielles dans la baignoire et avait fait couler l'eau. Pendant que la baignoire se remplissait, elle s'était drapée dans son peignoir. En revenant dans la salle de bains, elle avait eu un moment d'hésitation, puis avait secoué la tête en se disant que cette idée était vraiment absurde. Finalement, elle s'était ravisée, et était allée chercher son arme de service qu'elle avait emmenée dans la salle de bains. Le revolver se trouvait maintenant sur le couvercle des toilettes. Elle pourrait facilement la saisir si quelqu'un tentait de forcer la porte de la salle de bains.

Elle s'efforça d'évacuer cette pensée.

Quelle idiotie.

Personne ne viendrait ici. Elle n'était pas en danger. Elle en était sûre. Pour la simple et bonne raison que personne, absolument personne n'était au courant qu'elle avait eu une liaison avec Sebastian. Ils avaient toujours très bien gardé le secret. Une seule personne savait qu'ils avaient été plus que de simples collègues. Sa sœur. Barbro. Elle et son mari Anders étaient les seuls qu'Ursula et Sebastian voyaient en dehors du travail.

Un jour, en été, alors qu'elles mettaient la table dans la véranda, Barbro lui avait posé la question tout de go.

– Qu'est-ce que tu fais avec Sebastian ?

Ursula avait regardé en direction d'Anders et Sebastian, debout devant le barbecue, une bière à la main. Ils ne les entendraient pas.

– Comment ça ?

– Qu'est-ce qu'il y a entre toi et Sebastian ?

– On travaille ensemble, on s'apprécie.

– Tu couches avec lui ?

Ursula n'avait pas répondu. Ce qui voulait tout dire.

– Et qu'est-ce que tu comptes faire avec Micke ? avait demandé Barbro, comme si elle parlait de la météo, tout en sortant les couverts du tiroir.

– Je ne sais pas.

– Quand es-tu allée à Linköping pour la dernière fois ?

– Il y a quinze jours.

Klara, la fille de Barbro qui avait huit ans à l'époque, était sortie de la maison en portant un saladier. Barbro l'avait pris, puis avait caressé la tête de Klara tout en jetant un regard éloquent à Ursula.

– Merci, chérie.

Klara avait hoché la tête et était rentrée.

– Tu penses que je suis une mauvaise mère.

– Je trouve seulement que tu devrais clore un chapitre avant d'en commencer un nouveau.

Et puis, elles n'en avaient plus jamais parlé. Ni au cours de la soirée, ni plus tard, ni jamais. Après cette discussion, les paroles de sa sœur étaient restées gravées dans sa tête. Pourquoi ne quittait-elle pas Micke ? Ce qu'elle éprouvait pour Sebastian ne ressemblait en rien à ce qu'elle avait connu jusqu'à présent. C'était bien plus que sexuel. Sebastian était intelligent, et cela lui plaisait qu'elle le soit aussi. Il n'avait pas peur des conflits. Mentait quand ça l'arrangeait. Et faisait en sorte de garder une certaine distance avec tout, même avec elle.

Il était comme elle.

Il était un défi.

Elle aimait Sebastian. Mais elle n'était pas sûre que cet amour soit réciproque. Ils passaient beaucoup de temps ensemble, sans se voir tout le temps. Elle voulait le voir plus souvent que lui. Ils couchaient ensemble, dormaient dans le même lit, mais ne parlaient jamais d'emménager ensemble. Était-ce pour cette raison qu'elle hésitait à se séparer de Micke ? Cela changerait la donne. Tant qu'elle était mariée et qu'elle rentrait régulièrement chez elle, rien ne pouvait évoluer entre elle et Sebastian. Mais si elle était soudain libre et lui exprimait son envie, que se passerait-il ? Elle voulait à la fois le savoir et ne pas le savoir. Elle s'était persuadée qu'ils étaient très bien comme ça tout en rêvant à quelque chose de plus durable. Un engagement. Mais si elle exigeait cela de lui, Sebastian la quitterait-il ? Ce n'était pas exclu.

Quand vint l'automne, ses entrevues avec Sebastian s'étaient faites de plus en plus rares. Micke avait beaucoup de travail dans son entreprise et des difficultés à gérer seul la vie de famille à Linköping, et durant quelques mois, il s'était remis à boire plus que de raison. On avait besoin d'elle à la maison. Elle avait donc pris de longs congés et était revenue vivre à plein temps chez elle. Une fois sur place, elle avait vu à quel point Bella avait souffert de son absence. Elle avait parfois l'impression que sa propre fille la considérait comme une étrangère. Comme quelqu'un qu'on appelait en attendant le retour de son père. Micke aussi était distant. Comme à chaque fois qu'il replongeait. Il ne voulait pas que quelqu'un – et surtout pas Bella – le voie dans cet état. Ursula avait essayé tant bien que mal de tenir la maison et de retisser des liens avec sa fille, mais elle était obsédée par l'idée de partir. Et elle avait fait appel à ses beaux-parents. Son travail passait en premier. Elle était retournée à Stockholm. Auprès de Sebastian. Mais quelque chose avait changé. Elle avait du mal à dire pourquoi, mais ce n'était plus comme avant. Était-ce dû au fait qu'ils se voyaient moins ? Ou bien y avait-il autre chose ? Lors de son troisième retour à Stockholm, Ursula s'était mise à le soupçonner de la tromper.

Sebastian était Sebastian. Elle le savait. Sa réputation de Don Juan n'était plus à faire, mais elle avait cru qu'elle lui suffirait. C'était ce qu'elle avait espéré. Mais elle n'avait aucune intention de se contenter de ses espoirs et de ses mots. Après tout, elle était toujours la meilleure analyste criminelle de Suède.

Après un week-end chez Sebastian, elle avait subtilisé un drap portant des traces évidentes d'activité sexuelle dans la corbeille de linge sale. Elle l'avait alors emporté au labo à Linköping et avait demandé à un ancien collègue de lui rendre un service. Elle voulait effectuer un test ADN. Voyant qu'il ne s'agissait pas d'une affaire policière, ce dernier n'avait pas voulu s'attirer des histoires. Néanmoins, il lui avait proposé d'utiliser son laboratoire. Elle avait donc procédé au test elle-même. Simple comme bonjour.

Elle avait l'ADN de Sebastian sous forme de quelques cheveux prélevés sur sa brosse.

Le résultat du test avait montré que l'une des traces ADN sur le lit provenait bien de Sebastian. C'était à prévoir. L'autre trace, quant à elle, avait présenté certaines correspondances avec l'ADN d'Ursula. Horrifiée, Ursula avait compris ce que cela signifiait.

C'était un cas d'école. Une analyse criminelle des plus élémentaires. Si le profil ADN ne correspondait pas exactement au sien mais qu'il présentait quelques similitudes, les soupçons se portaient sur un membre de l'entourage familial. Plus le parent était proche, plus les profils ADN se ressemblaient.

Ces deux profils étaient extrêmement semblables.

Comme ceux de deux sœurs.

Elle avait présenté les résultats à Sebastian, qui avait admis immédiatement. Oui, il avait couché avec Barbro. Autant qu'il s'en souvenait, Ursula et lui ne s'étaient pas juré fidélité. Et elle était partie durant plusieurs mois. Qu'aurait-il dû faire alors ? Faire vœu d'abstinence ?

Ursula avait immédiatement rompu.

Peut-être aurait-elle pu supporter une infidélité. Avec une inconnue, n'importe qui. Elle aurait sûrement pu lui pardonner. Mais pas avec Barbro. Sa propre sœur.

Après avoir quitté Sebastian, elle était immédiatement allée à Mälarhöjden. Toute la famille était à la maison, et elle avait fait irruption pour confronter Barbro à l'évidence. Qu'est-ce qu'elle avait dit déjà – clore un chapitre avant d'en commencer un autre ? Barbro avait nié en bloc. Ursula lui avait montré les résultats du test ADN. Anders était entré dans une colère noire. Klara et Hampus avaient commencé à pleurer. Barbro n'avait pas su quoi faire en premier, tout expliquer à Anders, réconforter les enfants, ou insulter Ursula. Elle avait donc quitté cette maison plongée dans le chaos. C'était la dernière fois qu'elle avait vu sa sœur. Plus tard, ses parents lui avaient dit que Barbro et Anders avaient divorcé et quitté la région. Elle ne savait pas où ils étaient aujourd'hui. Et elle ne voulait pas le savoir. Elle n'avait aucune intention de pardonner un jour à sa sœur. Elle était rentrée à Linköping. Auprès de Bella. Auprès de Micke, qui s'en était sorti. Ils avaient parlé de leur situation, et finalement, Ursula avait réussi à convaincre sa famille de déménager à Stockholm. Elle aimait son travail et n'avait nullement l'intention de démissionner, juste parce que Sebastian Bergman était un mufle. Ils pourraient continuer à travailler ensemble. Elle ferait en sorte que ce soit possible.

En rentrant à Stockholm, elle avait commencé par aller voir Sebastian. Pour mettre les points sur les i. Ils allaient continuer à travailler ensemble. Elle le haïssait, haïssait ce qu'il avait fait, mais n'avait pas l'intention de renoncer à son job. Elle ne le laisserait pas détruire ça aussi. Mais s'il s'avisait de ne dire qu'un seul mot à qui que ce soit au sujet de leur relation, elle le tuerait. C'était ce qu'elle avait dit. Et elle le pensait.

Sebastian s'était montré étonnamment docile. Il avait visiblement tenu sa promesse et n'avait jamais fait la moindre allusion, à personne.

Micke et Bella l'avait rejointe à Stockholm. La vie avait suivi son cours. Famille. Travail. Bien que personne ne se fût autant réjoui qu'elle de le voir quitter la Crim' en 1998.

Et puis, Torkel avait fait appel à lui sur cette affaire à Västerås.

Et à présent, il était revenu pour de bon.

Mais cette fois, ni un bain chaud ni les huiles essentielles ne parvenaient à l'aider à se détendre.

Elle avait à présent une arme chargée à côté d'elle sur le couvercle des toilettes.

Elle pensa aux événements qu'elle avait tenté de refouler durant tant d'années.

Oui, Sebastian Bergman était de retour.

De la pire manière qui soit.

Malgré la chaleur estivale toujours aussi écrasante, les détenus du quartier de haute sécurité commencèrent, comme tous les soirs, à se préparer pour la nuit. Certains avaient déjà regagné leur cellule, tandis que d'autres restaient dans la salle commune. La fermeture des cellules avait lieu à dix-neuf heures. Beaucoup trop tôt, avaient râlé les détenus, quand la direction du centre pénitentiaire avait décidé de raccourcir le temps de vie commune de deux heures en fin de journée. Mais leurs protestations étaient restées vaines.

Comme d'habitude, Edward Hinde était le dernier dans les douches. Mais il n'était pas seul ce jour-là, car un nouveau, sans doute pas encore informé des règles internes du quartier, lui tenait compagnie. C'était le deuxième jour de suite qu'il arrivait à sept heures moins le quart dans les douches. Cette ignorance agaçait Edward au plus haut point, et il avait l'intention de saisir la prochaine occasion pour lui signifier qu'à cette heure-là, les douches étaient son territoire. Les vétérans, eux, étaient parfaitement au courant et s'éclipsaient discrètement à son arrivée.

Hinde se lavait soigneusement la figure à l'un des lavabos surmontés d'un long miroir incassable, sur un côté des sanitaires. De l'autre côté se trouvaient les douches et les toilettes. Edward scruta son visage humide sans prêter la moindre attention aux deux gardiens qui apparurent à la porte.

– Fermeture des cellules dans quinze minutes, annonça l'un d'eux en passant la tête par la porte entrebâillée des sanitaires, avant de poursuivre sa ronde dans la salle commune pour faire la même annonce.

Une cérémonie identique tous les soirs. Edward ne les écoutait même plus. Son corps avait intégré l'emploi du temps à la minute près, sans avoir besoin d'une montre. Il savait exactement quand il devait se lever, manger, lire, chier, se faire analyser, et se laver. Le seul point positif dans tout ça, c'était que cette routine bien huilée lui permettait de se concentrer sur les choses importantes, tout en laissant défiler les journées en mode pilotage automatique.

Hinde saisit son rasoir électrique noir. C'était l'une des rares choses qu'il détestait vraiment. Il voulait se raser, mais il était impensable de le faire avec une lame de rasoir dans le QHS. Il attendait avec impatience le jour où il pourrait à nouveau sentir une lame bien acérée glisser sur sa peau pour éliminer les épais poils de barbe qui repoussaient inlassablement chaque jour. C'était ça, la liberté. Pouvoir tenir entre ses mains un objet tranchant. C'était ce qui lui manquait le plus. L'acier.

Le rasoir se mit en marche.

Dans le miroir, il put voir les gardiens éteindre la télé accrochée au mur et donner le signal du départ aux trois détenus encore affalés sur le canapé. C'étaient toujours les mêmes. Ils se levèrent en rechignant et gagnèrent le long couloir en traînant les pieds. Derrière eux, la serrure de l'unique issue du quartier se mit à cliqueter. L'agent d'entretien. Tous les jours, à la même heure. Les détenus faisaient eux-mêmes le ménage dans leur cellule, mais le nettoyage des sanitaires et de la salle de séjour avait été confié à un prestataire privé. LS-Nettoyage. À une époque, les prisonniers étaient chargés d'entretenir eux-mêmes les parties communes, mais cette corvée avait été supprimée dix ans plus tôt, suite à une bagarre causée par un désaccord sur la répartition des tâches, qui avait fait deux blessés graves. Depuis, c'était l'entreprise de nettoyage qui s'en chargeait, après la fermeture des cellules. L'agent d'entretien, un grand échalas d'une trentaine d'années, tirait derrière lui un lourd chariot en métal et salua les gardiens en remontant le couloir. Ceux-ci le connaissaient bien, cela faisait maintenant plusieurs années qu'il travaillait à Lövhaga.

L'agent d'entretien poussa le chariot jusqu'aux sanitaires, par lesquels il commençait toujours sa tournée, et attendit à bonne distance qu'Edward et le nouveau fussent sortis. Comme toujours. Tous les détenus devaient être dans leur cellule, portes fermées, avant qu'il ne commençât son travail. L'agent s'adossa contre le mur et attendit. Quelques minutes plus tard, les gardiens le rejoignirent, jetant un dernier coup d'œil dans les douches.

– Allez, dépêchez-vous, vous deux, il est l'heure.

– Il est seulement dix-huit heures cinquante-huit, dit Hinde en passant une main sur son menton fraîchement rasé.

Il savait parfaitement quelle heure il était. Il n'avait toujours pas accordé le moindre regard aux gardiens.

– Comment pouvez-vous le savoir ? Vous n'avez même pas de montre.

– Est-ce que je me trompe ?

Edward perçut un mouvement dans le miroir, comme si l'un des gardiens regardait sa montre.

– Arrêtez de bavarder, et dépêchez-vous.

Ce qui signifiait qu'il avait raison. Edward sourit. Dix-huit heures cinquante-huit. Encore une bonne minute. Il replaça le rasoir dans son étui brun clair, referma le zip et se rinça une dernière fois le visage. Le nouveau était toujours là, manifestement pas décidé à se mettre en branle. Il détestait les gens qui n'arrivaient pas à se préparer à temps. Les gardiens pouvaient les rappeler à l'ordre à tout moment, mais Edward les devança et se retourna. Il quitta les douches le visage encore mouillé et passa devant le chariot de l'agent d'entretien.

– Bonjour, Ralph.

– Bonjour.

– Quel temps fait-il dehors, aujourd'hui ?

– Comme hier. Chaud.

Edward considéra la pile de serviettes en papier destinées à remplir les distributeurs blancs encadrant les lavabos.

– Je peux en prendre quelques-unes ?

Ralph acquiesça, indifférent.

– Bien sûr.

Edward se pencha et prit les trois premières. Au même moment, les gardiens s'avancèrent. Toutefois, leur attention ne se portait pas sur Edward, mais sur le nouveau.

Dix-huit heures cinquante-neuf.

– Allez, on se bouge, plus qu'une minute !

Ils se postèrent dans l'encadrement de la porte pour lui montrer qui commandait. Edward ignora cette comédie. Il était déjà en train de regagner sa cellule.

Dix-huit heures cinquante-neuf minutes et trente secondes.

Derrière lui, il entendit les gardiens pénétrer dans les douches. Il espérait qu'ils allaient donner une petite leçon à ce type. Une de celles qui faisaient mal. La douleur était la meilleure pédagogie, il en avait fait lui-même l'expérience. Mais ils étaient en Suède. Ici, on n'osait pas employer de telles méthodes. Son codétenu écoperait sûrement d'un simple avertissement ou d'une punition, on raccourcirait sa promenade ou on le priverait d'un autre avantage. Hinde se mit en tête de le faire revenir à la raison lui-même. Quand il entendit les gardiens élever la voix, il en eut la confirmation. Il regagna sa cellule, les trois serviettes en papier à la main.

Timing parfait.

La porte se referma derrière lui.

Edward s'assit sur le lit et posa avec précaution les serviettes à côté de lui. Il aimait ce moment où il était libéré de la routine de Lövhaga. Quand le temps n'appartenait qu'à lui. Il commencerait dans deux heures. Lentement, il prit la serviette du milieu et la déplia. Au dos, quelqu'un avait écrit au crayon à papier : 5325 3398 4771.

Douze chiffres synonymes de liberté.

La dernière chose qu'il lui restait à faire à présent était d'aller voir Trolle pour lui demander d'interrompre ses recherches. Sebastian avait essayé de le joindre à plusieurs reprises au cours de la journée, sans succès. Il tenta à nouveau en laissant cette fois sonner pendant ce qui lui parut être une éternité. Il commençait à s'inquiéter. Il avait des sueurs froides en pensant au jour inévitable où Torkel contacterait son ex-collègue. Après tout, Trolle était l'un des meilleurs enquêteurs qui avaient travaillé sur l'affaire Hinde dans les années 1990, et Torkel éprouvait un certain respect pour lui. Pas pour sa personne, ils étaient bien trop différents, mais pour son travail. On pouvait penser de Trolle ce qu'on voulait, il fallait bien admettre qu'il avait toujours fait un boulot irréprochable, souvent couronné de succès. Tôt ou tard, Torkel voudrait lui parler, surtout si l'enquête continuait de piétiner. C'était cela, un bon travail de policier. On creusait toutes les pistes, on fixait des priorités et on s'adressait aux personnes les plus impliquées dans l'affaire pour élargir peu à peu le champ des recherches. Jusqu'à avoir épuisé toutes les possibilités. Ensuite, on reprenait tout à zéro. Trolle n'était pas forcément la piste la plus convaincante, mais à cette étape de l'enquête, tout policier digne de ce nom jugerait utile de s'entretenir avec lui – et Torkel était un bon policier. L'un des meilleurs même. Il allait bientôt creuser la piste Trolle. Et quand ça arriverait, ce serait un immense cataclysme pour Sebastian, l'éclatement d'une vérité qui anéantirait tous ses espoirs.

Mais on ne pouvait pas se fier aussi facilement à Trolle Hermansson. Sebastian avait contacté Trolle justement pour son absence de scrupules. Il se ferait sûrement un malin plaisir de tout balancer à Torkel, ou pire, à Vanja. Il leur révélerait que Sebastian lui avait demandé de trouver des informations compromettantes sur les parents de Vanja. Sebastian ne pouvait pas prendre ce risque.

Après avoir tenté une dernière fois de le joindre, Sebastian décida de se rendre directement chez lui. Le fait qu'il ne répondait pas au téléphone ne signifiait pas nécessairement qu'il n'était pas là. Sebastian héla un taxi. L'air s'était un peu rafraîchi, et il ouvrit la fenêtre pour en profiter. Quelques promeneurs légèrement vêtus arpentaient les rues dans le crépuscule. C'était dans les tièdes soirées d'été comme celles-ci que la ville paraissait s'éveiller. Tous semblaient jeunes et heureux, flânant en petites grappes le long des rues. Sebastian se demanda où se cachaient les vieux, les solitaires et les déprimés.

Le taxi était presque arrivé à destination quand il découvrit Trolle sur le trottoir d'en face. Difficile de le rater avec son long manteau noir. La plupart des autres promeneurs ne portaient pas de veste, et si c'était le cas, elles étaient plutôt claires et légères. Trolle, quant à lui, paraissait équipé pour faire face à un hiver rigoureux. Sebastian ordonna immédiatement au chauffeur de s'arrêter et lui jeta des billets de cent. Il sauta du taxi et se lança à la poursuite de Trolle qui tournait dans Ekholmsvägen, quelques centaines de mètres devant lui, et disparaîtrait bientôt de son champ de vision. Il semblait rentrer chez lui. Cela faisait bien longtemps que les jambes et le cœur de Sebastian n'avaient pas travaillé à un tel régime, et la sensation de fraîcheur qu'il avait ressentie un instant auparavant dans le taxi s'estompa aussitôt. Épuisé et en nage, il vit Trolle pousser la porte de son immeuble. Sebastian s'arrêta, hors d'haleine. Il savait maintenant où trouver Trolle et se dit qu'il serait sûrement tactiquement plus judicieux de ne pas aller lui parler complètement surexcité et trempé de sueur. Sebastian attendit quelques minutes avant de sonner à la porte.

Trolle ouvrit dès le deuxième coup de sonnette. Il avait l'air bien plus en forme que lors de leur dernière entrevue, mais derrière lui, l'appartement était toujours aussi sombre et dégageait toujours la même odeur désagréable.

– J'ai vu sur le répondeur que tu avais appelé. J'avais l'intention de te rappeler, commença Trolle en ouvrant la porte, au grand étonnement de Sebastian.

Il entra.

– Il faut qu'on parle.

– On dirait oui, j'imagine que je n'ai pas eu neuf appels en absence sans raison, rétorqua Trolle.

Sebastian essaya de montrer un sourire complaisant, tout en fouillant l'appartement du regard. Un deux-pièces qui avait connu des jours meilleurs. Des journaux, des vêtements et tout un bric-à-brac jonchaient le sol. Les volets étaient tirés, il n'y avait pas de rideaux, et les murs étaient entièrement nus. Le mobilier se résumait à un canapé qui lui servait visiblement de lit, et à une table en verre qui avait sans doute coûté cher, mais qui n'était plus qu'un dépôt de bouteilles vides, de cartons de pizzas et de cendriers pleins à ras bord. Le plafond au-dessus du canapé était jauni par la nicotine. Trolle se tourna vers Sebastian dont il percevait le regard critique, et écarta les bras.

– Bienvenue dans mon monde. Autrefois, j'habitais dans une belle maison blanche à deux étages dans une banlieue chic. Et maintenant, je crèche ici. La vie est pleine de surprises, non ?

Trolle secoua la tête, rejoignit le canapé et en dégagea la couverture sale.

– Assieds-toi. J'ai fait quelques découvertes. Des trucs plutôt croustillants. Très croustillants même.

Sebastian se figea et secoua la tête.

– Je n'en veux pas. Je suis venu pour te dire de tout arrêter.

– Tu ferais mieux de lire ça avant de prendre ta décision, dit Trolle en se penchant pour mettre la main sur un sac blanc portant le logo des magasins Ica posé juste à côté du canapé. Il semblait lourd, sûrement rempli de papiers. Il le tendit à Sebastian.

– Voilà.

– Je n'en veux pas. S'il te plaît, détruis-le.

– Mais jettes-y au moins un coup d'œil, ça ne te prendra pas plus d'une demi-heure. Et je te jure que ça en vaudra la peine.

Sebastian se résigna à saisir le sac. Ce dernier ne devait pas peser plus d'un ou deux kilos, mais il lui paraissait faire une tonne.

– OK, mais promets-moi de tout arrêter maintenant. Je vais te donner ton argent et après, je te demande de ne parler à personne de la mission que je t'ai confiée. On ne s'est jamais rencontrés, toi et moi.

Malgré la pénombre qui régnait dans l'appartement, Sebastian put voir le regard de Trolle s'éclairer. De l'intérêt. Cela ne présageait rien de bon.

– Pourquoi ? Qui devrait me poser des questions ? lui demanda-t-il, curieux. Que se passe-t-il, Sebastian ?

– Rien. Tu dois seulement me promettre de tenir ta langue.

– Je pense que j'y arriverai, dit Trolle en haussant les épaules. Mais tu me connais. Mes promesses ne valent pas grand-chose.

– Je te paie le double.

Trolle secoua la tête et se détourna. Il poussa un profond soupir.

– Je t'ai aidé, et maintenant, tu veux te débarrasser de moi. Tu me prends pour qui ? Je pensais qu'on était amis.

– Si on est amis, alors tu peux bien me promettre que tu ne vas rien dire. Et tenir ta promesse, répliqua Sebastian, contrarié.

– Dis-moi plutôt la vérité.

– Si quelqu'un venait à l'apprendre, ce serait une catastrophe pour moi, dit Sebastian en lui jetant un regard suppliant.

– Pourquoi ? Qui est cette Vanja ? Pourquoi tu la suis ? Qui devrait venir m'interroger ? Je veux tout savoir ! Et après, je te laisserai tranquille. Mais seulement après.

Pour la première fois, Trolle paraissait on ne peut plus sérieux.

Sebastian le fixa. Il avait beau tout tourner et retourner dans sa tête, il n'y avait pas d'issue. S'il mentait, cela tournerait au désastre. Trolle irait voir Vanja par pure méchanceté et lui raconterait tout.

S'il disait la vérité, il ne se sentirait plus jamais en sécurité, mais il gagnerait du temps.

– Alors ? insista Trolle.

Le cerveau de Sebastian était en effervescence. Il y avait encore le contenu du sac Ica blanc. Ce que Trolle avait découvert. La vérité s'y trouvait sûrement. Peut-être était-il même déjà au courant. S'il mentait, cela ne ferait qu'envenimer les choses. Il prit une décision.

– C'est ma fille. Vanja est ma fille.

Il vit immédiatement que Trolle l'ignorait.

Mais comme il n'avait plus rien à cacher, il déballa tout. Absolument tout.

Quand il eut fini, il fut soudain empli d'un sentiment de sérénité. Il était soulagé, et le sac lui paraissait plus léger. Toutes ces cachotteries lui avaient pesé plus qu'il ne l'aurait cru.

Trolle resta assis et le regarda bouche bée.

– Merde, quelle histoire, souffla-t-il enfin.

Trolle se renversa sur le canapé, l'air pensif. Puis il leva les yeux vers Sebastian. Il avait totalement changé de ton, cette fois sans plus aucune once de mépris.

– Qu'est-ce que tu veux faire ?

– Je ne sais pas.

– Je crois que tu dois la lâcher. Arrêter de faire ce que tu fais. Tout ça ne peut que mal finir.

Trolle pesait ses mots, et Sebastian l'appréciait. Il acquiesça.

– Tu as sûrement raison.

– Regarde-moi, poursuivit Trolle. Moi non plus, je n'ai pas réussi à lâcher. Je n'ai écouté personne.

Il se tut et tourna son visage vers le rebord de la fenêtre, sur lequel se trouvait un cadre de photos. Deux petits garçons, une fille et une femme qu'il avait rayée au feutre noir.

– Il ne me reste plus qu'une photo d'eux à présent. Rien d'autre.

Sebastian ne répondit rien. Il fixa Trolle d'un air compatissant.

– Si on se bat trop, on finit par tout détruire, marmonna Trolle, davantage pour lui-même.

Sebastian le rejoignit sur le canapé. L'espace d'un instant, il se demanda s'il devait expliquer à Trolle qu'il y avait une certaine différence entre suivre quelqu'un à distance et enquêter sur le nouveau compagnon de son ex-femme pour trouver de quoi le mettre derrière les barreaux avant de kidnapper ses propres enfants. Mais il y renonça. Trolle lui avait ouvert son cœur, et il ne voulait pas remuer le couteau dans la plaie.

– Je n'en ai parlé à personne d'autre que toi, dit-il alors.

Ce que Trolle fit ensuite étonna Sebastian. Il lui prit la main. Amicalement. Un geste de confiance, de réconfort. Ils se regardèrent. Soudain, Trolle bondit du canapé, comme rechargé en énergie.

– Si quelqu'un t'a suivi, tu l'as mené tout droit vers Anna Eriksson.

Il avait évidemment raison. Sebastian n'y avait jamais pensé. Quand Torkel lui avait demandé d'avertir les femmes concernées, il avait sûrement voulu dire qu'il devait les appeler. Mais après sa discussion avec Ursula à la cafétéria, Sebastian avait décidé d'aller les voir pour leur expliquer le problème entre quatre yeux. D'une certaine manière, il pensait que c'était la moindre des choses qu'il pouvait faire. Il n'avait pas pensé une seconde qu'il pouvait être encore suivi. Après qu'il avait failli être renversé par la Ford Focus bleue, il avait écarté cette possibilité. L'homme avait été pris sur le fait, démasqué, c'était fini. Il ne s'était pas imaginé que l'homme pût reprendre sa filature dans un autre véhicule.

– Tu crois ? Mais j'ai déjà prévenu Anna. Elle a l'intention de quitter la ville.

– C'est pour ça que tu es allé la voir hier soir ?

– Tu m'as vu ?

Trolle acquiesça, et tout d'un coup, un autre souvenir se forma dans sa mémoire.

– Et j'ai vu autre chose.

Sebastian se raidit. Il n'aimait pas ce ton grave. Pas du tout.

– Je n'y avais pas vraiment pensé jusque-là, poursuivit Trolle. Je l'ai remarqué, mais maintenant que tu dis que tu es suivi…

Il ne termina pas sa phrase. Sebastian sentit la panique s'emparer de lui.

– Comment ça ? À quoi n'as-tu pas pensé ?

Trolle pâlit.

– Quand tu y étais et moi aussi, j'ai vu deux fois un homme dans une Ford Focus bleue. J'ai toujours cru qu'il attendait quelqu'un.

Sebastian bondit à son tour du canapé.

– C'est lui. C'est l'homme qui me suit.

– Il était encore là, hier soir. Mais il a changé de véhicule. Maintenant, il conduit une voiture japonaise gris métallisé.

– Tu peux me le décrire ?

– Pas si simple. Il portait des lunettes de soleil.

– Et un bonnet ?

– Et un bonnet.

Ils se précipitèrent hors de l'immeuble pour héler un taxi. Sebastian voulait rejoindre directement la rue Storskärsgatan, mais Trolle insista pour vérifier d'abord qu'il n'était pas suivi. Bien qu'ils ne vissent pas l'ombre d'une voiture grise, ils ne pouvaient pas pour autant se considérer en sécurité. Ils trouvèrent finalement un taxi libre et s'engouffrèrent sur la banquette arrière. Trolle guida le chauffeur. Ce dernier n'avait sûrement pas eu l'occasion de faire une telle course tous les jours, car Trolle changeait constamment de direction, l'obligeait à rouler en zigzag et une fois dans le centre-ville, il insista pour qu'il empruntât autant que possible les couloirs de bus ou les voies réservées aux taxis. Il regardait de tous côtés et ne s'estima satisfait qu'au bout d'une demi-heure.

Ils étaient seuls.

Enfin, Trolle demanda au taxi de rejoindre Karlaplan, et ils firent le dernier bout de chemin à pied. Sebastian avait l'impression de devoir marcher sur des œufs, comme dans un cauchemar, et il avait du mal à voir clair dans ses pensées.

La rue Storskärsgatan était déserte. Un peu plus loin, un homme promenait son chien dans le parc. Trolle se tourna vers Sebastian.

– Reste ici. Toi, il te reconnaîtra.

Sebastian était pris au dépourvu. Ne sachant quoi répliquer, il resta muet. Fixa l'appartement où vivaient Anna et Valdemar. Les fenêtres étaient éclairées par une faible lueur, mais il ne vit personne. Comment avait-il pu attirer le tueur directement ici ? Quel idiot il faisait !

– Tu m'as compris ?

Sebastian finit par hocher la tête, et quitta à contrecœur l'appartement des yeux. Trolle paraissait calme, mais ses yeux brillaient. Sebastian ne l'avait jamais vu si vif et concentré à la fois.

– Je monterai après, promis, dit Trolle en disparaissant.

Sebastian se réfugia dans l'ombre d'un immeuble pour l'observer. Il était content de s'être confié à lui. Trolle descendit la petite rue comme s'il faisait une promenade, mais Sebastian remarqua que c'était pour mieux vérifier chaque voiture qui passait. Sebastian releva la tête pour observer l'appartement et sentit à nouveau le poids du sac Ica. Trolle n'avait pas voulu le reprendre et, dans la précipitation, il l'avait emmené sans réfléchir.

C'était curieux de voir avec quelle rapidité une situation pouvait se retourner. Il y a encore quelques jours, la seule chose que voulait Sebastian était de faire du mal aux gens qui habitaient là-haut. Et à présent, il voulait les sauver. Au loin, il aperçut une corbeille à papier et se demanda s'il devait y jeter le sac. Mais ce fut à ce moment-là que Trolle réapparut de l'autre côté de la rue. Il marchait calmement, et passait des coups de téléphone tout en continuant de contrôler les voitures garées. Quand il s'approcha, Sebastian perçut quelques bribes de conversation.

– … D'accord, je comprends. Si vous êtes déjà satisfaite de votre épargne retraite alors… OK, je vous remercie…

Il mit fin à l'appel, rangea le téléphone dans sa poche et passa devant Sebastian.

– Viens, ne traînons pas ici.

Sebastian sortit de l'ombre et le rejoignit. Ils tournèrent dans la rue Valhallavägen.

– Elle est chez elle. Et Valdemar aussi.

– Qu'est-ce qu'on fait, maintenant ?
– On ne fait rien du tout. Tu rentres chez toi. Je vais rester ici pour faire le guet.
– Mais…
– Pas de mais, Sebastian.
Trolle fit un pas en avant pour barrer le chemin à Sebastian et se posta en face de lui. Puis il posa ses mains sur ses épaules.
– Fais-moi confiance. Je vais t'aider. On va régler ce problème ensemble. Tu peux m'appeler à toute heure.
Il tapota Sebastian dans le dos pour l'encourager, fit demi-tour et regagna la rue Storskärsgatan. Sebastian était cloué sur place. Il avait confiance en lui, et en le regardant s'éloigner, il le considérait presque comme un ami. Normalement, il ne s'autorisait pas à éprouver de tels sentiments envers autrui. Pas lui. Pas Sebastian. Il voulait toujours se débrouiller seul. Dans toutes les situations. Mais à présent, ce n'était plus possible.
Il lui serait éternellement reconnaissant. Voulait être un vrai ami pour lui.
Il rentra chez lui. Quand il arriva, il était épuisé. Il retira sa veste et son pantalon, et s'écroula sur son lit. Il ne s'était toujours pas débarrassé du sac Ica.
Il ne parvenait pas à s'y résoudre. Son contenu était bien trop lourd. Il le laissa à côté de son lit.
Ne regarda pas à l'intérieur.
Pas aujourd'hui.
Pas encore.

Torkel était assis dans le salon, chez Yvonne. Il avait préféré une bière légère à un verre de vin, qu'il sirotait pendant qu'Yvonne faisait les valises pour son voyage à Gotland le lendemain. Elle avait réservé un bungalow à l'ouest de l'île où elle devait passer une semaine avec les filles. À la dernière minute, ces dernières s'étaient souvenues que certaines affaires qu'elles voulaient emmener étaient encore chez leur père. Torkel était donc rentré chez lui, avait tout mis dans un carton et était venu les leur apporter.

– À quelle heure part votre ferry demain matin ? demanda-t-il en buvant une gorgée de bière.

– À neuf heures et demie.

– Vous avez besoin d'un chauffeur ?

– Kristoffer va nous conduire.

Torkel hocha la tête. Bien sûr, il n'y avait pas pensé.

– Est-ce qu'il va vous rendre visite quand vous y serez ?

– Non, pourquoi me demandes-tu ça ?

– Comme ça.

Yvonne fit une pause dans ses préparatifs.

– Est-ce que les filles ont parlé de lui ?

– Non.

Torkel réfléchit pour savoir si les filles avaient prononcé le nom de Kristoffer en sa présence, quand ils faisaient des excursions ensemble, mais il ne se souvenait pas que cela ait été le cas une seule fois. Elles ne parlaient de toute façon pas trop à Torkel. Beaucoup moins que ce qu'il aurait aimé. Ce n'était sans doute pas étonnant. Durant leur divorce, Yvonne et lui avaient demandé d'un commun accord la garde partagée, mais les filles étaient presque tout le temps chez Yvonne. Son travail l'empêchait d'observer un emploi du temps hebdomadaire strict. Il était souvent en déplacement, et quand il était chez lui, ce n'était pas toujours le bon moment pour qu'elles vinssent. Logiquement, c'était donc chez Yvonne qu'elles se sentaient chez elles. Dans l'appartement de Torkel, elles étaient seulement « chez papa ». Cela lui faisait un peu mal bien sûr, mais il ne pouvait rien y changer.

– Vilma a seulement pensé que c'était à cause de lui que je suis parti plus tôt de son anniversaire, poursuivit Torkel, mais après, elle a compris que c'était à cause de mon travail.

– Elle a vraiment cru que tu partais parce que Kristoffer était là ?

– Oui, elle avait sûrement peur que je me sente mal à l'aise.

Pendant un moment, on aurait dit qu'Yvonne avait envie de demander s'il était vraiment mal à l'aise, mais elle se ravisa et continua de faire les valises.

– Comment ça va, sinon ? lança-t-elle sur un ton anodin. Si elle se demandait vraiment ce que Torkel pensait de sa nouvelle relation, elle n'en laissait plus rien paraître.

– Ça va. On a fait le lien entre les victimes. J'ai intégré Sebastian dans l'équipe. Du coup, l'ambiance est un peu tendue.

– Oui, j'imagine. Mais ce n'est pas ce que je voulais savoir. Elle fit une pause dans ses préparatifs et le regarda à nouveau. Tu as rencontré quelqu'un ?

Torkel réfléchit. La même question que sa fille lui avait posée quelques jours auparavant. Mais cette fois, ce n'était pas sa fille qui la lui posait, il pouvait donc répondre à sa guise. Yvonne pouvait supporter la vérité.

– Je ne sais pas trop. Je vois une femme de temps en temps, mais elle est mariée.

– A-t-elle l'intention de quitter son mari ?

– Je ne crois pas.

– Et tu crois que ça peut fonctionner sur le long terme ?

– Je ne sais pas. Sûrement pas.

Yvonne opina de la tête. L'espace d'un instant, Torkel ressentit le besoin d'approfondir le sujet. De lui raconter à quel point il se sentait seul parfois. À quel point il désirait que sa relation avec Ursula prît un tour plus sérieux. Il n'y avait pas beaucoup de monde avec qui il pouvait en discuter. Personne, en fait. Mais il avait déjà raté le coche. Yvonne changea de sujet, puis ils parlèrent de tout et de rien et des vacances qui s'annonçaient. Torkel finit sa bière. Un quart d'heure plus tard, il se leva, lui souhaita bon voyage, dit au revoir à ses filles et rentra chez lui.

Il faisait toujours chaud dehors, même à dix heures du soir. Torkel trouva cette promenade nocturne très agréable. La prolongea. Envisagea de prendre encore une bière pour retarder son retour dans son appartement vide. Il était plongé dans ses pensées quand une porte d'immeuble s'ouvrit, et il se retrouva nez à nez avec la personne qui venait de sortir. Son visage ne lui était pas inconnu.

– Micke ! Salut.

– Ah, salut, salut. Salut…

Micke paraissait surpris. Il avait le regard fuyant, comme s'il ne parvenait pas à se rappeler qui il était. Alors qu'ils se connaissaient très bien. Ils s'étaient rencontrés plusieurs fois, dont la dernière à Västerås. Ursula avait demandé à Micke de l'y rejoindre, en guise de vengeance suite à la décision de Torkel de réintégrer Sebastian dans l'équipe. Quand Micke était arrivé, tout était allé de travers, car Ursula n'avait pas réellement envie d'être avec lui. Micke s'était senti mal à l'aise, ne sachant pas ce qu'il faisait à Västerås et, laissé bien trop longtemps seul dans sa chambre d'hôtel où se trouvait hélas un minibar, il avait replongé. Complètement ivre, il était ensuite tombé dans les bras de Torkel. Peut-être était-ce pour cela qu'il était gêné.

– Alors, tu viens parfois à Söder, toi aussi ? demanda Torkel pour détendre l'atmosphère.

– Oui, j'ai rendu visite à un ami, dit Micke en désignant la porte par laquelle il venait de sortir. Pour regarder le match.

– Ah oui ? Lequel ?

– Euh, non c'était… Je ne sais plus, on n'était pas vraiment concentrés dessus.

– Ah.

Silence. Le regard de Micke fixait un point derrière le dos de Torkel, comme s'il espérait être à cent mille lieues de là.

– Bon, ben, il faut que je rentre à la maison maintenant.

– OK. Passe le bonjour à Ursula de ma part !

– D'accord. Salut !

Micke s'en alla. Torkel le suivit des yeux. Était-ce le fruit de son imagination, ou Micke avait-il paru un peu fatigué ? Il sentit un nœud se nouer dans son estomac.

Micke savait-il quelque chose ?

Savait-il que Torkel couchait avec sa femme ? Si c'était le cas, il aurait sûrement dit quelque chose, pensa Torkel. Ou alors il se serait montré bien plus froid. Voire en colère. Non, il avait plutôt eu l'air gêné. Il n'était sûrement pas au courant. Mais la nuit dernière, Ursula avait dû rentrer chez lui et se coucher à ses côtés. Fraîchement douchée. Cela n'avait-il pas éveillé ses soupçons ? Ou bien lui faisait-il confiance au point de ne même pas pouvoir imaginer qu'elle puisse le tromper ? Torkel l'ignorait. Mais même si Micke avait eu des soupçons, même s'il avait eu la conviction qu'Ursula avait un amant, il ne pouvait pas savoir qu'il s'agissait de Torkel. Il y avait sûrement une autre raison à l'empressement de Micke. Qui n'avait rien à voir avec Ursula et Torkel.

Convaincu, Torkel poursuivit son chemin. Au coin suivant se trouvait un restaurant, dont la terrasse était très fréquentée. Il pouvait bien s'arrêter un instant pour boire une bière, voire manger un morceau. Il n'était pas pressé, lui. De toute façon, personne ne l'attendait.

Edward travaillait toujours jusqu'à une heure du matin. C'était sa routine qui lui assurait ses quatre heures de tranquillité quotidienne. Le silence dans sa cellule était libérateur. Le seul bruit qu'il entendait était le ronronnement de son PC, un vieux modèle avec un ventilateur assez bruyant, mais qui avait été autorisé par la direction de la prison car il ne possédait ni modem ni connexion sans fil. Ne permettant pas de communiquer avec l'extérieur, l'appareil avait passé les contrôles de sécurité de la prison. Jusqu'au jour où avaient été inventées les clés wifi… De petits boîtiers de plastique de forme ovale accompagnés d'une carte prépayée. Un code à douze chiffres qui ouvrait la porte sur le monde extérieur.

Le jour où Edward avait pu faire entrer le modem et s'était connecté pour la première fois avait été le plus beau de sa vie, ou plutôt le plus beau depuis qu'il était détenu à Lövhaga. Il y en avait eu beaucoup d'autres avant qu'on ne lui prît sa liberté, mais tout ça appartenait à une autre époque. Celle d'avant. Edward comptabilisait toute sa vie en « avant » et en « après ». C'était une belle manière d'appréhender son existence. Avant et après les changements fondamentaux qui avaient jalonné son parcours.

Avant et après maman.

Avant et après Sebastian Bergman.

Avant et après Lövhaga.

Avant et après le modem.

Depuis qu'il le possédait, il passait tous les soirs deux cent quarante minutes productives et enrichissantes. Il ne l'utilisait qu'une fois les cellules fermées. Suivant une vieille habitude, il avait choisi le créneau horaire de vingt et une heures à une heure du matin, car il ne courait pas le risque d'une inspection surprise de cellule. Hinde ne comprenait pas comment la direction pouvait tolérer ces pratiques. La réglementation stipulait bien que toutes les « fouilles inopinées » devaient être irrégulières et imprévisibles. Pourtant, elles n'avaient jamais lieu entre vingt et une heures et six heures du matin. En tout cas, jamais au cours de ces six dernières années. Edward avait vite compris que la raison de cette idiotie était de nature économique. L'avancement de l'heure de fermeture des cellules avait également décalé l'heure de début du service de nuit. On en avait alors profité pour réduire encore plus le personnel de nuit, rendant quasiment impossibles les visites surprises. Et il en resterait ainsi jusqu'à ce qu'une personne plus intelligente que les autres relevât cette incohérence et changeât les emplois du temps des gardiens, ou en augmentât le nombre pour le service de nuit. Hinde avait d'abord craint que ce ne fût le cas quand il avait entendu qu'un successeur avait été trouvé à Sven Lidell, mais après ses deux entrevues avec Thomas Haraldsson, il était sûr que celui-ci n'était en aucun cas la personne susceptible d'avoir ce genre d'idée lumineuse. Tant que Haraldsson serait directeur de la prison, Hinde pourrait conserver son modem et ses deux cent quarante minutes de tranquillité. Il en était certain.

Nuit après nuit, il planquait le petit objet dans une bouche d'aération située derrière son lit. Il avait découvert comment dévisser la grille à l'aide d'un bout de cuillère à café. Jusqu'à l'arrivée du modem, il avait passé de nombreuses nuits à creuser un petit trou juste à gauche du clapet. Il avait ensuite fabriqué une plaquette ressemblant à une brique qu'il pouvait placer devant la cavité. Même si, contre toute attente, quelqu'un ouvrait la bouche d'aération, il ne pourrait rien voir.

Il était maintenant si habile qu'il lui fallait seulement deux minutes pour chercher son cher petit modem blanc. À présent, il était même plus rapide, car plus inspiré. Il tapait très rapidement son code et commençait toujours par le site qu'il avait créé depuis bien longtemps.

Fyghor.se.

Il y aurait de nouveaux documents. Il adorait vraiment Internet. Ici, on pouvait trouver tout ce qu'on voulait. Si on savait ce qu'on cherchait. Si on avait deux cent quarante minutes par jour.

Semaine après semaine.

Des années durant.

Dehors, le soleil se couchait, mais l'appartement était inondé de lumière. Quand Ralph était rentré du travail, il avait suivi son rituel à la lettre, et allumé toutes les lampes une à une. Il avait fait un rapport de toutes ses activités, et était à présent assis à la grande table blanche de son salon à l'aménagement spartiate. La chemise noire en carton était la seule chose qu'il avait devant lui. Il triait des articles, calmement et méthodiquement. Il était un peu gêné d'aimer autant cette activité. D'un côté, il était captivé par la force des gros titres et des photos en noir et blanc, et en même temps, elle le détournait de son objectif principal. Normalement, il ne se comportait pas comme un enfant dans un magasin de bonbons. Il avait lutté assez longtemps pour contrôler ses pulsions et ses tendances, mais sa tension intérieure était énorme. Il mit cela sur le compte d'un système d'archivage pas encore au point. Un rituel pas encore assez perfectionné.

La première partie, consistant à découper l'article, replier le journal et le fourrer dans le sac à vieux papiers, était plutôt bien rodée. Mais le reste – dans l'enveloppe à l'intérieur de la commode – avait toujours certaines faiblesses. Il lui fallait absolument modifier cette partie. L'améliorer.

Il voulait les voir, les toucher, les palper.

C'était pour cette raison qu'il s'était procuré cette chemise. Il avait d'abord pensé à tout classer dans l'ordre chronologique et à consacrer une pochette transparente à chaque jour, mais il avait finalement décidé de les classer par journal, afin de rendre accessible le fil des événements selon le point de vue de chaque publication. Mais quelque chose manquait toujours. Quelque chose clochait. La nuit, il reclassait les coupures de presse, cette fois selon la taille. D'abord les pages entières, puis les trois quarts de page et ainsi de suite. Il fut agréablement surpris de constater qu'aucun article ne faisait moins d'un quart de page. Il était manifestement une actualité qui faisait recette. C'était totalement nouveau pour lui.

Avoir de l'importance.

Attirer l'attention.

Avoir de la valeur.

Il était satisfait du nouveau système, cela lui convenait mieux. Il referma donc la chemise et se leva. Elle était de plus en plus épaisse. Les journaux lui consacraient de plus en plus d'articles, de plus en plus longs. Demain, il achèterait une nouvelle chemise, peut-être même deux. En tout cas, quelque chose de plus luxueux, les classeurs ordinaires ne lui paraissant plus dignes de receler les comptes-rendus du plus grand exploit de sa vie. Il devait faire montre de son importance et de celle de son maître, exhiber sa fierté.

Dans la salle de bains, il retourna le petit sablier fixé au mur, un bibelot qu'il avait déniché dans la vente aux enchères du fonds d'un magasin de curiosités de Södermalm. Le verre était fixé à un morceau de bois bleu sur lequel il était écrit : « Le sablier te le dit : brosse-toi les dents pendant deux minutes ! » Le moyen parfait de faciliter le quotidien et de préserver la force des rituels. Il se brossa soigneusement les dents, jusqu'à ce que le dernier grain de sable ait atterri au bas du sablier, avant de conclure l'opération par un petit coup de fil dentaire. Il s'en servait matin et soir, car il aimait avoir la bouche propre. Il se délectait du goût du sang qui suintait de ses gencives, et effectuait cinq va-et-vient entre chaque dent, jusqu'à saigner par tous les interstices. Ensuite, il se rinçait la bouche et admirait l'eau rougie qu'il recrachait dans le lavabo. Il se rinça et recracha encore une fois. Cette fois, l'eau était moins sanglante, mais toujours teintée de sang.

Il ne savait pas si l'eau aurait été claire après le troisième rinçage, car il ne se rinçait jamais plus de deux fois.

L'ordinateur dans la chambre émit un pling. Ralph sut immédiatement ce que cela signifiait. Un nouveau message du maître. L'ordinateur émettait ce signal à chaque fois qu'une actualisation était faite sur « fyghor.se ». Il aurait aimé se précipiter immédiatement dans la chambre, mais il devait d'abord se laver.

Les rituels.

Ils étaient à la base de tout.

Il mit sa main sous l'eau, appuya deux fois sur le distributeur de savon, se savonna les mains pour faire mousser, en frottant ses mains jointes à six reprises. Puis il se lava le visage toujours aussi méticuleusement, se sécha d'après le rituel, et conclut la procédure par l'application d'une crème hydratante.

À présent, il était prêt pour le maître.

Le message était court et précis. Une nouvelle mission.

Il n'était pas autorisé à choisir lui-même. Mais ce n'était pas grave, car le maître avait fait le même choix que lui.

Anna Eriksson.

Elle serait la prochaine.

La cinquième.

Alors qu'il avait dormi à peine quatre heures, Trolle n'avait eu aucun mal à se réveiller. C'était un sentiment étrange, car d'habitude, il dormait au minimum neuf heures et était bien plus fatigué au réveil. Il remonta les volets et admira le soleil matinal, qui le réchauffait déjà. Cela faisait bien longtemps qu'il ne s'était plus levé avant six heures. Autrefois, il le faisait tous les jours. À l'époque, il avait un chien qu'il fallait promener. Des enfants, qu'il fallait emmener à l'école. Une femme avec qui aller au travail. Tout ce qui à l'époque ne ressemblait guère à une vie, alors que c'en était une.

Tout ce qui manquait une fois qu'on l'avait perdu.

Trolle renonça à sa cigarette matinale pour jeter un coup d'œil dans le réfrigérateur. Comme il le craignait, il était vide. Il but le reste de lait directement au carton et entreprit d'acheter un petit-déjeuner au 7-Eleven. Il devait se maintenir en forme, surveiller son alimentation et son sommeil. Il n'avait aucune idée du temps que cette mission prendrait, mais le sommeil ne ferait sans doute pas partie du programme. Le défi consistait à rester concentré et à ne pas se laisser piéger par la monotonie qu'impliquaient forcément les missions d'observation.

Car dans cette affaire, il ne pourrait compter que sur lui-même, il n'y aurait pas de relève. C'était précisément pour cela qu'il avait monté la garde jusqu'à une heure et demie du matin la nuit précédente. Les lumières dans l'appartement étaient éteintes depuis plusieurs heures déjà, et Trolle s'était dit qu'il y avait peu de chances pour que le meurtrier pénétrât dans l'appartement au beau milieu de la nuit alors que le mari était là. Il valait mieux être présent le lendemain matin quand celui-ci partirait au travail. Jusque-là, tous les meurtres avaient été commis alors que les femmes se trouvaient seules chez elles, et Trolle ne voyait pas pourquoi l'assassin changerait de tactique maintenant. Mais ce n'était pas une science exacte, il préféra donc ne pas informer Sebastian de sa décision. Ce dernier n'aurait jamais accepté de prendre un tel risque, et aurait sûrement insisté pour que Trolle maintînt sa planque toute la nuit. Ou il aurait accouru pour prendre la relève. Sur ce coup-là, il valait mieux faire cavalier seul.

Pour économiser ses forces. Il en aurait sûrement bien besoin aujourd'hui, car il aurait sans doute une série d'autres décisions à prendre.

De plus, il avait besoin de temps pour se procurer un minimum d'équipement : une voiture et une arme. Il avait réservé une voiture de location sur Internet, et avait également essayé de se procurer un revolver. Les choses étaient en bonne voie. Rogge, un ami, allait lui en apporter un dans le courant de la journée. Entre-temps, Trolle ne voulait pas rester sans arme. Il retourna donc dans la cuisine, monta sur une chaise, ouvrit la porte du placard au-dessus du réfrigérateur, fouilla derrière quelques vieux paquets de pâtes, et finit par trouver ce qu'il cherchait. Un pistolet à choc électrique enveloppé dans un sac en plastique. C'était un Taser 2 qu'il avait acheté sur Internet quelques années auparavant. Trolle contrôla s'il fonctionnait encore et vit un éclair jaillir entre les pôles. Satisfait, il le fourra dans la poche de son grand manteau avec la certitude qu'un Taser était plus efficace que ce qu'on croyait. Un jour, il l'avait essayé sur un type, qui s'était cassé comme une allumette dès qu'il le lui avait collé contre la nuque, alors que c'était une véritable armoire à glace. Par mesure de sécurité, Trolle achèterait des piles de rechange dès qu'il en aurait le temps, mais celles-ci devraient faire l'affaire pour l'instant.

Une fois sorti de chez lui, il se chercha un grand gobelet de café à emporter et un sandwich. Puis il prit un taxi pour se rendre à l'agence de location de voiture du centre-ville, qui ouvrait à six heures et demie.

Il se vit d'abord attribuer une Nissan blanche, mais il l'échangea contre un modèle bleu foncé. Le blanc attirait trop l'attention. Il ne voulait pas être découvert.

Il passa devant une station-service pour acheter des cigarettes, des pastilles sucrées, de l'eau et des petits gâteaux. La journée serait longue, et il ne savait pas quand serait la prochaine fois qu'il aurait l'occasion de se ravitailler.

Vers sept heures, il prit ses quartiers devant l'appartement Eriksson/Lithner, dix minutes avant que Valdemar ne sorte de chez lui pour prendre le métro qui l'emmènerait au travail. Il trouva une place de stationnement offrant une vue imprenable sur l'immeuble, recula son siège le plus possible et prit une position confortable. Soudain, il se rappela qu'il n'avait pas pensé à boire une seule fois depuis le début de la matinée. Une bonne nouvelle qu'il arrosa d'une gorgée d'eau minérale.

Un quart d'heure plus tard, Valdemar sortit de l'immeuble en costume et s'éloigna d'un pas rapide. Sûrement pour aller au travail. D'après ce que Trolle avait pu observer, il portait toujours un costume et semblait être en retard tous les matins. Il se dirigea vers le centre commercial Fältöversten avant de disparaître de son champ de vision.

En temps normal, Trolle se serait empressé de le suivre, mais à présent, il n'était plus là pour se renseigner sur Valdemar mais pour protéger la femme qui se trouvait seule dans son appartement du troisième étage. Et il ferait en sorte qu'il en restât ainsi. Sebastian avait dit qu'elle allait bientôt quitter Stockholm. Et Trolle devait s'assurer qu'elle puisse le faire. Trolle jeta un coup d'œil aux les voitures autour de lui, à l'affût d'un mouvement. Rien à signaler. Il prit son téléphone.

Anna Eriksson sortit sa valise de l'armoire. Elle n'avait pas fermé l'œil de la nuit. Impossible de s'endormir. La situation était si absurde qu'elle ne savait plus qui croire. Mais elle était sûre que Sebastian avait dit la vérité. Elle était en danger. Elle n'avait pas encore bien pris toute la mesure de la situation, mais elle avait compris que l'heure était grave. Le visage blême et le regard suppliant de Sebastian, puis les quelques mots de sa fille à propos des meurtres avaient suffi à l'en convaincre.

Anna avait immédiatement appelé Vanja après le départ de Sebastian, car elle avait eu quelques doutes sur son histoire. Il aurait également pu avoir des raisons personnelles de vouloir se débarrasser d'elle.

Vanja avait paru stressée, et ne lui avait parlé qu'une minute. Anna fit comme si elle s'était inquiétée de ce qu'elle avait lu dans le journal et tenta de tirer les vers du nez de sa fille sans révéler la vraie raison de son appel. Elle n'eut pas un grand succès, car Vanja prenait très au sérieux le secret professionnel et avait à cœur de ne pas mélanger son travail et sa vie privée.

Mais le peu qu'Anna put obtenir la terrifia.

Oui, Sebastian travaillait à nouveau à la Crim'.

Et oui, il était impliqué dans l'affaire, d'une manière assez sérieuse.

Vanja se contenta de répondre par monosyllabes, ce qui empêcha Anna de tenter d'en savoir plus sans éveiller ses soupçons. Mais une petite remarque avait suffi à la convaincre que Sebastian avait dit la vérité.

– Je ne comprends pas pourquoi on le laisse encore travailler sur cette affaire !

– Pourquoi, tant qu'il n'est pas impliqué ?

– Mais c'est bien ça, le problème ! Il est impliqué ! Je ne peux pas te dire comment. Tu ne me croirais pas de toute façon… Personne ne le croirait.

C'était donc vrai. Anna tenta de mettre fin à la conversation sans laisser transparaître la panique qui montait en elle.

« Personne ne le croirait. »

Elle le croyait.

Elle le savait.

Anna avait immédiatement appelé sa mère. Lui avait monté un bateau. Cette dernière était étonnée, mais se réjouissait qu'Anna vînt la voir.

Puis elle avait appelé à son travail. Leur avait dit qu'elle avait besoin de prendre quelques jours de vacances. Pour raisons familiales. Ça avait marché. Elle était appréciée, et on s'était plus fait du souci pour elle qu'autre chose.

Elle avait rassuré ses collègues. Elle avait seulement quelque chose à régler avec sa mère âgée, mais elle ne savait pas combien de temps cela prendrait.

Puis elle avait commencé à faire ses valises. Avait rassemblé des vêtements pour une semaine. Avait appelé Valdemar et lui avait demandé de rentrer plus tôt. Elle ne voulait pas être seule. Elle lui avait raconté que sa mère n'allait pas très bien et qu'elle allait passer quelques jours chez elle. Valdemar avait proposé de l'accompagner, mais elle avait refusé. C'était sa mère, et elles ne s'étaient pas vues depuis longtemps. Ce n'était pas très grave, et puis, c'était aussi l'occasion de prendre quelques jours de congés pour lui rendre visite… Il avait avalé ses mensonges. Sans paraître avoir le moindre doute.

Sûrement parce qu'elle était une bonne menteuse. Une très bonne menteuse, même. Elle se demanda quand elle avait acquis cette faculté. Elle qui avait toujours considéré l'honnêteté comme une valeur fondamentale.

Tant qu'elle ne faisait souffrir personne. Qu'elle ne causait pas de problèmes.

Elle avait si souvent voulu dire la vérité à Vanja.

Elle avait si souvent été à deux doigts de le faire.

Mais ce mensonge, qui à l'époque avait servi de cocon protecteur, avait ensuite été accompagné de milliers de petits mensonges quotidiens, jusqu'à devenir réalité. Anna avait forgé une carapace autour de la vérité qui était devenue, au fil du temps, un fort imprenable dans lequel elle avait également emprisonné Valdemar.

Ce dernier avait dès le début voulu dire la vérité à Vanja, dès qu'elle serait en âge de comprendre. Mais Anna n'avait cessé de repousser le moment de la révélation, d'abord des semaines. Puis des mois. Jusqu'à ce que la vérité pèse si lourd qu'elle aurait tout détruit. Jusqu'à ce qu'il soit carrément trop tard.

– Pour Vanja, il n'y a pas d'autre père que toi, avait-elle un jour constaté en présence de son mari. Ils avaient donc décidé de ne rien dire.

Vanja et Valdemar étaient liés à jamais. Était-ce dû au fait qu'il se donnait particulièrement du mal pour que sa tendresse ne pût jamais laisser place au doute ? Quelles qu'en aient été les raisons, il avait manifestement réussi. Vanja aimait Valdemar plus qu'Anna. Plus que quiconque.

Bizarrement, ils se complétaient très bien tous les deux. Le temps passant, les protestations de Valdemar s'étaient faites plus rares, et il s'était lui-même rendu coupable d'aimer Vanja comme sa fille.

Ils avaient donc fermé hermétiquement toutes les vannes.

Blindé la forteresse.

Mais un jour, il y a quelques mois, il avait frappé à leur porte. Sebastian Bergman. Avec des lettres resurgies d'un passé lointain.

Les preuves n'avaient pas été effacées.

Anna l'avait renvoyé en lui fermant la porte au nez. Dans l'espoir qu'il ne reviendrait jamais.

Ce n'était pas ce qui s'était passé.

Anna avait appris qu'il avait déjà travaillé avec Vanja à Västerås. Et à présent, c'était de nouveau le cas. Aussi incroyable que cela pût paraître, il avait réussi à briser le mur de protection et à se rapprocher d'elle et de sa fille.

Mais Vanja le détestait. C'était le seul point positif susceptible de protéger encore la vérité. À part ça, tout n'était que chaos. Anna avait un secret dans le secret, car elle seule connaissait le rôle de Sebastian dans tout cela. Et elle avait caché cette information à Valdemar.

Par souci de protection – ou manque de confiance –, elle ne lui avait rien dit, car il n'était pas comme elle. Il avait moins de facilités à mentir qu'elle. Alors, la seule et unique fois où il l'avait interrogée sur l'identité du père biologique de Vanja, elle lui avait répondu que son nom importait peu. Elle lui avait raconté qu'elle ne le dirait jamais à personne et que si ça lui posait un problème, elle mettrait immédiatement fin à leur relation.

Il était resté avec elle et n'avait plus jamais posé de questions.

C'était un bon mari.

Sans doute meilleur que ce qu'elle avait mérité.

À présent, alors qu'elle était probablement en danger de mort, elle était obligée de continuer à mentir. Elle n'avait sans doute que ce qu'elle méritait. Elle devait finir par en arriver là.

La sonnerie du téléphone fit sursauter Anna. Encore un démarcheur. Cette fois, pour un fournisseur d'accès à Internet. Elle coupa court à la conversation et raccrocha. Puis elle se rendit compte que sa voix lui était familière. Hier. Quelqu'un avait appelé pour lui parler d'épargne retraite. Était-ce la même voix ? Un frisson la parcourut, et elle reprit le combiné pour voir s'il était possible de rappeler le numéro.

Un numéro masqué, hier comme aujourd'hui.

Qu'est-ce que cela pouvait bien vouloir dire ? Elle était sûrement parano. Mais elle ne put s'empêcher de se dire que d'habitude, les prospecteurs téléphoniques avaient une voix plus jeune, plus dynamique. Tentaient de l'amadouer. Pas comme cet homme. Il voulait autre chose. S'était laissé interrompre très facilement. Comme satisfait du simple fait qu'elle eût décroché. Qu'elle fût à la maison.

Nerveuse, elle s'approcha de la fenêtre et regarda dans la rue. Et ne vit rien. Mais que devait-elle regarder, au juste ? Elle s'approcha de la porte, la verrouilla à double tour et laissa la clé dans la serrure.

Puis elle s'attela à ses derniers préparatifs et appela un taxi.

Elle pouvait aussi bien aller à la gare tout de suite.

Ralph avait passé les dix dernières minutes à chercher une place de stationnement. En roulant dans la rue De Geersgatan, il était passé plusieurs fois devant la rue Storskärsgatan. La première était un cul-de-sac, et la deuxième un sens unique. Il était donc à chaque fois obligé de faire un grand détour par le Värtavägen pour revenir. Il détestait être obligé de tourner en rond, car il risquait d'attirer l'attention du voisinage qui se souviendrait d'avoir vu passer plusieurs fois une voiture grise. Mais il n'avait pas le choix. Il avait besoin de la voiture et devait se garer au plus près de sa cible. En restant dans la voiture, il se rendait moins visible et réduisait les risques que quelqu'un pût l'identifier. C'était l'avantage des lotissements, il n'y avait pas de problème de parking. Et puis, cette nouvelle cible posait énormément de contraintes. Il avait eu moins de temps pour l'observer. Il avait pu filer les premières victimes des jours durant pour analyser leurs habitudes. À présent, les seules observations sur lesquelles il avait pu se baser étaient que le meilleur moment pour intervenir se situait le matin entre huit heures et demie et neuf heures, entre le moment où son mari était parti et celui où elle prenait le bus pour se rendre à son travail à l'hôpital Sofiahemmet.

En même temps, il avait pris beaucoup d'assurance. Il s'était amélioré. Renforcé. Avant la première, il avait souvent été nerveux et reporté le moment de frapper à cause de petits détails qui l'avaient dérangé : un voisin qui avait la fenêtre ouverte, un cycliste qui passait alors qu'il descendait de la voiture, ou un enfant qui s'était mis à pleurer quelque part. Il s'était alors tout simplement défilé et était rentré chez lui.

Pour la troisième néanmoins, il avait moins hésité, et pour la dernière, Willén, il s'était même autorisé à improviser et à prendre quelques libertés. Sans pour autant s'écarter du cadre bien sûr, mais il avait su s'adapter à la situation et se fier à son instinct. Il avait éprouvé un sentiment de libération et depuis lors, il se sentait davantage capable d'accomplir la mission. Il était un homme d'expérience. De pouvoir. Chargé d'une mission dont peu de gens auraient pu s'acquitter aussi bien que lui. Pour ne pas dire personne.

Beaucoup de détails étaient plus compliqués à régler qu'il ne l'avait cru. À l'époque, ce n'était rien de plus que des fantasmes. La première fois où il avait tranché une gorge, il avait eu la nausée. À la vue de la peau qui s'était fendue et du sang chaud qui avait giclé, il avait paniqué. Mais il avait fini par s'y habituer, et était de plus en plus habile. La dernière fois, il avait même osé regarder la femme dans les yeux pendant qu'elle perdait la vie. Un sentiment sublime. S'il y avait un dieu, ce dont il doutait, il portait sûrement le même regard sur nous, les hommes : comme une entité dénuée de toute émotion vive pouvant influencer son jugement. Il avait eu l'impression d'observer une fourmi lutter pour sa survie. Intéressant. Mais sans plus. Après tout, il n'était qu'un humain, et ses rituels et sa mission étaient bien plus importants que le monde entier.

Ce qui demeurait le plus problématique était la composante sexuelle. Il savait ce qu'il devait faire. Il y était obligé. Cela en faisait partie. Mais il ne parvenait pas à éprouver du plaisir. Pour être franc, il n'y arrivait presque pas. C'était fatigant et répugnant. Il avait du mal à maintenir son érection. Trop de bruits qui le dérangeaient, il avait trop de mal à la pénétrer. En plus, il n'était même pas attiré par les femmes. Leurs formes étaient trop rondes, leurs seins et leurs fesses trop mous.

Toute cette chair autour de lui.

Cette partie lui demandait toute sa concentration. Il n'aimait pas la proximité. Pas comme ça. Mais il ne pouvait pas faire l'impasse sur cette étape. Il aurait tout bousillé. Échoué. Et ça aurait signifié qu'il n'était pas digne de suivre les traces du maître. Tout de même, il ne pouvait pas comprendre pourquoi les gens faisaient volontairement des choses comme ça, pourquoi ils en éprouvaient le besoin. C'était un mystère pour lui.

Il tourna pour la troisième fois dans la rue De Geersgatan. Toujours aucune place. Il se faisait du souci sur son emploi du temps. Il aurait dû être dans l'appartement depuis longtemps, en train d'accomplir sa mission. Le matin même, il était passé dans un magasin de bricolage qui ouvrait dès six heures pour se procurer une combinaison de travail blanche. Il avait inventé une histoire pour qu'elle le laissât entrer, et un ouvrier qui devait peindre le vestibule lui paraissait être la meilleure idée. Il avait également acheté quelques pots de peinture, et portait son bonnet vissé sur la tête. Tout irait bien.

Trolle avait réagi dès la deuxième fois que la voiture était passée devant lui. Il l'avait reconnue. La japonaise grise. Au volant, une silhouette portant des lunettes de soleil et un bonnet, qui semblait chercher une place. Trolle lâcha la bouteille d'eau et mit instinctivement la main à sa poche. Le pistolet à choc électrique était toujours là. Il le sortit. Le plastique noir était encore chaud, et tenait bien dans sa main. Son pouls s'accéléra, et il essaya d'envisager toutes les alternatives. L'une d'entre elles était d'appeler la police. Il n'avait jamais eu de problèmes avec Torkel. Bien au contraire : même pendant sa descente aux enfers, Torkel ne l'avait jamais jugé. Il n'avait certes pas toujours approuvé tout ce que Trolle faisait, mais ce n'était pas étonnant. Il avait souvent dû réparer les pots cassés après lui. Mais Trolle avait toujours eu l'impression d'avoir le soutien de son collègue. Ils n'avaient plus de contacts depuis un certain temps, mais ce n'était pas la faute de Torkel. Trolle s'était de plus en plus replié sur lui-même. Toutefois, il imaginait qu'ils avaient toujours du respect l'un pour l'autre.

En même temps, aller parler à Torkel mettrait Sebastian dans une situation délicate. Pourquoi l'homme avait-il été arrêté devant le lieu d'habitation des parents de Vanja ?

Qu'est-ce que Trolle faisait là ?

Il ne voulait en aucun cas causer du tort à Sebastian. Pas maintenant qu'il connaissait la vérité et qu'il savait à quel point ils se ressemblaient. Il avait presque l'impression qu'en l'aidant, il pourrait expier ses propres fautes… Il ne devait pas rater cette chance.

Mais peu importait comment il tournait les choses, le secret de Sebastian risquait d'être révélé. Car il ne pourrait pas ne pas intervenir, de quelque manière que ce fût. S'il ne faisait que pourchasser l'homme pour le pousser à fuir, ce dernier se sauverait, et d'autres femmes seraient en danger. Trolle était obligé d'agir. Il fallait d'abord le neutraliser, puis élaborer un plan. Il n'y avait pas d'autre possibilité.

La décision n'appartenait qu'à lui, et à lui seul.

C'était un sentiment agréable, qu'il n'avait plus éprouvé depuis bien longtemps.

Quand la voiture passa pour la troisième fois, il prit une décision. L'homme dans la voiture japonaise ignorait tout de lui. Trolle pourrait donc bénéficier de l'effet de surprise. Il démarra sa voiture de location, enclencha la première et alla se garer quelques mètres plus loin sur un passage piétons dans la rue De Geersgatan.

Puis il descendit de la voiture et partit à pied.

Il y avait maintenant une place libre pour celui qui la cherchait.

Il était persuadé que l'homme au volant de la Toyota saisirait l'occasion.

Ralph vit la place de parking se libérer depuis le Värtavägen. C'était parfait. À une trentaine de mètres à peine de l'entrée de l'immeuble. Restait à espérer qu'elle ne lui passât pas sous le nez. Il appuya donc sur le champignon et grilla le feu orange de Valhallavägen. Il braqua à droite puis encore une fois à droite. Puis il freina pour ne pas attirer l'attention. La place était toujours libre. Il se gara prudemment, en regardant de tous les côtés. Tout était calme et silencieux. Il était un peu énervé d'avoir autant de retard. Il tâta sa poche à la recherche du couteau à cran d'arrêt. Il ne l'utiliserait pas pour accomplir sa mission, le couteau de cuisine était toujours bien en place dans son sac. Mais avant, il avait besoin d'un couteau plus petit. Quand elles lui ouvraient la porte. Main sur la bouche, couteau sur la gorge. Frayeur et peur de mourir. Cela fonctionnait la plupart du temps. Son déguisement était au point. Il pouvait même porter son arme de manière bien visible. Il était parfaitement normal pour un ouvrier d'avoir un couteau.

Il détacha sa ceinture et s'apprêtait à descendre quand soudain, la portière côté passager s'ouvrit : quelqu'un monta dans la voiture. Un homme d'un certain âge. Il semblait épuisé, portait des cheveux gris mi-longs et un long manteau noir. Mais un regard plein d'agressivité. Il lui voulait quelque chose. Il avait dans la main un objet en plastique qui ressemblait à une vieille lampe de poche.

– C'est fini maintenant ! cria l'homme en essayant de lui coller l'étrange objet contre la nuque. Celui-ci émit un éclair électrique et des étincelles.

Par réflexe, Ralph leva le bras droit pour neutraliser son agresseur. Ce dernier, pas très rapide, n'atteignit que l'appuie-tête. Ralph comprit tout à coup ce qu'était cet objet.

Le petit éclair bleu.

Le ronronnement électrique.

Un Taser.

Avec un nouvel élan, il tordit le bras de son adversaire.

Trolle jura et était sur le point de retirer son bras quand l'homme le frappa du bras gauche. Il le toucha à la bouche, juste au-dessus des dents. Cela ne faisait pas particulièrement mal, mais le mit encore plus en colère. Il comprit toutefois que son effet de surprise avait échoué sur toute la ligne et qu'il se trouvait dans une situation extrêmement délicate. Pas assez en forme pour un corps à corps, il devait en finir au plus vite. Il lui rendit deux coups également du bras gauche, mais le rata.

Dans l'agitation, Trolle parvint à libérer sa main droite et à l'abattre sur le corps de l'homme. Il devait finir le boulot. Une bagarre dans la voiture ne faisait pas partie du programme. Il reprit le Taser en espérant que celui-ci fonctionnerait encore. Au même moment, il aperçut du coin de l'œil le bras gauche de l'homme s'approcher de son abdomen. Il tenta de parer le coup, en vain. Mais ce n'était pas très grave, car tout serait bientôt fini, de toute façon.

Mais le coup de l'homme était plus grave que prévu. La douleur était si intense qu'il sentit toutes ses forces le quitter et que le Taser lui tomba des mains.

Comment cela avait-il pu se passer ?

Au deuxième coup, la douleur explosa. Trolle eut un écran noir devant les yeux, et puis, il comprit. L'homme ne le frappait pas, il le poignardait.

Et voilà qu'il frappait une troisième fois.

Tout le bas de son corps fut soudain chaud et humide. Avant de perdre connaissance, Trolle put jeter un dernier coup d'œil à la main de l'homme. Elle enserrait une chose, tandis qu'une autre sortait de son ventre à lui.

La première était un couteau, et l'autre ses propres boyaux.

Sa dernière sensation fut le couteau qui s'enfonçait encore en lui.

Ralph vit le sang et les tripes de l'homme atterrir dans son entrejambe. Le vieil homme poussa un long râle avant de s'effondrer. Son corps ne réagissait plus que faiblement aux assauts de Ralph, puis il s'affaissa lentement sur le tableau de bord. Ralph cessa de le frapper tout en restant sur ses gardes. Un seul mouvement de l'intrus, et il aurait recommencé. Soudain, ce fut le silence total dans la voiture. Les manches de sa combinaison blanche étaient rouge foncé, et cela puait le sang et les boyaux.

Il fit fonctionner ses méninges à cent à l'heure.

Que s'était-il passé ? Qui était cet homme qui venait de mourir juste à côté de lui ? Y aurait-il d'autres agresseurs ? Il jeta des regards nerveux autour de lui, mais la rue paraissait déserte. D'après ce qu'il pouvait voir, personne ne se dirigeait vers sa voiture, et personne ne les avait remarqués. Le vieux pouvait difficilement être de la police, car on n'y utilisait pas de pistolets à choc électrique mais de vraies armes. Pourtant, il avait dû découvrir la véritable identité de Ralph ou au moins son plan. L'homme n'était pas monté dans sa voiture par hasard.

« C'est fini maintenant ! » était tout ce qu'il avait dit. On ne disait pas ça à quelqu'un qu'on avait simplement l'intention d'agresser. On le disait à quelqu'un qu'on voulait arrêter. Le maître avait eu raison. Il avait sûrement été imprudent et avait été repéré. Sebastian Bergman était probablement derrière tout ça. Il était un adversaire plus redoutable que Ralph ne l'avait imaginé, car il avait compris qu'il avait été suivi. Il s'était lancé à sa poursuite devant le commissariat. Peut-être changer de voiture n'avait-il pas suffi.

Et pourtant, cela ne paraissait pas logique.

Si Sebastian Bergman avait eu quelque chose à voir avec ce cadavre assis à côté de lui dans la voiture, alors cet homme devait bien être un flic. Après tout, Sebastian Bergman travaillait pour la police. Mais alors, il aurait dû y avoir eu des renforts. Beaucoup plus. Ralph était tout de même l'ennemi public numéro un. Mais où étaient les autres ?

Il ne parvenait pas à comprendre.

Il regarda autour de lui, paniqué. Il vit quelque chose bouger devant la maison dans laquelle il aurait dû se trouver depuis longtemps à ce moment-là. Un taxi arriva. Il se ratatina sur son siège pour ne pas être découvert. Puis il vit Anna Eriksson sortir de l'immeuble, tirant une valise derrière elle. Il aurait dû la suivre, mais c'était impossible. Il devait d'abord se changer. Se débarrasser du cadavre. De la voiture.

Il avait échoué.

Il avait déçu le maître.

Il allait devoir en assumer les conséquences.

En arrivant au commissariat ce matin-là, Vanja était excédée. En fait, elle s'était couchée en colère, et s'était réveillée de mauvaise humeur. Il n'était même pas sept heures et demie, et elle savait déjà que cette journée serait une journée de merde.

Non seulement ils n'avançaient pas, ce qui était déjà assez frustrant en soi, mais en plus, Sebastian Bergman participait toujours activement à l'enquête. C'était incompréhensible. Comment était-ce possible, alors qu'il avait un lien avec toutes les victimes ? Même si Torkel pensait sans doute à raison que la présence de Sebastian pourrait empêcher d'autres meurtres en concentrant sur lui toute l'attention de Hinde, c'était totalement irresponsable. Si cela venait à se savoir, Torkel serait grillé. Sa carrière ne survivrait pas à un tel battage médiatique. Mais ce n'était pas seulement ça qui la mettait en colère. Elle aimait bien Torkel. S'il avait envie de mettre sa vie en jeu à cause de Sebastian, cela le regardait. Mais ce qui la rendait folle, c'était la sensation que Torkel le faisait passer avant le reste de l'équipe. Il n'était pas si génial que ça. Et en plus, il avait le don de lui taper sur les nerfs. Elle ne pouvait pas se détendre, et se crispait toujours quand il était dans les parages. Elle se sentait surveillée. Il faisait d'elle un mauvais policier. Elle le haïssait. Du plus profond d'elle-même.

Et pour couronner le tout, elle avait fait un déplacement pour rien à Södertälje, à cause de cette enquête qui piétinait.

Alors qu'elle détestait Södertälje.

Et quand, ensuite, elle avait demandé un petit service à Billy, il l'avait tout simplement laissée tomber. « Alors fais-le. » Qu'est-ce que ça voulait dire ? Depuis quand est-ce qu'on disait à un collègue de se débrouiller quand celui-ci demandait de l'aide ?

Après sa virée superflue à Södertälje, qui en plus lui avait coûté un billet de cent, elle s'était douchée, s'était préparé un thé avec quelques tartines et s'était installée devant la télé. Ce soir-là, elle ne voulait pas s'asseoir à la table de la cuisine pour étudier le dossier comme elle en avait l'habitude. Elle préférait se détendre, se changer les idées.

Mais elle n'y arrivait pas.

Pas après ce coup de fil d'Anna lui annonçant que sa grand-mère était malade et qu'elle allait passer quelques jours chez elle. Vanja lui avait évidemment demandé ce qu'elle avait, et sa mère lui avait seulement dit que ce n'était rien de grave. Mais alors, pourquoi devait-elle prendre des vacances pour y aller, si ce n'était pas grave ? Une fois de plus, Anna lui cachait la vérité, exactement comme elle l'avait fait pour la maladie de Valdemar. Elle lui avait caché des résultats d'analyse et avait minimisé le problème. Vanja devait toujours aller voir son père pour connaître son véritable état de santé. Vanja n'avait pas du tout apprécié cette façon de faire. Bien sûr, Anna avait sûrement simplement voulu protéger sa fille, mais quelles qu'en eussent été les raisons, ces mensonges n'avaient rien fait pour la rapprocher de sa mère. Et pourtant, il y avait déjà une certaine distance bien présente auparavant. Vanja appelait sa mère « Anna », tandis qu'elle appelait Valdemar « papa ». Ce n'était pas un hasard.

Il y avait bien un moment où elle devrait en parler avec sa mère. Lui dire qu'elle n'appréciait pas ces mensonges. Au téléphone, elle aurait bien aimé pouvoir lui annoncer spontanément qu'elle l'accompagnerait chez sa grand-mère, mais elle ne pouvait pas prendre de congés. Pas maintenant. Elle ne pouvait pas s'absenter de son travail alors que l'enquête n'avait pas progressé depuis un mois. Ils avaient tout de même fait une découverte : c'était le lien avec Hinde. Pourtant, ce n'était pas elle qui avait été chargée de suivre cette piste, mais Sebastian. Une décision de Torkel.

Putain de Torkel.

Putain de Sebastian.

Elle avait éteint la télévision et était sortie. Pour faire un petit tour. Prendre l'air, penser à autre chose, histoire de faire venir le sommeil. Mais en passant devant un bar, elle avait décidé d'entrer. Elle avait pris une bière, puis une autre, puis une autre. Quelques types étaient venus lui tenir compagnie, et ils étaient allés dans un autre bar où elle avait rencontré de vagues connaissances. Ils avaient bu d'autres bières. Au bout d'un moment, quelqu'un avait commandé des schnaps, peut-être même que c'était elle. Elle avait fini par s'écrouler sur son lit à deux heures passées. Éméchée, voire carrément ivre. Et maintenant, après quatre heures de sommeil anesthésié par l'alcool, elle était de retour au commissariat. Plus en colère que dans le coltard, mais dans tous les cas, la combinaison n'était pas optimale.

Elle s'assit à son bureau et alluma son ordinateur. Tapa le nom de Rodriguez. Elle le trouva, mais aucune information sur le lieu ni sur la date de l'accident de voiture qui avait causé sa paralysie. Il fallait continuer les recherches. Mais d'abord, elle avait absolument besoin d'un café. Elle devait continuer de chercher. Elle espérait que la caféine combinée à un cachet d'aspirine accomplirait des miracles. Elle alla à la cafétéria, sortit une tasse du placard au-dessus de l'évier et la remplit de capuccino avant de revenir à sa place. Puis elle ouvrit le tiroir du haut, prit un tube d'Ibuprofène et avala un cachet avec une gorgée de café. Elle s'apprêtait à reprendre ses recherches quand Billy entra. Il portait son sac en bandoulière, et son casque de vélo à la main. Billy avait un VTT vingt-quatre vitesses du même métal que celui d'un vaisseau spatial. High-tech, bien sûr. Celui de Vanja n'avait que trois vitesses, et elle s'en servait jamais.

– Salut ! Ça roule ? lui demanda Billy en posant son sac.

– Oui, répondit Vanja sans lever la tête.

Elle fit de son mieux pour paraître le plus concentré possible afin d'éviter une conversation, en vain.

– Qu'est-ce que tu fais ? demanda Billy en faisant le tour de son bureau pour regarder.

Elle ne vit qu'à ce moment-là à quel point il avait chaud. La sueur perlait sur son front et sur ses joues. Il pencha la tête de côté et s'essuya le visage avec la manche de son tee-shirt.

– J'essaie de savoir comment Rodriguez s'est retrouvé sur une chaise roulante.

Billy sentit un léger pincement. En réalité, il avait l'intention de commencer sa journée en recherchant l'information qu'elle lui avait demandée, mais Vanja l'avait malheureusement devancé. Les louanges de My pour sa fermeté de la veille ne l'avaient pas empêché d'avoir mauvaise conscience durant toute la soirée.

– Où cherches-tu ?

– Pourquoi ? demanda Vanja avant de lever les yeux pour la première fois de la matinée. Tu veux m'aider ?

Billy hésita. La situation était nouvelle. Vanja ne lui demandait pas seulement un service mais de l'aide. Parce qu'elle savait qu'il aimait ce genre d'activité ? Parce qu'ils devaient travailler ensemble ? Ou pour le tester après son comportement d'hier ? Il valait mieux prévenir que guérir, pensa Billy, c'est pourquoi il répondit par une autre question :

– Tu as besoin d'aide ?

– Non.

Vanja se tourna à nouveau vers l'écran et pianota sur le clavier.

Billy resta coi. Elle était en colère, cela ne faisait aucun doute. Devait-il tout simplement l'ignorer ? Attendre que l'orage passe ? Il décida d'être particulièrement prévenant avec Vanja aujourd'hui. Il n'aimait pas être en froid avec elle.

– Tu veux un café ? Je vais m'en chercher un.

Une petite bouffée de calumet de la paix ne pouvait pas nuire.

– Non merci, j'ai ce qu'il me faut.

Elle resta le nez sur sa tasse de capuccino. Billy hocha la tête. Il aurait dû le voir tout de suite. Mais il avait une autre proposition pour briser la glace. Une main tendue qu'elle ne pourrait certainement pas refuser.

– Elle s'appelle My.

– Qui ?

– Ben, la fille. La fille du théâtre… ma copine.

Vanja leva la tête en attendant la suite, mais Billy n'en avait pas. Il s'attendait à une pluie de questions à laquelle il s'était résolu à répondre, sauf si elle l'interrogeait sur la profession de My. Après leur conversation téléphonique d'hier, Vanja ferait immédiatement le rapprochement avec son récent comportement, et My serait immédiatement classée. *Ad vitam aeternam*. Ce n'était pas ce qu'il voulait. Bon sang, comme tout était compliqué soudain. Vanja lui lança un regard de défi. Maintenant, il se sentait idiot. Comme s'il avait juste dit ça pour se vanter.

– J'ai juste dit ça parce que je pensais que ça pouvait t'intéresser.

– OK.

Vanja se replongea dans ses recherches. Pas du tout intéressée par sa copine. Elle était donc vraiment en rogne.

– Bon alors… je vais me doucher.

– OK.

Billy resta encore planté là un moment, puis il quitta le bureau.

Ce serait une dure journée.

Edward Hinde était assis dans la bibliothèque.

Pour un centre pénitentiaire de cette taille, Lövhaga disposait d'une bibliothèque plutôt grande. Il y avait sans doute plusieurs raisons à cela. La durée moyenne des peines, plutôt longue. L'horreur des crimes commis. L'idée qu'il fallait stimuler le développement intellectuel des prisonniers pour favoriser leurs progrès. La croyance selon laquelle les livres et la connaissance les transformeraient en hommes meilleurs. Plus la bibliothèque était fournie, plus grand était le nombre de détenus que la direction pouvait se targuer d'éduquer, ce qui améliorait du même coup la notation de l'établissement. La logique était banale : la richesse de la bibliothèque supposait une direction compétente et active.

Hinde avait lui-même observé le résultat d'un tel raisonnement après les bagarres au sujet du nettoyage. Suite à cela, la bibliothèque avait été sensiblement agrandie et complétée d'un rayon consacré aux sciences humaines. Comme si on pouvait empêcher des rixes entre multirécidivistes ex-yougoslaves traumatisés par la guerre avec *L'histoire de la Renaissance* en douze volumes ou des essais philosophiques ou sur l'histoire des idées.

Le catalogue de la bibliothèque était composé d'essais et de romans, mais il fallait bien chercher pour trouver une perle. Cela avait pris un peu de temps, mais Edward était maintenant assis à l'étage supérieur et lisait un de ses livres préférés. Il traitait dans tous les détails de la traversée des Alpes italiennes par Napoléon en l'an 1797. À l'époque, ce dernier venait d'être promu général, et avait été envoyé en toute hâte pour diriger les troupes françaises contre les armées autrichiennes. Pendant ces batailles d'honneur, il avait amélioré ses talents de stratège qui le mèneraient au cœur de l'histoire. Edward avait déjà souvent lu ce livre, pas tellement à cause des batailles, des boucheries ou des problématiques de ravitaillement et de stratégie. Non, ce livre contenait un chapitre qui analysait la relation de Napoléon avec sa mère, Maria-Letizia Bonaparte.

Une mère forte.

Une mère dominatrice.

Hinde pensait y avoir trouvé le secret de Napoléon. Il voyait devant lui le petit garçon qui ne voulait autant de choses que pour une raison : à cause de Maria-Letizia. Apparemment, elle était une femme qui poussait au combat.

Edward laissa tomber Maria-Letizia pendant un moment et regarda autour de lui. Il savait qu'il était midi passé de deux ou trois minutes et que la relève du personnel aurait bientôt lieu. Le gardien de l'étage supérieur rejoindrait celui de la réception, et ils quitteraient la bibliothèque dès l'arrivée du premier collègue. Celui-ci était d'abord seul et restait donc au rez-de-chaussée. Dix minutes plus tard, à l'entrée du deuxième surveillant, l'un d'eux gagnerait l'étage supérieur.

Hinde posa son livre et approcha prudemment sa chaise de la balustrade pour avoir une belle vue sur ce qui se passait en bas.

Comme souvent, Hinde avait l'étage pour lui tout seul. Les autres détenus ne montaient pas, en tout cas pas quand Edward s'y trouvait. Ils restaient bien sagement au niveau inférieur. Cette règle s'était imposée il y a longtemps déjà. On avait presque l'impression que la direction de la prison avait investi des millions pour mettre un étage entier à la disposition d'une seule personne.

Un sentiment sublime.

Après une inauguration en grande pompe, il n'avait fallu que quelques semaines pour imposer cette règle aux autres détenus. À l'époque, Hinde avait pu compter sur l'aide précieuse de son ami, le grand Roland Johansson, qui lui manquait beaucoup à présent. Ce dernier n'avait peur de rien, et ne se laissait pas perturber par des banalités comme l'empathie ou la pitié. Mais envers Edward, il faisait preuve d'une loyauté à toute épreuve, comme un soldat au garde-à-vous. Roland ne parlait pas beaucoup, mais Hinde avait prudemment cherché le dialogue et trouvé un moyen de nouer contact à travers les blessures d'enfance et les déceptions qui avaient formé son caractère. Des parents alcooliques. Un foyer après l'autre. L'insécurité permanente. La drogue et la délinquance dès son plus jeune âge. Le schéma classique qui correspondait à plus de quatre-vingt-dix pour cent de ceux avec qui il était condamné à cohabiter. Mais contrairement aux autres, Roland était intelligent. Incroyablement intelligent. Hinde l'avait deviné très tôt, et avait testé ses capacités à l'aide d'un livre qu'il avait trouvé à la bibliothèque. Il avait obtenu un score de 172 sur l'échelle de Stanford-Binet. Seul 0,0001 pour cent de la population obtenait un score supérieur à 176. Pour vérifier, Hinde avait également fait le test de Wechsler, auquel Roland avait obtenu à peu près le même résultat. Johansson était un spécimen unique, et pour Edward, un cadeau du ciel. Un garçon surdoué et un laissé-pour-compte que les épreuves de la vie avaient doté d'une carapace d'acier. Il était quelqu'un qu'on ne voyait jamais tel qu'il était au plus profond de lui-même. Jusqu'à ce qu'il rencontrât Edward. La stimulation chimique par les drogues avait été remplacée par la stimulation mentale, et Edward l'avait peu à peu préparé à son futur rôle.

Après sa libération, Roland s'était fait discret pendant un certain temps. Pas de faux pas, pas de drogues. Il avait attendu le signal. Edward l'avait mieux inséré que vingt ans de bons et loyaux services de l'administration suédoise. Il lui avait procuré une nouvelle identité et une nouvelle confiance en lui. Il avait fait mieux que tous les livres, peu importait en combien de volumes. Hinde était heureux d'avoir un allié aussi solide en dehors des murs de la prison, mais en même temps, il lui manquait. D'une part, parce que cette amitié avait fini par compter à ses yeux, et d'autre part, parce que sa position dans la prison de Lövhaga était affaiblie par le départ de Roland. Edward devait désormais chercher de l'aide auprès d'Igor, condamné pour un triple meurtre. Igor était au moins aussi fort que Roland, mais étant bipolaire, il était beaucoup moins fiable.

Edward observa la première relève arriver dans la bibliothèque, certes un peu plus tard aujourd'hui, mais toujours dans le respect du créneau horaire. Le gardien s'arrêta pour échanger quelques mots avec ses deux collègues. Ils rirent, puis les deux gardiens prirent congé du nouveau venu en lui tapant sur l'épaule pour se rendre à la pause-déjeuner. Arrivés à la porte, ils croisèrent un agent d'entretien en bleu de travail tirant derrière lui un chariot de nettoyage et qui s'apprêtait à entrer dans la bibliothèque. Ils le saluèrent. L'homme répondit d'un signe de tête. C'était Ralph. Edward vit Ralph s'arrêter pour parler au troisième gardien, qui venait de prendre place à la réception. Edward se faufila alors vers l'ascenseur. Se plaça derrière les étagères, comme s'il cherchait un livre. Mais en bas, le gardien ne lui prêtait de toute façon aucune attention. Après quatorze ans sans le moindre incident, le personnel était moins vigilant en ce qui le concernait. Il avait su endormir leur méfiance. Bercés par l'habitude.

– Je commence par en haut, entendit-il dire Ralph.

– Oui, faites comme vous voulez, répondit calmement le gardien.

Hinde entendit Ralph pousser le chariot en direction de l'ascenseur et appuyer sur un bouton. Les portes coulissantes s'ouvrirent immédiatement, et Ralph y pénétra avec son chariot.

Ils disposeraient d'environ neuf minutes avant que le gardien n'eût de la compagnie et que l'un d'eux ne montât à l'étage. Ralph et Edward ne se rencontraient que très rarement ici, seulement en cas de force majeure, quand la communication par Internet devenait insuffisante. Edward avait imposé cette mesure de sécurité. Il était extrêmement important qu'ils ne se vissent pas trop régulièrement, pour éviter que les gardiens ne se méfiassent et ne les perçassent à jour. Mais à présent, ils devaient se voir. Ralph lui avait envoyé un message alarmant *via* « fyghor.se ». Quelqu'un était sur leurs traces. Un homme était mort. Un homme que Hinde connaissait, si le permis de conduire que Ralph avait trouvé sur lui était authentique.

Trolle Hermansson.

L'un des policiers dans la salle d'interrogatoire miteuse. Commissaire à l'époque. Le plus agressif de ses trois interrogateurs.

Et qui n'était plus en activité aujourd'hui.

Que faisait-il devant l'immeuble d'Anna Eriksson ?

Cela avait certainement un rapport avec Sebastian. À l'époque, Sebastian, Trolle Hermansson et Torkel Höglund s'étaient succédé pour l'interroger, toujours en présence d'un autre membre du trio. Et aujourd'hui, l'un d'entre eux était mort. Celui qui n'était plus dans la police. D'une manière ou d'une autre, Sebastian devait être derrière tout ça, car à part lui, personne n'aurait l'idée de faire appel à un ancien allié. Il était sans doute allé le voir de son propre chef. Si les autres membres de la Crim' avaient été au courant de l'existence de Ralph, ils auraient immédiatement mis un groupe d'intervention sur le coup. Et pas un vieux flic au rancart.

Edward se posta derrière l'étagère la plus proche de l'ascenseur. Ralph poussa son chariot hors de la cabine et le laissa entre les portes pour les empêcher de se refermer. Puis il prit un chiffon à épousseter et s'approcha de l'étagère près de laquelle se trouvait Hinde. Il effleura quelques livres, maîtrisant difficilement son excitation en chuchotant.

– J'ai mis le cadavre dans le coffre, exactement comme tu m'as dit de le faire.

– Bien.

– La voiture est dans la zone industrielle d'Ulvsunda, rue Bryggervägen. Mais je ne comprends toujours pas comment il a fait pour me trouver.

Edward poussa deux livres pour mieux voir son élève, et le regarda d'un air posé.

– Tu t'es sûrement laissé aller. Tu t'es fait repérer.

Ralph acquiesça, honteux.

Hinde poursuivit.

– Et Anna Eriksson ?

– Elle m'a filé entre les doigts.

Edward secoua la tête.

– On avait pourtant dit que ce serait la prochaine, non ?

– Oui.

– Je te l'ai toujours dit : planification, patience, détermination. Toute autre chose ne mène qu'à l'échec. On est de nouveau du côté des perdants, tu as compris ?

Ralph n'osa pas regarder le maître, tellement il était désemparé. La force qu'il avait éprouvée en voyant les coupures de journaux s'était comme évaporée. Il ne pouvait presque plus parler, redevenait ce bon vieux Ralph. Celui qui ne regardait pas dans les yeux. Mais il fit tout de même une tentative.

– Mais pourquoi la police n'était-elle pas là ? Je ne comprends pas. Pourquoi ce vieux schnock ?

– Parce que la police n'est pas au courant.

– Comment ça se fait ?

– Qu'est-ce que tu crois ?

– Sebastian Bergman ?

Edward acquiesça.

– Ça ne peut être personne d'autre. Mais pour une raison obscure, il n'a pas voulu raconter à ses collègues qu'Anna Eriksson serait sans doute la prochaine sur la liste. Pourquoi ?

– Je ne sais pas.

– Moi non plus. Pas encore. Mais c'est ce qu'on doit découvrir.

– Je ne comprends pas…

Ralph n'osait pas regarder son maître, qui le considérait avec mépris.

– Bien sûr que non. Mais réfléchis. Tu as dit qu'il la suit, et depuis longtemps.

– Qui ? demanda Ralph, décontenancé.

– Vanja Lithner. La fille d'Anna Eriksson, répondit sèchement Edward.

Ralph ne comprenait toujours rien. Quel idiot. Edward, quant à lui, y voyait de plus en plus clair. La clé de l'énigme était Vanja. La blonde dont il avait voulu toucher les seins. Au départ, il n'avait pas accordé beaucoup d'importance au fait qu'elle avait accompagné Sebastian à Lövhaga. Puis, il avait appris que Sebastian l'épiait. Depuis longtemps.

Pourquoi ? Pourquoi avait-il filé sa collègue de la Crim' des semaines puis des mois durant, bien avant de réintégrer l'équipe ?

Incompréhensible, mais pas insignifiant. Ce sentiment que cet élément était important s'accrut quand Edward repensa à l'incident dans la salle d'interrogatoire. Sebastian s'était posé en protecteur, ce qui ne correspondait pas du tout à sa personnalité habituelle. Normalement, Sebastian limitait ses rapports avec le reste du genre humain au minimum syndical. Un véritable misanthrope. Mais Vanja avait de l'importance à ses yeux. Edward voulait absolument savoir ce que cachait le coup de sang de Sebastian. Il fallait continuer de creuser. Creuser aussi profond que possible.

Ralph, muet et humilié, jeta des regards nerveux autour de lui.

– Ne t'inquiète pas, on a encore le temps, dit Edward en souriant d'un air rassurant. Je veux que tu rentres chez toi et que tu fasses des recherches sur toute la famille. Quand Anna Eriksson est-elle tombée enceinte ? Quand Vanja est-elle née ? Et quand est apparu Valdemar dans la vie d'Anna ? Je veux tout savoir. Qui sont ses amis. Où elle a étudié. Tout.

Ralph acquiesça. Il ne comprenait toujours pas où voulait en venir le maître, mais il était avant tout soulagé de ne plus déceler seulement du mépris dans le regard d'Edward.

– D'accord.

– Aujourd'hui. Fais-toi porter pâle, et rentre chez toi.

Ralph hocha fébrilement la tête. Il avait eu tellement peur d'être définitivement évincé après son échec. De voir réduit à néant ce qu'il avait commencé. C'était la pire chose qui pût lui arriver. Car il n'y avait trouvé aucun plaisir. À la vraie vie.

– Tu me donneras la suivante ? lui échappa-t-il soudain.

Cette question inattendue agaça Edward. Avait-il déjà perdu à ce point le contrôle sur la créature qui lui faisait face ? Il avait tout donné à cette espèce de marginal ridicule. L'avait créé. Et le voilà qui essayait de marchander. Il allait voir de quel bois il se chauffait. Mais pas maintenant, il avait encore besoin de lui. Jusqu'à ce qu'il en fût sûr. Qu'il en eût la certitude. Il lui sourit.

– Tu es très important pour moi, Ralph. J'ai besoin de toi. Tu pourras en avoir une autre, si tu veux. Mais tu dois d'abord accomplir cette mission.

Ralph se calma sur-le-champ en réalisant qu'il était peut-être allé trop loin. En avait demandé trop.

– Je suis désolé. Je veux seulement...

– Je sais ce que tu veux. Tu es zélé. Mais n'oublie pas, il faut savoir être patient. J'attends ton rapport alors, conclut-il en retrouvant sa table, ainsi que Letizia Bonaparte et son fils.

Ralph poussa le chariot dans l'ascenseur et descendit.

Moins d'une minute plus tard, le deuxième gardien arriva.

Timing parfait.

Jennifer Holmgren bâilla.

Ce n'était pas la fatigue ni le manque d'oxygène. Elle s'ennuyait terriblement sur ce gazon qui menait au lac Lejondal. Devant elle se trouvaient non seulement les responsables de la section de recherches qui faisaient un topo mais aussi plusieurs collègues dont la plupart venaient comme elle de Sigtuna. Jennifer réprima un autre bâillement et répéta dans sa tête ce dont elle devait se rappeler.

Lukas Ryd.

Six ans.

Disparu depuis plusieurs heures. Trois, espérait la mère. Plus, redoutait le père. En tout cas, Lukas n'était pas dans son lit, ni nulle part ailleurs dans la maison quand on l'y avait cherché trois heures auparavant. Ils étaient allés se coucher vers minuit et demi, le garçon pouvait donc avoir disparu depuis bien longtemps. Personne ne le savait exactement. À leur réveil, toutes les portes étaient fermées. Fermées mais pas à clé.

Jennifer sentit la sueur pénétrer peu à peu son uniforme. Le soleil tapait fort sur son dos. Ce garçon était sa première affaire de disparition. Après quatre semestres de formation à l'école de police, elle était maintenant gardienne de la paix à Sigtuna, une ville qui n'était pas spécialement le nombril criminel du pays.

Ces deux derniers mois lui avaient paru être des années. C'est pourquoi elle avait d'abord été particulièrement excitée quand elle avait entendu parler de Lukas Ryd. Un petit garçon, disparu. Il pouvait s'agir d'un kidnapping. C'était en tout cas ce qu'elle avait espéré avant de se rendre sur place et d'apprendre les détails de l'affaire.

Le petit sac à dos en forme de nounours de Lukas avait disparu. Ainsi que deux canettes de Coca que la famille avait conservées en prévision du week-end et un paquet de petits gâteaux.

Le garçon avait fait une fugue, ou bien même pas.

Il s'était sûrement réveillé, avait eu envie de faire un pique-nique spontané sans réveiller ses parents.

Si habituel. Si banal. Si triste.

Jennifer Holmgren savait qu'elle avait sans doute la mauvaise attitude pour devenir un bon policier – mais enfin ! Le gamin s'était tout simplement enfui. Il était sûrement caché derrière un tronc d'arbre en train de grignoter son goûter, et il reviendrait quand il aurait trop froid ou peur du noir.

Pourvu qu'il ne se perde pas en route. Il y avait beaucoup de forêts dans les environs, mais là non plus, il n'y avait pas lieu de s'alarmer. Vu les températures, il n'y avait aucun risque pour que le gosse mourût de froid. Il ne restait que les carrières et les lacs. Jennifer y avait immédiatement pensé en arrivant sur le terrain des parents. Le gamin avait pu aller au lac et être tombé dedans, mais la famille n'avait pas de ponton, et il n'y avait pas non plus de courant ; on aurait donc dû, s'il s'était noyé, le retrouver à la surface de l'eau.

Jennifer se vit attribuer une portion de terrain à passer au peigne fin à environ un kilomètre de là. Un petit chemin forestier qui débouchait sur la grande route. Elle avait écarté l'hypothèse d'un kidnapping fomenté de longue date. Bien qu'ils possédassent cette grande maison avec vue sur le lac, les parents ne paraissaient pas vraiment pleins aux as. Et un enlèvement spontané sur la grande route ? Un petit garçon sur le bas-côté. Un pervers, un pédophile ?

Bien sûr, elle espérait qu'il ne fût rien arrivé au gamin, mais un peu d'action ne ferait pas de mal. Recevoir la description d'un véhicule suspect, le localiser, le trouver, donner l'assaut et arrêter le criminel…

C'était pour cela qu'elle était entrée dans la police. Pas pour faire des promenades dans la forêt en plein cagnard, à la recherche d'un gamin qui avait eu une subite envie de pique-niquer au beau milieu de la nuit. Dans ce cas, elle aurait aussi bien pu travailler dans une maternelle. D'accord, normalement, on ne perdait pas d'enfants à la maternelle. En tout cas, pas souvent. Mais le principe était le même.

Elle marcha le long de l'étroit sentier. Sur la carte, il paraissait déboucher sur une sorte de gravière, peut-être que Lukas y était enseveli. Il était monté sur un tas de cailloux qui s'était dérobé sous ses pieds, et il avait glissé. Et plus il avait essayé de se débattre, plus il s'était enfoncé dans les gravillons. Était-ce possible ? Elle ne le savait pas. Mais elle s'imaginait déjà courir pour aller chercher le garçon, le sortir du gravier, lui vider sa bouche pleine de cailloux et le ramener à la vie, pendant que ses collègues arrivaient… Cette seule pensée lui fit accélérer le pas. Elle jetait de temps à autre un regard entre les arbres. Les parents supposaient qu'il portait un pantalon bleu, un tee-shirt jaune et une chemise bleue à carreaux. C'était en tout cas ce qu'il avait porté la veille, et ce matin, ces vêtements avaient disparu. Elle devait donc chercher un petit drapeau suédois gambadant entre les arbres.

Jennifer se demanda pourquoi le garçon avait quitté la maison. Et si le gamin n'avait pas seulement cherché l'aventure, mais avait fait une fugue ? Enfant, Jennifer avait souvent été en colère après ses parents, mais elle n'avait jamais fugué et ne connaissait personne qui l'eût déjà fait. Avait-il des raisons de le faire ?

Jennifer atteignit la gravière. Elle était assoiffée et en nage. Des nuées de mouches tournaient autour d'elle. Ses collègues faisaient, comme convenu, leur rapport toutes les cinq minutes par talkie-walkie. Elle ne comprenait pas vraiment pourquoi il fallait annoncer toutes les cinq minutes qu'on n'avait rien trouvé. On aurait plutôt dû se mettre d'accord pour que le premier qui trouverait quelque chose donnât l'alerte.

En tout cas, ce ne serait pas elle. Elle s'apprêtait à rebrousser chemin quand elle aperçut quelque chose de brillant derrière la gravière, à la lisière de la forêt. Elle plissa alors les yeux et fit de l'ombre avec sa main. Un bout de pare-chocs et un phare cassé. Une voiture. Drôle d'endroit pour se garer. Vraiment étrange. Voire carrément suspect.

Une prostituée avec un client ?

Un trafic de drogue ?

Un cadavre dont on se serait débarrassé ?

Jennifer mit la main à son holster et s'approcha lentement de la voiture.

Billy revint de la douche, son café à la main. Il loucha vers Vanja, mais celle-ci n'ayant même pas levé les yeux, il décida de ne pas la déranger davantage. Il ne savait pas sur quel pied danser. Ils ne s'étaient jamais vraiment disputés. Des divergences de points de vue ou de vives discussions certes, mais jamais de disputes. Il décida de laisser faire le temps. Au pire, il allait devoir s'excuser. Ce n'était pas grave.

Il s'assit devant l'ordinateur, entra son mot de passe, mit les écouteurs dans ses oreilles et connecta son téléphone portable à Spotify tout en ouvrant un document texte. Quelques mots-clés écrits cette nuit, dans un moment d'insomnie. Une manière de structurer ses pensées. Ses notes reprenaient l'affaire dans son ensemble. Des idées et des théories. Il n'avait jamais travaillé ainsi, et voulait savoir si ça pouvait lui permettre d'avancer. Il se renversa dans son fauteuil, et reprit sa liste point par point.

La première possibilité était que quelqu'un éliminait toutes les partenaires sexuelles de Sebastian en copiant Hinde sans avoir le moindre lien avec lui. L'idée d'un fou furieux qui, pour une raison ou une autre, avait décidé de se venger de Sebastian.

Plutôt invraisemblable.

Car Hinde avait manifestement quelque chose à voir avec les meurtres. Sebastian en paraissait convaincu, et Vanja en avait également eu le sentiment. Ils pouvaient donc présumer que c'était le cas.

Hinde était impliqué.

Mais il n'avait pas pu commettre les meurtres lui-même, c'était absolument impossible. Et dans ce cas, d'après ce que Billy pouvait constater, il n'y avait plus que deux hypothèses.

L'une était que Hinde avait commandité les meurtres depuis la prison. Il avait peut-être évoqué le fait que les victimes devaient avoir cette spécificité en commun, et la personne en question aurait ensuite agi de son propre chef en filant Sebastian – c'était donc ainsi qu'il avait trouvé Annette Willén, par exemple.

C'était plausible, mais encore une fois peu crédible.

Le fait que le meurtrier ait modifié son mode opératoire pour Annette Willén contredisait cette thèse. Tout d'un coup, la victime n'était plus une ancienne conquête, mais la dernière en date. Pourquoi avoir fait cela ? Si l'on partait du principe que Hinde avait fourni une liste de noms de victimes potentielles, son imitateur aurait pris l'initiative de s'en écarter pour commencer à improviser ?

Possible encore une fois, mais toujours peu probable.

Restait alors l'hypothèse selon laquelle Hinde ait été en contact continu avec le meurtrier pour échanger des informations. Le meurtre d'Annette Willén prouvait d'ailleurs que c'était sûrement le cas. Le meurtrier avait suivi Sebastian et l'avait vu en compagnie d'Annette Willén, suite à quoi il lui avait donné l'ordre de l'exécuter. Ou bien l'inverse. Hinde lui avait donné l'ordre d'assassiner une conquête plus récente. Pour faire apparaître le lien.

Vraisemblable, mais malheureusement impossible. Car Hinde n'avait aucun contact avec le monde extérieur. Ou bien si ? Billy avait appelé Victor Bäckman à Lövhaga, et ce dernier lui avait fourni l'historique des sites visités par Hinde ces derniers jours. Il allait commencer par là. Peut-être que quelqu'un avait laissé des messages codés sur un site consulté par Hinde. Comme dans un vieux roman d'espionnage.

Mais dans ce cas, comment Hinde aurait-il pu répondre ? À la bibliothèque, il ne pouvait ni chatter, ni laisser de commentaires, ni communiquer de quelque autre manière que ce fût. Ce qui ramenait toujours à la même conclusion.

Torkel passa la tête par la porte entrebâillée.

– On y va, dit-il.

Billy retira ses écouteurs, ramassa les papiers éparpillés sur son bureau pour en faire une pile et quitta la pièce. Vanja resta assise et plissa plusieurs fois les yeux tout en se massant le front avec le pouce et l'index. Le comprimé antidouleur n'avait pas servi à grand-chose. Elle sortit la boîte de médicaments du tiroir supérieur de son bureau, expulsa un nouveau cachet de la plaquette et l'avala à l'aide d'une gorgée de café qui ne pouvait d'ores et déjà plus être qualifié de tiède. Puis elle gagna le couloir où elle faillit foncer dans Ursula. Sebastian se trouvait à quelques mètres derrière elles. Vanja l'ignora royalement.

– Bonjour, dit-elle en ne s'adressant volontairement qu'à Ursula.

– Bonjour, tu as l'air fatiguée.

Vanja hocha la tête et tenta de trouver rapidement une explication quelconque. Elle ne voulait pas mettre sa cuite de la veille ni ses pensées négatives sur la place publique. Elle trouva alors une explication valable à ses cernes. Les soucis.

– Ma grand-mère est malade.

– Oh non, je suis désolée, dit Ursula, pleine d'empathie. Rien de grave, j'espère ?

– Non. Anna est partie la voir. J'espère qu'elle va bientôt m'appeler…

Sebastian sourit, soulagé, toujours derrière elles. Anna était partie. Elle avait quitté la ville. Un souci en moins. Il avait beaucoup pensé à tout ça. À ce qu'il avait fait. À ce qu'il aurait dû faire. À ce qu'il devait faire à présent. S'il avait réellement commis une erreur en menant le meurtrier tout droit chez Anna Eriksson, la meilleure solution aurait été de poster discrètement deux policiers dans l'appartement. Laisser Valdemar s'en aller comme si de rien n'était pour faire croire qu'Anna était seule. Et attendre l'arrivée de l'imitateur pour le prendre sur le fait. Ce n'était pas seulement la meilleure chose à faire mais aussi la seule chose à faire, mais c'était hélas ! impossible. Comment Sebastian aurait-il pu expliquer qu'il craignait qu'Anna Eriksson fût la prochaine victime alors qu'elles n'avaient toutes qu'un seul et même point commun ? Impensable. Il devait donc d'abord compter sur Trolle. Qui ne répondait plus au téléphone depuis ce matin. Sebastian commençait à s'inquiéter. Il reprit son téléphone portable et composa à nouveau le numéro de Trolle en suivant les autres dans la salle de réunion. Plusieurs sonneries. Personne ne répondit.

– Sebastian… dit Torkel en lui jetant un regard impatient. On va commencer.

Sebastian rangea son téléphone portable dans sa poche en soupirant. Vanja se pencha pour prendre la bouteille d'eau posée au milieu de la table.

– OK, lança Torkel. Évoquons d'abord les faits. Vanja, tu veux commencer ?

Vanja avala une dernière gorgée d'eau et s'éclaircit la voix.

– J'ai trouvé que Rodriguez ne peut pas être impliqué. La Ford Focus bleue a été volée deux jours après que Rodriguez a décidé de prendre un malheureux raccourci sur la E4. Rond comme une barrique, apparemment.

– Et sinon, quoi d'autre ?

– Rien concernant Rodriguez. Pour moi, il est hors de cause.

Torkel hocha la tête. Encore une fausse piste. Et il y en avait beaucoup dans cette affaire. Beaucoup trop. Il se tourna alors vers Billy.

– Et toi ?

Billy se redressa et lut à haute voix les notes qu'il avait passées en revue une minute auparavant.

– Je crois que quelqu'un aide Hinde.

– Bravo, Einstein ! s'exclama Sebastian en applaudissant. C'est clair comme de l'eau de roche que quelqu'un l'aide.

– Je veux dire, pas pour les meurtres, je veux dire, pour les informations. Je crois qu'il a de l'aide à Lövhaga.

Sebastian se tut. Tous se penchèrent d'un air intéressé. Ce n'était pas une idée révolutionnaire, ils y avaient déjà pensé, mais Billy semblait avoir trouvé un nouvel angle qui pouvait aboutir à quelque chose.

– J'ai contacté Victor Bäckman, le responsable de la sécurité, poursuivit Billy. Aucun des détenus du quartier de haute sécurité ne peut communiquer par ordinateur. Deux d'entre eux ont le droit de téléphoner. Leurs conversations sont enregistrées, j'ai la retranscription de leurs appels.

Il distribua à chacun cinq feuilles agrafées qu'ils commencèrent tous à feuilleter.

– *A priori*, je n'ai rien trouvé de suspect, mais ils pourraient utiliser un langage codé.

– Qui appellent-ils ? demanda Torkel, quelque peu impressionné.

– J'ai également la liste des appels.

Billy distribua cinq autres feuilles. Des noms, des adresses et des numéros de téléphone.

– Il n'y en a pas beaucoup. L'un d'eux appelle principalement sa petite amie, l'autre sa mère, à quelques exceptions près. Mais il faudrait qu'on discute avec eux. Avec les destinataires de ces appels, je veux dire.

– Absolument, approuva Torkel en levant les yeux de la liste qu'il venait de recevoir. Vanja, tu t'en occupes ?

Vanja dut faire un effort pour dissimuler sa surprise. Tout d'un coup, c'était le monde à l'envers. Billy avait apporté une contribution significative à l'enquête, certes encore une fois du côté technique, mais tout de même. Il donnait le tempo. Et elle devait à présent répartir les noms figurant sur la liste pour les contacter et les interroger.

– Bien sûr, murmura-t-elle.

– Autre chose ? demanda Torkel, toujours en s'adressant à Billy.

– Si ce n'est pas un prisonnier, ce pourrait aussi être un employé. J'ai demandé la liste du personnel, et je vais la comparer à notre base de données.

– Je serais étonné qu'un membre du personnel de la prison possède un casier judiciaire.

Billy haussa les épaules.

– Vous avez dit que Hinde était manipulateur. Il communique avec quelqu'un. J'en suis sûr…

– Comment peux-tu en être sûr ?

La question venait à nouveau de Sebastian. Cette fois, il avait l'air sincèrement curieux.

Billy expliqua sa théorie. Le quatrième meurtre était différent. Sebastian acquiesça. Il était inhabituel qu'un tueur en série changeât aussi soudainement son mode opératoire. Et cela était d'autant plus surprenant de la part d'un imitateur. À moins que Hinde n'ait trouvé une marionnette qu'il pouvait contrôler à son gré. Quelqu'un qui était moins fasciné par le fait de tuer que de plaire à Hinde. Ce n'était pas impossible. Il suffisait de l'identifier. Torkel était visiblement arrivé à la même conclusion.

– Occupe-toi du personnel. Et demande de l'aide en cas de besoin. Bon travail, Billy.

Torkel se tourna ensuite vers Ursula et lui donna la parole.

– Du point de vue technique, nous ne sommes pas plus avancés qu'hier. Ou tout aussi avancés, selon la manière dont on voit les choses.

Torkel la remercia, rassembla ses papiers et s'apprêta à conclure la réunion.

– Et Sebastian ? On n'a pas le droit d'entendre ce qu'il a trouvé de son côté ?

Vanja ne put s'empêcher de se défouler sur quelqu'un pour faire passer sa migraine et sa mauvaise humeur. Et qui était le mieux placé pour cela ? Elle se pencha et le mitrailla du regard.

– Alors, qu'est-ce que tu as accompli ? Je veux dire, à part avoir réussi à ne pas ouvrir ta braguette ?

Le téléphone de Torkel sonna avant même qu'il n'ait pu commenter le dérapage de Vanja. Il décida de prendre l'appel, car il était certain que Sebastian était parfaitement capable de répondre lui-même à ces attaques.

Sebastian regarda Vanja droit dans les yeux sans perdre de son flegme. Devait-il l'informer qu'il avait tenté d'avertir certaines femmes du danger ? Qu'il avait fait ce qu'il avait pu pour éviter que cela ne se reproduise ? Qu'il avait l'intention de prendre son téléphone pour appeler d'autres femmes aujourd'hui ? Non, il ne valait mieux pas. Car alors, ils auraient voulu savoir qui il avait contacté, et ils lui auraient tous fait remarquer à quel point il avait été bête de leur avoir rendu visite en personne alors qu'il pouvait encore être suivi. Mais il ne comptait tout de même pas continuer à se laisser insulter. Vanja avait beau jeu de tirer sur l'ambulance. Elle n'avait aucune pitié, rien que du mépris. En cet instant, il lui était bien égal de savoir qui elle était. Le moment était venu pour Sebastian Bergman de se défendre.

– En effet, je n'ai pas ouvert ma braguette. Je me suis juste branlé à travers le pantalon. Tu n'y vois pas d'inconvénient ?

Vanja le fusilla du regard et secoua la tête, énervée.

– Je te hais.

– Je sais.

Torkel mit fin à sa conversation téléphonique et s'adressa à nouveau à son équipe sans omettre de montrer qu'il avait bien entendu l'échange qui venait d'avoir eu lieu.

– On a retrouvé une voiture. Brûlée. C'est, ou plutôt c'était une Ford Focus bleue.

– Où ça ?

Vanja, Billy et Ursula avaient déjà repris leurs esprits.

– Près d'une gravière à Bro. J'ai le plan d'accès.

– Alors, allons-y.

Billy se gara à côté de la jeep d'Ursula, au bord de la gravière, coupa le contact et attendit. Il observa Ursula descendre de son véhicule, ouvrir le coffre et en sortir deux valises contenant son équipement. Vanja était assise à côté de lui, sur le siège passager, ses lunettes de soleil sur le nez. La tête vissée contre l'appuie-tête, elle respirait lentement et régulièrement.

Dans le parking souterrain, c'était elle qui lui avait lancé les clés.

– Tu conduis, avait-elle dit.

Depuis, ils n'avaient plus échangé un seul mot. Il avait conduit dans le silence le plus complet en direction du nord. Arrivé sur la E18, il lui avait demandé si cela la dérangeait qu'il allumât la radio. N'obtenant aucune réponse, il avait mis « The Voice ». Snoop Dogg. Vu qu'elle ne protestait pas, il avait supposé qu'elle s'était endormie. Après avoir quitté Bro, il avait tourné à droite sur la 269, et avait suivi les indications de son GPS pour rejoindre le chemin qui menait à la gravière de Lövsta. Ils étaient arrivés. Il lui tapota sur l'épaule.

– Réveille-toi, on est sur place.

– Je suis réveillée !

– OK. En tout cas, on y est.

Vanja se redressa sur son siège, s'étira et regarda par la vitre comme quelqu'un qui venait de se réveiller, mais Billy s'abstint de tout commentaire. Puis ils descendirent de la voiture et se dirigèrent vers la carcasse de la Ford. Entre les montagnes de gravier, le temps semblait s'être arrêté. Autour d'eux, des nuées d'insectes virevoltaient. Vanja évalua la température à 45 degrés. Une jeune femme en uniforme se tenait juste devant le périmètre de sécurité qui venait d'être installé. Vanja la rejoignit tandis que Billy se dirigeait vers la voiture.

– Jennifer Holmgren, se présenta la femme en tendant la main à Vanja.

– Vanja Lithner, brigade criminelle nationale. C'est vous qui avez trouvé la voiture ?

– Oui.

Vanja jeta un regard vers la voiture, ou plutôt ce qu'il en restait. Sa couleur bleue n'était plus visible que par endroits, sinon elle était carbonisée. Les pneus avaient fondu, tout comme la garniture intérieure. Les portières et le toit s'étaient bombés sous l'effet de la chaleur, et toutes les vitres avaient explosé. Le coffre était ouvert, et le capot manquait, sans doute suite à l'explosion du moteur. Ursula pourrait leur expliquer les détails plus tard. Elle s'affairait déjà autour de la carcasse et la photographiait sous tous les angles.

Vanja se tourna à nouveau vers Jennifer :

– Avez-vous touché à quelque chose ?

– Oui, j'ai ouvert le coffre.

– Pourquoi donc ?

Jennifer avait tourné et retourné la question dans sa tête depuis qu'elle avait reçu l'ordre d'attendre l'arrivée de la Crim'. Elle craignait que la vraie raison pour laquelle elle avait ouvert le coffre – l'espoir d'y trouver le cadavre d'une victime d'un règlement de compte entre gangsters ou quelque chose du genre – ne fût pas très convaincante. Elle ne s'était rendu compte que trop tard que la Crim' la prendrait pour une idiote de s'être imaginé qu'on pouvait liquider quelqu'un dans une gravière en périphérie de Sigtuna. Bien qu'on eût effectivement retrouvé deux cadavres dans des voitures brûlées sur la E6 en direction de Halland. Jennifer aurait donné cher pour être dans la première voiture arrivée sur les lieux de la découverte…

Cette fois, le coffre était vide, mais pendant qu'elle attendait, elle n'avait pas pu trouver de meilleure explication à son geste.

– On recherche un gamin de six ans qui a disparu. Je voulais juste m'assurer qu'il ne s'était pas caché à l'intérieur. Il fait tellement chaud, compléta-t-elle.

Vanja Lithner, de la brigade criminelle nationale, fit un signe approbateur. Non seulement elle acceptait son explication, mais en plus, elle était impressionnée.

– Rien d'autre ?

– Non. Pourquoi vous intéressez-vous à cette voiture ? Elle est impliquée dans quelque chose ?

Vanja considéra sa collègue en uniforme. Le ton de sa voix trahissait un espoir qui frisait l'excitation.

– Vous avez trouvé le gamin ? demanda Vanja pour éviter de répondre.

– Quel gamin ?

– Eh bien, celui que vous recherchez, vous et vos collègues.

– Non. Pas encore.

– Alors, vous feriez mieux de continuer.

Vanja se pencha pour passer sous le ruban et se dirigea vers la voiture près de laquelle se tenaient Ursula et Billy.

Jennifer la suivit du regard. La Crim'. C'était là qu'il fallait être. Dès qu'elle aurait terminé sa formation de gardien de la paix à Sigtuna, elle y poserait sa candidature. Quel âge pouvait avoir cette Vanja ? Trente ans peut-être. Cinq ans de différence. Et elle n'avait pas vraiment l'impression que c'était son premier jour. Mais d'abord, elle devait retrouver Lukas Ryd.

Vanja s'approcha de la carcasse calcinée et regarda à l'intérieur. C'était un véritable magma de plastique fondu, de câbles brûlés et de pièces de métal recourbées. Ursula prenait toujours des photos, mais elle s'était sans doute déjà fait une première idée.

Vanja se releva.

– Alors, tu as trouvé quelque chose ?

– Un accélérateur de feu assez puissant. Aucun signe que quelqu'un se trouvait à bord de la voiture.

Ursula baissa son appareil et regarda par-dessus le toit de la voiture.

– Je ne veux pas m'avancer, mais je n'ai pas grand espoir de trouver quoi que ce soit d'autre.

Vanja soupira. Les plaques d'immatriculation étaient brûlées et impossibles à déchiffrer. Elle ne savait même pas s'il s'agissait de la bonne Ford. Ils étaient peut-être en train de perdre un temps précieux en examinant le véhicule de quelqu'un qui avait voulu s'épargner le chemin jusqu'à la casse.

– Je vais faire un petit tour pour voir si je peux trouver quelque chose.

Apparemment, Billy venait d'avoir la même idée. Ils n'avaient pas grand-chose à faire ici. Du moins, à en juger la situation actuelle.

– Qu'est-ce que tu veux trouver ?

– Aucune idée. N'importe quoi. En tout cas, on n'a pas besoin de rester tous plantés là à regarder.

Billy s'éloigna de la carcasse, passa sous le cordon de sécurité et disparut. Vanja ne bougea pas d'un pouce. Finalement, ils étaient peut-être allés trop vite en besogne quand ils avaient décidé de partir tous les trois, mais l'espoir d'une avancée décisive était bien trop grand pour rater une telle occasion. Or ils avaient plutôt fait chou blanc. Aucune trace de pas. Pas de témoins ni de caméras de surveillance. Ursula s'occuperait seule de la voiture. Que lui restait-il à faire ? Billy avait dit qu'ils n'étaient pas obligés de tous rester là à regarder. Pas tous, mais l'un d'entre eux au moins. Apparemment, ce serait la mission de Vanja. Mon Dieu, qu'il faisait chaud.

Billy marcha le long du chemin de gravier tout en scrutant son environnement. Il ne savait pas vraiment ce qu'il cherchait, ni ce qu'il espérait trouver. Dans le meilleur des cas, leur tueur avait au moins commis une erreur en croyant que la Crim' ne mettrait jamais les pieds ici. Il avait peut-être jeté un bidon d'essence qu'il s'était procuré dans une station-service équipée d'une caméra de surveillance. On pouvait toujours rêver, mais il se sentait au moins plus utile sur ce chemin forestier qu'en faisant le pied de grue près de la carcasse, en compagnie d'une Vanja de mauvais poil.

Au bout de huit cents mètres, il n'avait toujours rien trouvé et avait presque atteint la grande route. Cent mètres plus loin, à gauche du carrefour, il vit une maison isolée en bois rouge aux volets blancs. Elle avait de solides fondations en pierre et un toit d'ardoise en pente. Deux voitures étaient garées dans l'allée, tandis qu'un tricycle et d'autres jouets étaient éparpillés sur la pelouse. La maison était habitée. Il valait donc la peine d'y faire un tour. Billy se dirigeait vers elle quand il entendit sur sa droite un bruissement de feuilles dans la forêt. Il se retourna en portant par réflexe la main à son holster, mais lorsqu'il vit une femme d'une quarantaine d'années en train de promener son chien, il se détendit. Un setter brun à poils longs.

– Vous êtes de la police ? demanda la femme, qui marchait sur le chemin de gravier à quelques mètres de Billy. Le chien tirait sur la laisse, et jappait.

– Oui.

– Qu'est-ce que vous faites ici ? J'ai vu des policiers toute la journée.

La femme et son chien s'approchèrent de Billy, qui se pencha pour caresser l'animal.

– Mes collègues recherchent un enfant disparu.

– Qui a disparu ?

– Je ne sais pas. Un petit garçon du voisinage. Mais je suis ici parce qu'on a retrouvé une voiture brûlée à la gravière.

– Ah bon.

– Habitez-vous près d'ici ? demanda Billy en se relevant. Le chien montra soudain un grand intérêt pour ses mains, et se mit à les lécher fébrilement.

– J'habite là-bas, dit-elle en désignant la maison en bois rouge que Billy s'apprêtait à rejoindre.

– Comment vous appelez-vous ?

– Carina Torstensson.

– Billy Rosén. Vous étiez au courant de quelque chose ?

– Pour la voiture ?

– Oui.
– Non.
– C'était sans doute hier entre dix heures et...
Billy s'interrompit. En fait, ils ne savaient pas exactement depuis quand la voiture se trouvait près de la gravière. Vu qu'elle avait refroidi, il était exclu que son incendie datât de moins de dix heures, mais elle avait pu être brûlée à n'importe quel autre moment. Il haussa les épaules.
– Elle a été incendiée hier soir. Vous avez observé quelque chose d'inhabituel ?
Carina parut réfléchir, mais elle secoua la tête.
Billy fit une dernière tentative.
– Peut-être en promenant le chien... Vous n'avez pas vu de véhicule suspect ? Une voiture qui n'aurait pas dû se trouver là...
– J'ai rencontré un homme en allant cueillir des champignons. C'était hier.
Billy prit une profonde inspiration. Enfin. Un témoin qui avait vu quelque chose. Jusque-là, ils avaient eu affaire à un fantôme, mais Carina Torstensson avait réellement vu quelqu'un.
Pendant la cueillette des champignons.
En plein milieu de l'été ?
Au mois de juillet...
La femme remarqua son air sceptique.
– Les premières chanterelles pointent le bout de leur nez. Il fait un peu trop sec maintenant, mais on peut quand même en trouver quelques-unes...
Elle regarda le ciel bleu.
– Un peu de pluie ne ferait pas de mal.
– Cet homme que vous avez croisé...
Billy décida de ne pas s'avouer vaincu et de ramener la conversation dans le droit chemin.
– Il venait de là-haut.
Elle désigna un point par-dessus son épaule. En direction de la gravière.

– De la gravière ?

– Oui.

– Vous souvenez-vous de quoi il avait l'air ? dit Billy en sortant un bloc-notes et un stylo.

– Grand. Pas habillé pour la forêt. Une queue-de-cheval. Une grande cicatrice en travers de l'œil.

Billy s'arrêta d'écrire. Une grande cicatrice. Comme Roland Johansson.

– À l'œil gauche ? Qui descend jusqu'à la joue ? fit Billy en lui montrant avec un stylo.

La femme acquiesça.

– Où est-il allé ? Est-ce que quelqu'un est venu le chercher ?

– Non, il a pris le bus.

– Quel bus ?

– Le numéro 557 direction Kungsängen. Il s'arrête là-bas.

– Vous souvenez-vous de l'heure approximative ? demanda-t-il en retenant son souffle.

Elle désigna du doigt un point sur la grande route, et Billy distingua ensuite un arrêt de bus à une cinquantaine de mètres après la maison.

Carina réfléchit.

– Midi et quart, midi vingt. Il a dû prendre le bus de douze heures vingt-six.

– Merci ! Billy dut retenir l'impulsion de la prendre dans ses bras tellement il était content. Merci beaucoup !

Il rangea son bloc-notes et se mit à courir.

Il n'eut pas besoin de courir très loin. Au bout d'environ une centaine de mètres, Vanja vint à sa rencontre en voiture. Arrivée à sa hauteur, elle freina et abaissa la vitre.

– Où vas-tu ? Ça suffit si Ursula reste ici, on ne peut de toute façon pas faire grand-chose.

– OK…

Billy fit le tour de la voiture et sauta sur le siège passager. Il mit sa ceinture tandis que Vanja passait la première.

– Roland Johansson était ici.

Vanja jeta un bref regard dans sa direction, et Billy remarqua qu'elle avait ralenti. Elle était étonnée.

– Le type qui a purgé sa peine avec Hinde à Lövhaga ?

– Oui.

– Comment tu le sais ?

– Je viens de croiser une femme qui habite au carrefour tout près d'ici, dit-il en désignant la maison rouge devant laquelle ils étaient sur le point de passer. Elle l'a vu ici. Hier.

– Tu es parti pour interroger le voisinage ?

Billy resta bouche bée. Il s'attendait à de nombreuses questions. Sur l'affaire. Sur Johansson, sur l'endroit où il avait trouvé ce témoin. Si ce témoignage lui paraissait crédible. Au lieu de ça, elle voulait savoir pourquoi il avait pris l'initiative de quitter la gravière sans y avoir été invité. Sur un ton pour le moins critique.

– Je suis parti pour aller voir le chemin, c'est là que je l'ai rencontrée.

– Et tu l'as immédiatement interrogée au sujet de la voiture ?

Billy soupira. Il avait de bonnes nouvelles.

Des nouvelles importantes.

Peut-être même décisives.

Et c'était ça qu'elle voulait savoir ?

– Non, je n'ai fait qu'explorer les alentours.

Billy s'efforça de ne rien laisser transparaître de son agacement, mais il s'entendit lui-même faire la leçon.

– Elle est passée avec son chien et m'a demandé ce qu'on faisait là, je lui ai répondu sincèrement, suite à quoi elle m'a expliqué qu'elle avait vu un homme avec une grande cicatrice sur le visage venir de la gravière à l'heure en question. À ton avis, qu'est-ce que j'aurais dû faire ? Lui demander de se taire jusqu'à ce que tu sois là pour écouter ?

– Non, bien sûr. De toute façon, on dirait que tu préfères faire cavalier seul, ces temps-ci.

Vanja tourna à gauche sur la route et accéléra. Encore des critiques. Pourquoi, en fait ? Billy était assis, muet, et déroula le film de ce qui s'était passé jusqu'à cet épisode avec la femme qui promenait son chien.

Ce qu'il avait fait ou pas.

Mais il avait beau réfléchir, il ne voyait pas ce qu'il avait fait de mal. Et pour être honnête, même pas quand il avait refusé de mener cette recherche pour elle. Il avait de l'ambition, et voulait continuer de surfer sur cette vague. Il voulait changer quelque chose. Il était temps de lui demander ce qui la mettait tant en colère.

– Mais qu'est-ce qui se passe ?

Vanja ne répondit pas, mais parut se concentrer sur la route. Billy ne lâcha pas le morceau.

– Dès que je ne fais pas exactement ce que tu dis ou que je prends des initiatives, tu pètes un câble, continua Billy. Est-ce que tu te sens menacée ?

– De quoi ?

Elle paraissait plutôt amusée cette fois. Comme si cette pensée était si absurde qu'elle en devenait risible. Billy se redressa dans son siège.

– Moi, dit-il énergiquement. Tu as peur que je puisse être meilleur que toi ?

Cette fois, elle ne se retint pas, et éclata d'un rire sec.

– Mais oui, bien sûr.

Elle continuait de regarder droit devant elle. Billy crut toujours discerner un sourire suffisant au coin de ses lèvres, mais il n'en était pas sûr. Par contre, il n'y avait aucun doute quant au ton ironique qu'elle venait d'employer.

– Comment ça ? dit-il en abandonnant son flegme. Pourquoi devait-il continuer à faire des efforts ? Il était tout aussi en colère qu'elle à présent.

– Quoi ?

– Ton rire, et puis ce « mais oui, bien sûr ».

Vanja ne répondit pas immédiatement. Il y avait plusieurs alternatives. Elle pouvait continuer à se taire et ignorer ses questions. Ou elle pouvait s'excuser et faire son mea culpa de lui avoir parlé ainsi et prétendre que ce n'était pas son intention.

Ou alors, elle disait la vérité.

– Ce que je veux dire, c'est que je n'ai pas peur que tu puisses être meilleur que moi.

– Ah non, et pourquoi ?

– Parce que ce ne sera jamais le cas.

Billy se renversa dans son siège. Il aurait pu continuer à creuser avec des « pourquoi » et des « pourquoi pas », mais à quoi bon ? Vanja lui avait dit clairement ce qu'elle pensait de lui en tant que policier. Il n'y avait rien à ajouter.

Vanja était visiblement du même avis. Ils continuèrent leur route en silence.

En appuyant sur le champignon pour s'engager sur l'autoroute, Haraldsson savait pertinemment qu'il arriverait en retard à Lövhaga. Mais il se dit que ce n'était pas très grave. Il n'avait pas à pointer. C'était lui, le chef. Il pouvait bien profiter un peu de la flexibilité de ses horaires. Comme une sorte d'avance.

Son réveil s'était mis en marche à l'heure habituelle, mais Jenny s'était roulée de son côté pour se blottir contre lui sous la couverture. Sa grossesse ne se voyait pas encore, mais Haraldsson avait déjà cru sentir les rondeurs de son ventre contre son dos. Et la vie à l'intérieur. Leur enfant. À moitié lui, à moitié elle. Parfois, il souhaitait que l'enfant fût davantage comme Jenny. Ou bien un tiers de lui et deux tiers d'elle. Elle était si belle. À tout point de vue. Physiquement bien sûr, mais aussi… dans son ensemble. Cette pensée qu'un être pût être aussi beau semblait tout droit tirée d'un roman à l'eau de rose. Mais Jenny l'était réellement. Chaleureuse, maternelle, intelligente, drôle. Elle était tout ce qui était bien. Parfois, il ne parvenait toujours pas à réaliser la chance qu'il avait qu'elle fût avec lui. Certes, il se réjouissait de devenir père, mais sûrement encore plus de pouvoir rendre Jenny heureuse. Pendant de nombreuses années, cela avait été son vœu le plus cher, et il avait bien cru ne jamais pouvoir le réaliser. Comme s'ils n'étaient pas destinés à être parents. Peu importait à qui la « faute ». Cela l'avait fait souffrir, car il voulait tout lui donner.

Il l'aimait tellement.

Et il le lui avait dit ce matin. Elle lui avait répondu en le serrant encore plus fort dans ses bras. Une chose en entraînant une autre, ils avaient fait l'amour, et il le lui avait dit encore une fois.

– Je t'aime.

– Je t'aime aussi.

– J'ai une surprise pour demain matin.

– Chut ! avait-elle répliqué en lui mettant l'index sur la bouche. Ne dis rien. Je veux avoir la surprise.

Ils allaient fêter leurs cinq ans de mariage le lendemain. Il avait déjà tout prévu. Il lui amènerait d'abord le petit-déjeuner au lit, du pain grillé avec de la confiture, du fromage, des œufs brouillés avec du bacon, du melon et des fraises avec du chocolat fondu – il arriverait donc certainement en retard le lendemain aussi. Quand Jenny serait à son travail, une voiture avec chauffeur passerait la prendre pour la conduire pour une journée de soins dans un spa. Au même moment, des ouvriers viendraient chez eux pour y planter un pommier dans les règles de l'art. Jenny aimait les pommes légèrement acidulées, et dans le magasin de plantes, enfin la jardinerie, peu importait le nom que cela portait, on lui avait dit que la variété Ingrid Marie serait le meilleur choix. Un beau nom. S'ils avaient une fille, ils pourraient l'appeler ainsi. Ingrid Marie Haraldsson. Haraldsson était impatient en pensant à la belle journée qui s'annonçait.

Cinq ans.

Les noces de bois.

C'était pour cette raison qu'il voulait lui offrir un arbre, dont elle pourrait cueillir les pommes toutes les années à venir. Qui fleurirait tous les printemps. Dont les feuilles tomberaient à l'approche de l'hiver. Sur lequel Ingrid Marie ainsi que ses frères et sœurs pourraient grimper. Haraldsson se voyait déjà vieillir avec Jenny, couler des jours heureux dans leur jardin, avec leurs enfants et leurs petits-enfants qui emporteraient chez eux des sacs pleins de pommes pour en faire de la compote et du jus. Si d'ici là, ils n'avaient pas déjà planté une greffe d'arbre dans leur propre jardin. C'était un cadeau qui leur ferait plaisir toute leur vie. Jenny serait contente. Mais ce n'était pas tout. Ils allaient couronner la journée par un repas gastronomique. Un chef viendrait à la maison avec tous ses ustensiles et tous les ingrédients pour leur préparer un délicieux repas. Un menu composé d'une entrée, d'un plat et d'un dessert, le vin était compris, et même la vaisselle était incluse. Ils pourraient se détendre. Profiter d'être à deux.

Rien ne les empêcherait de passer un bon moment.

Son téléphone sonna. Dring, dring. Il jeta un coup d'œil à l'écran avant de répondre. Le travail. Qu'y avait-il donc encore ?

– Ici, Haraldsson.

– Mais où êtes-vous ?

Annika. Sa secrétaire. Il décida d'avoir une petite conversation avec elle prochainement. Quelque chose semblait aller de travers.

Il s'était pourtant efforcé de la complimenter sur son travail et ses efforts, par exemple lorsqu'elle avait pris l'initiative d'aller chercher du café à la cantine. Il en avait pris note et l'avait encouragée à continuer sur cette voie.

– Je suis en route. Il y a quelque chose de particulier ?

– La réunion mensuelle avec les médecins.

Bon sang, il avait complètement oublié. Le directeur du centre pénitentiaire et le personnel médical se réunissaient tous les derniers mercredis du mois. Haraldsson avait eu l'intention de reporter le rendez-vous et ne l'avait donc pas consigné dans son agenda. Il avait voulu prendre le temps de mieux s'y préparer avant de les rencontrer pour la première fois, puis il avait oublié de proposer une autre date. Et maintenant, il était certainement trop tard.

– Où a-t-elle lieu ?

– Ici. Dans vingt minutes.

Haraldsson regarda l'heure. Il n'y serait pas avant une demi-heure.

– De toute façon, je serai arrivé d'ici là, répondit-il avant de raccrocher.

Annika n'aurait qu'à leur dire qu'il était en route. Il avait maintenant au moins une demi-heure pour trouver une explication à son retard. Quelque chose en rapport avec la circulation. Des travaux peut-être. Une déviation. Des bouchons. Il allait devoir s'excuser, mais il n'aurait pas pu prévoir que ça allait arriver. Il augmenta le volume de la radio et appuya sur le champignon.

Billy et Vanja étaient dans la cantine du dépôt de bus et attendaient Mahmoud Kazemi, le conducteur du bus ce jour-là. La femme de l'accueil leur avait expliqué qu'il devait arriver d'ici dix minutes pour faire une pause de quinze minutes. Billy avait demandé ce qui se passerait s'ils l'interrogeaient plus longuement, ce à quoi la femme avait répondu qu'ils allaient devoir faire un tour en bus. Ils ne pouvaient pas se permettre d'avoir du retard, et il était trop tard pour trouver un remplaçant. Billy décida donc pour lui-même de limiter l'interrogatoire à un quart d'heure. Il ignorait ce que Vanja pensait, et elle ne le lui dirait sûrement pas. Depuis leur dispute pour savoir qui était le meilleur policier, ils n'avaient plus échangé un seul mot. Ça paraissait ridicule. Ils se chamaillaient comme des gosses jaloux. Immatures. Mais là n'était pas la question. Le problème était que Vanja avait dit tout haut qu'elle pensait que Billy était un moins bon policier qu'elle. C'était peut-être le cas. Probablement même. Mais il n'avait pas apprécié cette attitude condescendante, et en avait été blessé. Il les croyait au-dessus de ce genre d'attaques et de commentaires. Ils avaient certes des désaccords de temps à autre, c'était normal quand on travaillait ensemble. Les divergences d'opinions étaient une chose – la méchanceté en était une autre.

La femme de l'accueil les avait conduits à la cantine. C'était un espace fonctionnel doté de tables en bois recouvertes de toiles cirées aux motifs de couronnes d'airelles, de chaises en plastique, de machines à café, de micro-ondes et d'un lave-vaisselle. Elle n'était pas particulièrement neuve, mais elle n'avait pas non plus réellement besoin d'être rénovée. S'asseoir, faire une pause et manger. Elle n'invitait pas à y rester plus que nécessaire, et il y planait une odeur mêlée de sueur et de nourriture. Billy s'assit à une table, tandis que Vanja se dirigeait vers la machine à café.

– Tu en veux un aussi ?

– Non, merci.

Vanja haussa les épaules et lui tourna le dos en remplissant son gobelet. Puis elle revint s'asseoir à côté de lui. Sûrement pour éviter que Mahmoud Kazemi ne se demandât pourquoi ils étaient assis à deux tables séparées. Elle lapa son café.

Un homme d'une quarantaine d'années apparut à la porte. Environ un mètre quatre-vingt-cinq, les cheveux bruns, une moustache et des yeux bruns qui les fixaient nerveusement.

– On m'a dit que vous vouliez me parler ? dit l'homme en faisant un vague geste du pouce censé indiquer qui était « on ».

Vanja supposa qu'il s'agissait de l'hôtesse d'accueil.

– Mahmoud Kazemi ? demanda-t-elle en se levant. Billy l'imita.

– Oui. De quoi s'agit-il ?

– Vanja Lithner et Billy Rosén, nous sommes de la brigade criminelle nationale…

Ils montrèrent tous deux leur carte. Mahmoud y jeta un regard indifférent.

– Nous aimerions vous poser quelques questions au sujet de votre tournée d'hier.

L'homme donna son accord, et ils s'assirent tous trois autour de la table. Vanja lui montra une photo de Roland Johansson.

– Vous reconnaissez cet homme ?

Mahmoud prit la photo et l'examina de plus près.

– Oui, peut-être.

Vanja sentit l'impatience la gagner. Roland Johansson était un géant, ressemblant à un gangster des Hell's Angels et qui, en plus, avait une grosse balafre au milieu de la figure. On se souvenait de lui si on le rencontrait. Pourquoi Kazemi hésitait-il ? Peut-être à cause de l'horaire. Bien. Mais il ne pouvait pas avoir de doute quant au fait de l'avoir vu ou non.

– Il est peut-être monté dans votre bus hier, l'aida Billy. À Lövsta.

– Lövsta...

– Entre Stentorp et Mariedal.

Mahmoud leva les yeux de la photo. Il jeta à Billy un regard fatigué.

– Je sais où est Lövsta, je passe devant tous les jours.

– Pardon.

Le silence se fit. Vanja prit une tasse de café. Mahmoud Kazemi semblait être un homme auquel il ne valait mieux pas mettre la pression. Il étudia la photo, puis la reposa sur la table en hochant la tête d'un signe approbateur.

– Oui, il est monté hier. Je me souviens de lui à cause de l'odeur qu'il dégageait.

– Quelle odeur ? demanda Vanja.

– Une odeur de fumée. Comme s'il venait de faire un feu.

Vanja hocha la tête pour l'encourager à poursuivre, et se demanda intérieurement si certaines personnes pouvaient mieux se rappeler des odeurs que des visages. Pour elle, il était totalement incompréhensible que ce chauffeur de bus ne se souvînt pas de Johansson. Elle croisait à présent les doigts pour qu'il pût encore les aider.

– Est-ce que vous vous rappelez où il est descendu ?

– Brunna.

– Comment ? demanda Billy en penchant la tête en avant pour mieux entendre ce qu'il disait.

– Brunna, bafouilla Mahmoud avec un fort accent.

– Brûla ? s'enquit Billy.

– Brunna.

– C'était une voiture, expliqua Billy.

Mahmoud était visiblement perdu.

– Qu'est-ce qui était une voiture ?

– La voiture qui a brûlé. Brûlé, brûlé !

– Non, non ! Il est descendu à B-r-u-n-n-a. Le village de Brunna.

Billy mit quelques secondes à réaliser sa bourde. Vanja le vit rougir comme une pivoine quand cela avait enfin fait tilt dans sa tête. Il fixa la table, honteux.

– Bien sûr, excusez-moi.

Vanja sourit de cette maladresse. Ce malentendu était compréhensible. Compréhensible mais néanmoins teinté d'un léger préjugé. Billy avait présumé que Mahmoud Kazemi ne maîtrisait pas la langue et qu'il s'était trompé de mot. Elle n'avait pas fait mieux, et avait également interprété ce mot en relation avec la voiture brûlée. Surtout dans le contexte de la discussion qu'ils avaient eue dans la voiture.

Vanja réprima l'envie de commenter cette dernière phrase. Ils avaient obtenu ce qu'ils voulaient.

Vanja et Billy le remercièrent pour son aide et lui laissèrent leurs numéros de téléphone au cas où il se souviendrait de quelque chose. Ils quittèrent le dépôt de bus et rejoignirent la voiture sans échanger un seul mot. Le témoignage du chauffeur les menait à Brunna. Ils avaient maintenant un lieu et une heure. S'ils avaient de la chance, la piste ne s'arrêterait pas là.

Ils devaient rentrer au commissariat et continuer leur travail.

Encore un trajet en voiture.

Encore dans le silence.

Sebastian ne savait pas quel sentiment prédominait en cet instant précis : la nervosité, la fatigue ou la colère.

Une fois Vanja, Billy et Ursula partis, il avait passé plus d'une heure à faire les cent pas dans le bureau. Il avait bu trop de café. Essayé de reprendre des forces pour ce qu'il avait prévu de faire.

Les appels.

Il ne pouvait plus y couper. Il alla dans la salle de réunion et ferma la porte, car il avait besoin de calme. Cette pièce n'était de toute façon utilisée que par l'équipe. L'équipe dont il faisait partie. Il était également temps de le montrer. De faire ce qui était en son pouvoir.

Il s'était assis avec un papier et un stylo pour fouiller dans sa mémoire. Par où commencer ? Il était incapable de se rappeler qui il avait rencontré dix ou vingt ans auparavant. Il ne pouvait pas se rappeler toutes ces femmes. C'était comme ça. Ni leur nom, ni leur adresse, ni leur visage. Le fait que le meurtrier ait choisi Annette Willén ne voulait pas forcément dire qu'il voulait mettre la Crim' sur la piste du lien avec Sebastian. Il se pouvait également que Hinde, qui était manifestement mêlé à tout ça, n'avait pas pu trouver d'autres victimes et avait donc été obligé d'en choisir une plus actuelle.

Par conséquent, Sebastian se concentra sur ses souvenirs.

Il y en avait beaucoup. C'était difficile.

Au bout d'une heure, il avait une liste de six noms sur son bloc-notes. Six femmes avec lesquelles il avait couché depuis qu'il était revenu de Västerås fin avril. À Stockholm et dans sa région. Six dont il se rappelait le nom. Ou plutôt cinq. De la sixième, il n'avait que le prénom et une vague idée du quartier dans lequel elle habitait. D'une septième, il ne se souvenait plus que du quartier.

Avant de commencer, il se demanda s'il devait également prévenir les deux femmes avec lesquelles il avait couché à Västerås. Mais sûrement n'était-il pas encore suivi à l'époque. En plus, il avait oublié le nom de l'une d'elles, mais vu que c'était la voisine de ses parents, il se souvenait de son adresse. Quelque chose comme Lundin, c'est ça. En revanche, il se souvenait parfaitement de l'autre. Beatrice Strand. Mais pouvait-il vraiment l'appeler ? Le devait-il ? Elle avait déjà assez de soucis. Son fils Johan était dans un centre de détention pour mineurs, et son mari avait été condamné à douze ans de prison pour meurtre, incendie criminel et complicité de meurtre. Sa vie n'était qu'un champ de ruines. L'appeler maintenant et lui expliquer qu'en plus, un assassin était peut-être à ses trousses parce qu'elle avait couché avec Sebastian pouvait causer plus de dégâts qu'autre chose, se dit-il.

Il prit le bloc-notes et inspira profondément. Puis il trouva une raison de reporter ces conversations dérangeantes. Il n'avait toujours pas pu joindre Trolle. Il recomposa son numéro. Aucun signe de vie. Il laissa un cinquième puis un sixième message. Aucune réponse pour l'instant. Alors, il se leva et quitta la salle de réunion, puis il se rendit aux toilettes avant de se chercher un autre café. Envisagea d'aller déjeuner, mais se ravisa. Cinq appels. Peut-être six, si le prénom et le quartier amenaient à quelque chose.

Il pénétra dans la salle de réunion d'un pas lourd, referma la porte derrière lui et s'attela à la tâche.

L'exercice se révéla totalement vain. L'une des femmes répéta avec insistance qu'il s'était trompé de numéro. Les deux suivantes refusèrent catégoriquement de lui parler. Lui raccrochèrent au nez et ne prirent plus ses appels par la suite. Une autre l'écouta, puis arrivé au moment crucial de tout lui raconter, il s'était dégonflé. Il ne pouvait pas être celui qui lui dirait que sa vie était en danger. Pas au téléphone. Il ne parvint qu'à lui recommander d'être prudente et de ne pas laisser entrer d'étrangers dans son appartement. Ses paroles étaient décousues et sûrement un peu floues. Au bout du compte, la femme lui demanda pourquoi il appelait. Ce fut alors qu'il raccrocha et renonça même à appeler le dernier numéro sur la liste.

On ne pouvait pas régler de telles choses au téléphone. C'était impossible.

Mais il ne pouvait pas non plus y aller lui-même. C'était hors de question.

Vanja lui avait demandé quelle était sa contribution à l'enquête. La réponse était simple et sans appel. Rien. Il devait retourner voir Hinde. C'était lui la clé de l'énigme. Mais d'abord, il devait déjeuner.

Sebastian alla à la pizzeria du coin. Il avait sauté le petit-déjeuner ce matin-là, et avait des aigreurs d'estomac à cause du café. Il devait le remplir au plus vite. Il choisit la pizza « Belker », jambon, champignons, bacon, oignons, salami, banane, curry, ail et sauce béarnaise. Sebastian n'aimait pas le sucré-salé, il demanda donc à remplacer la banane par quelques miettes de gorgonzola.

Il emporta la pizza dans la salle de réunion et l'avala en moins d'un quart d'heure. Il mangeait avec les doigts directement dans le carton et fit passer la pâte avec un demi-litre de coca. Cela fit effet en quelques minutes.

Il avait mangé trop vite. S'était tellement rempli la panse qu'il arrivait à peine à respirer. Il se renversa dans sa chaise et étendit les jambes sous la table. Croisa les mains sur le ventre et ferma les yeux.

Il était fatigué. Après tous ses efforts pour mettre Anna Eriksson en sécurité, il n'avait pas réussi à se calmer. Une fois chez lui, très agité, il avait envisagé d'aller tenir compagnie à Trolle, avant d'y renoncer. Puis il s'était couché dans le lit, et avait fini par s'endormir vers deux heures et demie.

Il s'était réveillé peu avant cinq heures, les poings serrés. Ses ongles avaient laissé deux traces sanglantes sur ses paumes. Il avait tendu ses doigts et senti sa crampe s'estomper. Ensuite, il était resté éveillé un moment, hésitant à laisser le rêve le gagner une seconde fois. Parfois, il avait besoin du rêve.

Il en avait besoin pour sentir Sabine près de lui. Tenir sa petite main dans la sienne. Sentir son odeur. La revoir courir dans l'eau. L'entendre.

– Papa, je voudrais avoir le même.

C'étaient les derniers mots qu'elle avait prononcés, en voyant une petite fille jouer avec un dauphin gonflable. Il avait besoin de sentir son poids quand il la portait. Sa main caresser sa joue piquante et chauffée par le soleil. L'entendre rire après avoir failli tomber.

Il voulait s'imprégner d'elle.

Jusqu'à ce qu'ils perçoivent le bruit.

Le tonnerre.

La vague qui allait la lui enlever. Pour toujours.

La porte de la salle de réunion s'ouvrit et Torkel, Vanja et Billy entrèrent. Sebastian sursauta et faillit tomber de sa chaise.

– Étais-tu en train de dormir, par hasard ? demanda Torkel sans plaisanter avant de tirer une chaise pour s'asseoir à la table.

– J'ai essayé en tout cas, répondit Sebastian avant de se lever.

Il regarda sa montre. Il n'avait pas vu passer ces quinze minutes, mais il avait toujours un peu la nausée.

– Qu'est-ce que tu as fait pour être aussi fatigué ?

Vanja était parvenue à glisser la réponse « Rien, bien sûr » dans sa question, si bien que Sebastian renonça à répondre.

– Où est Ursula ? demanda-t-il alors.

Il supposait qu'ils allaient tenir une sorte de réunion.

– Toujours à la gravière, je présume, dit Torkel. Je n'ai pas eu de nouvelles.

Il se tourna vers Vanja et Billy de l'autre côté de la table. Tous deux se taisaient. Ils se regardèrent, mais personne ne paraissait avoir envie de prendre la parole.

– Vas-y, dit sèchement Billy en se renversant dans son siège de manière démonstrative.

– Pourquoi ?

– C'est sûrement mieux.

Sebastian observa la scène avec une curiosité grandissante. Leur matinée n'avait pas été une promenade de santé. Il s'était passé quelque chose. Malgré le peu de mots échangés, l'ambiance glaciale était palpable.

Vanja haussa les épaules et résuma en quelques mots ce qui s'était passé depuis qu'ils avaient quitté le commissariat.

La voiture près de la gravière, le témoin, Roland Johansson, le chauffeur de bus et Brunna.

– On a tout vérifié à Brunna, intervint Billy sans y avoir été invité. Aucun Roland Johansson n'y habite, et aucun courrier ne lui a été adressé.

– Mais hier, une voiture y a été volée, reprit Vanja. Une Toyota grise. L'heure semble correspondre.

– C'est lui ! laissa échapper Sebastian.

Un peu trop fort et avec un peu trop d'enthousiasme, comme il le comprit. Ses paroles restèrent suspendues un petit moment en l'air, et tout le monde se retourna en même temps comme une chorégraphie bien étudiée.

– Comment tu le sais ?

Vanja dit tout haut ce que tous pensaient tout bas. Il le savait, car Trolle lui avait dit que celui qui le suivait avait une Toyota grise. Il le savait, car Trolle l'avait vu devant la maison d'Anna Eriksson. Mais ce qu'il savait et ce qu'il pouvait raconter étaient deux choses différentes. Il ne devait rien dire au sujet d'Anna et Trolle. Pas un mot. Et pour les mêmes raisons, il ne devait pas savoir que la Toyota volée avait quelque chose à voir avec l'affaire. Or, c'était exactement ce qu'il venait de faire. Et avec une ferme conviction. Les autres attendaient toujours sa réponse.

– Je ne sais pas, murmura Sebastian.

Il toussota. Sa voix ne devait pas le quitter s'il voulait pouvoir se sortir de cette situation.

– Je ne sais pas, bien sûr. C'est juste que… je le sens.

– Tu le sens ? Et depuis quand te fies-tu à ton ressenti ?

La question de Torkel était on ne peut plus justifiée. Après tout, parmi tous ceux qui étaient là, il était celui qui connaissait le mieux Sebastian. Sebastian présentait des hypothèses et des théories qui s'avéraient parfois fausses, mais qui s'appuyaient toujours sur des faits. Pendant toutes les années où ils avaient travaillé ensemble, Sebastian n'avait jamais avancé d'hypothèses reposant uniquement sur un sentiment.

Sebastian haussa les épaules.

– Roland est descendu à Brunna, et c'est là que la voiture a été volée. Roland est donc impliqué. Tout s'emboîte.

On pouvait entendre une mouche voler dans la pièce. Vanja secoua la tête. Billy fixait un point devant lui, comme s'il n'était pas à sa place. Le regard de Torkel en disait long sur ce qu'il pensait du dernier commentaire de Sebastian. Sebastian avait noyé le poisson. Torkel semblait à présent se demander s'il valait la peine d'insister. Sebastian envisagea de s'expliquer encore une fois, mais Torkel ne lui portait déjà plus d'intérêt et s'adressa à nouveau à Vanja et Billy.

– Peu importe, c'est un fait qu'il faut désormais prendre en compte. Faites diffuser un avis de recherche sur la Toyota, dit-il à l'intention de Billy.

– C'est déjà fait, répondit ce dernier en jetant un regard de biais à Vanja.

– Bien, de mon côté, je suis allé parler au chargé d'insertion qui s'occupe de Roland Johansson à Göteborg. Un certain Fabian Fridell.

– Qu'est-ce qu'il a dit ?

Sebastian feignit un intérêt exacerbé pour faire oublier sa sortie sur la Toyota.

– Il n'a pas vu Roland Johansson depuis plusieurs jours.

– Comment ça ? demanda Vanja. Deux jours ? Une semaine ?

– Ce cher Fabian est resté assez vague sur le sujet.

– Quelqu'un le fait chanter.

Ce n'était pas une question.

– J'ai eu cette impression, moi aussi, répondit Torkel en hochant la tête.

Le silence se fit à nouveau dans la salle, et tout le monde sembla réfléchir à ce qui venait d'être dit. Billy prit l'initiative de résumer leur pensée à tous.

– Donc, Roland Johansson est également impliqué dans l'affaire, mais les indices retrouvés sur la scène de crime permettent d'exclure toute implication, et il a un alibi pour le troisième meurtre.

– Mais c'est Fridell qui lui a donné son alibi, objecta Vanja. Et si Johansson l'a menacé, il n'est pas forcément fiable.

Billy secoua la tête.

– Non, j'ai vérifié les infos sur le voyage à Österlen. Roland Johansson était bien présent.

– On cherche donc plusieurs personnes, insista Torkel.

– Mais c'est Hinde qui tire les ficelles, dit Sebastian qui, dans cette masse d'informations, ne perdait pas de vue l'essentiel. Je le sais.

– Ah, tu le sais ? demanda Vanja avec un sourire méprisant. Ou bien est-ce que… tu le sens ?

– La ferme. Tu le sais aussi. Tous ici le savent, rétorqua Sebastian, qui se leva et commença à faire les cent pas. Je n'ai jamais rencontré Roland Johansson. Il est exclu qu'il veuille se venger de moi. Mais il est en relation avec Hinde. Tout remonte à lui.

Il s'arrêta et se retourna vers Torkel.

– Tu crois qu'on pourrait avoir un nouveau permis de visite ?

– La dernière fois, ça a pris deux jours.

– Tu as dit que c'était urgent ? Que c'est important ?

– À ton avis ?

Torkel s'adressa à nouveau à Vanja et Billy.

– Comment on s'organise pour la suite ?

– J'ai envoyé des agents pour interroger les destinataires des appels émanant de Lövhaga. Les premiers rapports ne devraient pas tarder.

– La liste du personnel du quartier de haute sécurité vient de tomber, compléta Billy. Je vais la regarder de plus près.

Le regard de Torkel se posa sur Sebastian. Après une seconde d'incompréhension, celui-ci comprit que cette question s'adressait également à lui.

– Je vais continuer de m'occuper de mes affaires, marmonna-t-il.

Personne ne lui demanda de détailler, et la réunion toucha à sa fin. Sebastian était le dernier à quitter la salle. À présent, ils ne cherchaient donc plus une Ford bleue mais une Toyota grise. Trolle était au courant pour la Toyota, mais Sebastian devait absolument l'informer qu'une autre personne était dans le coup. Cela pouvait être important.

En sortant, Sebastian tenta à nouveau de l'appeler. Toujours pas de réponse.

Il avait enfreint la règle qu'il s'était lui-même imposée : n'ouvrir son portable qu'après la fermeture des cellules. Juste après le déjeuner, il avait fermé sa porte et s'était rapidement connecté à Internet. Il allait pouvoir être tranquille pendant environ une heure. C'était un risque à prendre pour confirmer au plus vite ses soupçons. Après avoir lu le mail de Ralph, c'était comme si le temps s'était arrêté. Il resta assis devant l'ordinateur, les yeux rivés sur l'écran. Il ne savait pas si cela faisait cinq, dix ou vingt minutes. Peu importait. Ils pouvaient lui confisquer son ordinateur à présent.

Il savait tout ce qu'il avait besoin de savoir.

Anna Eriksson avait épousé Valdemar Lithner seulement un an et demi après la naissance de Vanja. L'automne où Anna Eriksson était tombée enceinte, elle étudiait à Göteborg. Rien n'indiquait qu'ils se connaissaient déjà à cette époque. Et peu après la naissance de Vanja, il était parti faire un stage dans l'Essex. Quel jeune père faisait cela ? Ce n'était qu'aux six mois de Vanja qu'il s'était installé à Stockholm.

Et il y avait cette mention sur l'extrait d'acte de naissance que Ralph avait débusqué et photocopié.

Père inconnu. Deux mots on ne pouvait plus simples. Quelle femme faisait une telle déclaration pour épouser un an et demi plus tard le père soi-disant inconnu ? Aucune.

Il paraissait beaucoup plus probable que le vrai père ne fût pas du tout inconnu, mais tout simplement irresponsable. Un type immature qui non seulement avait fui ses responsabilités mais continuait d'enchaîner les conquêtes.

Sebastian Bergman.

La raison pour laquelle il suivait Vanja était à présent claire. Et le fait qu'il se tînt à distance sans se dévoiler était compréhensible. Et son besoin de la protéger lors de l'interrogatoire, logique.

Les indices parlaient d'eux-mêmes, mais Edward devait en avoir la certitude. Il n'avait pas le droit à l'erreur sur ce point. Il devait savoir si Anna Eriksson et Sebastian Bergman avaient pu se rencontrer. S'ils avaient eu une relation en 1979. Vu qu'Anna Eriksson n'avait pas fait ses études à Stockholm, ce ne fut pas si facile à découvrir. Mais Ralph avait trouvé des photos des participants aux séminaires de Sebastian au printemps et à l'automne 1979, et il était parvenu à faire le lien.

Sur Facebook.

Hinde trouvait incroyable le nombre de choses que les gens dévoilaient sur Facebook. Sans aucune gêne. Avec les paramètres de sécurité minimum, grâce auxquels n'importe qui pouvait les consulter. Karin Lestander était ce genre de personne. Elle avait été l'étudiante de Sebastian Bergman en 1979, et aimait poster d'anciennes photos de classe sur son mur, quand elle et ses camarades étaient encore jeunes et beaux. La meilleure époque de sa vie, comme elle l'écrivait elle-même. Sa galerie de photos était accessible à tous, y compris à Ralph. Pour faciliter les choses à ses visiteurs, elle avait même trié les photos par année, et avait passé du temps à écrire des petits commentaires anodins sous chacune d'elles. Une vraie mine d'or pour quelqu'un qui cherchait la vérité.

L'album de 1979 contenait cinq photos.

Le cliché le plus important avait vraisemblablement été pris lors d'une fête quelque part en Suède. Dessus, on pouvait voir Karin, Sebastian et une femme que Hinde ne connaissait pas. Anna Eriksson. Ils souriaient tous à l'objectif, et Sebastian avait une main posée sur l'épaule de la femme. Un peu trop affectueusement.

Sous la photo, on pouvait lire : « Fête d'automne à l'université. Anna Eriksson était là. Qu'est-elle devenue ? »

Eh oui, qu'était-elle devenue ?

Il y avait bien une personne qui le savait, à présent. Il venait de récupérer la dernière pièce du puzzle qui faisait de ses soupçons une réalité.

Tout concordait. Elle avait dû tomber enceinte à l'automne 1979. Peut-être même aux environs de cette fête d'automne.

Il se leva. Ne tenait plus en place. La petite fissure qu'il avait remarquée s'était à présent muée en gouffre. Assez grand pour receler de nombreuses possibilités. Un chef-d'œuvre. La vengeance parfaite. Il en avait presque le tournis, son plan allait changer de cap.

Et son rôle également.

Vanja Lithner était la fille de Sebastian.

Cela ne faisait plus aucun doute. C'était l'un des plus beaux jours de sa vie, avec ce fameux goût d'avant-après.

Avant qu'il n'apprît pour Vanja.

Après qu'il avait su pour Vanja.

Il allait intervenir à présent. Et lui seul.

Ralph n'était plus qu'un obstacle. Jusque-là, il s'était montré très utile, et il lui avait fait parvenir une information décisive. Mais il demeurait un simple pantin qui n'osait même pas regarder Hinde dans les yeux. Un petit garçon dans un corps d'homme, qui avait tenté au dernier moment d'enfiler un costume un peu trop grand pour lui. Hinde avait remarqué cette prise de confiance en lui quand il avait découvert dans les textes de « fyghor.se » quelques liens cachés renvoyant à des articles sur le tueur de femmes qui semait la terreur dans la ville. Un sur chaque page.

Pour Hinde, le côté médiatique de ses actes n'avait jamais eu la moindre importance. C'était banal, unidimensionnel, et ne lui donnait aucune satisfaction particulière. Mais Ralph était réellement impressionné, comme un adolescent en quête d'attention. De reconnaissance. Toutefois, la rapidité de ces changements dans sa personnalité avait tout de même étonné Hinde. Avant, Ralph se prosternait littéralement devant lui, alors qu'il s'agenouillait maintenant devant un autre dieu – celui des feux de la rampe.

Il se souvint de leur première rencontre. Ralph avait bredouillé avoir tout lu sur lui et avoir l'impression qu'ils se ressemblaient et avaient beaucoup de points communs. Hinde l'avait poliment invité à converser avec lui. Le grand dadais avait montré des signes si évidents de soumission et de faiblesse que Hinde y avait tout de suite vu l'occasion de le manipuler. Dans quel sens, il l'ignorait encore. Mais il avait immédiatement commencé à influencer Ralph, et le résultat avait surpassé toutes ses espérances. Ralph avait parlé de sa mère malade – quelque chose qu'ils avaient manifestement en commun. Hinde avait brièvement envisagé de le punir d'avoir qualifié sa mère de malade, mais il s'était ravisé. On pouvait toujours punir, mais l'occasion d'avoir sous la main un pantin pour accomplir ses desseins était définitivement plus rare. Ralph avait parlé de son « papi », de la maison de vacances, des gens qui portaient des masques d'animaux. Encore une chose qu'ils avaient en commun. Les abus. Edward l'avait laissé parler. Ralph ne comprendrait jamais que leurs prétendus points communs ne valaient rien à côté de leurs différences.

Dans la vie, Ralph n'avait jamais imposé sa volonté.

Hinde obtenait toujours ce qu'il voulait.

Mais d'un autre côté, Ralph était dehors. L'un de ses représentants dans le monde réel. La source d'informations qui servait son plan.

À court terme : précieux.

À long terme : superflu.

Pendant qu'il réfléchissait, il eut soudain une idée. Il eut tout d'un coup une vision claire de la fonction idéale de ce guignol. Le lieu idéal pour quelqu'un qui courbait l'échine. Dans le nouveau paysage qui s'étendait devant lui. Son plan était parfait, il suffisait de l'exécuter correctement. Pour infliger à Sebastian la douleur la plus atroce possible.

Il allait encore confier une mission à Ralph.

Il n'y avait plus tellement de choix.

Edward voulait s'en réserver une.

Il ne restait donc plus qu'Ellinor Bergkvist.

Planification, patience, détermination.

C'étaient actuellement les trois mots les plus importants pour lui. Cette fois, rien ne devait aller de travers. Le long couteau de cuisine, la chemise de nuit et les bas Nylon étaient parfaitement emballés dans le sac noir dans le couloir. Juste à côté, un sac de provisions. Il avait fourré l'appareil photo numérique et le couteau Leatherman aiguisé comme une lame de rasoir dans sa poche. Cette fois, il portait un polo bleu et un pantalon chino beige. Exactement les mêmes vêtements que pour les quatre premiers meurtres. Sans marque mais de bonne qualité. La première fois qu'il s'était déguisé, c'était pour Anna Eriksson. Il s'était dit que ce serait utile. Il n'avait eu qu'un laps de temps très court pour le préparer, et avait été obligé d'agir à un moment très précis. Elle ne vivait pas seule, et avait peut-être été prévenue. Il aurait dû s'assurer qu'elle le laisserait bien entrer dans l'appartement. D'où le déguisement. Il s'était écarté du rituel, et il en avait payé le prix. Ce vieux gros était venu et l'avait surpris.

Dès qu'il avait reçu le nom d'Ellinor sur « fyghor.se », Ralph était allé chez le coiffeur au coin de la rue. En fait, il ne voulait pas se faire couper les cheveux, car normalement, il ne le faisait que tous les quatre-vingt-onze jours. Encore un rituel. Il ne voulait pas avoir les cheveux plus courts, mais seulement avoir une autre coupe. Il choisit un bonnet du même modèle mais d'une autre couleur, le mit dans sa poche arrière et fixa ses lunettes de soleil à l'encolure de son polo au lieu de les mettre sur le nez. L'important était qu'il les eût sur lui. Le rituel n'était pas rompu, se dit-il. Juste modifié.

Il se scruta dans le miroir de la salle de bains, et détesta son apparence. Il passa ensuite sa main dans ses cheveux inhabituellement soignés. Ils avaient une texture bizarre, à la fois collante et piquante. La coiffeuse l'avait informé qu'il s'agissait d'une cire capillaire spéciale pour lisser ses cheveux vers l'arrière. Elle l'avait persuadé d'en acheter immédiatement deux flacons pour en avoir toujours en réserve. Il sourit en découvrant son nouveau style. Tenta de s'y habituer. Se dit qu'il valait mieux avoir l'air d'un bellâtre du Stureplan que d'une grande asperge que personne ne remarquait. Que c'était un progrès. Cette fois, il ne fallait pas se rater. En aucun cas. L'homme qu'il idolâtrait lui avait donné une deuxième chance, ce qui était important pour Ralph. Le maître s'intéressait à ce qu'il ressentait. Personne ne l'avait jamais fait jusqu'à présent, et il n'avait pas l'intention de décevoir cette confiance. Des petits changements dans sa coiffure et dans ses vêtements ne seraient que de maigres sacrifices. Il devait absolument faire plus attention.

Il n'avait aucune idée de ce que savaient ceux qui étaient à ses trousses. Mais plus les heures passaient depuis qu'il avait liquidé cet homme dans la voiture, plus il se sentait en sécurité. S'ils avaient su qui il était, ils l'auraient depuis longtemps cueilli devant la porte. Il n'était pas quelqu'un qu'on observait longuement. Il était quelqu'un qu'on arrêtait immédiatement.

Le maître en avait obtenu quatre. Il allait bientôt en avoir cinq. Il allait entrer dans l'histoire. Cette idée l'aidait à reprendre des forces. Se maîtriser ainsi que ses sentiments. Comprendre qu'il était important de garder son calme.

Dehors, il faisait un peu plus frais que la semaine précédente. Il s'approcha à grands pas de la station de métro, qui se trouvait à une dizaine de minutes à pied.

Conformément aux instructions, il avait garé la Toyota grise à Ulvsunda, mais le maître n'avait pas parlé d'une nouvelle voiture dans son message. Jusque-là, il lui avait toujours fourni de nouveaux véhicules. Quelqu'un d'autre était chargé de se les procurer et de les mettre à sa disposition, et Ralph ne se souciait pas de savoir qui. Il savait qu'ils étaient plusieurs à travailler pour le maître. Comme il n'avait pas eu de nouvelle voiture cette fois, il devait donc se rendre à Vasastan en métro. Sur le chemin, il s'arrêta chez un fleuriste. Il acheta un bouquet de vingt roses, et demanda à la vendeuse de l'emballer le plus romantiquement possible, puis il fit l'acquisition d'une petite carte. Il alla au plus simple : « Pardon, Sebastian ». Cela lui plaisait. D'une part, parce qu'il savait que Sebastian faisait partie des gens qui ne demandaient jamais pardon, d'autre part parce qu'il aimait savoir qu'il allait encore plus relier Sebastian à la femme qui allait bientôt trouver la mort. Ralph décida qu'il allait laisser le bouquet sur la table de la cuisine, la carte bien en vue. Il aurait aimé pouvoir être là pour voir la tête des policiers quand ils trouveraient le cadavre dans la chambre et un beau bouquet dans la cuisine.

Il se persuada que cela correspondait au rituel. Il laissait des indices. C'était juste une autre sorte d'indice, une nouvelle manière de faire. Le maître apprécierait ce geste, il en était certain.

Ralph paya les fleurs et ressortit sous le soleil. Il devait avoir l'air d'un jeune tourtereau. Un snob qui achetait des fleurs pour une femme qu'il venait peut-être de rencontrer. Il retira le petit autocollant sur le papier qui montrait que le bouquet venait du fleuriste de Västertorp.

Des indices, oui.

Mais seulement ceux qu'il voudrait laisser.

Il le planifierait encore en détail.

Ce jour-là, Ellinor avait eu une tonne de choses à faire. Elle avait appelé au magasin pour demander spontanément des congés, qu'on lui avait immédiatement accordés. Puis elle avait arrosé ses plantes et demandé à la veuve Lindell au troisième étage de s'en occuper ces prochains jours. La vieille Lindell l'avait persuadée de prendre un café et une part de gâteau, et elles étaient restées près d'une heure ensemble. Cela avait été agréable, mais au bout d'un moment, Ellinor avait commencé à s'impatienter en pensant à tout ce qui lui restait à faire.

On ne pouvait pas tout abandonner du jour au lendemain pour un homme, aussi formidable fût-il. Non, il fallait se maîtriser et veiller à laisser l'appartement en ordre. Surtout si une voisine devait déambuler seule dans les pièces.

Alors, elle fit le ménage à fond. Passa l'aspirateur et ôta la poussière. Nettoya les vitres. Changea les draps et tapota les coussins sur le canapé. Puis elle vida le réfrigérateur et rassembla les plantes sur le balcon afin que la vieille Lindell n'eût pas besoin de courir dans tout l'appartement.

Quand elle eut terminé, elle s'installa sur le canapé avec un verre de son cognac préféré. Elle possédait cette bouteille depuis de nombreuses années, et n'en buvait que lors des grandes occasions. Il provenait d'un petit producteur, Delamain, et elle avait lu dans un magazine qu'il avait également un cru « Réserve de la famille ». Il était cher mais généreux, et elle adorait ce léger goût de schnaps teinté d'une note fruitée. Ce cognac lui donnait la sensation d'être unique et spéciale, dans un monde plein de récompenses profanes. Un monde qui ne savait pas profiter de la vie aussi bien qu'elle.

Ne savait pas vivre.

Ni aimer.

Depuis qu'elle avait rencontré Sebastian Bergman, plusieurs journées très intenses s'étaient écoulées. Sebastian, son âme sœur qui avait conquis son cœur en un éclair. Elle avait maintenant besoin d'un peu de temps pour elle et pour mettre de l'ordre dans ses pensées, avant de continuer sur sa lancée. Elle trempa les lèvres dans son cocktail et se détendit.

Du temps pour elle. Ici et maintenant.

Avant que la vie ne continuât.

Ralph descendit sur Odenplan. Il n'était pas vraiment sûr que ce fût la station de métro la plus proche de la rue Västmannagatan, il empruntait bien trop rarement la ligne verte, mais c'était ce qu'il avait déduit en consultant la carte. Comme il n'y avait pas beaucoup de passagers sur le quai, il parvint à sortir rapidement de la station. Il traversa la large rue et prit la direction de l'ouest. Il ne s'y était jamais rendu à pied. En route, il se demanda comment il allait procéder. Il prit son téléphone et composa le numéro d'Ellinor Bergkvist. Elle répondit à la troisième sonnerie.

– Oui, allô, ici Ellinor ?

Ralph raccrocha. Elle était chez elle. Le lendemain de la visite de Sebastian, il était parvenu à apercevoir le code de la porte d'entrée en aidant une vieille dame à pénétrer dans l'immeuble. Le premier obstacle était donc franchi. Ensuite, il serait contraint d'improviser.

Exactement comme pour Anna Eriksson, le plan était incomplet, et cela le dérangeait. Mais il n'avait pas la possibilité de la suivre pendant des semaines pour préparer son crime. Une nouvelle phase s'annonçait. Tout devait aller plus vite. La prise de décision comme l'action. Il devait réussir. Il avait de l'expérience à présent. Et il était sur le point d'entrer dans l'histoire. Quelle femme ne lui ouvrirait pas la porte ?

« Pardon, Sebastian. »

Il sourit en pensant à son plan.

Il passa sans s'arrêter devant l'entrée de l'immeuble, son objectif final, et gagna le petit parc où il s'assit un moment sur un banc vert foncé. Il regarda autour de lui. Personne ne semblait le surveiller, lui ou l'entrée de l'immeuble. Un camion-poubelle passa lentement avant de disparaître au coin de la rue. Ralph se leva et tint le bouquet de fleurs de manière à cacher une partie de son visage.

Puis il fit quelques pas en arrière. Pas trop vite. Il ne devait pas paraître stressé. Ne pas se faire remarquer.

On ne devait voir de lui qu'un bras plein de roses.

Un soupirant allant voir sa bien-aimée.

Le code était 1439. Il le vérifia encore une fois en jetant un regard à son portable, sur lequel il l'avait enregistré.

C'était le bon chiffre.

La porte s'ouvrit toute seule. Elle était équipée d'un mécanisme automatique pour faciliter le passage des personnes âgées et des poussettes. Il n'aimait pas cela. Cela rendait son entrée trop spectaculaire, trop dramatique, comme s'il apparaissait sur une scène. Il s'engouffra très vite dans le spacieux hall d'entrée où il fit comme s'il cherchait un nom, alors qu'il savait pertinemment où aller. Au quatrième étage. Trois voisins. La porte automatique se referma derrière lui, faisant place à un silence libérateur. Il avait l'impression d'être invisible, dans cette entrée d'immeuble peinte en blanc avec ses ornements de style néoclassique. Les roses allaient bien avec le décor.

Rouges et blanches.

Les couleurs de l'amour et de l'innocence.

Comme c'était poétique, la mort qui arrivait dans cet accoutrement.

Il décida de prendre l'ascenseur. Une fois là-haut, il bloquerait les portes afin que personne ne pût l'utiliser et que tout le monde fût obligé d'emprunter les escaliers. Ce qui lui permettrait d'entendre si quelqu'un montait ou descendait et lui laisserait le temps d'agir. Cela pouvait se jouer à quelques secondes.

L'ascenseur n'était pas en bas. Il appuya donc sur le bouton noir en Bakélite. L'ascenseur se mit en marche avec une vibration mécanique. Il leva les yeux pour observer la trappe et vit que la cabine était tout en haut, entre le quatrième et le cinquième étage. Elle descendit avec une lenteur déconcertante.

Cela ne devait pas durer plus de quelques secondes et devait se faire le plus silencieusement possible. L'acoustique de la cage d'escalier amplifierait le moindre bruit. Il prit son couteau Leatherman, le déplia et le cacha dans sa main droite, derrière les roses.

Ellinor fit un dernier tour de l'appartement. Décida d'entrouvrir la porte du balcon pour éviter les odeurs de renfermé quand Mme Lindell passerait. D'après ce qu'Ellinor connaissait de la vieille dame, elle pensait qu'elle passerait dès ce soir. Ellinor tourna la poignée de la porte-fenêtre pour l'incliner et faire entrer l'air frais. L'appartement était d'une propreté étincelante.

Elle ouvrit la porte d'entrée et gagna la cage d'escalier. Elle vit l'ascenseur passer devant son étage pour s'arrêter plus bas. Typique. Si elle était sortie une minute plus tôt, elle aurait pu le prendre. Maintenant, elle allait devoir attendre. Elle tira la petite valise à roulettes qu'elle avait achetée au tarif employé dans le magasin.

L'ascenseur poursuivait sa descente à une vitesse d'escargot.

Lors de la dernière réunion de copropriété, ils avaient évoqué la nécessité de le rénover, mais ils avaient décidé d'en reparler plus tard. Il n'était pas le plus fonctionnel, mais il avait quand même du style avec sa cage à l'ancienne. Ellinor et d'autres habitants avaient proposé un modèle plus moderne et plus rapide, permettant de n'appuyer qu'une seule fois et d'attendre. Avec celui-ci, il fallait d'abord attendre qu'il s'arrête avant de pouvoir appuyer.

En entendant une porte s'ouvrir dans les étages supérieurs, Ralph se raidit. Il n'était pas sûr de l'étage d'où provenait le bruit. Il pouvait exclure le premier, car cela venait de bien plus haut. Il prêta l'oreille, mais ne perçut que le ronronnement de l'ascenseur. Il guetta des bruits de pas dans l'escalier, en vain. La personne paraissait attendre l'ascenseur. Comme lui. Il fallait maintenant garder la tête froide. Il monta encore un peu plus son bouquet de fleurs jusqu'à n'être plus qu'un corps surmonté d'un bouquet, et serra le couteau dans sa main. L'ascenseur arriva enfin dans un tintement métallique. Il ouvrit la porte aussi doucement que possible, ne sachant pas quoi faire. Il y avait deux possibilités : tout arrêter ou monter.

Il choisit cette dernière solution.

Il ne pouvait plus reculer. Il pénétra dans l'ascenseur.

Ellinor était énervée. C'était encore une fois typique. Elle n'avait rien contre les escaliers. Bouger était bon pour la santé, mais cette fois, elle avait une valise un peu trop lourde. En plus, elle venait de lire un article qui disait qu'il était très mauvais pour les articulations des genoux de descendre les escaliers. La montée, c'était plutôt bénéfique. La descente, à éviter. Or, elle n'avait plus le choix. Elle n'avait pas envie d'attendre plus longtemps. À son grand agacement, l'ascenseur se mit en marche alors qu'elle était à mi-chemin vers le troisième étage. Elle hésita encore une seconde à rebrousser chemin. Non, elle pouvait tout aussi bien continuer en espérant que l'ascenseur s'arrêtât au troisième étage. Si elle avait de la chance, ce serait peut-être Robert Andersson, le voisin du troisième. Il rentrait toujours autour de cette heure-là. L'ascenseur arriva enfin, et elle fit un pas de côté pour laisser passer Robert, si c'était lui. Mais elle ne vit pas grand-chose, si ce n'était un homme assez grand portant un pantalon beige, un polo bleu et un énorme bouquet de fleurs qui lui cachait le visage. L'ascenseur passa devant elle sans s'arrêter. Ellinor sourit. Un voisin des étages supérieurs aurait une belle surprise aujourd'hui. Ces pensées romantiques lui donnèrent un regain d'énergie, et elle décida de poursuivre le reste du chemin à pied. Elle n'avait pas le temps de rester plantée là à attendre des ascenseurs.

Pas encore. Pas encore. Pas encore.

Il pensa instinctivement à appuyer sur le bouton d'urgence. Mais à ce moment-là, il était déjà à moitié au quatrième, et il serait resté bloqué entre deux étages. À travers la grille, il observa Ellinor continuer sa descente. S'éloigner de lui. Il s'était trop écarté du rituel. Elle lui échappait. Il envoya balader toute prudence. Cette fois, il ne pouvait pas la rater. La question de savoir comment accomplir le rituel devrait être remise à plus tard. Les pas d'Ellinor résonnaient si fort dans l'escalier qu'il n'entendait plus les siens. Il s'arrêta et tendit l'oreille. Il l'entendait à nouveau. Elle ne pouvait pas être bien loin. Peut-être un étage en dessous. Grand maximum. Il accéléra la cadence.

Il avait maintenant dépassé le deuxième étage. Il tenta de descendre les escaliers quatre à quatre, mais il était difficile de garder l'équilibre avec un sac de sport et un énorme bouquet de fleurs dans les mains. Il glissa, se retint à la rampe et retrouva l'équilibre. Arrivé au premier étage, il jeta les roses et continua de courir jusqu'à l'élégant hall d'entrée où il s'était tenu quelques instants auparavant.

Il était vide.

La porte d'entrée était en train de se refermer, Ellinor venait donc sans doute de sortir. Il cacha la lame de rasoir dans sa main et s'élança vers la porte. Elle ne devait pas être loin. Pas loin du tout.

En effet. Il se dirigea vers la place Norra Bantorget. À seulement huit ou dix mètres d'elle. Elle était la seule sur le trottoir, mais des voitures passaient à intervalles réguliers. Un peu plus loin devant elle, quelques mères de famille buvant un latte macchiatto d'une main et dirigeant une poussette de l'autre. Il pouvait difficilement faire autre chose que la suivre en attendant une meilleure occasion.

Trempé de sueur, il prit une profonde inspiration, ralentit le tempo, referma son couteau et le rangea dans le sac. Il voulait lui laisser quelques longueurs d'avance.

Patience. Détermination.

Exactement ce qu'il lui fallait en ce moment.

Il l'avait à l'œil. Et ne la laisserait pas lui échapper.

Elle lui appartenait.

Ellinor balaya la rue du regard à la recherche d'un taxi. Normalement, il y en avait devant l'hôtel sur la place Norra Bantorget : elle décida donc de s'y rendre. Elle ne prenait pas souvent le taxi. D'habitude, elle se déplaçait plutôt à pied. Surtout quand il faisait beau et que Stockholm se montrait dans toute sa splendeur estivale. Si aujourd'hui était un jour comme les autres, elle aurait sûrement fait tout le chemin à pied. Mais aujourd'hui était une journée spéciale, elle avait une destination qu'elle souhaitait atteindre au plus vite. Cette journée s'était écoulée plus vite qu'elle ne l'aurait voulu. C'était vraiment étrange, cette histoire avec le temps. Quand on avait un million de choses à faire, il passait à toute allure. Mais quand on tournait en rond et qu'on cherchait un sens à sa vie, il passait trop lentement. Si seulement c'était l'inverse – pour avoir plus de temps pour les heures importantes que pendant les moments d'immobilité. Un taxi apparemment libre se dirigeait vers elle : elle leva donc rapidement le bras pour le héler. À son grand soulagement, elle le vit ralentir et s'arrêter juste devant elle. Elle poussa la valise sur la banquette arrière et s'assit juste à côté. Après avoir refermé la portière, elle vit un grand type courir sur le trottoir et la regarder fixement. Apparemment, il avait lui aussi lorgné sur ce taxi, pensa-t-elle en l'observant en train de tenter d'arrêter une voiture de l'autre côté de la rue, en vain. Elle sourit. Quelle chance elle avait eue de l'avoir eu avant lui !

Aujourd'hui était définitivement son jour de chance.

Elle demanda au chauffeur de la conduire à Östermalm.

Sa destination : l'amour.

Sebastian avait tenté de joindre Trolle toute la journée. À chaque appel sans réponse, son angoisse grandissait. Près de seize heures s'étaient écoulées depuis qu'ils s'étaient séparés devant l'immeuble d'Anna Eriksson. À ce moment-là, ils n'avaient jamais été aussi proches, et cette proximité n'avait fait qu'attiser l'angoisse de Sebastian. Surtout sachant qu'Anna Eriksson était en sécurité. Vu le but de l'opération, Trolle l'en aurait définitivement informé. Surveiller son appartement.

La protéger.

Protéger son secret.

Sebastian ignorait quoi faire à présent, à part continuer de l'appeler. Il ne voyait pas d'autre possibilité, et se sentait seul avec son angoisse. En temps normal, il n'avait besoin de personne à part lui-même. Mais à présent, il atteignait ses limites.

Il tenta de se concentrer sur son entretien avec Hinde. Il n'avait pas beaucoup apporté à l'équipe jusque-là, Vanja avait raison. Il se mit à la recherche de Torkel pour obtenir une autorisation. À présent, il était presque impatient de pouvoir être confronté à Hinde. Cette fois, il gagnerait. Il le prendrait par surprise.

Torkel n'était pas dans son bureau. Quand Sebastian avait demandé à le voir, sa secrétaire avait prétendu qu'il avait des formalités à régler. Une réunion avec les chefs à l'étage. Sebastian monta les escaliers quatre à quatre. Il s'approcha du mur vitré de la salle de conférence où se tenait habituellement ce genre de réunion. Torkel y était effectivement installé en compagnie de quelques autres personnes : visiblement, des gros bonnets. Certains portaient même cet uniforme ridicule aux épaulettes dorées. Sebastian détestait les policiers aux épaulettes dorées.

Ils n'étaient jamais sur le terrain, et évoluaient à mille lieues du vrai travail de police. Au mieux, on les apercevait dans les salles de réunions ou les conférences de presse comme celle-ci, avec une bouteille d'eau minérale devant eux. Sebastian se posta devant la baie vitrée, bien visible. Torkel ne l'avait pas encore remarqué, ou alors il faisait comme si. Sebastian était de plus en plus frustré, et au bout d'un quart d'heure planté là, il commença à s'impatienter. Il ouvrit la porte sans crier gare.

– Bonjour tout le monde ! Vous êtes en train de résoudre l'affaire Olof Palme ?

Ils le fixèrent, bouche bée. Certains visages lui paraissaient vaguement familiers, resurgissant de souvenirs très anciens, mais la plupart lui étaient inconnus. La seule personne qu'il connaissait bien se leva alors d'un bond.

– Sebastian, si la porte était fermée, c'était pour une bonne raison, bougonna Torkel. Nous sommes en réunion.

– Oui, je vois ça. Mais je dois voir Hinde aujourd'hui. Aujourd'hui ! On ne peut pas attendre plus longtemps.

– Nous n'avons pas encore de permis de visite. Mais je fais déjà tout ce qui est en mon pouvoir pour accélérer la procédure.

– Alors il faut en faire encore plus ! Occupe-t'en !

– On ne va pas en discuter maintenant, Sebastian, dit Torkel en jetant un regard gêné à ses collègues. Et maintenant, va-t'en, s'il te plaît !

– Je m'en irai dès que j'aurai obtenu ce papier, promis juré.

Sebastian observa les gens assis autour de la table. Ils le fixaient avec un regard mêlé d'étonnement et de mépris. La situation était pour le moins délicate, mais il ne souhaitait plus suivre leur règlement idiot. Des vies étaient en jeu. Et pas seulement la sienne.

– Tes amis ont sans doute autant envie que nous de résoudre l'affaire avant qu'une cinquième femme ne soit égorgée. Et je suis la clé de l'énigme.

Torkel le fusilla du regard. Il était allé beaucoup trop loin. Une femme assise à la droite de Torkel se leva lentement. Sebastian reconnut la directrice des services de police du pays.

– Je crois que nous ne nous sommes jamais rencontrés, dit-elle d'une voix qui aurait donné la chair de poule à n'importe qui. Une manière civilisée de demander : mais qui es-tu, bordel ?

– Non, c'est vrai, répondit Sebastian en affichant un sourire de gagnant. Mais si vous m'aidez à obtenir ce permis de visite, je veux bien vous offrir l'occasion de me rencontrer.

Torkel se précipita vers Sebastian et le prit fermement par le bras.

– Veuillez m'excuser. Je reviens tout de suite.

Il tira Sebastian vers la sortie et referma la porte derrière lui.

– Bon sang, mais qu'est-ce que tu fais ? Tu as pété les plombs ? Tu veux que je te mette à la porte ?

– Pourquoi est-ce que ça prend autant de temps ? Est-ce que Haraldsson nous met des bâtons dans les roues ?

– Je ne sais pas ! Et peu importe ! Il faut attendre. Tu n'es pas un policier, c'est pour ça que ça prend un peu plus de temps. Et si ça ne te va pas, tu peux aller rassembler tes affaires.

– Bien sûr, menace-moi autant que tu veux. Je suis le seul à pouvoir stopper les meurtres. Et tu le sais.

– C'est vrai, ton expertise et ton instinct légendaires nous ont bien aidés jusqu'à présent.

– Le sarcasme ne te va pas, Torkel.

Ils se turent.

Torkel poussa un profond soupir.

– OK, mais je t'en supplie, rentre chez toi. Tu me coûtes trop cher.

– Je travaille bénévolement.

– Je ne parlais pas d'argent.

Sebastian regarda Torkel, et réprima le dernier commentaire qu'il avait sur le bout de la langue.

– Je te préviens dès que le permis est arrivé.

Torkel ouvrit la porte et regagna la salle de réunion. Sebastian l'entendit s'excuser avant que la porte ne se refermât derrière lui pour ne laisser place qu'à des murmures inaudibles.

Sur le moment, Sebastian voulut y refaire irruption pour en rajouter une couche.

Mais il était déjà allé trop loin. Beaucoup trop loin.

Après un tel spectacle, il était grillé.

Pour une fois, il décida d'écouter Torkel et de rentrer chez lui.

Il mit un certain temps, car il était sans cesse obligé de vérifier qu'il n'était pas suivi. En particulier par une Toyota grise. Mais en fait, il observait avec méfiance toutes les voitures, aussi bien celles qui passaient que celles qui étaient garées au bord de la route. Il rentra chez lui en changeant sans cesse de direction, en tournant en rond et en prenant son temps. Après s'être assuré que personne ne le suivait, il entra dans son immeuble de la rue Grev Magnigatan. Monta les escaliers jusqu'à son appartement, pénétra à l'intérieur et s'assit sur le lit.

Sa peur continuelle d'être suivi. Les secrets. Le double jeu. Trolle. Les femmes. Vanja. Tout cela le bouffait et le poussait à agir de manière irrationnelle, et s'il continuait comme ça, il n'aurait même plus le droit de rencontrer Hinde. Une organisation comme la police n'acceptait qu'un certain niveau de conflit en l'absence de résultats, et il le savait.

Il s'allongea sur le lit pour faire le vide dans sa tête, ferma les yeux et tenta de penser à autre chose. L'appartement était plongé dans un silence complet. C'était plutôt agréable de rester allongé là sans rien faire. C'était ce dont il avait besoin. Il tenta de respirer calmement et de méditer, comme Lily le lui avait montré une fois.

Inspirer profondément. Régulièrement. Lentement. Trouver son propre silence.

Il aimait tellement Lily. Son souvenir se cachait directement derrière l'image de Sabine, plus doux et plus flou, comme une ombre. Il savait pourquoi elle ne venait qu'en deuxième position. Parce qu'il avait honte. Parce qu'il avait lâché leur propre fille. L'avait laissée se noyer dans la mer.

Le sentiment de vide le submergea d'un coup, et il se leva d'un bond. La respiration calme avait immédiatement été chassée par les sanglots haletants du chagrin. Il se sentait traqué. Par lui-même et par ses propres souvenirs. Il n'aurait jamais aucun répit.

Son regard s'arrêta soudain sur le sac Ica de Trolle, dont la poignée en plastique dépassait de dessous le lit. Même là, elles lui sautaient aux yeux – ces preuves de l'homme qu'il était. Ces documents qui dépassaient de dessous son lit, il les avait commandés pour traîner les parents de Vanja dans la boue. Que lui avaient-ils fait au juste ? Rien. Anna avait seulement essayé de protéger sa fille d'un homme sans scrupules. D'après Anna, Valdemar ne savait rien de lui. C'était sûrement la vérité. Mais il avait malgré tout jugé nécessaire de les punir, de les traquer. Alors qu'ils n'étaient même pas vraiment ses ennemis. Son ennemi, c'était lui-même. Et lui seul.

Son propre ennemi.

Il ramassa lentement le sac. Il devait le brûler. Le détruire. Il n'avait aucun droit sur leur vie. Et en fait, il n'avait pas non plus de droits sur la sienne. Il gagna le poêle blanc qu'il n'avait encore jamais utilisé.

Si seulement il savait où il avait rangé les allumettes. Peut-être dans la cuisine. Il s'y rendit et commença à fouiller dans les tiroirs. Des couverts dans le premier. Des ustensiles de cuisine dans le deuxième. Pas d'allumettes. Des maniques et des dessous-de-plat qu'il n'avait jamais utilisés dans le troisième. Soudain, on sonna à la porte. Il jeta un regard hébété dans le couloir, sans pouvoir se rappeler la dernière fois qu'il avait entendu le tintement de la sonnette. Sûrement un représentant. Ou des témoins de Jéhovah. On sonna à nouveau. Il décida d'ignorer ces coups de sonnette, car il n'avait ni le temps ni l'envie de mettre quelqu'un à la porte. Ce fut alors qu'il entendit une voix à l'extérieur.

– Sebastian. Ouvre. Je sais que tu es là !

C'était Ellinor Bergkvist. Que fichait-elle ici ?

– Hou ! hou ! Sebastian ! Ouvre-moi !

Il s'arrêta un instant, et décida de respecter son plan initial en ignorant les coups de sonnette. Mais elle ne s'arrêta pas. Elle sonna de nouveau. Cette fois, plus fort. Plus fermement. Pouvait-elle vraiment savoir qu'il était là ?

– Sebastian !

Sebastian quitta la cuisine en jurant, cacha le sac Ica sous le lit, passa devant la chambre d'amis et ouvrit brusquement la porte, en tentant d'avoir l'air le plus furieux possible. Ce n'était pas difficile. Surtout quand Ellinor Bergkvist se tenait sur le seuil de sa porte.

Elle avait une petite valise noire à roulettes, et lui décocha un sourire chaleureux et plein d'espoir, comme si la vie ne réservait que de bonnes surprises.

– Me voilà, fut la première chose qu'elle dit, d'un air aussi naturel que son sourire.

La réponse de Sebastian fusa tout aussi naturellement.

– Mais enfin, qu'est-ce que tu fiches ici ?

– Je crois que tu le sais aussi bien que moi ! dit-elle en levant la tête, comme si elle s'apprêtait à lui effleurer la joue.

Sebastian fit un pas en arrière pour se dégager.

Ellinor continua de le regarder avec ce même air béat.

– Tu prends ma valise ?

Sebastian secoua la tête.

– Je t'ai demandé de disparaître quelque temps. Jusqu'à ce que l'affaire soit résolue, dit-il d'un air grave. Tu n'as pas compris que tu étais en danger ?

Sans lui répondre, elle passa devant lui et gagna le couloir. Il la laissa faire. Ou plutôt, il n'avait pas été assez rapide pour l'en empêcher. Ellinor avait un talent particulier pour le prendre par surprise. Elle posa la valise.

– Je suis vraiment en danger ? Elle referma la porte derrière elle. Puis elle se tourna vers lui. S'approcha de lui. Avec ces yeux verts auxquels il avait vraiment du mal à résister. Ou bien, tu avais tout simplement envie de m'avoir près de toi ?

Elle tendit à nouveau la main pour le toucher, et cette fois, il se laissa faire. Il ne savait pas vraiment pourquoi. Ellinor avait quelque chose d'indéfinissable. Il sentit son haleine, fraîche et douceâtre, elle venait sans doute de sucer une pastille à la menthe. Toujours prête.

– Comme moi, j'en ai envie ? continua-t-elle en lui caressant la joue, en passant sur son cou et en s'insinuant sous sa chemise.

Soudain, sa colère se mêla d'excitation. Il avait déjà rencontré de nombreuses femmes, mais aucune comme elle. Elle ne l'écoutait jamais. Peu importait ce qu'il disait, elle le retournait pour en faire quelque chose de positif. Positif pour elle. Elle était le centre de son univers, une force de la nature impossible à maîtriser en totale contradiction avec la réalité.

Il essaya encore une fois.

– Ce que je t'ai dit est vrai. Je n'ai rien inventé.

– Je te crois, répondit Ellinor sur un ton insouciant qui exprimait exactement le contraire. Mais je peux tout aussi bien rester chez toi au lieu de me morfondre toute seule dans une chambre d'hôtel. Elle lui prit la main et la posa sur sa poitrine. C'est bien plus sympa et agréable ici.

Sebastian tenta de se reprendre. Ellinor montrait des symptômes évidents d'obsession amoureuse. Tendant vers le harcèlement. La façon dont elle lui avait tenu la main le premier soir, les fleurs pour sa fête, son interprétation de ses avertissements. Elle n'était peut-être pas malade d'un point de vue médical, mais sa fixation sur Sebastian était manifestement malsaine. Il devait la mettre à la porte.

– Pour l'instant, on n'a fait l'amour que chez moi... lui murmura Ellinor à l'oreille.

– On n'a fait l'amour nulle part. On a baisé.

– Ne détruis pas ce moment avec des mots aussi laids.

Elle lui mordilla l'oreille. Elle sentait le savon, sa peau était douce et chaude. Il commença à passer sa main sur ses seins en remontant vers le cou. Il devait absolument lui expliquer que toute cette histoire n'était en rien un stratagème pour l'attirer chez lui. Lui dire qu'elle devait l'écouter et comprendre que c'était très sérieux.

Mais si c'était son but, pourquoi l'embrassait-il dans ce couloir ? Pourquoi l'attirait-il à lui pour l'emmener dans la chambre d'amis ? C'était la faute de ces yeux verts.

C'était sa faute à elle.

Ellinor avait définitivement un truc.

Elle parvenait à contourner tout son système de défense.

Un moment plus tard, il était allongé dans le lit tandis qu'elle inspectait son appartement. À son grand étonnement, il se sentait détendu, comme il ne l'avait plus été depuis longtemps. Depuis Lily, il n'avait jamais couché avec personne dans cet appartement, il allait toujours chez ses partenaires. Paradoxalement, il ne ressentait aucune culpabilité. Il dut constater malgré lui qu'il écoutait Ellinor déambuler à travers l'appartement. Elle paraissait heureuse. Il sourit en entendant ses exclamations enjouées sur le nombre de pièces et toutes les possibilités qu'elles offraient.

– Ouah, quelle grande pièce ! On pourrait y aménager une belle salle à manger !

Au moins, ils ne l'avaient pas fait dans le lit qu'il partageait autrefois avec Lily, tenta-t-il de se rassurer. Et cet appartement n'avait jamais été leur vrai domicile. Ils y avaient seulement habité un temps après leur mariage.

– Tu as aussi une bibliothèque ?

Cette femme qui arpentait son appartement avait vraiment quelque chose de spécial. Elle le fascinait d'une manière qu'il avait du mal à appréhender. Peu importait combien de fois il la repoussait, elle revenait toujours. Comme une balle sauteuse qui absorbait la force de répulsion. Il ne s'attendait pas à cela quand il l'avait abordée à l'université populaire. D'un autre côté, depuis, il s'était passé beaucoup d'autres choses qu'il n'avait pas prévues. Auxquelles il était parvenu à ne pas penser durant les quelques heures qui venaient de s'écouler. On pouvait dire beaucoup de choses sur Ellinor, mais il était sûr qu'elle parvenait à le distraire.

Elle revint au bout de quelques minutes. Elle avait revêtu sa chemise, qu'elle avait laissée ouverte. Ses cheveux roux brillaient comme ceux d'une héroïne de film français. Féminine et irrésistible. Elle s'assit sur le lit, remonta les genoux et le regarda.

– Il est immense, ton appart.

– Je sais.

– Pourquoi tu ne t'en sers pas ?

– À cause de toi.

Ses yeux brillaient, comme ceux d'un enfant le soir de Noël.

– Vraiment ?

– Non, mais de toute façon, j'aurais beau dire n'importe quoi, tu ne m'écoutes pas.

Elle lui donna une petite bourrade et ignora sa pique. Comme toujours. Rien ne semblait pouvoir l'atteindre.

– On va remettre un peu d'ordre dans tout ça, je te le promets.

– On ne va rien remettre en ordre. Tu peux rester quelques jours. Mais après, tu rentres chez toi.

– Bien sûr. On y va doucement. Et dès que tu ne voudras plus m'avoir ici, je m'en irai.

Elle s'assit à califourchon sur lui et l'embrassa sur la bouche.

Ils semblaient avoir vu le même film.

– Très bien. Car je ne veux pas que tu emménages ici.

Cette nouvelle tentative la fit sourire, puis elle évita à nouveau d'écouter.

– Mais pourquoi ? Tu te fais du souci pour moi. Si je reste ici, tu ne me quitteras pas des yeux. Et puis, tu as besoin de moi.

– Je n'ai besoin de personne.

– Ne mens pas, chéri. Tu as besoin de quelqu'un. Ça se voit à dix kilomètres.

Il ne savait plus quoi répondre. Elle avait raison. Il avait besoin de quelqu'un, mais sûrement pas d'elle. En aucun cas. Il resta allongé sur le lit et tendit l'oreille pour deviner ce qu'elle était en train de faire maintenant. Elle était dans la cuisine pour préparer du café en sifflotant.

Personne n'avait jamais fait ça.

Mais ce n'était pas le pire.

Le pire, c'était que cela lui plaisait.

– Edward Hinde souhaite vous parler, dit Annika, la tête passée par la porte entrouverte du bureau de Haraldsson.

Ce dernier, assis sur l'une des chaises destinées aux visiteurs, leva les yeux de son dossier. « Lövhaga 2014, objectifs et vision d'avenir », pouvait-on lire sur la page de garde. Haraldsson venait à peine de finir de lire les deux premières pages du document qui en comptait une trentaine. Sur un bloc-notes posé devant lui, il avait noté quelques formules qu'il ne comprenait pas, ou des paragraphes qu'il devait étudier plus en profondeur. Il avait déjà rempli près d'une demi-page A4. En fait, il ne comprenait quasiment pas le quart du texte. C'est pourquoi il se réjouissait comme un enfant de pouvoir laisser un peu ses notes pour se consacrer à des choses plus importantes.

– Vraiment ?

– Oui, un des surveillants vient d'appeler. Le plus vite possible apparemment.

– Alors, j'y vais tout de suite.

Haraldsson bondit de sa chaise et quitta la pièce. Il avait souvent songé à retourner voir Hinde. Lui rendre une petite visite impromptue. Mais c'était un vrai exercice d'équilibriste, car il ne devait ni paraître aux abois, ni perdre le contact. À présent, c'était Hinde qui avait fait le premier pas. C'était plutôt bon signe que ce soit lui qui ait pris l'initiative. Haraldsson avait espéré qu'ils se rencontrassent assez vite, car il ne pouvait plus retarder le permis de visite de la Crim'. Il allait devoir la leur accorder, leur petite heure de conversation. Mais Haraldsson voulait saisir la chance de lui parler en premier. Tenter de percer sa carapace. Quelle victoire ce serait pour lui, si Hinde lui transmettait des informations déterminantes avant tout le monde ! Si demain, il pouvait non seulement fêter son anniversaire de mariage, mais aussi lire dans les journaux que le tueur en série qui mettait Stockholm à feu et à sang avait pu être confondu grâce à une source officieuse au sein de la direction de la prison. Dans l'idéal, on y citerait même son nom. Hier, l'*Expressen* avait fait le lien entre Hinde et les nouveaux meurtres. Ils n'avaient certes pas écrit que Hinde était impliqué, mais les ressemblances avec son mode opératoire avaient été rendues publiques, et ils avaient compris qu'il s'agissait d'un imitateur.

Le meurtrier serait arrêté, et l'homme qui aurait résolu l'affaire travaillait à Lövhaga, où Hinde était incarcéré. Ce serait du lourd.

Il pénétra dans la cellule d'Edward Hinde, le sourire aux lèvres.

– Vous avez l'air si heureux. Il s'est passé quelque chose de spécial ?

Hinde était toujours assis sur le lit, dos au mur, les jambes croisées.

La chaise de bureau était déjà placée en face du lit. Haraldsson s'y assit. Il préféra ne rien laisser paraître des espoirs qu'il nourrissait à l'égard des résultats de cet entretien. En même temps, il fallait garder Hinde de bonne humeur et donner l'impression que cet échange de politesse lui faisait plaisir. En fait, il avait plusieurs bonnes raisons d'être heureux.

– Nous fêtons notre anniversaire de mariage avec Jenny demain.

Ce qui lui rappela quelque chose… Haraldsson fouilla du regard la cellule à la recherche de la photo de sa femme. Au moins, Hinde ne semblait pas l'avoir accrochée au mur. Quelle chance. Il n'osait pas imaginer ce qui se passerait si un gardien tombait dessus.

– Vous devez être heureux, dit Hinde. Ça vous fera combien d'années de mariage ?

– Cinq.

– Les noces de bois.

– En effet ! Très peu de gens le savent.

Haraldsson était sincèrement impressionné. Il avait pour sa part dû faire une recherche sur Google pour le savoir.

– Vous seriez étonné de savoir tout ce que je sais… répondit Edward.

– Vous devriez vous présenter à « Questions pour un champion » !

– Oui… mais, dans l'immédiat, ça me paraît difficile.

– Oui.

Amusé, Hinde observa Haraldsson qui s'était tu. Dans sa tête, un plan était en train de prendre forme. Pour le mener à bien, il allait devoir trouver plusieurs choses. Il pourrait en demander la plupart à Haraldsson. Et pour le reste, ses deux cent quarante minutes sur Internet allaient suffire.

Edward savait depuis longtemps que Haraldsson fêtait son anniversaire de mariage le lendemain. Comme il savait également depuis belle lurette que le nouveau directeur de la prison était un ex-policier. Dès qu'il avait appris la nomination d'un nouveau directeur à Lövhaga, il avait immédiatement fait des recherches approfondies. Si Haraldsson n'avait pas abordé lui-même le sujet de son anniversaire de mariage, Hinde aurait sans doute essayé d'orienter la conversation sur ce sujet. Il lui avait seulement facilité la tâche.

– Et qu'avez-vous prévu pour fêter ça ? demanda-t-il sur un ton sincèrement intéressé.

– On va commencer par un petit-déjeuner au lit, et puis j'ai prévenu le travail de Jenny pour qu'elle puisse partir quelques heures plus tôt. Un taxi ira la chercher vers midi pour l'emmener dans un spa.

– Ça alors ! Et où travaille-t-elle ?

– Dans une entreprise qui s'appelle BBO. Une société d'audit. Et pour la soirée, j'ai prévu un dîner en amoureux.

– Eh bien, la journée promet d'être réussie !

– Et puis, elle va recevoir un pommier. Un Ingrid Marie. Dans le jardin.

– Vous êtes un mari très attentionné.

– Elle en vaut la peine.

– Je vous crois volontiers.

Le silence se fit. Ce silence n'était pourtant empreint d'aucune gêne ni d'aucun malaise. Haraldsson fut surpris de constater qu'il se sentait presque bien dans cette petite cellule. Il était étonné qu'il fût possible d'avoir des discussions si agréables avec Hinde. Il écoutait. Il écoutait vraiment. À part Jenny, Haraldsson ne connaissait personne dans son entourage qui lui témoignât autant d'intérêt et qui fût aussi… encourageant. Mais aussi détendu que fût le contact qu'il avait su établir avec Hinde, il ne devait pas oublier le but réel de sa visite.

– J'ai quelques questions à vous poser, et vous comprendrez que j'attends une réponse.

Il espérait ne pas avoir été trop direct. Trop sec. Il ne voulait pas donner à Hinde l'impression qu'ils ne se rencontraient que parce que Haraldsson souhaitait tirer profit de leur entrevue. Mais cette crainte était totalement injustifiée, remarqua-t-il en voyant Hinde poser les pieds par terre et se pencher vers lui.

– C'est parfait, car moi aussi, il y a certaines choses que j'aimerais bien avoir.

Edward lui offrit un sourire désarmant et écarta les bras.

– C'est gagnant-gagnant !

– Oui, répondit Haraldsson en lui rendant son sourire, convaincu d'être celui qui avait le plus à gagner.

Hinde n'aurait pas hésité pas à lui donner raison, car il savait, pour sa part, que Haraldsson était celui qui avait le plus à perdre.

Deux choses. Hinde lui avait réclamé deux choses. Mais Haraldsson n'avait aucune d'elles sous la main. Il ne pouvait même pas les trouver à Lövhaga, en tout cas pas sans s'attirer des questions indiscrètes. Il avait donc quitté la cellule, regagné son bureau et dit à Annika qu'il allait s'absenter un moment. Puis il avait pris sa voiture pour se rendre dans le centre de la petite ville.

Deux choses. Deux passages éclair dans un magasin. Sur le chemin du retour, Haraldsson loucha sur les achats posés sur la banquette arrière, et tenta de trouver ce que Hinde avait l'intention d'en faire. Il se demanda également s'il était éthiquement condamnable de les lui donner, et il se dit que ce n'était pas le cas. Il s'agissait d'un médicament disponible sans ordonnance et de légumes. Probablement des betteraves, mais Haraldsson n'en était pas sûr.

Thomas Haraldsson se gara sur sa place de parking, prit les sacs et se rendit immédiatement au quartier de haute sécurité. Il avait l'impression de n'être plus qu'à quelques minutes d'un moment décisif, et il avait bien réfléchi aux questions qu'il allait poser. D'après ce qu'il avait compris, il pourrait lui en poser deux. Cela devrait suffire.

L'un des gardiens l'accompagna jusqu'à la cellule de Hinde. Haraldsson avait caché les deux sachets sous sa veste pour éviter toute question inconvenante sur ce qu'il apportait au tueur en série.

Hinde n'avait pas bougé d'un pouce, toujours sur le lit dans la même position. Il attendit que les portes fussent bien fermées avant de rompre le silence.

– Vous avez tout trouvé ?

Haraldsson sortit le sac de dessous sa veste et plongea sa main à l'intérieur. Il fit les derniers pas qui le séparaient du lit et posa lentement le bocal qu'il venait d'acheter au supermarché sur la table de nuit, comme s'il désirait conférer une tension dramatique à son geste. Hinde jeta un bref coup d'œil à l'étiquette et opina de la tête.

– Que vouliez-vous me demander ?

– Savez-vous qui a tué ces quatre femmes ?

– Oui.

– Qui ?

Hinde ferma les yeux et inspira profondément, tentant de masquer sa déception. Comment était-ce possible ? Haraldsson avait pourtant eu suffisamment de temps pour se préparer à leur entrevue. Il avait eu tout le loisir de trouver la bonne question. Pourquoi sa question n'était-elle pas : « Qui a tué les quatre femmes ? » Hinde connaissait la réponse. Le nouveau directeur de la prison avait confirmé les préjugés de Hinde concernant le système pénitentiaire. En effet, cette institution n'attirait pas vraiment les cerveaux les plus brillants. En tout cas, pas parmi ceux qui avaient le droit de quitter la prison chaque soir. Hinde soupira. C'était vraiment trop facile. Zéro défi. Ennuyeux à mourir.

– « Qui » est une nouvelle question, dit Hinde de manière démonstrative.

Haraldsson poussa un juron. Rien ne se passait comme prévu. La première question aurait dû lui livrer un nom, et la deuxième, une adresse à laquelle les policiers – une fois que Haraldsson leur aurait transmis l'info – auraient pu cueillir le meurtrier. Il avait été trop pressé. Maintenant, il n'apprendrait plus qu'un nom. Mais finalement, c'était déjà suffisant. C'était plus que ce qu'avait la Crim'. C'était tout de même une information déterminante. Et il demeurerait malgré tout celui qui aurait résolu l'affaire.

Haraldsson sortit le sachet de pharmacie. Il ne savait pas grand-chose sur le médicament qu'il contenait. Il ne l'avait jamais pris lui-même. Ça avait l'air plutôt écœurant. Il hésita un instant, le flacon dans la main. Il ressentait la même chose qu'au moment où il lui avait donné la photo de Jenny. Une sorte d'angoisse, le sentiment de commettre une erreur. En un éclair, Haraldsson prit la décision de lui lancer le flacon.

– Qui les a tuées ?

Silence. Hinde étudia attentivement la petite bouteille en verre qu'il avait dans les mains avant de relever la tête. Il avait l'air de vouloir retarder le moment de la réponse, comme les jurés d'une émission de téléréalité. Pour augmenter le suspense.

– Un homme que je connais, dit-il enfin.

– Ce n'est pas une réponse.

La voix de Haraldsson était empreinte d'une déception quasi enfantine. Comme un gamin de cinq ans venant d'ouvrir un paquet de bonbons et découvrant qu'il ne contenait en fait que des légumes.

Hinde haussa les épaules.

– Ce n'est pas de ma faute si vous posez les mauvaises questions.

– Je vous ai demandé « qui ».

– Vous auriez dû demander « comment il s'appelle ».

Silence. D'un geste contrôlé, Hinde se pencha et posa le flacon sur la table de nuit. Haraldsson suivit son geste du regard et fixa le flacon. Songea à le reprendre, en guise de protestation. Hinde ne l'avait vraiment pas mérité. Haraldsson avait certes commis une erreur avec la première question. Mais pour la deuxième, Hinde l'avait tout simplement roulé.

– Il me faudrait encore quelque chose, dit Hinde en le tirant de ses pensées.

Haraldsson réfléchit. Un service, une question, c'était la règle. Il n'était donc pas trop tard pour gagner la partie.

– Ah, et quoi donc ? dit Haraldsson, qui avait du mal à dissimuler son excitation.

– J'aimerais pouvoir appeler Vanja Lithner de la Crim' demain.

– Et pourquoi ?

– Parce que j'aimerais lui parler.

– OK. Comment s'appelle celui qui a tué les quatre femmes ? dégaina Haraldsson, presque incapable de tenir en place. Il était si près du but.

Edward secoua lentement la tête.

– Vous n'avez plus de réponse en réserve.

– Je viens pourtant d'accepter que vous téléphoniez à Vanja Lithner, non ?

Haraldsson était hors de lui. Il se leva d'un bond et fit un pas vers le lit.

– Ça vaut bien une réponse.

– Oui, et vous m'avez demandé pourquoi je voulais l'appeler. Et je vous ai répondu. Par la vérité.

Haraldsson se figea. On pouvait littéralement voir tout l'air s'échapper de ses poumons. Son « pourquoi » était sorti comme un réflexe. Ce n'était même pas une vraie question. Il était clair que Hinde voulait l'appeler pour lui parler, sinon il n'aurait pas demandé à lui passer ce coup de fil. Ça ne comptait pas. Hinde trichait. Mais Haraldsson aussi était capable de répliquer, quand il s'agissait de le faire. À partir de maintenant, il ne prendrait plus de gants.

– Vous pouvez oublier cette conversation, dit-il en pointant sur lui un index autoritaire. À moins de me donner un nom.

– Ne rompez jamais votre promesse, Thomas Haraldsson. Pas avec moi.

Soudain, Haraldsson vit l'autre visage de Hinde. Bien qu'il fût toujours allongé dans la même position sur le lit. Bien qu'il n'eût pas élevé la voix. Son regard s'était assombri. Et dans ses paroles résidait une intensité que Haraldsson n'avait jamais perçue auparavant. Hinde était sérieux. C'était une menace.

Un danger de mort.

Haraldsson eut soudain l'impression que la dernière chose que ces quatre femmes avaient vue était cet homme assis en face de lui. Il recula vers la porte.

– Je reviendrai.

– Vous êtes toujours le bienvenu, fit Hinde en se penchant pour saisir le flacon et le bocal qu'il fit rapidement disparaître sous son lit.

Il était redevenu le bon vieux Hinde. La métamorphose avait été si rapide que Haraldsson doutait à présent qu'elle n'eût jamais eu lieu, mais la chair de poule qu'il avait toujours sur les avant-bras lui prouvait le contraire.

– Vous aurez votre nom, dit Hinde d'une voix grave. Si vous me rendez un dernier service.

– Quoi donc ? dit Haraldsson d'une voix blanche.

– Répondez par oui.

– À quoi ?

– Vous le comprendrez bien assez tôt – le moment venu. Vous répondrez tout simplement par oui, et je répondrai à une autre de vos questions.

Après avoir jeté un dernier regard à Hinde, il quitta la cellule. Rien ne s'était déroulé comme prévu. Rien du tout. Mais il lui restait une dernière chance. S'il répondait « oui ». Qu'est-ce que ça pouvait bien signifier ? Qu'avait-il l'intention de faire avec Vanja Lithner ? Et avec ces choses qu'il lui avait procurées ? Une montagne de questions. Trop de questions pour pouvoir encore se concentrer sur « Lövhaga 2014, objectifs et vision d'avenir ».

Il décida de prendre encore quelques heures de RTT et de rentrer. Auprès de Jenny.

Sebastian se réveilla vers cinq heures. Il avait mieux dormi que ce qu'il pensait. Le rêve l'avait réveillé comme d'habitude, mais il n'avait pas eu l'effet dévastateur habituel. Il détendit son poing droit et ouvrit lentement la main, un doigt après l'autre. Ellinor était allongée à côté de lui. Il sortit prudemment du lit, enfila son boxer et alla dans le couloir pour voir si le livreur de journaux était déjà passé. Les portes de toutes les autres pièces étaient grandes ouvertes. Comme Ellinor les avait laissées. Il les referma, quelque peu à contrecœur. C'était vraiment un bel appartement, si on portait sur lui un regard neuf. Son regard. Surtout quand les rayons du soleil du matin filtraient à travers les grandes fenêtres. Mais ces portes ouvertes et ces pièces appartenaient à une autre vie, une vie qu'il ne souhaitait pas se rappeler. Qu'Ellinor soit venue s'incruster était un changement suffisant. Le reste de sa vie devait rester intact.

La veille, avec Ellinor, ils avaient passé la soirée à discuter de tout et de rien. Dans la cuisine. Elle lui avait parlé de son ex-mari Harald qui, un jour, était rentré à la maison et lui avait annoncé qu'il voulait divorcer. Comme ça. Il avait rencontré quelqu'un d'autre. Elle avait ensuite perdu toute confiance en elle. Mais maintenant, plusieurs années étaient passées. Un temps, elle avait essayé de faire des rencontres sur Internet, mais elle n'avait pas trouvé le bon. Ce n'était pas si facile. Et lui, qu'en était-il ? Pourquoi était-il seul ? Sebastian n'avait pas été très loquace, il avait été assez rusé pour éviter les questions trop embarrassantes. Ils avaient échangé des platitudes arrosées de psychologie de comptoir tout en buvant leur café, sur la difficulté d'être en couple et d'établir des relations. Bizarrement, leur conversation ne lui avait pas autant déplu que ce qu'il aurait cru. Sûrement tous ces événements l'avaient-ils quelque peu affaibli. Mais quelle que fût la manière dont il tournait et retournait les choses dans sa tête, il revenait toujours à la même conclusion.

Il appréciait sa compagnie.

Elle riait souvent, parvenait à tenir une conversation anodine et ne faisait pas très attention à ce qu'il disait. C'était étrange de rencontrer quelqu'un qui fût totalement insensible à ses piques. Du coup, il éprouvait d'autant moins le besoin de lui en envoyer. Ellinor était distrayante et ramenait un certain quotidien dans sa vie. Il n'était pas certain de vouloir vraiment qu'elle soit là. Mais au moins, ça le changeait.

Il posa le journal sur la table, prit son téléphone et tenta encore une fois de joindre Trolle. Toujours pas de réponse. Son angoisse refaisait surface. Que s'était-il passé ? Pourquoi ne répondait-il pas ? Il avait dû se produire quelque chose. Soudain, il eut de nouveau cet étrange désir de se réfugier sous la couette avec Ellinor. De repousser encore la réalité. De tout envoyer balader. Tout à coup, il réalisa ce qu'elle était pour lui. Elle était quelqu'un auprès de qui il pouvait trouver un peu de tendresse dans ce monde de brutes. Quelqu'un qui se réjouirait toujours de le voir. Qui oubliait ses méchancetés.

Il vit très clairement pourquoi il n'avait pas besoin d'avoir mauvaise conscience vis-à-vis de Lily.

Ellinor était comme un animal de compagnie.

Certains s'achetaient un chien – et lui, il avait Ellinor Bergkvist.

Satisfait de sa définition de leur relation, il prépara du café et lut le journal. Il se rendit au 7-Eleven pour acheter des petits pains pour le petit-déjeuner et un sandwich pour le déjeuner d'Ellinor. Par précaution, il ne voulait pas qu'elle sortît.

Quand il rentra chez lui, elle était réveillée, assise dans la cuisine, toujours drapée dans sa chemise. Bien sûr, elle interpréta immédiatement ce geste comme une attention à son égard.

– Oh ! Tu es allé acheter des petits pains ? Tu es un amour !

Il commença à déballer les victuailles.

– Je ne veux pas que tu sortes. Tu dois rester dans l'appartement.

– Ce n'est pas un petit peu exagéré ?

Elle s'approcha de lui, déposa un baiser sur sa joue, s'appuya contre le plan de travail et se hissa pour s'y asseoir.

– Je ne vais pas disparaître juste parce que je sors de l'appartement quelques minutes.

Sebastian soupira. Il n'avait pas envie de discuter.

– Tu ne peux pas tout simplement faire ce que je dis ? S'il te plaît !

– Bien sûr. Mais alors tu devras aussi faire les courses pour le dîner. Je vais te faire une liste, dit-elle en sautant du plan de travail. Tu as un stylo et du papier ?

Sebastian désigna un tiroir à côté du réfrigérateur. Ellinor l'ouvrit et en sortit un stylo noir et un petit carnet. Puis elle s'installa à la table de la cuisine et commença à écrire.

– Des pâtes, un filet de bœuf, de la salade, des échalotes, du sucre de canne, du vinaigre balsamique, du bouillon de bœuf, de la fécule de maïs. Dis-moi s'il y a quelque chose que tu as déjà, s'interrompit-elle. Tu as sûrement du beurre ? Et du vin rouge ?

– Je ne bois pas.

Ellinor leva les yeux de sa liste et lui jeta un regard plein d'étonnement.

– Pas du tout ?

– Non, en tout cas, pas d'alcool.

– Mais pourquoi ?

Il y avait plusieurs raisons à cela. Parce qu'il avait essayé durant plusieurs mois de chasser ses rêves avec la bouteille, et avait failli sombrer dans l'alcoolisme. Parce qu'il avait une tendance générale à la dépendance. Parce qu'il avait des difficultés à poser des limites. Mais elle n'avait pas besoin de savoir tout ça.

– Parce que je ne le fais pas, c'est tout, répondit-il en haussant les épaules.

– Mais apporte quand même une bouteille de vin si tu passes devant le Systembolaget. Pour la sauce. Et ça ne te dérangera sûrement pas si je bois un petit verre ?

– Non.

– Tu préfères des pâtes ou des pommes de terre ?

– Ça m'est égal.

– OK. Est-ce qu'il y a un dessert qui te fait envie ?

– Non.

– Alors je vais décider pour toi.

Elle continua d'écrire. Il continua de prendre son petit-déjeuner. Le quotidien et la routine. Il n'avait jamais fait les courses avec une liste. D'un autre côté, il n'avait jamais rencontré personne comme Ellinor auparavant.

Sebastian avait décidé de partir à pied. Il traversa la ville jusqu'à Kronoberg, et arriva le premier dans la salle de réunion de la Crim'. Il s'assit seul à la table pour attendre les autres. Puis il prit son téléphone et refit le numéro qu'il avait déjà composé un nombre incalculable de fois. Bien que Trolle n'ait toujours pas répondu, il le prit de manière plus apaisée que d'habitude. Il avait recouché avec Ellinor après le petit-déjeuner. En matière sexuelle, ils étaient vraiment sur la même longueur d'ondes. Ce n'était pas de l'amour. En aucun cas. Mais il y avait quelque chose.

Avant de partir, Ellinor lui avait tendu une chemise fraîchement repassée et lui avait demandé de se raser. La vie était bien curieuse. Les événements de ces derniers temps avaient été d'une telle intensité que plus rien ne l'étonnait. Mais il fallait tout de même trouver Trolle. La question était juste de savoir comment. Peut-être pourrait-il faire appel à Billy ? Il n'aurait pas besoin de tout lui raconter, mais tout de même, il devrait lui faire comprendre qu'il était allé voir Trolle quand il avait compris qu'il était suivi. Ce n'était pas si invraisemblable que Sebastian fît appel à son vieil ami. Billy était quelqu'un à qui on pouvait faire confiance, et ses relations avec Vanja paraissaient plutôt tendues ces temps-ci, il n'y avait donc aucun risque pour qu'il allât tout lui raconter.

Billy faisait des efforts manifestes pour monter dans la hiérarchie. Au grand dam de Vanja.

C'était évident. Un groupe fonctionnait toujours mieux quand chacun acceptait son rôle et ne remettait pas en question celui des autres. C'était pour cela qu'il n'avait jamais réussi à s'intégrer. Remettre tout en question, c'était tout simplement sa manière d'être. Mais il fallait bien dire que Billy l'avait impressionné, et s'était révélé être un très bon policier. De plus, à Västerås, il l'avait aidé à mettre la main sur l'adresse d'Anna Eriksson. Il pouvait donc être un allié susceptible de l'aider à retrouver Trolle.

Il allait d'abord passer voir Trolle après la réunion matinale. Et s'il ne le trouvait pas chez lui, il parlerait à Billy. Content de son plan, il partit se chercher un café au distributeur. Il mit de l'ordre dans ses pensées et se promit de n'entrer en conflit ni avec Vanja ni avec Torkel aujourd'hui. Éviter toute confrontation.

Trente minutes et trois tasses de café plus tard, les autres arrivèrent en troupeau dans la salle. Ils lui prêtèrent à peine attention, alors qu'il portait une nouvelle chemise. Cela n'aurait-il pas dû sauter aux yeux de certains membres de l'équipe, au moins les femmes ? Ursula s'assit et prit la parole en ouvrant le dossier posé devant elle.

– Je commence ? J'ai le rapport d'autopsie d'Annette Willén.

– Vas-y, dit Torkel.

Ursula disposa quelques photographies du corps nu d'Annette Willén sur la table. Cette plaie béante à son cou leur sauta aux yeux à tous. C'était la première fois que Sebastian la voyait morte, et cela le touchait plus que prévu. Pas si facile de passer du souvenir d'une Annette bien vivante dans sa robe, chaude et en manque d'amour, à ces clichés. Ursula posa un autre gros plan du cou béant devant eux.

– La trachée et la carotide ont été sectionnées. Un seul coup de couteau d'une très grande violence et dirigé vers l'arrière. Exactement comme pour les autres.

– A-t-elle beaucoup souffert ?

Ursula regarda Sebastian. Sa question venait droit du cœur, cela ne faisait aucun doute. Elle répondit sans la moindre empathie :

– C'est allé relativement vite. Elle s'est étouffée avant de se vider de son sang, la mort a donc été plutôt rapide.

Sebastian resta pétrifié et blêmit.

Ursula se détourna et s'adressa au reste de l'assistance. Qu'il souffre un peu.

– Nous avons quelques difficultés à définir précisément l'heure du crime. Annette Willén était directement exposée au soleil. Mais si Sebastian est parti aux alentours de cinq heures, le meurtrier a dû s'introduire chez elle peu après. On présume donc que le crime a été commis entre cinq et dix heures.

– Ça veut dire qu'il l'a suivi jusqu'à l'appartement ?

– C'est très probable. Surtout maintenant que nous savons que Sebastian est suivi.

Après la révélation de cette extraordinaire proximité entre Sebastian et le tueur, on entendait une mouche voler dans la pièce. Sebastian chercha fiévreusement à reconstituer les événements de cette matinée dans sa tête. Avait-il vu quelqu'un ? Croisé quelqu'un dans les escaliers ? Entendu une portière de voiture se refermer ? Vu une silhouette ? Rien.

– Je n'ai vu personne. Mais je n'ai pas non plus vraiment fait attention.

– Non, tu voulais filer au plus vite. Un petit-déjeuner sympathique le lendemain matin, ça ne doit pas être ton truc, remarqua sèchement Vanja.

Sebastian baissa les yeux. Il ne voulait pas répondre. Ne devait pas répondre. Ne pas revenir à ce stade. Coopération, et non confrontation.

Torkel intervint :

– Nous allons envoyer quelques patrouilles pour interroger le voisinage, maintenant qu'on a un laps de temps un peu plus précis. Quelqu'un aura peut-être remarqué quelque chose.

– Idéalement, à proximité d'une Ford Focus bleue, compléta Billy.

– À propos, où en sommes-nous en ce qui concerne les voitures ? demanda Torkel.

– La Ford ne nous a hélas ! pas livré beaucoup d'indices, et la Toyota a passé plusieurs péages, le dernier hier matin…

À ce moment-là, on frappa à la porte, et une jeune fonctionnaire de police passa sa tête dans l'ouverture.

– Veuillez excuser le dérangement. Un appel pour toi, Vanja. On dirait que c'est important.

– Ça va devoir attendre, on est en plein milieu d'une réunion.

– L'appel vient de Lövhaga. Un certain Edward Hinde…

Vanja et les autres se raidirent, croyant tous à un malentendu.

– Tu es sûre que c'est bien Hinde ? demanda Vanja, sceptique.

– Oui, c'est ce qu'il a dit en tout cas.

Vanja rassembla ses esprits et saisit le combiné du téléphone posé au milieu de la table.

– Transfère-le-moi ici.

La jeune femme tourna les talons et se pressa pour sortir. Vanja se pencha par-dessus la table et attendit la mise en relation. Les autres s'approchèrent à leur tour. C'était comme si cet appareil couleur crème au milieu de la table était devenu le centre de l'univers. Billy se posta à côté de Vanja, prêt à appuyer sur le bouton du haut-parleur, tout en posant son téléphone portable à côté du haut-parleur. Ils attendaient tous, bouche cousue. Seul Sebastian s'écarta quelque peu de la table. Pourquoi Hinde appelait-il Vanja ? Devait-il essayer d'empêcher cette conversation ? Il sentait que cet appel ne présageait rien de bon. Hinde avait toujours une longueur d'avance.

Il agissait.

Les autres réagissaient.

Jamais l'inverse.

Alors même qu'ils s'y attendaient, tous sursautèrent au retentissement de la sonnerie. Billy appuya dans le même temps sur la touche haut-parleur et sur la touche « Enregistrer » de son portable. Quelqu'un était à l'autre bout du fil. Hinde. Il était soudain parmi eux. Vanja se pencha inconsciemment comme pour s'assurer que c'était bien lui.

– Vanja Lithner, dit-elle.

La réponse fusa très vite, bien audible.

– Ici, Edward Hinde. Je ne sais pas si vous vous souvenez.

Aucun doute. C'était bien lui. Cette voix posée. Ce calme, cette concentration et, derrière tout cela, la conviction de sa supériorité. Ceci faisait sûrement partie de son plan. Sebastian pouvait très bien l'imaginer devant lui. Son sourire, ses yeux froids et vitreux, le téléphone tout près de sa bouche.

Vanja essaya de paraître aussi calme que lui.

– Oui, je me souviens.

– Et alors, comment ça va ?

Hinde parlait de manière détendue, presque sur le ton de la confidence. Comme s'il appelait une vieille amie pour bavarder un peu.

– Qu'est-ce que vous voulez ? vociféra Vanja, qui n'avait aucune envie de rentrer dans son jeu. Pourquoi m'appelez-vous ?

Edward ricana sur un ton satisfait.

– Vanja, c'est mon premier coup de fil depuis une éternité. Ne pourrions-nous pas faire durer un peu le plaisir ?

– Je croyais que vous n'aviez pas le droit de téléphoner.

– Ils ont fait une exception.

– Et pourquoi ?

Sebastian fit un pas vers Vanja. C'était exactement ce qu'il se demandait aussi. Quelqu'un à Lövhaga avait passé un marché avec lui. Et indubitablement échoué. Sebastian sentait que cette conversation devait se finir le plus vite possible. Hinde avait un ton bien trop espiègle, qui avait le don de semer la panique dans l'esprit de Sebastian. Après tout, c'était tout de même sa fille qui était en train de parler à ce psychopathe pervers. Tout ça faisait partie de son plan.

Torkel comprit immédiatement ce que Sebastian avait l'intention de faire. Sebastian hésita. Il était en plus mauvaise position que jamais, ayant perdu la confiance de Torkel. Sebastian lui jeta alors un regard suppliant, mais ce dernier secoua la tête.

Pendant ce temps, la conversation se poursuivait.

– J'ai des informations qui pourraient vous intéresser.

– J'écoute.

– Mais seulement vous. Je présume que vous n'êtes pas la seule à m'entendre ?

Vanja jeta un bref regard à Torkel, qui hocha énergiquement la tête. Edward savait que Vanja ne serait sûrement pas seule quand elle prendrait l'appel et qu'il serait trop risqué de mentir.

Vanja se pencha de nouveau sur le téléphone.

– En effet, je ne suis pas seule.

– L'information que je souhaite vous communiquer est destinée à vous seule. Mais vous ne pouvez sûrement pas venir me rejoindre tout de suite ?

– Comment ça ?

– En tout cas, Sebastian a l'air de tenir beaucoup à vous. Comme s'il vous croyait incapable de vous débrouiller sans lui. Est-ce qu'il est là aussi ?

Sebastian répondit sans attendre l'assentiment de Torkel. Il se posta à côté de Vanja.

– Je suis là. Qu'est-ce que vous voulez ?

– J'espère que Vanja pourra venir me parler ? Si je le demande gentiment ?

– Pourquoi ? Si vous avez quelque chose à dire, dites-le donc maintenant.

– Non. Seulement à Vanja. Entre quatre yeux.

– Jamais, s'entendit dire Sebastian.

Mais il était trop tard, ça lui avait déjà échappé. Dans le haut-parleur, on n'entendit plus qu'un clic puis un bip discontinu. La conversation était interrompue. Hinde était parti. Vanja se leva d'un bond, l'air plus déterminé que jamais. Sebastian comprit immédiatement où elle comptait aller.

– Non, ne fais pas ça. Ne va pas à Lövhaga !

Vanja lui jeta un regard courroucé.

– Pourquoi ?

– Parce qu'il ne va rien te donner. Il veut seulement ton attention. Je le connais.

– Attends. On le soupçonne d'être impliqué dans notre affaire, et il nous appelle pour nous proposer des informations. Est-ce qu'on doit l'ignorer, ou quoi ?

– Oui.

Sebastian la fixa d'un air suppliant. Comme si c'était susceptible de la convaincre. Soudain, il sentit qu'il perdait peu à peu le contrôle de la situation, comme si tout lui filait entre les doigts, mais il devait continuer de lutter. Il savait qu'il ne devait en aucun cas abandonner. Pas encore. Vanja ne devait pas y aller. À aucun prix.

– Ça te gêne que ce soit moi qu'il ait appelé ? C'est là que le bât blesse ? Que ce soit à moi qu'il veuille faire des confidences ?

Vanja était hors d'elle. Prête à en découdre.

– Non. Mais il est dangereux.

– Mais bon sang, de quoi tu parles ? Je peux faire attention à moi.

Elle se tourna alors vers Torkel, cherchant son soutien, qu'il lui accorda immédiatement. Elle en fut presque étonnée.

– Vas-y. On pourra écouter ce qu'il a à te dire.

– Mais le permis de visite.

– Je m'en occupe.

– Ah, d'accord. Maintenant, tu peux t'en occuper !

Torkel fit comme s'il n'avait pas entendu.

– Je peux t'équiper d'un micro, dit Billy en se précipitant vers la porte.

Mais Vanja le retint.

– Non, s'il s'en rend compte, il ne dira peut-être rien du tout.

– Il ne te dira rien de toute façon, commenta Sebastian, résolu à ne pas abandonner la partie. Il ne fera que bavarder. Dire des obscénités… et des mensonges.

Vanja interrompit Sebastian.

– Vous avez de nombreux points communs alors.

– Vanja…

En la voyant quitter la salle, Sebastian fut pris d'une terrible angoisse. Elle allait voir Hinde. Ce monstre. Qui l'avait déjà tellement blessé. Et maintenant, Hinde s'en prenait à sa propre fille.

Il ne pouvait pas abandonner, mais ses derniers mots ne furent qu'un faible murmure de protestation.

– Laisse-moi au moins t'accompagner.

Vanja se montra tout sauf compréhensive. Elle ne lui adressa même pas un regard.

– Désolée, tu n'es pas invité.

Et elle s'en alla.

Soudain, Sebastian eut la sensation qu'il la voyait pour la dernière fois et que tous ses efforts pour la sauver avaient été vains. Il s'écroula sur sa chaise.

Les autres le regardèrent, interdits. Ils savaient à quel point Sebastian était égocentrique, mais ne comprenaient pas pourquoi il réagissait ainsi.

Pour Torkel, ce fut la goutte d'eau qui fit déborder le vase. Sebastian semblait avoir perdu tout sens des réalités. Il prenait manifestement cet entretien avec Hinde comme un échec personnel. Son comportement si résigné à présent lui rappelait un peu le moment où il lui avait avoué qu'il avait couché avec toutes les victimes. À l'époque, Torkel avait vu dans ses yeux le même mélange de panique et de tristesse. Mais ce qui lui avait paru compréhensible à ce moment-là lui semblait à présent tout à fait inacceptable. Rien que l'idée de pouvoir empêcher Vanja, la meilleure enquêtrice de l'équipe, de recueillir de nouvelles informations était déjà assez présomptueuse en soi. Peu importait que Sebastian crût qu'elle serait dépassée, ou qu'il pensât être un meilleur interlocuteur qu'elle.

Sebastian les regarda tour à tour, surtout Torkel, et comprenait leur étonnement. Mais il n'avait pas la force de se justifier. Soudain, Sebastian se raidit. Et si Hinde était au courant ?

Il se tourna vers Ursula.

– Je peux t'emprunter ta voiture ?

Elle secoua la tête.

– Sebastian.

– Est-ce que tu peux me prêter ta putain de voiture ?

Ursula jeta un regard interloqué à Torkel, qui secoua à son tour la tête.

– Ça suffit maintenant, Sebastian.

Torkel était furieux.

– Non, ça ne suffit pas ! Donne-moi ces putains de clés !

– Sebastian, ça ne peut plus durer… commença Torkel.

– D'accord ! Très bien ! hurla Sebastian. Fous-moi à la porte ! Je n'en ai rien à foutre ! Mais Ursula, je t'en prie, donne-moi ces putains de clés.

Après un nouveau regard vers Torkel auquel ce dernier répondit par un simple haussement d'épaules, Ursula fouilla dans son sac accroché à la chaise. Elle repêcha les clés et les jeta à Sebastian.

Il se précipita hors de la pièce.

Il devait retenir Vanja.

Restait à trouver comment.

Il traversa le couloir d'habitude si calme. Ceux qui travaillaient encore levèrent la tête pour l'observer, mais il n'en avait que faire. Bien au contraire, il accéléra le pas et espérait que Vanja fût encore dans l'ascenseur pour pouvoir la rattraper en dévalant les escaliers. À l'étage inférieur, il fonça dans deux femmes tenant chacune un gobelet de café dans la main. L'une d'elles laissa tomber le sien, mais Sebastian les ignora et ouvrit grand la porte de l'étage suivant. Il continua de dévaler les marches à toute vitesse.

Troisième étage, deuxième, premier, plus les deux étages du parking. Sebastian espérait que Vanja s'était garée au niveau supérieur. Il ouvrit grand la lourde porte en métal et courut au milieu des voitures. Le parking était presque complet. Un peu plus loin, il entendit une voiture démarrer et se lança à sa poursuite. Ce fut là qu'il la vit. Elle était en train de tourner dans le Fridhelmsplan.

– Vanja ! Attends !

Elle ne l'avait probablement pas remarqué. Ou bien elle s'en fichait. En tout cas, elle passa devant lui sans s'arrêter avant de disparaître de son champ de vision. Tout à coup, il réalisa qu'il ne savait pas quelle était la voiture d'Ursula. Il jeta un coup d'œil aux clés dans sa main : une Volvo. Il retourna au milieu des voitures, appuyant sur la télécommande dans l'espoir de voir le véhicule en question s'allumer.

Mais rien. Il fit tout le tour du parking ainsi. En vain. Enfin, il entendit un bip. La Volvo était garée tout au fond, loin de la sortie, et répondit à ses pressions sur le bouton par un clignotement tranquille. Il se précipita vers elle, ouvrit la portière et s'installa au volant. Il mit quelques secondes à triturer la clé jusqu'à ce que la voiture se mette enfin en marche.

Il appuya sur le champignon. Les pneus crissèrent sur le sol en béton quand il sortit du parking.

Il n'avait toujours aucun plan.

À part rouler le plus vite possible.

Pour la rattraper.

La matinée de Haraldsson se déroulait exactement comme prévu.

Le réveil avait sonné à six heures vingt, et il s'était immédiatement levé, impatient de commencer la journée. Alors que Jenny était encore profondément endormie à ses côtés, il s'était éclipsé sans bruit, avait refermé la porte derrière lui, enfilé un pantalon de jogging et un tee-shirt, et était descendu au rez-de-chaussée. Il ressentait la même excitation que lorsqu'il était petit, à l'approche de Noël ou de son anniversaire. Il gagna la salle de bains où il prit une douche rapide, puis la cuisine. Après avoir fait fondre du chocolat au bain-marie, il y plongea les fraises achetées la veille en rentrant du travail. Il les disposa sur une assiette pour faire refroidir le chocolat afin qu'il se solidifie, puis il sortit un grille-pain et une poêle à frire. Il fit griller du pain dans le toaster et du bacon dans la poêle. Ensuite, il coupa un melon. Cassa quatre œufs, les mélangea avec du lait, et fit fondre du beurre dans la poêle. Il alluma ensuite la bouilloire et déposa un sachet de thé vert dans une tasse. Puis il sortit le fromage et la confiture de framboise du réfrigérateur, et disposa le tout sur le plus grand plateau qu'ils possédaient. Il constata avec satisfaction que tout était bien en place. Il sortit de la maison, se dirigea vers la voiture et ouvrit la boîte à gants où se trouvait un petit coffret rouge. Il contenait une bague. En or, sertie d'un diamant et de deux rubis. Le lendemain de leur mariage, il n'avait pas offert de cadeau nuptial à sa femme, ce qui avait marqué les esprits, en particulier auprès des amis de Jenny, surpris de la voir revenir de sa nuit de noces les mains vides. Comme si le fait qu'elle ait reçu Haraldsson comme mari ne suffisait pas.

Jenny, elle, n'avait jamais rien dit à ce sujet. N'avait jamais exprimé sa déception, ni fait allusion au fait que cette absence de cadeau l'ait blessée. À présent, il allait se rattraper. Cinq ans après. Mieux valait tard que jamais.

Haraldsson se dépêcha de rentrer, posa la petite boîte rouge sur le plateau et remonta les escaliers pour la rejoindre. Il dut se retenir pour ne pas chanter « Joyeux anniversaire ».

Elle était déjà réveillée quand il entra, et lui souriait.

Mon Dieu, comme il l'aimait.

– Joyeux anniversaire de mariage, chérie, dit-il en posant le plateau par terre avant de se pencher pour l'embrasser. Elle passa les bras autour de son cou et l'attira à lui dans le lit.

– Joyeux anniversaire toi-même !

– J'ai préparé le petit-déjeuner.

– Je sais. Je t'ai entendu. Tu es le meilleur.

Elle l'embrassa. Il se releva et chercha le plateau pendant qu'elle tapotait les oreillers contre la tête de lit. Puis ils s'assirent l'un à côté de l'autre et dégustèrent le petit-déjeuner. Il lui donna la becquée en lui tendant des fraises chocolatées. Elle adorait sa nouvelle bague.

Exactement comme il l'avait prévu, il arriva en retard au travail.

Annika était bien sûr déjà là.

– Excusez-moi pour ce retard, dit Haraldsson en pénétrant dans la pièce en sifflotant. Mais c'est mon anniversaire de mariage aujourd'hui.

Il n'avait certes aucune raison de se justifier auprès d'Annika, mais il pouvait ainsi lui faire comprendre qu'il avait quelque chose à fêter. Histoire qu'elle soit au courant. Annika ne paraissait pas vraiment intéressée.

– Ah bon. Alors, félicitations.

– Merci.

– Victor vient d'appeler, enchaîna-t-elle pour changer de sujet. Il vous a envoyé un mail et a dit que c'était urgent.

– Qu'a-t-il écrit ?

– Vous n'avez qu'à le lire vous-même, répondit la secrétaire en pointant le bureau de Haraldsson du menton. Sur votre ordinateur, ajouta-t-elle pour plus de sécurité.

– Ne pouvez-vous pas plutôt me l'imprimer ? Ça ira plus vite. Mon ordinateur est encore éteint et le vôtre est déjà allumé, comme ça je pourrai le lire pendant qu'il démarre et répondre dans la foulée.

– D'accord…

– Bien. Vous me l'apportez dans mon bureau, d'accord ?

Sans attendre sa réponse, il alla dans son bureau, enleva sa veste et s'assit à son bureau. Après avoir allumé son PC, il prit « Lövhaga 2014 – objectifs et vision d'avenir ». À peine avait-il ouvert la chemise qu'Annika frappa à la porte pour lui tendre la feuille qu'elle venait d'imprimer.

– Merci.

Haraldsson posa la feuille et lut son contenu.

Cher monsieur Haraldsson,

Il s'agit du coup de téléphone que vous avez accordé à Edward Hinde hier, à destination de Vanja Lithner (au fait, il va falloir qu'on en parle. J'aimerais bien que vous m'informiez avant d'assouplir les mesures de sécurité prises à l'encontre de certains détenus). Le coup de téléphone de ce matin a donc eu pour effet de faire venir la Crim' sur-le-champ. Je n'y vois pour ma part aucun inconvénient, mais il vous faudra donc remplir un permis de visite en bonne et due forme.

Salutations,

Victor Bäckman

Il relut l'e-mail. Hinde avait appelé Vanja Lithner, et elle allait venir à Lövhaga. Aujourd'hui.

Il avait un mauvais pressentiment.

Un très mauvais pressentiment.

Haraldsson se leva et quitta rapidement son bureau.

Edward Hinde était assis à sa place habituelle, en train de lire à l'étage de la bibliothèque, quand il entendit des pas s'approcher. Tout à coup, une vague d'irritation l'envahit. Qui était cet intrus ? Encore un nouveau ? Si c'était le cas, il allait devoir avoir une petite conversation avec Igor, afin que ce dernier inculquât les règles à ce bleu. Mais ce n'était pas un nouveau, c'était Haraldsson. Edward referma son livre sur Napoléon. Haraldsson fit un signe de tête aux gardiens qui se trouvaient un peu plus loin, prit une chaise et s'assit en face de lui.

Il se pencha rapidement par-dessus la table.

– Je veux être présent, chuchota-t-il.

Hinde ne savait pas s'il parlait aussi bas parce qu'il se trouvait dans une bibliothèque ou parce qu'il ne voulait pas que les gardiens l'entendissent. Mais peu importait.

– Présent où ? demanda Hinde, perdu.

– Lors de votre entretien avec Vanja Lithner.

– Je ne pense pas que ce soit une bonne idée.

– Ce n'est pas négociable. Je dois être présent.

Haraldsson souligna ses derniers mots en tapant presque du poing sur la table, tout en s'arrêtant quelques centimètres avant. Sûrement parce qu'ils étaient dans une bibliothèque, pensa Hinde.

– Je ne pense pas que ce soit une bonne idée, répéta Hinde, calmement.

– Alors, je ne vous accorderai pas cet entretien.

Le regard de Hinde s'assombrit, mais Haraldsson s'y était préparé et avait déjà quelques arguments sous la main.

– Je ne vous ai jamais promis que vous pourriez la rencontrer, rétorqua-t-il, satisfait. Un coup de fil, oui, mais il n'a jamais été question d'un entretien.

Hinde s'imagina en train de se jeter sur Haraldsson, lui prendre la tête et la cogner brutalement contre la table. Faire le tour de la table, et avant même que le directeur n'ait eu le temps de réagir, poser ses mains contre les tempes de Haraldsson et lui tourner la tête. Il pouvait littéralement entendre le craquement des vertèbres.

Aussi attrayante que fût cette idée, il n'allait pas la mettre en œuvre. Mais il était tout de même temps de lui montrer qui commandait.

– Vous semblez être quelqu'un d'ambitieux, Haraldsson, murmura-t-il en soulignant chaque syllabe avec intensité. Corrigez-moi si je me trompe, mais ce job est important pour vous, non ?

Haraldsson opina de la tête. La tournure que prenaient les événements le mettait de plus en plus mal à l'aise.

– J'ai toujours vos… cadeaux dans ma cellule, poursuivit Hinde. Comment voulez-vous expliquer à vos supérieurs que vous m'ayez procuré toutes ces choses en cachette ?

– Je nierai.

– Et on vous croira ?

– On me croira plus que vous.

Edward demeura impassible, avant d'exprimer son scepticisme en fronçant un sourcil.

– Ah oui, vraiment ?

– Oui.

Haraldsson croisa ce regard sombre et perçant, tout en espérant avoir toute l'assurance qu'il souhaitait se donner dans ses paroles.

– Ce qui signifie que si je parle de notre petit arrangement… vous savez. Je vous raconte tout ce que je sais et vous me donnez tout ce que je veux… alors on vous croira, et pas moi.

– Oui.

Haraldsson remarqua lui-même que c'était plutôt un vœu pieux que la réalité.

– Et comment allez-vous expliquer que j'ai toutes ces choses en ma possession ? demanda Hinde, l'air de ne pas y toucher, qui contrastait fortement avec son regard sinistre.

– Quelqu'un d'autre vous les aura données.

– Et vous allez mettre votre carrière en jeu pour ce petit mensonge ?

Haraldsson resta coi. Il avait l'impression d'être un joueur d'échecs auquel il ne restait plus qu'un roi, tandis que son adversaire venait de gagner une deuxième reine.

– S'ils ne vous croient pas, vous ne perdrez pas seulement votre travail. Vous serez sûrement derrière les barreaux pour l'accouchement.

Haraldsson bondit de sa chaise et se rua dans les escaliers sans un mot. Edward ne put s'empêcher d'afficher un large sourire. Son plan se déroulait à la perfection.

Haraldsson regagna son bureau, complètement affolé. Rien ne s'était déroulé comme prévu. Il allait maintenant être obligé de délivrer ce permis de visite. Hinde allait pouvoir rencontrer Vanja Lithner seul à seul. Mais Haraldsson allait faire en sorte qu'elle passât le voir juste après. Il allait l'obliger à lui rapporter ce qui s'était dit pendant l'entretien. Il pouvait toujours faire ça.

Après tout, c'était sa prison.

C'était lui qui fixait les règles.

Pendant un instant, il envisagea de se rendre dans la cellule de Hinde et de reprendre la photo de Jenny, la bouteille et le bocal. Mais comment expliquerait-il sa présence dans sa cellule ? Fouille inopinée. Non, il ne s'en chargerait jamais lui-même. Cela ne faisait pas partie de ses attributions, et paraîtrait suspect. Et que se passerait-il s'il ne trouvait même pas ce qu'il cherchait ? Non, il valait mieux autoriser cette entrevue avec Vanja et interroger cette dernière à la sortie. Des informations de seconde main. Ce n'était pas l'idéal, mais finalement, c'était ce qu'il ferait de cette information qui était déterminant. Vanja les transmettrait à Torkel. Il pouvait aller directement au niveau supérieur. Il pouvait encore sauver la situation.

Cette journée pouvait encore être une journée parfaite.

Elle était déjà attendue.

Le gardien ouvrit les grilles dès qu'il l'aperçut. Il n'y avait qu'une seule entrée à Lövhaga, où l'on devait passer devant un petit poste de contrôle en briques. Lors de leurs deux premières visites, elle avait dû présenter sa carte à l'entrée. À présent, les gardiens l'avaient déjà reconnue et lui firent signe de passer dès qu'ils virent approcher la voiture. Un fois garée, elle longea un grillage surmonté de fil de fer barbelé pour gagner l'entrée du bâtiment. De l'autre côté se trouvait le centre de semi-liberté. Elle vit certains détenus profiter du soleil dans la cour. Il faisait visiblement trop chaud pour jouer au foot. Ils avaient enlevé leurs maillots et se prélassaient. L'un d'entre eux se leva pour lui faire de l'œil.

– Tu viens me voir ? demanda-t-il en jouant des muscles.

– Ça te plairait sûrement, non ? répondit-elle en passant la deuxième enceinte de grillage, également surmontée de fil de fer barbelé.

Le dernier obstacle avant de pénétrer dans le quartier de haute sécurité. Ici, le gardien demanda à voir sa carte et lui confisqua son arme. Mais ici aussi, on l'attendait.

– C'est allé vite, dit le gardien. Les autres croyaient que vous arriveriez seulement autour de midi.

– Il n'y avait pas beaucoup de circulation.

– Haraldsson m'a demandé de vous laisser entrer immédiatement.

– Mais il ne va pas venir, non ?

Vanja eut du mal à dissimuler son malaise en pensant à la situation.

– Non, mais il voulait être informé de votre venue.

Le gardien enferma le pistolet dans le coffre-fort gris, et ordonna à ses collègues de venir par talkie-walkie.

– La visite de Hinde est arrivée.

Vanja attendit quelques minutes devant le poste de surveillance jusqu'à ce qu'un autre gardien arrivât pour la chercher. Il lui fit traverser une lourde porte blindée puis deux autres portes de sécurité. Ensuite, ils longèrent un couloir et montèrent quelques marches. Apparemment, ils ne se rendaient pas au même endroit que la dernière fois. Mais elle n'en était pas tout à fait sûre, car la décoration intérieure était la même partout à Lövhaga. Un bleu clair institutionnel et un éclairage douteux. Dans ces lieux, le temps semblait s'être arrêté.

Au bout d'un moment, le gardien s'arrêta et la pria de l'attendre.

– Un moment, s'il vous plaît. Comme vous êtes seule, il va falloir qu'on assure votre sécurité.

Vanja hocha la tête tout en se demandant s'ils prendraient toutes ces mesures de sécurité si elle était un homme. Sûrement que non. Mais cela n'était pas étonnant, car Hinde avait incontestablement un rapport particulier avec les femmes. Bien qu'elle fût convaincue de pouvoir se défendre toute seule, elle était tout de même reconnaissante. Le danger lui imposait le respect, même si elle n'aurait jamais admis être dans un tel état de nervosité.

Elle alla dans une petite salle d'attente et s'assit sur un canapé uni. Il faisait moite et sombre, la seule lumière qui filtrait venant d'une petite fenêtre grillagée placée en hauteur. Elle s'adossa contre le dossier ferme du canapé et essaya de se calmer. Toute la journée avait paru se dérouler en accéléré. La réunion, qui avait été interrompue par Hinde, et ce départ improvisé pour la prison. Et puis, le comportement de Sebastian. Il avait dépassé les bornes aujourd'hui, on aurait dit qu'il perdait les pédales en ce moment. Torkel avait appelé quelques minutes plus tard pour lui dire que Sebastian s'était lancé à sa poursuite dans la voiture d'Ursula. Vanja avait donc appuyé sur le champignon en mettant le gyrophare, et n'avait heureusement pas aperçu la voiture d'Ursula dans le rétroviseur.

L'espace d'un moment, elle avait envisagé d'appeler ses collègues et de leur demander de retenir Sebastian, mais cela aurait été un gaspillage de temps et d'énergie. Tant pis pour les excès de vitesse. Et puis, Sebastian ne ferait plus partie de l'équipe très longtemps. C'était le seul point positif de la situation. Elle avait remarqué qu'il était sous pression, après tout ce qui s'était passé. Aussi froid et insensible fût-il, il ne pouvait pas rester de marbre face à tout ça. Mais c'était tout de même incroyable qu'il eût encore le droit de participer à l'enquête. Malgré tout le respect qu'elle portait à Torkel, elle ne comprenait pas pourquoi il continuait à le défendre. En même temps, elle n'avait pas connu Sebastian dans son heure de gloire. C'était peut-être à cause de ça. Elle ne l'avait pas connu quand il fonctionnait encore. Torkel ne prenait personne pour un idiot. Et même s'il se trompait, il était toujours le meilleur chef qu'elle eût jamais eu, et elle décida de ne pas faire d'esclandre sur ce qui s'était passé. Elle avait aussi été impressionnée par les livres de Sebastian. Il avait donc été réellement brillant un jour, mais cela appartenait au passé. Et Torkel l'avait désormais compris – enfin.

Il valait mieux qu'elle concentrât tous ses efforts pour arrêter la série de meurtres et aplanir les choses avec Billy. Leur complicité lui manquait. Est-ce que ce brusque changement d'attitude était à imputer à sa nouvelle petite amie ? Au fait qu'il ne se satisfasse plus d'assurer la partie technique de l'enquête ? Peut-être qu'il avait raison, au fond. Vanja avait considéré son aide comme acquise et ne lui avait pas toujours demandé son avis. D'un autre côté, ils avaient toujours été honnêtes l'un envers l'autre. Elle ne comprenait pas ce changement si soudain. Pourquoi précisément maintenant ? Pourquoi manifestait-il son insatisfaction maintenant, alors qu'il n'avait jamais rien dit ? N'avait jamais fait part de ses sentiments ? Vanja avait espéré qu'ils avaient suffisamment confiance l'un en l'autre, mais ce n'était apparemment pas le cas. Elle décida d'avoir une conversation avec lui dès qu'elle en aurait la possibilité. C'était la seule solution.

Elle entendit une porte s'ouvrir, et sortit pour regarder. C'était le gardien qui revenait.

– Tout est prêt.

Tendue, elle se leva et le suivit en tentant de rester calme. Lors de sa première entrevue avec Hinde, elle avait compris une chose. Il lisait facilement dans l'esprit des autres. Déchiffrait leurs pensées. Elle devait donc s'efforcer de ne pas paraître nerveuse ni tendue.

Elle allait tout simplement devoir bluffer.

C'était une autre salle. Plus petite que celle où ils s'étaient rencontrés la première fois. Sans fenêtres. La même couleur bleu sale que dans le couloir. On aurait dit une cellule abandonnée. Au milieu, deux chaises et une table, c'était tout. Pieds et mains menottés à la table, Hinde lui tournait le dos. La table elle-même était fixée au sol. La police n'irait jamais aussi loin dans une maison d'arrêt. L'assistance juridique veillerait au grain, mais ici, il n'y avait pas d'avocats. On était à Lövhaga, et ce n'était pas un interrogatoire ordinaire. Les mesures de sécurité drastiques étaient sûrement l'une des conditions posées par Haraldsson pour que Vanja pût s'entretenir seule avec lui. Elle se demandait comment le tueur en série avait pu obtenir cet entretien si vite. Sebastian n'avait pas encore eu de permis de visite. Hinde avait dû donner quelque chose en échange au directeur de la prison. Mais si elle se félicitait de l'avoir réalisé, savoir que Haraldsson se mêlait de l'enquête ne lui disait rien qui vaille.

Hinde était toujours immobile, alors qu'il devait avoir remarqué sa présence. Le seul bruit qu'il émettait était le cliquetis des chaînes lorsqu'il bougeait lentement les mains. Le gardien lui tendit un petit boîtier noir avec un bouton rouge.

– C'est une alarme. Je serai devant la porte. Vous n'aurez qu'à frapper quand vous aurez fini.

Vanja prit l'alarme et y jeta un coup d'œil, sceptique.

Le gardien sourit.

– C’est pour votre sécurité. En fait, le règlement stipule que vous devez obligatoirement être à deux. Et Haraldsson souhaite vous rencontrer immédiatement après l’entretien, pour que vous lui rendiez compte de ce qui s’est dit.

– Bien sûr, dit-elle en hochant la tête, déterminée à ne pas divulguer quoi que ce fût à Haraldsson. Pas avant qu’elle n’en sût plus sur son rôle dans tout cela.

Le gardien referma la porte derrière lui. Vanja observa le dos immobile de Hinde, et attendit quelques secondes avant de se diriger vers lui.

– Je suis là maintenant, dit-elle avant même d’être arrivée à la table pour le regarder en face.

Sans se retourner, il répondit :

– Je sais.

Vanja fit le tour de la table pour garder ses distances. Elle le regarda ensuite pour la première fois dans les yeux. Il lui décocha un sourire décontracté, comme s’il était attablé dans un restaurant, en train de boire un café, et pas dans un parloir de prison, enfermé et enchaîné.

– Je suis si content que vous soyez venue. Asseyez-vous, je vous en prie, la pria-t-il en désignant la chaise vide en face de lui.

Elle ignora ses politesses.

– Que voulez-vous ?

– Je ne mords pas.

– Que voulez-vous ?

– Seulement parler un peu. Je ne vois plus de femmes depuis bien longtemps, je dois donc profiter de la moindre occasion qui se présente. Si vous étiez à ma place, vous en feriez sûrement autant.

– Je ne serai jamais à votre place.

– Je ne suis pas si méchant que Sebastian le prétend. Il y a des raisons à tout.

Vanja éleva la voix et fit un pas vers lui.

– Mais je ne suis pas venue pour bavarder avec vous. Je suis ici, car vous avez prétendu avoir quelque chose à me dire. Mais c’étaient sûrement des paroles en l’air.

Vanja tourna les talons et se dirigea vers la porte de la cellule. Elle leva la main et s'apprêtait à frapper quand il poursuivit.

– Vous le regretterez.

– Pourquoi ?

– Parce que je sais qui a tué ces femmes.

Vanja abaissa sa main et se retourna vers lui. Il était toujours aussi impassible.

– Comment pouvez-vous le savoir ?

– On apprend certaines choses dans ces murs.

– Balivernes.

– Vous savez que je le sais.

Pour la première fois, Hinde s'adressa à elle en la regardant dans les yeux.

– Vous l'avez bien vu, la dernière fois.

Vanja se raidit. Devinait-il, ou avait-il réellement lu en elle ? Avait-il flairé cet instinct qu'elle avait à peine ressenti comme une sensation ? Dans ce cas, sa capacité à analyser les gens était plus développée que chez toute autre personne qu'elle eût jamais rencontrée. Plus dangereuse aussi.

– Si vous le saviez déjà la dernière fois, pourquoi n'avez-vous rien dit ?

– Je n'en étais pas certain. Contrairement à maintenant.

– Pourquoi ?

– J'ai parlé hier avec le jeune homme en question. Il travaille ici. Il a avoué. En fait, il s'en est même vanté. Il me vénère. Vous pouvez croire ça ?

– Non. Comment s'appelle-t-il ?

– J'aimerais d'abord savoir une chose sur vous. Quelque chose de personnel. Ressemblez-vous plutôt à votre père ou à votre mère ?

– Je n'ai pas l'intention de parler de choses personnelles avec vous.

– C'était une simple question.

– Et pourquoi me poser une question aussi idiote ?

Vanja fit à nouveau le tour de la table. Il la suivit du regard. Son sourire avait disparu. L'expression de son visage était toujours aimable, mais il la scrutait d'une manière plutôt angoissante. Elle eut l'impression qu'il voulait s'insinuer en elle. Lire dans ses pensées. La décoder.

– Ça m'intéresse, c'est tout. Pour ma part, je ressemble plutôt à ma mère. C'est ce que les gens me disaient en grandissant.

Vanja secoua la tête.

– À mon père, je crois. Qui est le meurtrier ?

Hinde la regarda et ferma les yeux. Pendant une seconde, il s'imagina à mille lieues de là, et il prit une profonde inspiration. Il était obligé de prendre une décision. Devait-il tout lui dire ? Devait-il révéler un secret si bien gardé, mais quasiment évident sitôt qu'on l'avait découvert ? Elle avait ses yeux. Son inépuisable énergie. Il aurait souhaité plus que tout pouvoir lui voler cette énergie. La détruire. La violenter. Mais il devait se retenir.

Planification. Patience. Détermination.

Les clés.

– Je crois aussi, dit-il d'un air songeur avant de rouvrir les yeux. Je crois aussi que vous ressemblez plus à votre père.

– Dernière chance. Après, je sors. Donnez-moi ce nom.

Hinde hocha la tête, puis il se pencha en avant.

– Je n'ai sûrement pas mis que Sebastian en colère, quand j'ai exprimé le souhait de vous toucher, dit-il d'une voix grave et évocatrice.

Vanja resta les bras croisés.

– Jamais vous ne me toucherez.

– Peut-être... Mais j'ai quelque chose que vous voulez avoir. Et d'après mon expérience, les gens sont prêts à aller très loin pour obtenir ce qu'ils veulent. Vous n'êtes pas d'accord ?

Il ouvrit sa main droite qu'il avait jusqu'à présent gardée fermée. S'y trouvait un petit bout de papier plié, pas plus grand qu'un ongle.

– Le voici. Vous n'êtes plus qu'à quelques centimètres du but.

Il sourit.

Soudain, il se pencha brusquement et mit le papier dans sa bouche. Puis il se redressa pour lui montrer qu'il avait maintenant le papier entre ses dents.

– Ça ne prendra que deux secondes pour l'avaler, siffla-t-il entre ses dents. Alors, il disparaîtra à jamais, et je ne dirai plus un mot. Vous êtes sûre que je ne peux toujours pas vous toucher ? Cela ne tient qu'à vous.

Hinde souriait toujours, le bout de papier entre les dents, les doigts de la main gauche esquissant un geste taquin.

Vanja tenta d'analyser la situation en un éclair. Le risque était grand que cela fût un piège, mais en même temps, elle ne pouvait s'empêcher de le croire. Tout cela semblait bien trop raffiné pour finir en simple prise d'otages. Il était soigneusement attaché. Elle avait l'alarme. L'angoisse qu'elle avait éprouvée jusqu'à présent se muait en une étrange curiosité. Voire de la témérité. Si elle s'éclipsait maintenant, elle le regretterait peut-être. Car si c'était bien la clé de l'énigme qui se trouvait coincée entre les dents de Hinde, le jeu en valait la chandelle.

Si Hinde disait la vérité, cela signifierait non seulement qu'il n'y aurait pas d'autres victimes, mais aussi qu'elle serait celle qui aurait réussi à soutirer cette information à Hinde. Elle seule. Elle et personne d'autre. Et cela rendrait la présence de Sebastian dans l'équipe à jamais superflue. Car si elle résolvait cette affaire, quand devraient-ils faire à nouveau appel à Sebastian Bergman ? Jamais.

Elle approcha lentement le pouce de l'alarme. Cela ne prendrait pas une seconde d'appuyer dessus. Peut-être une demi-minute jusqu'à ce que le gardien entre dans la salle. Hinde ne pourrait pas l'attraper avec sa seule main droite. Une main. Elle allait pouvoir se libérer en un simple soubresaut. Peut-être pas sans douleur, mais elle y parviendrait. Et elle pourrait maîtriser la situation en moins d'une minute.

Elle décida de jouer le jeu. Elle se pencha lentement en avant et s'accroupit devant l'homme enchaîné. Ni trop près ni trop loin, juste assez pour qu'il puisse atteindre ses cheveux avec sa main gauche. S'il la tendait aussi loin que ses chaînes le lui permettaient. Elle croisa son regard. Qu'y voyait-elle ?

De l'espoir ?

Du bonheur ?

Il caressa du bout des doigts sa chevelure douce comme du velours. Elle avait les cheveux plus fins que ce qu'il n'aurait pensé. Ils paraissaient plus légers entre ses doigts. Il devina le parfum d'un shampoing fruité, et se pencha un peu pour pouvoir y plonger son nez. Soudain, il désira la voir enchaînée à sa place. Avoir une plus grande liberté de mouvement. La sentir pour de vrai. Il dut faire un gros effort pour ne rien laisser transparaître de son excitation. Sa mère était blonde, elle aussi. Elle avait les cheveux plus longs, mais pas aussi doux. Les cheveux de Vanja, on avait envie de les tirer, violemment. Mais il ne pouvait pas tout avoir. Pas maintenant.

Planification. Patience. Détermination.

Cela devait suffire. Il retira à contrecœur sa main et recracha le papier qui atterrit au milieu de la table. Sans le déplier, elle se dirigea vers la porte.

– On se reverra, Vanja.

– Je ne pense pas, dit-elle avant de frapper un coup énergique à la porte. Nous avons terminé.

Au bout de quelques secondes, le gardien ouvrit la porte, et elle sortit de la petite salle. Hinde resta assis, gardant le parfum de ses cheveux dans ses narines.

Je tiens mes promesses, pensa-t-il.

On se reverra, Vanja.

Ne voulant pas montrer le papier au gardien, elle demanda à aller aux toilettes.

Les toilettes des visiteurs étaient situées un étage plus haut, près des bureaux administratifs. Ici encore, les mêmes couleurs déprimantes que dans le reste de Lövhaga, mais au moins, tout était fraîchement repeint. Vanja s'assit sur le couvercle des toilettes et déplia le petit bout de papier. Un nom y était inscrit au crayon, en majuscules : RALPH SVENSSON.

Ce nom lui paraissait familier. Peut-être pas le nom de famille. Mais Ralph avec « ph ». Elle l'avait déjà vu quelque part. Mais où ? Elle prit son téléphone et appela quelqu'un qui devait le savoir. Billy. Il décrocha au bout de quelques sonneries.

– Salut. J'aimerais que tu vérifies un nom pour moi. Ralph Svensson. Ralph avec « ph ». Enfin, si tu es d'accord ? ajouta-t-elle rapidement.

– C'est Hinde qui te l'a donné ?

Billy ne semblait même pas avoir entendu sa petite précision. Elle l'entendit pianoter sur le clavier.

– Hinde dit que c'est le meurtrier. Et j'ai l'impression d'avoir déjà vu ce nom.

– Moi aussi. Attends.

Billy avait mis le combiné de côté, et Vanja continua d'entendre les bruits du clavier en attendant sa réponse. Nerveuse, elle se rongea les ongles. Billy revint au bout du fil. Elle entendit immédiatement à quel point il était excité.

– Ce n'est pas un employé de la prison, mais il est sur la liste de ceux qui ont un laissez-passer. Il travaille pour l'entreprise « LS-Nettoyage ». On l'a déjà vérifié, mais on n'a rien remarqué d'anormal.

– Essaie de trouver tout ce que tu peux sur lui. Je te rappelle de la voiture. Et transmets l'info à Torkel.

Elle mit fin à la conversation, se lava les mains et tira par précaution la chasse d'eau avant de quitter les toilettes.

Le gardien se tenait un peu plus loin et lui lança :

– Vous êtes prête ?

– Oui, il faut absolument que j'y aille.

– Et pour Haraldsson ? Je lui ai dit qu'on était en route.

– Dites-lui d'appeler directement la Crim' si c'est important. Je suis déjà trop en retard.

Sur ces mots, Vanja prit la direction de la sortie. Pendant une seconde, le gardien paru troublé, mais il la suivit. Réitéra sa demande. D'un air presque suppliant. Mais il n'était pas question de négocier. Elle n'avait pas de temps à perdre avec des idiots.

Billy rappela encore avant que Vanja n'eût récupéré son arme au poste de surveillance. Il parlait vite, et elle pouvait entendre la voix de Torkel en toile de fond.

– Torkel demande si c'est sûr. Tu crois vraiment qu'on a des arguments solides pour justifier une mise en examen auprès du procureur ?

– Je ne sais pas. Hinde m'a donné ce nom. C'est tout. Vous n'avez rien trouvé ?

– Rien de spécial. Né en 1976. Habite à Västertorp. Casier judiciaire vierge. Travaille depuis sept ans chez LS-Nettoyage. J'ai parlé avec le chef. Il n'avait que de bonnes choses à dire sur lui. Le seul truc bizarre, c'est qu'il lui a proposé l'année dernière un travail mieux payé avec de meilleurs horaires dans un hôpital plus proche de son domicile, et il a décliné. Il a dit qu'il se plaisait à Lövhaga.

– Il est là en ce moment ?

– Non, il est en congé maladie depuis hier midi.

Vanja hocha la tête et se détourna pour que le gardien qui ouvrait le coffre-fort dans le poste de surveillance n'entendît pas ce qu'elle disait.

– Est-ce qu'il a accès au quartier de Hinde ?

– Oui, il fait le ménage à la maison d'arrêt et au quartier de haute sécurité.

– Ça devrait suffire. On a un suspect avec possibilité de contact.

Elle entendit Billy résumer ce qu'elle venait de dire à Torkel, avant de reprendre le combiné.

– Torkel est en train de demander une commission rogatoire au procureur. Il veut savoir ce que Hinde a dit exactement.

– Il n'a pas dit grand-chose. Seulement que Ralph lui a avoué avoir commis les meurtres et s'en est vanté. Hinde semble être une sorte de modèle pour lui.

– Peut-être que Hinde veut seulement le salir.

– C'est possible, mais je suis convaincue que c'est lui. Je ne crois pas que Hinde ait menti.

– Il n'a rien dit d'autre ?

– Non.

Il y avait certaines choses que personne n'était obligé de savoir. Comme la manière dont elle avait obtenu cette information, par exemple. Mais cela n'influerait en rien sur le fait qu'on leur accordât une commission rogatoire ou non.

– Pourquoi nous aide-t-il ? Il l'a dit ? demanda Billy.

Vanja était interloquée. Elle avait été tellement obnubilée par le fait que Hinde était entré en contact avec elle qu'elle en avait oublié la question la plus importante : pourquoi.

– Non. Peut-être parce qu'il a le sens du devoir ?

– C'est peu probable, non ?

– Est-ce que c'est important ?

– Peut-être pas.

– Si c'est important, on le saura bien assez tôt.

Elle se retourna vers le gardien, prit son arme et la fourra dans son holster.

– Appelle-moi dès que vous aurez obtenu la commission rogatoire. Je rentre à Stockholm.

Elle remercia le gardien pour son aide et raccrocha.

Celui-ci désigna les grilles où se trouvait la sortie.

– Un homme vous attend là-bas, et a demandé à vous voir. Il n'a pas de permis de visite.

Vanja sut immédiatement de qui il s'agissait.

L'homme sans permis de visite. L'espace d'une seconde, elle se dit qu'elle préférait encore voir Haraldsson que lui.

Il y avait différentes catégories d'idiots.

Sebastian se tenait devant la voiture d'Ursula, et fixait les hauts murs d'enceintes d'un gris défraîchi. Il s'était garé juste en face de l'entrée principale, le plus au bord possible. C'était le seul compromis qu'il avait pu obtenir. Les gardiens étaient venus le voir pour lui dire qu'il gênait la sortie des véhicules, et lui avaient demandé sa carte de police et son permis de visite. Lui les avait traités de crétins de gardes-chiourme qui ne comprenaient pas qu'il fallait qu'il entrât. Après l'avoir laissé crier quelques minutes, ils avaient tout simplement secoué la tête et l'avaient laissé planté là.

Sebastian faisait nerveusement les cent pas, d'un côté à l'autre de la rue. Frappait du pied dans le gravier au bord du trottoir. Cueillait des pissenlits et soufflait pour faire s'envoler le pollen, comme il aimait le faire quand il était enfant. Il devait oublier un instant la bureaucratie absurde de Lövhaga et son inquiétude au sujet de Vanja, et pour cela, il lui fallait s'occuper avec des choses simples.

Les gardiens derrière la grille n'avaient même pas daigné lui confirmer que Vanja était bien là. Mais il avait vu sa voiture sur le parking. Ils l'avaient laissé devant la porte, comme une parfaite métaphore de sa vie actuelle. Il se trouvait dans un *no man's land* dans lequel plus personne n'avait envie d'avoir affaire à lui.

Il s'éloignait de plus en plus du cœur des événements. Ce n'était pas ainsi qu'il s'était imaginé sa participation à l'enquête après avoir enfin réussi à s'incruster dans l'équipe. À l'époque, il avait simplement voulu trouver un moyen de se rapprocher de Vanja. De se procurer une vie à lui. Et même peut-être de résoudre l'affaire, même si ça n'avait pas été la raison principale. Mais tout ça, c'était avant Hinde. Avant que cela ne tournât à l'affrontement personnel. Avant que toutes les portes ne se refermassent.

Car on ne lui avait pas seulement fermé les grilles de Lövhaga. Dans la voiture, il venait d'appeler Torkel pour tenter de le convaincre de retenir Vanja. Torkel n'avait pas décroché. N'avait pas rappelé. Tout comme Billy. Et c'était sa faute. Il était le seul responsable de leur attitude. Il avait beau chercher, il ne pouvait rejeter la faute sur personne d'autre. En même temps, son inquiétude au sujet de Vanja n'avait cessé de diminuer. Car Vanja était maligne et ne prendrait aucun risque inutile. Et Hinde n'était pas intéressé par des choses aussi banales qu'une prise d'otages. Non, en général, il avait des plans bien plus ambitieux.

Hinde connaissait la vérité au sujet de Vanja, Sebastian le sentait. C'était sans doute la raison pour laquelle il avait demandé à la rencontrer.

Allait-il tout lui dire ?

Ou bien était-ce également trop banal ?

Sebastian détestait cette incertitude. Il recommença à marcher. Fit un tour devant la grille et jeta un œil à l'intérieur. Soudain, il aperçut Vanja. Elle traversait la cour et s'approchait de la voiture à pas rapides. Devait-il l'appeler ? Lui faire signe ? Ou bien ne pas bouger ?

Que savait-elle ? Sebastian décida de se redresser au maximum et de se poster en plein milieu de la rue pour lui barrer la route. C'était le plus naturel. Faire obstacle. Il vit qu'elle l'avait remarqué, mais son visage restait impassible. Comme s'il n'était que du vent. Son désintérêt le réjouit.

Elle ne savait pas.

Si elle l'avait su, il aurait vu de la colère ou du mépris, mais pas une indifférence totale. En temps normal, il ne s'en serait pas réjoui, mais pour le moment, c'était la meilleure chose qui pouvait lui arriver. Il remarqua qu'il souriait malgré lui. Un grand sourire.

Quand elle s'approcha de la grille, elle n'en crut pas ses yeux. Etait-ce bien lui qui se tenait devant elle et lui jetait un sourire narquois ? Ou bien était-ce une vaine tentative de paraître détendu ? Elle ne savait pas sur quel pied danser. Sebastian n'était vraiment pas comme les autres gens. Mais cela n'avait plus aucune importance. Bientôt, elle n'aurait plus à le supporter. Elle abaissa sa vitre et se pencha à l'extérieur.

– Désolée, mais tu es sur mon chemin, là.

Les portes s'ouvrirent, et elle roula lentement dans sa direction. Il ne bougea pas d'un pouce et ne paraissait pas en avoir l'intention.

– J'aimerais te parler, lança-t-il.

– Mais pas moi. Pour une conversation, il faut être deux, même tu ne sembles pas connaître ce principe.

Elle freina à cinquante centimètres de lui. Il n'osait pas bouger. S'il le faisait, elle appuierait sans doute sur l'accélérateur et s'en irait derechef.

– Je dois savoir. Que voulait Hinde ?

– Il m'a donné le nom du meurtrier.

Le petit sourire que Sebastian avait arboré tout au long de la conversation disparut immédiatement. Il ne s'attendait pas à ça.

– Quoi ? Comment ?

– Il a dit qu'il savait qui était le meurtrier, un certain Ralph Svensson apparemment. Il travaille ici en tant qu'agent d'entretien. On sait qu'il a pu avoir des contacts avec Hinde.

– Et tu le crois ?

– Je n'ai aucune raison d'en douter. Est-ce qu'on suit bien toutes les pistes, oui ou non ?

– Pourquoi devrait-il te raconter ça ?

– Tu te demandes sûrement plutôt pourquoi il ne t'a pas raconté ça à toi. C'est pourtant toi le soi-disant expert. Celui qui sait comment le faire parler.

Elle ne pouvait pas dissimuler son air triomphant. En fait, elle n'essayait même pas.

Sans réfléchir, Sebastian s'avança vers elle.

– Et tu crois qu'il n'a rien à voir avec tout ça ? Tu le crois vraiment ?

– Je suis policier. Je ne crois rien du tout. Je trouve des infos. Et maintenant, je te prie de m'excuser.

Elle appuya sur l'accélérateur. Les pneus crissèrent sur l'asphalte, et la voiture partit en trombe.

Sebastian se retrouva à nouveau seul.

Il commençait à s'y habituer.

Il s'élança vers la voiture d'Ursula.

Torkel avait obtenu la commission rogatoire pour effectuer une perquisition chez Ralph Svensson alors qu'il était déjà en route. Après un long échange téléphonique, le procureur Gunnar Hallén avait fini par se laisser convaincre. Il y avait certes un faisceau d'indices concordants, mais la crédibilité de Hinde en tant que témoin laissait à désirer. Une condamnation à perpétuité ne plaidait pas forcément en sa faveur. Torkel avait donc dû déployer toute sa force de persuasion, même s'il avait compris dès les premières minutes que Hallén allait la lui accorder. C'était une de ces affaires qui bénéficiaient d'une couverture médiatique importante et pouvaient donc se révéler déterminantes pour une carrière. Une perquisition sur la base de vagues soupçons, c'était toujours moins grave que pas de réaction du tout.

Torkel avait demandé à Billy de faire appel à une équipe pour leur ouvrir l'appartement, puis ils étaient montés dans la voiture. Il voulait être sur place dès qu'ils auraient le feu vert. Ils ne pouvaient pas se permettre de perdre du temps dans le transport et la logistique. Vanja les rejoindrait quand elle le pourrait. Torkel avait promis de l'attendre autant que possible. Il ne prit même pas la peine d'en informer Sebastian.

Billy se gara dans une impasse derrière quelques immeubles en briques rouges datant des années 1950, à trois cents mètres de l'appartement de Ralph Svensson. Ce dernier habitait sur une petite colline près du centre de Västertorp, qui avait perdu pas mal de sa splendeur.

Billy contacta le chef du groupe d'intervention, qui promit d'être là d'ici cinq minutes au plus. Puis il appela Ursula pour lui expliquer où ils s'étaient garés.

Torkel fit un petit tour pour jeter un œil aux alentours. C'était un quartier assez vert, avec beaucoup d'arbres et des immeubles vides. La brise transportait des odeurs appétissantes, et de la musique sortait des fenêtres des étages supérieurs. Quelqu'un éclata de rire. Une horde de gamins bruyants s'était rassemblée autour d'un bac à sable. Une paisible journée d'été.

Billy ouvrit le coffre et en sortit un gilet pare-balles qu'il revêtit immédiatement.

Torkel le considéra avec étonnement.

– On va laisser le groupe intervenir.

– Mais je veux être présent. Après tout, c'est notre affaire.

– C'est vrai, mais on n'a pas besoin de défoncer des portes pour le prouver.

– OK. Alors, j'irai en tant que simple observateur.

Torkel secoua la tête. Billy avait vraiment changé ces dernières semaines. Avant, il n'avait jamais eu de complexes à jouer les seconds rôles et à les soutenir, lui et – surtout – Vanja quand il s'agissait d'assurer la partie technique de l'enquête. Et voilà qu'il voulait investir un appartement, arme au poing.

– On va procéder comme d'habitude, répondit fermement Torkel. Les autres vont d'abord s'occuper du suspect. Et on arrive après.

Billy hocha la tête, sans pour autant ôter son gilet. Il ressemblait plus à un ado en rébellion qu'autre chose.

– Tu peux garder ce truc si tu veux. Mais tu restes avec moi.

– OK. C'est toi qui décides, marmonna Billy d'un air renfrogné.

– En effet.

Torkel fit un pas vers lui et posa une main sur l'épaule de Billy.

– Dis-moi, il s'est passé quelque chose ? J'ai comme l'impression qu'il y a de l'orage dans l'air ces derniers temps. En particulier entre toi et Vanja.

Billy ne répondit pas.

Torkel ne retira pas sa main.

– Tu dois m'en parler. On est une équipe. Pour l'instant, je n'ai pas vraiment l'impression que ce soit le cas…

– Est-ce que tu penses que je suis un bon policier ? demanda Billy avec sincérité.

Aussi loin que Torkel s'en souvienne, c'était la première fois que Billy doutait de ses compétences.

– Si ce n'était pas le cas, tu ne travaillerais pas pour moi.

Billy hocha la tête.

– Mais si on est une équipe, pourquoi sommes-nous traités différemment ?

– Parce qu'on est différents, rétorqua Torkel comme s'il s'agissait d'une évidence. On a des forces et des faiblesses différentes, c'est ce qui fait de nous une équipe. On se complète bien.

– Et Vanja est la meilleure.

– Je n'ai pas dit ça.

– D'accord, mais supposons que Vanja ait mis la veste et ait voulu assister à l'intervention, est-ce que tu t'y serais opposé ?

Torkel s'apprêtait à répondre non, mais il se retint juste à temps, comprenant tout à coup que Billy avait peut-être raison. Aurait-il été aussi ferme face à Vanja ? Sûrement pas. Parce qu'elle était un meilleur policier ? Certainement.

Alors, il se tut. C'était une réponse suffisante.

Ralph venait de s'asseoir devant son ordinateur et de taper son code d'accès sur « fyghor.se ». Il voulait envoyer un message au maître pour lui avouer son échec. La veille, il avait fait le pied de grue toute la journée devant l'immeuble d'Ellinor Bergkvist. Mais elle n'était pas réapparue.

À son retour à la maison, il était épuisé et fatigué. Il avait fait son tour habituel pour allumer toutes les lampes dans le bon ordre avant de s'arrêter, déboussolé. Le sac de sport et les provisions. Que devait-il en faire ? Il allait devoir inventer un nouveau rituel pour les cas où il échouait. Il avait réfléchi un moment à la façon de procéder, et en était venu à la conclusion que le plus logique était d'exécuter le rite de préparation mais à l'envers.

Il avait sorti la bouteille d'eau de Javel du sachet et l'avait replacée dans le placard sous l'évier, avait remis toute la nourriture et les boissons dans le réfrigérateur, avait plié le sac et l'avait rangé dans le placard à balais. Puis il était allé dans la chambre à coucher, avait sorti les bas Nylon et la chemise de nuit et les avait déposés dans le tiroir du haut. Ensuite, il avait été perdu.

Il aurait dû replacer le sac de sport entre les deux piles, mais que faire avec le couteau ? Il ne l'avait pas utilisé, et vu tous les échecs qu'il avait essuyés ces derniers temps, il tenait plus que tout à exécuter le rituel à la lettre. Il avait donc décidé de se rendre dans la cuisine avec le sac. Là, il avait sorti le couteau, puis l'avait lavé et essuyé avant de l'introduire dans un nouveau sachet en plastique, et avait placé le tout dans le sac. Il avait jeté l'ancien sachet dans la poubelle sous l'évier et était retourné dans la chambre. Il avait alors pu ranger le sac dans le tiroir du haut et refermer ce dernier.

Puis il s'était écroulé sur son lit, épuisé. La chambre était chaude et bien éclairée par les ampoules de cent watts qu'il avait fixées dans les quatre coins de la pièce. Elles le rassuraient. Elles avaient chassé les ombres et la moindre once de pénombre génératrice d'angoisse.

Après quelques heures d'un sommeil sans rêves, il s'était réveillé et avait tenté de se ressaisir. Il avait passé la matinée à chercher Ellinor Bergkvist. Elle n'était pas à son travail, et on n'avait pas voulu lui dire quand elle serait de retour. Il avait appelé Taxi Stockholm et demandé où s'était rendu le véhicule immatriculé JXU 346 qui avait pris un passager dans la Västmannagatan la veille à seize heures. Mais ils ne divulguaient pas ce genre d'informations, et quand ils lui avaient demandé son identité, il avait immédiatement raccroché. Il ne l'avait pas trouvée. Il avait échoué.

Ralph entra son identifiant et son mot de passe. Un message du maître. À peine quelques mots.

« Tu es moi, maintenant. »

Rien d'autre. Ralph se leva et commença à tourner en rond dans la chambre, troublé mais aussi un peu excité. Peu importait ce que cela signifiait, c'était une reconnaissance. Il était devenu son égal. Ce message ne laissait place à aucun doute. Une vague de chaleur se répandit en lui. Il ne s'attendait pas à ça.

Mais qu'est-ce que cela signifiait ? N'allait-il plus recevoir de missions de son maître ? Allait-il pouvoir agir de son propre chef ? S'épanouir en toute autonomie ?

Il était plongé dans ses pensées quand il entendit un bruit à la porte qui ressemblait à une explosion. Quelques secondes plus tard, des silhouettes noires casquées et équipées de ce qui semblait être des mitraillettes coururent vers lui, en braquant leurs canons sur lui.

– Police ! Couchez-vous !

En un éclair, Ralph s'empara de son ordinateur et le jeta de toutes ses forces contre le mur, faisant voler des bouts de plastique et de métal à travers la pièce. Il courut ensuite vers la carcasse et se mit à sautiller dessus jusqu'à être saisi par deux armoires à glace qui le plaquèrent au sol.

Quand ils lui mirent les bras dans le dos pour le menotter, il n'opposa pas la moindre résistance. Il regarda seulement l'ordinateur en mille morceaux, considérant avec satisfaction qu'il avait protégé le maître.

Ils étaient brutaux, mais ce n'était pas grave. Ralph se sentit tout à coup submergé par un sentiment de plénitude. Ce sentiment s'amplifia quand plusieurs autres silhouettes arrivèrent pour l'évacuer hors de l'appartement. Il avait atteint le stade supérieur et comprenait à présent la signification du message délivré par son maître.

« Tu es moi, maintenant. »

Il l'était vraiment.

Vanja arriva pile au moment où ses collègues sortaient de l'immeuble avec Ralph Svensson. Lorsqu'ils le firent monter à l'arrière du fourgon de police, il n'opposa aucune résistance, complètement amorphe, presque absent. Vanja regarda repartir le véhicule avant de descendre de sa voiture. Elle était furieuse, et son humeur ne s'améliora guère quand elle vit Billy tout sourire avec son gilet pare-balles juste à côté de l'entrée.

– On l'a eu, Vanja ! C'est lui !

– Vous ne pouviez pas m'attendre ? C'était mon info ! C'est moi qui ai obtenu son nom.

La gaieté puérile de Billy se volatilisa immédiatement, pour faire place à ce regard glacial qu'elle avait déjà aperçu.

– Demande à Torkel. C'est sa décision.

Il partit en la laissant plantée là. Un peu plus loin, elle vit Torkel s'entretenir avec le chef du groupe d'intervention. Ils semblaient plongés dans une conversation animée, car son collègue ne cessait de gesticuler dans tous les sens. Cela avait sans doute un rapport avec l'assaut. Vanja voulut les rejoindre, mais elle se ravisa. Elle n'avait pas envie de se disputer également avec Torkel. De plus, la décision de ce dernier était parfaitement justifiée. Elle aurait agi exactement pareil à sa place. L'important était de réagir vite, et non de savoir qui réagissait.

Mais l'aspect purement professionnel n'était qu'un côté de la médaille. L'autre était plus personnel et avait un rapport direct avec sa place dans l'équipe, le rôle de chacun et la répartition des responsabilités. Tout ce qui, avant cette affaire, paraissait évident. Torkel serra la main de son collège dont il prit congé.

– Bon boulot, Vanja ! lança Torkel en marchant dans sa direction.

– Merci. Qu'est-ce qu'on a ?

– Ursula vient d'arriver. Elle va procéder à la première inspection seule, pour éviter toute contamination. Mais l'appartement a l'air d'être une vraie mine d'or.

– Vraiment ?

Torkel acquiesça. Son air détendu aida Vanja à se calmer. Il était manifestement convaincu qu'ils tenaient leur homme. Vanja sentit une partie de sa colère s'envoler pour faire place à la joie. Ils avaient peut-être réellement résolu cette affaire.

– Dix chemises de nuit identiques, des bas Nylon et une serviette en cuir remplie d'articles de journaux sur les meurtres, raconta Torkel. Un couteau qui correspond exactement aux blessures des victimes. Et un mur rempli de photos.

– Mais c'est génial ! s'exclama Vanja, surprise.

Se pouvait-il qu'il fût si facile de mettre la main sur Ralph Svensson, le terrible meurtrier ?

– C'est le moins qu'on puisse dire. Et Ursula vient à peine de commencer. On devrait avoir les résultats des tests ADN dès demain, ça suffira pour avoir une première certitude.

Ils échangèrent un regard complice. Ils avaient tous deux saisi l'importance de cet instant. C'était une belle journée. Ils se tenaient dans l'ombre de l'immeuble, mais tout autour, le soleil répandait ses rayons sur l'herbe verdoyante.

– Je suis désolé qu'on ne t'ait pas attendue pour l'arrêter, dit Torkel aimablement. Mais c'était impossible.

– Je comprends, répondit Vanja tout de go. C'était la bonne décision, ajouta-t-elle.

Billy les rejoignit. Il avait enlevé son gilet pare-balles. Il admira également le soleil et la verdure qui les entourait.

– Ursula dit que ça va prendre sûrement plusieurs heures avant qu'on ne puisse entrer.

Torkel et Vanja hochèrent la tête, sans rien répondre. Ils restèrent ainsi côte à côte, sans dire un mot.

Comme un groupe.

Comme une équipe.

Comme avant.

Le portable de Billy rompit le silence. En entendant son ton mielleux, les autres n'eurent aucun mal à deviner qu'il s'agissait de sa nouvelle copine. Il s'écarta de quelques pas pour discuter avec elle de leurs projets pour la soirée.

Torkel regarda Vanja.

– Hallén veut qu'on donne une conférence de presse cet après-midi. J'aimerais que tu sois présente.

Vanja était sincèrement surprise.

– Mais c'est toujours toi qui t'en charges d'habitude, non ?

– Oui, mais cette fois, j'aimerais que tu sois à mes côtés. C'est grâce à toi qu'on a résolu cette affaire.

Elle lui sourit et se souvint pourquoi, à l'époque, elle avait posé sa candidature à la Crim' dirigée par Torkel Höglund. Parce qu'il était un bon chef. Et quelqu'un d'humain. Il savait que tout le monde avait besoin de reconnaissance.

•

Sebastian était passé au commissariat peu avant treize heures à la recherche de Torkel et des autres. D'abord, personne n'avait pu lui dire où ils étaient passés. Finalement, un policier en uniforme qu'il avait l'habitude de croiser l'informa qu'ils étaient partis en intervention. Quelque part au sud de Stockholm, et tout s'était bien passé. Frustré, Sebastian essaya désespérément de joindre quelqu'un. Il commença par Torkel pour ensuite passer en revue toute la hiérarchie vers le bas. Personne ne répondit. Puis il eut une idée et se rendit immédiatement à la maison d'arrêt accolée au commissariat pour voir s'il y rencontrerait quelqu'un. Peut-être étaient-ils en train d'enfermer Ralph Svensson, celui dont Hinde avait contre toute attente livré le nom à Vanja. Mais là non plus, il n'y avait personne. Et personne ne voulait lui dire si un prisonnier était attendu. Il était encore dans un no man's land. Un lieu où il ne semblait pas exister. Il sortit sur Fridhelmsplan et se posta à l'entrée du parking souterrain pour attendre leur retour. Il s'assit dans l'herbe un peu plus loin, et attendit. L'homme dans le poste de contrôle le regarda d'un air sceptique, mais il le laissa faire. Il se trouvait dans un espace public et n'avait rien fait de répréhensible. Un homme d'âge mûr portant une veste froissée qui s'affalait dans les hautes herbes. Le gardien le prenait sans doute pour un alcoolique qui se rendait au parc de Kronoberg, mais qui n'arrivait plus à avancer et s'arrêtait donc sur le premier carré d'herbe venu. Il ne lui manquait plus que la bouteille.

Sebastian ne se sentait bon à rien. Il avait beau posséder les meilleurs diplômes dont celui de l'académie du FBI de Quantico, avoir écrit des best-sellers et avoir été, des années durant, le meilleur profileur de Suède, la seule chose qu'il pouvait encore espérer était que les autres revinssent bientôt et le gardassent miraculeusement dans l'équipe. C'était la seule solution qui lui restait dans son énorme boîte à outils scientifique : ne pas laisser tomber.

Son téléphone sonna, et il le sortit en toute hâte de sa poche. Cela pouvait être l'un d'entre eux. Mais ce n'était pas le cas. Il connaissait ce numéro, bien qu'il ne l'eût jamais appelé.

Son propre téléphone fixe.

Il décrocha.

Ellinor, évidemment.

Il était bien décidé à se défouler sur elle, à lui crier dessus, à lui faire sentir sa douleur. Mais elle était si joyeuse qu'il en fut incapable. Sa voix était guillerette et enjouée.

– Excuse-moi, chéri, je sais à quel point c'est énervant d'être dérangé sur son lieu de travail. Mais j'ai un peu peur que tu sois fâché contre moi.

– Pourquoi ?

– Parce que j'ai quitté l'appartement.

– Pourquoi as-tu fait ça ?

Sa colère se mua en inquiétude. C'était sûrement injustifié, car si l'arrestation avait eu lieu et que Ralph était bien le meurtrier qu'ils recherchaient, elle était hors de danger. Elle pouvait donc partir. Pour toujours. Il pourrait la mettre à la porte.

– Enfin, je ne suis pas vraiment sortie très loin.

– Comment ça ? Où es-tu allée ?

– Chez les voisins. J'ai voulu me présenter.

Sebastian était interloqué. Tous les sentiments négatifs qu'il avait ressentis au départ furent soudain éclipsés par l'impression étrange qu'Ellinor Bergkvist vivait dans un monde parallèle. Au fond, ils étaient totalement incompatibles. N'avaient rien en commun. Et ne pourraient jamais être sur la même longueur d'ondes.

– Je n'ai aucun contact avec mes voisins, dit sèchement Sebastian.

– Oui, c'est aussi ce qu'ils m'ont dit. Mais ils sont très curieux de te connaître. Il va falloir que tu fasses quelques courses supplémentaires.

– Je ne comprends pas… dit-il en s'asseyant dans l'herbe.

– Ne m'en veux pas, mais j'ai invité ton voisin d'à côté à dîner. Jan-Åke. Sa famille vient de partir en voyage. Il est médecin, exactement comme toi !

– Je ne suis pas médecin. Je suis psychologue.

– Sois rentré pour cinq heures, poursuivit Ellinor comme si elle n'avait pas entendu sa mise au point. Et appelle-moi quand tu seras au supermarché. Ce sera sûrement sympa, ce soir. Tu ne m'en veux pas, hein ?

Sebastian tenta en vain de retrouver sa colère, de lui lancer des mots suffisamment blessants pour lui faire prendre la fuite. Mais il en fut incapable. Le monde d'Ellinor était tellement plus chaleureux. Plus douillet. Dans son monde, il avait une valeur.

– Je fais tout ça parce que je t'aime, hein, tu le sais ? Tu ne peux pas continuer à vivre comme un ermite avec un si bel appartement. C'est impossible. Tu seras là à cinq heures ?

– Oui.

– Bisous !

– Bisous, s'entendit-il dire.

Elle raccrocha. Il se leva, troublé. Il allait dîner avec un voisin avec lequel il n'avait pas échangé un seul mot en vingt ans. Mais ce n'était pas le pire. Le pire, c'était qu'il s'en réjouissait. Il y avait donc encore un monde où il occupait une place centrale. Où on l'attendait avec impatience.

Où il avait quelque chose qu'il n'avait plus eu depuis belle lurette. Une maison.

Certes, elle était occupée par une femme bizarre, mais tout de même. C'était une maison.

Le procureur Hallén était si excité qu'il avait d'abord oublié comment faire un nœud de cravate. Pour célébrer cette journée, il avait voulu porter un demi-nœud Windsor dans la variante qui se défait tout seul, un nœud qu'il arborait rarement. Il y était parvenu après plusieurs tentatives. Il avait appelé sa femme pour lui demander d'enregistrer le journal télévisé sur SVT et TV4. Dans l'idéal, il y aurait également un flash spécial, mais n'ayant aucune influence là-dessus, il ne pouvait que l'espérer. Les preuves récoltées jusqu'à présent étaient à la fois irréfutables et effroyables. Normalement, ils auraient dû attendre que les techniciens de l'identité judiciaire aient fini leur travail, mais ce n'était pas réaliste. La nouvelle de l'arrestation s'était répandue comme une traînée de poudre, et ils devaient empêcher la propagation de fausses rumeurs. Et afficher des résultats.

Torkel Höglund et Vanja Lithner venaient d'arriver, et avaient apporté des photos prises dans l'appartement du suspect. Elles étaient accablantes. L'homme avait manifestement couvert un mur entier avec trente-six photos de chacune de ses victimes, sauf pour la première où il n'y en avait que trente-quatre. En voyant ces clichés, Hallén avait eu la nausée. Les femmes, encore en vie, ligotées, en nuisette. Quelques secondes avant leur mort.

– C'est lui, dit-il en détournant le regard pour s'adresser à ses collègues dans la salle de conférence. Je n'ai pas besoin d'en voir davantage.

Ils allèrent ensemble dans la salle qui accueillait la conférence de presse au premier étage. Dans les escaliers, ils purent voir à quel point la salle était pleine. De nombreux studios de télévision mobiles étaient garés dans la rue, et on faisait la queue à la réception.

Hallén se tourna vers Torkel.

– Je vais dire quelques mots d'introduction et de salutation, puis je vous laisserai exposer les faits, et on répondra aux questions ensemble, d'accord ?

– Bien sûr.

Hallén bomba le torse et se fraya un chemin dans la foule des journalistes. Vanja sourit en voyant le procureur faire le fier. Il salua les inconnus qui se pressaient à la porte. Torkel détestait ça, elle le savait. Et son langage corporel le signalait clairement. Les épaules crispées, le menton renfrogné. Il connaissait sans doute également la plupart de ces gens, mais il ne salua personne. Toute son attitude montrait qu'il voulait en finir au plus vite pour se remettre au travail. Elle-même sentait une vague d'euphorie monter en elle. Elle pourrait très bien s'accommoder de ce genre de cérémonial, elle le voyait bien. Avec un peu de chance, ce ne serait pas la dernière fois qu'elle pourrait y participer. Si Billy tenait tant à améliorer sa position dans l'équipe, elle pouvait en faire autant en recherchant de nouvelles responsabilités.

Elle vit Sebastian, qui se tenait un peu plus loin, le regard résigné et fatigué. Il les avait attendus à côté de l'entrée du parking pour ne pas les rater quand ils seraient rentrés de Västberga. Vanja avait d'abord espéré que Torkel l'ignorerait, mais son chef n'était pas aussi puéril qu'elle. Ils s'étaient brièvement arrêtés, Torkel avait ouvert la portière et informé Sebastian en deux mots qu'ils avaient arrêté Ralph Svensson et qu'ils allaient donner une conférence de presse. Il pouvait y assister s'il désirait avoir plus de détails. Puis il avait refermé la portière et avait continué son chemin.

Il n'était peut-être pas aussi puéril. Mais il était efficace. Vanja comprit qu'elle ne souhaitait en aucun cas avoir Torkel pour ennemi. Jamais.

Ralph observa la petite cellule. Il était souvent passé devant la maison d'arrêt de Kronoberg en se demandant comment ce devait être à l'intérieur. Maintenant, il le savait. Un lit, une table, une chaise et des toilettes. Des meubles en pin clair, des murs bicolores, jaunes en bas et gris clair en haut. Pour la plupart des gens, cela n'aurait sûrement pas été étonnant, mais il se sentait fébrile. Depuis la rue, ce bâtiment anonyme aux allures de bunker au milieu de Kungsholmen paraissait plutôt menaçant en imaginant les secrets et les histoires qu'il abritait. Mais une fois qu'on avait pénétré à l'intérieur, on les ressentait. Tous ces souvenirs qui planaient dans les cellules.

C'était là qu'ils avaient emmené le maître autrefois. Ralph ne savait pas dans quelle cellule il avait été enfermé, mais cela n'avait pas d'importance. Il suivait désormais ses traces. Ils avaient emprunté le même couloir.

Il avait dû se déshabiller, et les gardiens lui avaient donné une tenue de prisonnier gris clair en coton délavé. Puis ils avaient inspecté tous ses orifices corporels à la recherche d'objets dissimulés. Il s'en était délecté, car cette mesure radicale ne pouvait signifier qu'une seule chose – ils se méfiaient de lui.

Il était important.

Il était quelqu'un.

Il le voyait à leur regard, à la façon dont ils lui parlaient. Ils contrôlaient ses faits et gestes à travers le judas toutes les cinq minutes.

Peu importait la vraie raison. Il appréciait cette attention qu'on lui portait, et le suicide ne faisait en aucun cas partie de ses plans, cela serait revenu à un échec. Alors que la partie ne faisait que commencer. Ils allaient bientôt venir le chercher pour son premier interrogatoire. Celui-ci durerait au moins vingt-quatre heures, comme cela avait été le cas pour le maître. Ils mettraient tout en œuvre pour le confondre en lui présentant un maximum de preuves irréfutables. Pour le déstabiliser d'entrée. Mais il était prêt. Il n'espérait qu'une chose : se retrouver face à Sebastian Bergman. Quel honneur de pouvoir se retrouver face à l'adversaire du maître. Être aux premières loges pour observer Sebastian se creuser la tête pour tenter de soutirer ce qu'il désirait tant obtenir.

Des aveux.

Ce serait comme une danse entre lui et Sebastian. Une longue chorégraphie, espérait Ralph. Exactement comme la lutte à laquelle s'étaient livrés Sebastian et le maître à l'époque.

Ralph sourit. Il y était arrivé. Avait apprivoisé le couteau, le sang, les cris. À présent, il allait apprendre à rencontrer un adversaire bien réel. Soudain, il ressentit une sorte d'excitation inédite.

D'ordre sexuel.

Elle pulsait dans son corps et lui permettait à peine de rester assis. Il toucha son pénis en érection. Peu importait s'ils le voyaient à travers le judas. Il ne pensait plus qu'à une chose. S'il ne se retrouvait pas face à Sebastian dans la salle d'interrogatoire, ce serait une grosse déception.

À tous points de vue.

La conférence de presse avait commencé. Le brouhaha cessa dès les premiers mots du procureur. Sebastian s'était posté aussi près que possible de la sortie, et énumérait dans sa tête toutes les possibilités. On l'avait écarté de l'affaire, c'était évident. En même temps, il était convaincu que les personnes présentes sur ce podium ne voulaient pas voir la vérité en face. Et il était pratiquement impossible que Hinde en restât là. Ce serait contre nature.

Le procureur termina son vague exposé davantage censé mettre en avant l'action du parquet, et la sienne en particulier. Puis ce fut le tour de Torkel. Comme d'habitude, ce dernier alla droit au but, comme s'il voulait en finir au plus vite.

– Aujourd'hui, à douze heures quarante-cinq, nous avons pu arrêter l'homme que nous suspectons fortement d'être l'auteur d'une série de meurtres de femmes d'une grande violence à Stockholm. Il a été arrêté dans son appartement, où nous avons pu recueillir des preuves accablantes, voire aggravantes.

Sebastian vit Vanja se redresser et balayer le parterre de journalistes du regard. Elle le fixa sans détourner les yeux. Il se souviendrait sûrement longtemps de ce moment. Sa fille. Elle lui ressemblait vraiment, au temps de sa gloire. Un regard inébranlable, qui redoublait d'orgueil devant une assemblée.

Il comprenait ce qu'elle éprouvait. Plus qu'elle ne pourrait jamais l'imaginer. Elle était celle qui devait leur parler, et non Torkel. Elle était née pour cela. Un jour, son heure viendrait. La question était seulement de savoir s'il aurait la chance d'y assister. Bien qu'il sût qu'elle était en train de commettre une erreur ou au moins qu'elle occultait une partie de la vérité, il ne pouvait pas s'empêcher d'éprouver une certaine fierté. Dans ce genre de situation, ils se ressemblaient vraiment.

– Nous avons retrouvé l'arme du crime, des traces de sang et une série d'objets directement en lien avec les meurtres. De plus, nous avons prélevé des traces d'ADN que nous sommes en train de comparer avec celui du suspect, poursuivit Torkel.

Un journaliste particulièrement zélé se leva. Il paraissait impatient. Sebastian le reconnut : c'était un vieux loup de mer de l'*Expressen*. Sebastian crut se rappeler qu'il s'appelait Weber ou quelque chose comme ça.

– Que pensez-vous de la rumeur selon laquelle Edward Hinde serait impliqué dans les meurtres ? lança-t-il.

Torkel se pencha vers le micro et répondit aussi distinctement que possible :

– Je n'aimerais pas trop m'avancer sur les résultats de notre enquête, mais pour le moment, nous présumons que le tueur a agi de son propre chef. Nous pouvons toutefois confirmer qu'il s'est inspiré des meurtres d'Edward Hinde.

Ce qui donna lieu à une salve de nouvelles questions. Les autres journalistes suivaient la même piste.

Hinde. Hinde. Hinde.

Sûrement faisait-il de meilleurs titres. Un imitateur inspiré par le grand Hinde. C'était la version qui leur plaisait à tous.

C'était aussi simple que ça. Clair comme de l'eau de roche. Facile à expliquer.

Sebastian en avait assez entendu. Ce genre de simplifications ne l'intéressait guère. Il quitta la salle de conférence. Vanja ne sembla pas le remarquer. Il réalisa qu'il allait devoir se lancer seul à la recherche de la vérité. Il voulait découvrir la vraie raison pour laquelle Hinde avait livré le meurtrier à ce moment précis.

Qu'ils continuent de se gargariser au sujet de Ralph Svensson.

La matinée s'était déroulée exactement comme elle l'avait espéré.

Le réveil de Thomas avait sonné à six heures vingt, et il s'était levé immédiatement. Elle avait fait semblant de dormir jusqu'à ce qu'il eût refermé doucement la porte. Jenny s'était étirée dans le lit. Cinq ans de mariage. Plus de huit ans en couple. Ils n'avaient jamais eu de problèmes, mais ils n'avaient jamais été aussi bien ensemble. Elle savait que sa grossesse y était pour beaucoup. Ainsi que le nouveau travail de Thomas. Son ancien job ne lui avait pas plu, du moins pas depuis qu'il avait eu une nouvelle chef. Kerstin Hanser. Elle avait obtenu le poste que Thomas convoitait. Le travail était très important pour son mari. Il voulait être le meilleur.

Et il voulait que les autres le reconnussent en tant que tel.

Et comme très peu de gens le faisaient, Jenny avait aussi l'impression qu'il n'était pas le meilleur. Parfois, il n'était peut-être même pas bon. Il ne manquait pas d'ambition, mais il se compliquait souvent la vie pour rien. Il tentait de maquiller ses erreurs et ses faiblesses, mais plus il le faisait, plus elles sautaient aux yeux. Mais il s'était considérablement amélioré en ce qui concernait ses rapports avec les autres. En tout cas, à la maison. Elle ne savait pas ce qu'il en était à son nouveau travail, mais ce poste était un véritable cadeau du ciel. Avant, il ressentait une grande insatisfaction, tant au travail qu'à la maison. La déception qu'il avait éprouvée parce que Jenny ne tombait pas enceinte avait fortement pesé sur leur relation. Mais elle n'avait jamais douté qu'ils surmonteraient cette crise. Thomas sûrement, mais pas elle.

Et puis, il avait reçu cette balle. Dans le thorax, quand on lui posait la question. Dans l'épaule, disaient tous les autres. Mais peu importait où la balle s'était logée, cet événement avait tiré la sonnette d'alarme. Pour eux deux. Et leur avait ouvert les yeux sur ce qui était important dans la vie. Cela paraissait banal et gnangnan, mais c'était vrai.

Le travail était important, mais ce n'était pas tout.

Les enfants étaient importants, mais on pouvait aussi adopter.

Mais eux deux, ils étaient irremplaçables.

Et tout était redevenu comme avant. En mieux. Elle était heureuse, et sûre que Thomas l'était aussi. Elle l'avait entendu s'affairer dans la cuisine. La veille, elle avait aperçu les fraises dans un coin du réfrigérateur, et avait deviné qu'il allait les enrober de chocolat fondu. En fait, elle savait déjà exactement à quoi ressemblerait le petit-déjeuner. C'était toujours le même menu à chaque anniversaire. Et elle ne s'en plaignait pas, elle aimait les œufs brouillés, le bacon, le pain grillé à la confiture de framboise, le melon et les fraises au chocolat. Mais ce n'était pas une surprise. D'ailleurs, Thomas réussissait rarement à la surprendre. Aujourd'hui, il aurait pu vraiment y parvenir si elle n'avait pas cherché une clé USB qu'elle pensait avoir laissée dans la boîte à gants. Elle ne l'y avait pas trouvée, mais elle avait découvert un petit coffret rouge qui ne pouvait contenir que des bijoux. Et plus précisément, une bague. Elle allait devoir feindre la surprise, mais elle se réjouissait sincèrement.

Elle avait entendu Thomas quitter la maison – sûrement pour chercher la bague – et revenir. Juste après, il avait monté les escaliers. Elle avait décidé de ne plus faire semblant de dormir. La porte s'était ouverte, et elle lui avait souri.

Mon Dieu, comme elle l'aimait.

Ensuite, elle était arrivée en retard au travail.

Mais ce n'était pas très grave. Elle avait passé toute la semaine au bureau. Il y avait eu beaucoup de travail, mais elle avait eu l'impression de devoir être encore plus efficace que lorsqu'elle rendait visite à un client. Car en dehors du bureau, la sociabilité était un aspect important qui prenait beaucoup de temps. De plus, elle était un peu à la traîne dans sa formation complémentaire. L'examen de conseiller fiscal de niveau supérieur approchait. Elle voulait obtenir l'agrément. Les conseillers fiscaux agréés avaient plus de possibilités et pouvaient demander des honoraires supérieurs. Mais ce soir, elle n'aurait pas le temps de réviser. Elle était convaincue que Thomas avait réservé une table au « Karlsson på Taker ». Il le faisait toujours.

Elle fut arrachée de ses pensées quand quelqu'un frappa au cadre de la porte. Quand elle leva les yeux, elle vit un homme en uniforme de chauffeur.

– Jenny Haraldsson ?

– Oui ?

– Je suis venu vous chercher.

– Comment ?

– Je suis venu vous chercher, répéta l'homme.

Jenny jeta un coup d'œil à son agenda posé sur la table. Vide, sans une note lui rappelant que c'était son anniversaire de mariage.

– Ce doit être une erreur… Où devez-vous m'emmener ?

– Je crois que cela doit rester une surprise, dit l'homme avec un grand sourire.

Elle comprit en entendant un rire étouffé derrière l'homme. Veronica, sa chef, et sa collègue Amélia apparurent à la porte. Jenny se leva et les rejoignit.

– Vous étiez au courant ?

– Oui. Il est un peu en avance, répondit Veronica en jetant un œil à sa montre, mais oui, j'étais au courant.

– Moi aussi, lança Amélia. Et je suis jalouse !

– Où est-ce qu'on m'emmène ? s'exclama Jenny, qui avait envie de sauter comme un cabri.

– C'est une surprise, dit Veronica en reprenant son sérieux. Vas-y, et détends-toi. On se voit demain.

– Bon, laissez-moi enregistrer ça et chercher mes affaires ! cria Jenny au chauffeur.

Elle se dépêcha de retourner à sa place. Se faire chercher à son travail ! Elle n'avait rien vu venir. Thomas s'était vraiment donné du mal. Elle enregistra puis ferma les fichiers sur lesquels elle était en train de travailler. Se détendre, avait dit Veronica. Au printemps, elle avait reçu un prospectus du spa Hasslö dans sa boîte aux lettres. En le voyant, elle avait fait comprendre qu'elle aimerait bien y aller un jour. Thomas l'avait-il prise au mot ? Elle croisa les doigts. Jenny prit sa veste et son sac à main derrière la porte. Cela pourrait être son plus bel anniversaire de mariage.

– Je suis prête.

– Alors allons-y, dit le chauffeur en faisant signe à Jenny de le précéder.

Il souriait toujours. *Il devrait le faire plus souvent*, se dit Jenny. *Il paraîtrait moins effrayant avec ses traits grossiers et cette horrible cicatrice sous son œil gauche.*

Ils quittèrent le bureau.

Sebastian avait obtenu l'adresse de Ralph Svensson par l'un des policiers qui attendaient devant la salle de conférence. Il n'était manifestement pas encore officiellement suspendu, car le policier qui l'avait reconnu pour l'avoir aperçu à Liljeholmen pour le meurtre d'Annette Willén lui avait rapporté avec zèle les derniers développements de l'affaire.

Il avait assisté à l'assaut, mais n'avait rien de spécial à raconter. Tout était allé très rapidement, car ils avaient voulu évacuer l'homme au plus vite. Sinon, tout s'était passé comme prévu. À un détail près. Apparemment, Ralph Svensson avait réussi à balancer son ordinateur contre le mur et à le détruire complètement. Ralph avait été placé en détention provisoire, mais d'après ce que savait le policier, on ne l'avait pas encore interrogé.

Sebastian se demanda une seconde s'il pourrait arranger un interrogatoire avec Ralph, mais il écarta très vite cette idée. Sans l'aval de Torkel, personne ne pourrait avoir accès au prisonnier, c'était clair. Et les probabilités que Torkel lui accordât un tel entretien étaient quasiment nulles.

Il prit donc un taxi pour Västertorp. Avec un peu de chance, il aurait accès à l'appartement et trouverait peut-être quelque chose.

Une voiture de police était garée devant l'immeuble, mais l'entrée n'était pas surveillée. Il monta jusqu'à l'appartement, mais fut retenu par un policier en faction dans le couloir qui lui demanda où il allait.

Sebastian dut user de toute sa force de persuasion, prier, supplier jusqu'à ce que ce dernier cédât enfin. Au bout d'un moment, Ursula apparut dans l'encadrement de la porte, vêtue d'une combinaison blanche. Elle le regarda, étonnée.

– Qu'est-ce que tu fais ici ?

– Je pensais que je pourrais entrer pour regarder un peu à l'intérieur, si tu as fini bien sûr.

Elle le dévisagea, puis secoua la tête.

– Je ne sais même plus quel est ton statut dans cette enquête. Est-ce que tu fais encore partie de l'équipe ?

Sebastian haussa les épaules.

– Aucune idée. Il était sincère. Avec Ursula, pas moyen de faire autrement. Mais rien n'est plus important pour moi que la résolution de cette affaire, et tu le sais. J'ai juste un avis différent sur la façon de le faire.

– Tu as un avis différent sur beaucoup de choses, on est habitués. Mais normalement, tu es meilleur. Bien meilleur.

– Je suis désolé.

– Ce n'est pas de ta faute. On aurait dû te virer dès que tu as reconnu avoir un lien avec les victimes, répliqua-t-elle sèchement.

– Est-ce que je peux entrer ? La plupart du temps, j'arrive à trouver. Je te promets de ne toucher à rien.

Elle l'observa. Sebastian avait quelque chose d'incroyablement touchant. Déjà ébranlé, il avait désormais perdu tout son aplomb, et avait touché le fond devant eux. Elle ne l'avait jamais vu aussi faible. Son regard chercha ses yeux fatigués.

– À condition que tu répondes à une question.

– Laquelle ?

– Entre.

Elle fit signe au policier de s'éloigner et laissa entrer Sebastian dans l'appartement. Il était très clair et doté de très peu de mobilier. Sur la gauche, la cuisine semblait peu utilisée. Au bout du couloir à droite, un salon doté seulement d'un canapé et d'une table basse. Une lampe de poche trônait sur la table, et de nombreuses autres lampes se trouvaient aux quatre coins de la pièce. L'appartement était bien trop soigné, presque comme s'il était inhabité. Il faisait chaud, sûrement parce qu'il n'y avait ni rideaux ni volets, et que le soleil rayonnait directement à l'intérieur. Sebastian suivit Ursula dans la chambre à coucher.

– Il paraissait assez maniaque. Tout est parfaitement rangé.

Elle ouvrit le premier tiroir de la commode et désigna une pile de nuisettes bleu clair. Juste à côté se trouvait un paquet encore fermé de bas Nylon.

– Effrayant, non ?

Il hocha la tête.

Ursula poursuivit :

– Et si tu regardes là-dedans, je te garantis que tu auras la nausée.

Elle désigna la porte de ce qui ressemblait à un dressing ou un petit débarras. Sebastian s'y rendit.

– Mets des protections sur tes chaussures.

Ursula lui en tendit une paire. Il les prit, se pencha et les mit par-dessus ses chaussures. Puis elle lui donna des gants stériles en latex.

– Ça aussi.

Il les prit, reconnaissant.

– Qu'est-ce que tu voulais me demander ? dit-il alors.

– Pourquoi as-tu couché avec ma sœur ?

Sebastian était soufflé. Même s'il avait essayé de deviner pendant plus de cent ans, il n'aurait jamais cru qu'elle lui poserait une telle question.

– Je me le suis toujours demandé, compléta-t-elle.

Barbro. C'était il y a tellement longtemps. Que devait-il répondre ? Que pouvait-il lui répondre ? Rien. Il secoua la tête.

– Je ne sais pas quoi te dire.

Ursula hocha la tête.

– D'accord. J'essaie juste de trouver un moyen de te pardonner.

– Et pourquoi ?

– Parce que j'ai l'impression que tu en as besoin.

Leurs regards se croisèrent. Ils se fixèrent. Elle le connaissait bien. Mais Ursula chassa immédiatement cette impression en faisant un geste résigné.

– Mais je peux me tromper, dit-elle sur un ton anodin. Tu peux faire un tour, si tu veux.

Elle tourna les talons et se rendit dans la cuisine. Il resta cloué sur place, l'air hébété, ne sachant que dire. Peu importait ce qu'il dirait, elle serait blessée. Et il ne le voulait pas.

Il ouvrit la porte qu'Ursula avait désignée. Une petite pièce dotée d'une étagère avec une imprimante. Des cartons avec du papier pour imprimer des photos. Au mur, un panneau de liège. Sebastian s'en approcha. Quatre séries de photos reliées entre elles par un trombone. Quelqu'un avait tracé au feutre les numéros 1, 2, 3 et 4, et les avait entourés. Quand il regarda de plus près, Sebastian reconnut ce que les clichés représentaient. Les femmes. Ses femmes. Toutes les quatre. Terrorisées. Photographiées dans une perspective qu'on pourrait qualifier de divine. Il les regardait d'en haut. Les dominait. Sebastian enfila les gants et prit la liasse de photos sous le numéro trois. Katharina Granlund. Nue et en sanglots sur la première photo, morte et le regard fixe sur la dernière.

Il feuilleta également les autres liasses de photos. Rapidement. Il ne voulait louper aucun détail. La dernière image était toujours la même, quelle que fût la série de photos. Le couteau qui leur tranchait la gorge. Sebastian eut la nausée.

Il n'avait qu'une envie : prendre ses jambes à son cou. Comme si sa fuite avait pu effacer ces événements. Mais il resta là, et raccrocha les photos à leur place en évitant d'avoir à les regarder à nouveau. Il entendit Ursula s'affairer dans la cuisine. Elle avait raison, mais elle se trompait. Comment pourrait-on jamais lui pardonner ? Après ces photos.

Il retourna dans la chambre. Surtout pour oublier toutes ces images effrayantes. La petite pièce était aménagée de la même manière que le reste de l'appartement. Seul le lit individuel en bois clair se détachait. Toujours autant d'halogènes. Une lampe de poche sur la table.

Beaucoup de lumière. Mais après les photos trouvées dans le petit bureau, toute cette lumière paraissait être un mensonge. C'était l'appartement le plus sombre qu'il eût jamais vu. Il jeta un coup d'œil dans l'unique armoire. Quelques chemises et pantalons bien repassés. En dessous, des corbeilles en fil de fer contenant des piles et des lampes de poche rangées avec une précision militaire, et juste en dessous, d'autres corbeilles contenant des chaussettes et des sous-vêtements.

Pour Ralph Svensson, les lampes de poche étaient prioritaires sur les sous-vêtements. Il n'y avait aucun doute sur le fait qu'il souffrait de troubles obsessionnels. La question était juste de savoir combien de diagnostics on pouvait poser sur lui. Et s'il voulait encore se donner ce mal.

Il prit l'une des grandes lampes de poche et appuya sur le large bouton en caoutchouc. La lumière s'alluma aussitôt. Chargée et prête à l'emploi. Quand il voulut la remettre, il découvrit quelque chose de caché sous la lampe. On aurait dit un permis de conduire. Du moins, ça avait la même couleur rose pâle. Il le prit et le retourna avec précaution.

Sur la photo, Trolle Hermansson le fixait.

Sebastian fut parcouru d'un frisson. Une douleur. Il n'en croyait pas ses yeux. Il lut et relut le nom sur la carte. Mais c'était invariablement le même. Trolle Hermansson.

C'était pour ça qu'il n'avait pas répondu sur son portable.

Pour ça qu'il ne l'avait pas trouvé chez lui.

Il avait rencontré le poursuivant de Sebastian. Et peut-être même sauvé Anna. Mais au prix de sa vie.

Il n'y avait pas d'autre explication possible. Pour quelle autre raison le permis de conduire se trouvait-il dans le plus sombre des appartements ?

Sebastian avait à nouveau perdu.

Tous ceux qu'il approchait lui étaient arrachés. De la manière la plus brutale et violente qui fût. C'était la vérité. La seule vérité qui lui éclatait en pleine figure. Encore et encore. Il avait longtemps lutté, tenté de s'en affranchir, de se tenir à l'écart. De rejeter la faute sur tous les autres, Dieu, sa mère, son père, Anna, Vanja, oui, tous sauf celui qui en était le véritable responsable : lui-même. Car il y avait toujours un seul responsable. Il reposa doucement la lampe de poche et rangea le permis de conduire dans sa poche.

C'était fini. Il jetait l'éponge.

Ce fut là qu'elle se retrouva derrière lui.

– Il avait aussi un ordinateur. Billy va s'en occuper. Mais il n'est pas sûr de pouvoir encore en tirer quoi que ce soit, vu la violence avec laquelle il l'a jeté contre le mur.

Sebastian ne répondit rien. Alors qu'elle s'apprêtait à se retourner pour repartir, il employa sa dernière once d'énergie pour la retenir.

– Ursula ?

Elle s'arrêta sans dire un mot.

– Je crois aussi que je cherche à me faire pardonner. Mais je ne sais pas quoi faire pour y arriver.

– Moi non plus. Mais ceux qui le savent disent que le meilleur moyen, c'est d'être sincère.

Elle disparut.

Il se tut.

Sentait le permis de conduire de Trolle dans sa poche. Et le poids de la culpabilité sur ses épaules.

Jamais on ne lui accorderait le pardon.

Jamais.

Il était assis sur une pierre en face de l'immeuble, quand ils se garèrent à côté de la voiture de police. Il y était sûrement resté assis près d'une demi-heure, le permis de conduire à la main, comme si cela pouvait amoindrir ses souffrances. Ils descendirent tous deux de la voiture et se dirigèrent vers l'immeuble. Vanja marchait devant, Torkel à sa suite. Ils étaient plongés dans une vive discussion. Comme s'il n'était pas là. Et c'était comme si c'était le cas. En fait, il n'était plus là.

Vanja semblait satisfaite de sa prestation télévisée.

– Anna m'a vue à la télé chez ma grand-mère. Elle m'a appelée pour me le dire.

– Au fait, comment va ta grand-mère ? Elle était malade, non ? s'enquit Torkel, en pressant le pas pour marcher à sa hauteur.

Sebastian se leva lentement et fourra le permis de conduire dans la poche intérieure de sa veste. Puis il prit son badge et alla à leur rencontre.

– Elle va beaucoup mieux. Anna va rentrer à la maison, répondit Vanja.

– Tant mieux si ce n'était pas trop grave, alors.

Soudain, ils virent qui était en train de se diriger vers eux. Ils se raidirent, se turent et attendirent son arrivée, impassibles. Comme s'ils rencontraient un lointain souvenir.

Sebastian se planta devant eux.

– Il faut qu'on parle, dit Torkel.

Pour lui faciliter les choses, Sebastian lui tendit immédiatement le badge que Torkel lui avait confié la semaine précédente.

– Je vais rentrer chez moi.

– OK, dit Torkel en acceptant l'objet.

– Je suis désolé pour tout ça, marmonna Sebastian.

– Au moins, on a fini par le coincer, dit Torkel, qui n'avait pas la moindre envie de se disputer.

Sebastian non plus n'en avait pas envie. Mais il devait les mettre en garde, même s'ils n'avaient sûrement aucune intention de l'écouter. S'il voulait avoir la conscience tranquille, il devait le faire.

– J'espère que vous êtes conscients que Hinde ne va pas en rester là ?

– Qu'est-ce qu'il est encore censé faire ? demanda Vanja.

– Aucune idée. Mais ce qui est sûr, c'est qu'il n'en a pas fini, répondit-il en tâtant le permis de conduire de Trolle dans sa poche intérieure. Contrairement à moi, donc à partir de maintenant, c'est votre problème.

Il avait envie de prendre la tangente, mais il resta paralysé. C'était sûrement la dernière fois qu'il voyait Vanja. Il allait arrêter de la suivre. De grimper dans les arbres dans l'espoir de l'entrevoir. Le rêve était terminé. Ce seraient leurs seuls adieux. Un dernier instant avec la fille qu'il avait jamais vraiment eue.

Celle qu'il avait simplement secrètement rêvé d'avoir.

Il lui souffla alors :

– Promets-moi d'être prudente.

Elle ne comprenait pas son regard triste.

– Tu crois vraiment que ce n'est pas Ralph qui a fait ça ?

– Si. Mais vous savez ce qui me préoccupe ?

– Le fait que tu n'aies pas résolu toi-même l'énigme ?

La voix de Vanja était cinglante. Elle était visiblement toujours engagée dans un conflit qu'il avait abandonné depuis longtemps.

– Non. Le fait que vous vous voiliez la face en ignorant qu'Edward est derrière tout ça. Il ne s'arrêtera jamais. Jamais.

Sur ce, il s'en alla.

Ce n'était sans doute pas la meilleure façon de dire au revoir.

Mais c'était le seul au revoir qu'il aurait jamais.

Ralph Svensson.

Un agent d'entretien. Si près et si insaisissable à la fois. Pour Haraldsson, la journée était foutue. Même la perspective de la soirée à venir ne parvenait plus à lui remonter le moral. Et c'était Hinde lui-même qui avait fourni cette information à la Crim'. Ils avaient arrêté Ralph Svensson à peine une heure après que Vanja avait quitté Lövhaga, sans même passer par son bureau. Alors que c'était la condition qu'il avait posée avant de lui accorder cet entretien. Elle n'avait pas respecté leur accord. Il aurait dû savoir qu'on ne pouvait pas se fier aux agents de la Crim'. Ils l'avaient toujours déçu, à chaque fois qu'il avait été amené à travailler avec eux. Qu'est-ce que Vanja avait bien pu proposer à Hinde pour qu'il lui donnât immédiatement un nom ? Il avait pourtant établi une relation avec Hinde, s'était montré coopératif, et avait toujours respecté sa part du marché. Qu'avait-elle qui lui faisait défaut ? La réponse paraissait évidente, mais ils n'avaient sûrement pas… Elle ne pouvait pas avoir accepté de… Ils étaient seuls dans le parloir, mais tout de même. Elle ne lui semblait pas être de ce genre-là.

La musique d'ABBA l'arracha à ses spéculations. Son portable. Il le saisit et regarda l'écran. Un numéro inconnu.

– Thomas Haraldsson.

– Bonjour, ici Taxis Västerås, annonça une voix masculine. Vous avez réservé une course aujourd'hui.

Haraldsson fronça les sourcils. Appelaient-ils pour confirmer la réservation ? N'était-il pas un peu tard pour ça ? Il jeta un regard à sa montre. À cette heure-ci, ils devraient être en train de passer prendre Jenny.

– C'est bien ça, répondit-il, dans l'expectative.

– Nous sommes à l'adresse que vous nous avez fournie, mais elle n'est pas là.

– Comment ça, elle n'est pas là ?

Haraldsson se dit que le chauffeur de taxi voulait dire qu'elle n'était pas dans son bureau. Toute autre éventualité était impossible. L'entreprise n'était pas énorme, quelqu'un devait bien savoir où elle se trouvait.

Jenny devait être là.

Elle aurait dû y être.

– Vous êtes bien à la bonne adresse ?

– Oui, au 6 rue Engelbrektsgatan. Les collègues de votre femme disent qu'un autre chauffeur est déjà passé la prendre. Ce matin.

– Ah bon. Vous avez envoyé plusieurs taxis ?

– Non, c'est justement la raison de mon appel ! Avez-vous commandé un taxi auprès d'une autre société ?

– Non.

Haraldsson n'y comprenait rien. Quelque chose avait manifestement foiré, et il avait beau se creuser la tête, il ne voyait pas pourquoi. Il avait tout planifié dans les moindres détails. Il appela ensuite Veronica, qui lui dit pourtant exactement la même chose que le chauffeur de taxi. Un homme portant un uniforme jaune était venu chercher Jenny environ une heure auparavant. Un grand type avec une queue-de-cheval et une cicatrice sur le visage. Il avait plaisanté sur le fait que ce devait être une surprise, ils en avaient donc conclu que c'était celui dont Thomas avait loué les services.

Haraldsson mit fin à la conversation, n'y voyant toujours pas plus clair. La compagnie de taxis avait dû commettre une erreur. La question était maintenant de savoir où était passée Jenny. Il appuya sur son nom dans l'annuaire de ses contacts et l'appela sur son portable.

Il se leva et se mit à faire les cent pas. Étant donné qu'on entendait la sonnerie, son portable était bien allumé. Quand le répondeur s'enclencha, il laissa un bref message et fit de même sur le fixe de la maison. Cette fois, le message trahissait clairement son inquiétude. Après avoir raccroché pour la quatrième fois, il réfléchit un instant et retourna à son bureau.

Sur Internet, il chercha le numéro du spa. Cette fois, il eut au moins une réponse, mais on lui signifia que non, Jenny n'était pas encore arrivée. Mais son rendez-vous n'avait lieu qu'un quart d'heure plus tard : devait-on le prévenir dès que la dame serait arrivée ? Haraldsson acquiesça.

Il s'effondra sur sa chaise. Il n'était pas vraiment inquiet, mais cela ne ressemblait pas à Jenny de ne pas répondre sur son portable. Il commença à se creuser la tête pour découvrir le fin mot de l'histoire. Savoir où elle se trouvait.

D'après Veronica, l'homme qui était venu chercher Jenny savait qu'il s'agissait d'une surprise. Pas grand monde n'était au courant. En fait, même pas les Taxis Västerås, réalisa-t-il soudain avec effroi. Il avait seulement commandé une course entre le travail de Jenny et le spa. Et n'avait pas lâché un mot sur le fait que la personne concernée ignorait qu'on venait la chercher. La seule personne à qui il avait parlé de la surprise était Veronica. Pour qu'elle autorisât Jenny à partir. C'était la seule.

Elle… et Edward Hinde.

Il eut soudain la chair de poule.

Hinde pouvait-il avoir quelque chose à voir avec ça ? C'était impossible. Haraldsson et lui avaient coopéré. Hinde avait obtenu tout ce qu'il avait demandé. Si quelqu'un avait une raison d'être mécontent de leurs échanges, c'était plutôt Haraldsson. Qu'est-ce que Hinde pourrait bien vouloir à Jenny ? Il avait certes témoigné un certain intérêt à son égard, demandé à avoir sa photo. Mais Hinde était enfermé entre quatre murs. Et même s'il avait obtenu l'aide de Ralph, comme semblait le croire la Crim', ce dernier était maintenant derrière les barreaux. Ils l'avaient arrêté pas moins d'une heure après que le mystérieux chauffeur de taxi était venu chercher Jenny.

L'espace d'une seconde, il envisagea d'aller voir Hinde pour lui demander des explications, mais il se ravisa. D'une part, il lui paraissait insensé que Hinde pût avoir quelque chose à voir avec la disparition de Jenny. Enfin, sa disparition éventuelle, se corrigea-t-il pour se calmer. Il y avait peut-être une explication toute simple.

D'autre part, les confrontations directes avec Hinde s'étaient jusque-là révélées plutôt infructueuses.

Haraldsson secoua la tête pour chasser son angoisse. Il était parano. Sûrement avait-il passé trop de temps avec Hinde. Cet homme abject avait finalement réussi à le contaminer avec son air pervers. Il rappela le portable de Jenny. Toujours la même sonnerie, et puis le répondeur. À présent, Haraldsson avait du mal à contenir son inquiétude. Il ouvrit la chemise sur les visions et objectifs, qu'il reposa immédiatement. Puis il vérifia sa boîte mail. Il avait plusieurs e-mails à écrire, mais il était incapable de se concentrer.

Quelqu'un était venu la chercher.

Elle était partie avec lui et avait disparu.

Il ne pouvait pas rester assis là et faire comme si rien ne s'était passé.

Haraldsson quitta son bureau et rentra chez lui.

Edward Hinde était assis sur le bord de son lit. Les yeux fermés. Sa respiration était calme et régulière.

Concentrée.

Mesurée.

Tournée vers lui-même.

Dès que les premières rumeurs sur Ralph s'étaient répandues dans le quartier, il était passé à l'action. Il avait fait comprendre à un gardien qu'il n'allait pas bien et qu'il allait se retirer dans sa cellule pour se reposer. Une fois à l'intérieur, il referma la porte derrière lui et commença à dévisser la grille de la bouche d'aération d'un geste rapide et précis, en ayant bien conscience qu'il s'agissait de la phase la plus risquée de son plan. Il y avait peu de chances pour qu'un autre prisonnier pénétrât dans la cellule. Si cela arrivait, ce ne serait qu'une petite distraction, rien de plus. Mais si un gardien ouvrait la porte, tout serait fichu. Cette pression le stimulait, il n'avait jamais dévissé la grille à une vitesse pareille. Il se redressa et sortit la fourchette qu'il avait ramenée en cachette de la cantine à midi, ainsi que le bocal que Thomas Haraldsson lui avait fourni.

Sept cent cinquante grammes de betteraves rouges en conserve.

Hinde replaça la grille sur le trou sans la revisser. Il se leva, cacha la fourchette dans sa chaussette et le bocal sous son pull. Arrivait maintenant un autre moment délicat. Même s'il laissait ses mains sur son ventre et faisait semblant de se tordre de douleur, un œil aiguisé pourrait tout de même apercevoir le bocal. Mais il n'avait pas d'autre choix que de prendre ce risque. Il quitta sa cellule, plié en deux, et se précipita vers les toilettes, les bras entourant son ventre. Comme quelqu'un ayant une envie pressante.

Arrivé aux toilettes, il sortit le bocal et le posa au bord du lavabo. Il répartit ensuite la pile de serviettes en papier sur le couvercle des toilettes. Puis il ouvrit le bocal, pêcha quelques tranches de betteraves dégoulinantes sur les serviettes et commença à les écraser avec la fourchette. Quand tout le contenu du bocal eut été réduit en bouillie, il ingurgita le tout ainsi que le jus, non sans mal. Puis il le lava, remit le bocal sous son pull et la fourchette dans sa chaussette, et regagna sa cellule. Une fois à l'intérieur, il ne prit pas la peine de cacher le bocal. Le placer derrière le bureau suffirait. Il s'assit sur le lit, croisa les jambes et ferma les yeux.

Planification. Patience. Détermination.

Cela faisait environ une heure qu'il était assis sur ce lit. Roland Johansson devait entre-temps avoir accompli sa mission à Västerås. Il était donc prêt pour la phase suivante.

Dans un geste lent et contrôlé, Hinde étendit les jambes et se leva avant de retourner sous son lit pour sortir la bouteille que Haraldsson lui avait également fournie.

Ipécacuanha.

Une racine vomitive.

Deux cent cinquante millilitres.

Il ouvrit le flacon et avala le tout en deux gorgées. Ce n'était pas délicieux, mais peu importait, il ne le garderait pas longtemps de toute façon. Avant de quitter sa cellule, il décida de placer quand même le flacon derrière la grille de la bouche d'aération. Il serait dommage de faire rater le plan par pure paresse. Il sentit pourtant qu'il n'aurait plus la force de revisser la grille. Son estomac était en ébullition. Il gagna la salle commune en maintenant les mains sur son ventre. Sa mâchoire se crispa, et il sentit qu'il commençait à transpirer. Il s'arrêta au milieu de la pièce.

Showtime !

Quand il sentit les premiers signes de crampes à l'estomac, il s'écroula par terre en hurlant. Tous sursautèrent et le fixèrent d'un air ahuri. Hinde garda les mains sur son ventre et se plaça face contre terre. Il était en train de reprendre sa respiration pour recommencer à crier quand il sentit le contenu de son estomac jaillir de sa bouche par grosses giclées. Les prisonniers assis le plus près s'écartèrent, écœurés. Les surveillants qui s'étaient approchés quand il était tombé restèrent immobiles, ne sachant que faire. Il était bien connu que le personnel de surveillance des prisons n'y connaissait pas grand-chose aux maladies. Hinde l'avait deviné, et les deux spécimens qui étaient de garde ce jour-là confirmèrent ses suppositions. Ils ne bougeaient pas d'un pouce, comme pétrifiés. Comme il l'avait prévu. Son estomac se retourna à nouveau. Il se réjouit de voir à travers ses yeux baignés de larmes que cette décharge était presque noire et très compacte. La consistance et la couleur parfaites. La betterave rouge avait réagi sous l'effet de l'acidité gastrique, et la plupart des pigments avaient disparu. Si l'on ne s'approchait pas trop près pour sentir l'odeur, il était difficile de faire la différence avec une hémorragie interne. Hinde calculait froidement que personne n'irait fourrer son nez dans ce qu'il expulsait maintenant pour la troisième fois, dans un jet moins abondant. L'un des gardiens avait déjà saisi son talkie-walkie pour donner l'alerte, tandis que l'autre réfléchissait encore à la manière de s'approcher de Hinde sans mettre le pied dans le contenu de son estomac. Les spasmes s'affaiblirent. Hinde respira par le nez et avala une partie du vomi qui y était resté coincé. Ça avait clairement un goût de vomi et d'Ipécacuanha. Hinde se recroquevilla à nouveau pour simuler la douleur avant de commencer à se rouler d'un côté et de l'autre et d'appeler au secours. L'un des gardiens vint à sa rencontre, s'agenouilla à côté du prisonnier, et posa délicatement sa main sur son épaule. Hinde toussota en feignant une douleur atroce.

– Aidez-moi ! gémit-il d'une voix faible. Je vous en supplie, aidez-moi !

– Ne vous inquiétez pas, nous allons le faire, dit un gardien, en ignorant à quel point il avait raison.

Haraldsson était rentré chez lui en un temps record, outrepassant toutes les limitations de vitesse et autres règles du code de la route. L'inquiétude l'avait littéralement envahi et était devenue son principal moteur. Il tourna dans l'allée du garage, freina, coupa le moteur et descendit.

Une femme du spa l'avait appelé, une autre que celle avec laquelle il avait parlé auparavant. Jenny Haraldsson ne s'était pas présentée au rendez-vous. Savait-il si elle avait du retard ? Il lui répondit par la vérité. Il ne croyait pas qu'elle viendrait. La femme l'informa ensuite qu'elle serait obligée de retenir soixante-quinze pour cent de la somme, vu le retard de l'annulation. Elle s'en excusa. Il n'en avait rien à faire. Cette dépense inutile était désormais le cadet de ses soucis. Il ouvrit la porte et entra dans la maison.

– Jenny !

Il ne reçut pour réponse qu'un silence pesant. Sans prendre la peine de retirer ses chaussures, il se mit à arpenter la maison.

– Jenny ! Tu es là ?

Toujours le même silence.

Il se précipita dans le salon puis dans la cuisine, avant de jeter un coup d'œil dans la chambre d'amis qui servait à Jenny d'atelier de couture. Puis il ouvrit la porte de la buanderie et des toilettes.

Tout était vide.

Silencieux.

Il retourna dans le couloir, monta les escaliers puis il s'arrêta quelques marches avant d'atteindre le palier du premier étage. C'était étrange de voir comment fonctionnait un cerveau. Il n'avait pensé à rien, son inquiétude ayant tout éclipsé. Mais soudain, il s'en rappela. Hinde et les quatre meurtres des années 1990. Tous pareils. L'imitateur, Ralph Svensson, que la presse avait surnommé « le boucher de la canicule ». Ici aussi, quatre femmes avaient été tuées. Exactement de la même manière.

Ligotées, violées et égorgées.

Chez elles, dans leur chambre à coucher.

Haraldsson leva la tête vers leur chambre. Là où ils avaient fait l'amour et pris le petit-déjeuner dans la matinée. La porte était fermée. Normalement, elle ne l'était jamais. Il se força à franchir les dernières marches, l'une après l'autre. Une fois en haut, il se cramponna à la rampe pour ne pas tomber à la renverse. Il ne parvenait pas à quitter la porte des yeux. La fixa. Surtout maintenant, en plein été, il faisait bien trop chaud pour y dormir, si la porte restait fermée. Ce n'était pas Jenny qui l'avait refermée. Pourquoi l'aurait-elle fait ? Il inspira profondément avant de continuer. Puis il sursauta en entendant soudain résonner la musique d'ABBA. Son portable. Il répondit sans regarder l'écran.

– Haraldsson.

Il espérait de tout son cœur que ce fût elle. Entendre sa voix. Que tout cela n'était qu'un mauvais rêve, ou un malentendu.

– Ici, Victor Bäckman, dit la voix dans le combiné.

Ce n'était pas Jenny. Tout allait de travers. Submergé par la déception, il arrivait à peine à tenir sur ses jambes.

– Edward Hinde a eu un malaise dans la salle commune, et a craché beaucoup de sang.

– Comment ?

– Oui, il a l'air vraiment mal en point, et on ne peut pas s'en occuper ici. On dirait qu'il a quelque chose de gastrique.

– OK…

Haraldsson entendait les mots qu'il prononçait sans vraiment savoir pourquoi on l'appelait pour l'en informer. À cet instant, il était de toute façon incapable d'assimiler cette information.

– L'ambulance est en route, c'est pour cela que je vous appelle. Vous devez donner votre accord pour qu'on le transporte à l'hôpital.

– C'est obligatoire ?

– Oui. Doit-on le transporter à l'hôpital ?

Une pensée jaillit dans l'esprit de Haraldsson, comme une image, un souvenir : Hinde assis sur son lit, dans sa cellule, Haraldsson se tenant en face de lui près de la porte, les poils dressés sur ses avant-bras.

La voix grave de Hinde.

– *Répondez par oui.*

– *À quoi ?*

– *Vous le comprendrez bien assez tôt, quand le moment sera venu. Répondez seulement par oui.*

– Vous êtes toujours là ? demanda Victor dans son oreille.

– Quoi ?

– Est-ce qu'on doit le transférer, oui ou non ?

– *Répondez seulement par oui.*

Haraldsson tenta de mesurer l'ampleur de ce qu'il venait d'entendre, et du lien qu'il venait d'établir.

Hinde avait donc su depuis le début qu'il allait tomber malade, que cette conversation aurait lieu et qu'on lui poserait cette question. Mais comment ? Est-ce que cela avait un rapport avec les choses que Haraldsson lui avait procurées ? Des betteraves rouges et un flacon acheté en pharmacie. Un nom qui avait l'air sud-américain. Icaca... quelque chose. Pourquoi était-il malade ? L'était-il vraiment, ou simulait-il ? Pour qu'on vienne le chercher. Pour sortir. S'évader. Devait-il mettre Victor en garde ? Lui confier ses soupçons ?

– *Répondez seulement par oui.*

Cette consigne ne laissait aucun espace pour une quelconque mise en garde ou mesure de précaution. C'était tout simplement l'ordre de dire un seul mot. Un consentement. L'exécution d'un ordre. Haraldsson essayait en vain d'imaginer quelles en seraient les conséquences, de peser le pour et le contre. Dans sa tête, c'était le chaos. La porte de la chambre à coucher était fermée. Il fit les derniers pas. Devait savoir.

– Allô ? Vous êtes là ?

Haraldsson posa la main sur la poignée en prenant une profonde inspiration. Pria un dieu auquel il ne croyait même pas. Puis, dans une courte expiration, il poussa la porte. Très vite, comme si on retirait un pansement. Préparé au pire tout en le refusant catégoriquement.

La chambre était vide.

Jenny n'était toujours pas là.

– Oui, dit-il dans ce qui paraissait plutôt être un grognement.

– Comment ? redemanda Victor.

Haraldsson s'éclaircit la voix.

– Oui, répéta-t-il d'une voix ferme. Transférez-le.

– OK. Où êtes-vous, au fait ? Vous allez revenir aujourd'hui ?

Haraldsson se contenta de raccrocher. Il rangea le portable dans sa poche, debout devant son lit vide. Et il éclata en sanglots.

Avant d'oser terminer sa journée, Ursula demanda encore une fois au SKL à Linköping si les deux échantillons d'ADN prélevés chez Svensson avaient été analysés. Si tout se déroulait comme prévu, Torkel pourrait se servir des premiers résultats pour l'interrogatoire du lendemain matin. Elle parvint à joindre le chef de la technique, Walter Steen, qui lui confirma que les analyses étaient en cours et qu'il se chargerait personnellement de leur transmettre les résultats le lendemain à la première heure. Ursula connaissait suffisamment Steen pour savoir qu'il tiendrait parole. Rassurée, elle quitta alors l'appartement de Svensson. Ursula s'adressa aux deux policiers qui venaient pour la relève afin de leur intimer l'ordre de ne laisser entrer personne d'autre qu'elle dans l'appartement, du moins sans autorisation. Par précaution, elle leur donna son numéro de portable avant de descendre les escaliers. La journée avait été très intense, elle était épuisée, tant physiquement que moralement. Elle s'arrêta devant la porte et huma l'odeur estivale de l'herbe fraîchement coupée. Malgré la fatigue, elle était plutôt satisfaite. L'appartement s'était révélé être une véritable mine d'or, et elle s'était vite faite à l'idée de devoir fixer des priorités. Bien qu'elle eût encore plusieurs heures de travail devant elle, elle était convaincue d'avoir assez de preuves pour inculper Ralph Svensson de tous les meurtres, même sans aveux. Elle avait atteint son objectif. Trouver des preuves assez solides pour contrebalancer les déclarations d'un suspect.

Elle regagna sa voiture et se demanda si elle pouvait appeler Torkel. Après la conférence de presse, Vanja et lui étaient passés la voir. La première chose que Torkel avait dite était que Sebastian ne faisait plus partie de l'équipe. Vanja avait paru particulièrement soulagée. Elle paraissait survoltée et ne cessait de lâcher des commentaires malveillants à l'encontre de l'homme insupportable qu'elle haïssait pardessus tout. Ursula, quant à elle, ressentit un pincement au cœur. Pas parce qu'elle pensait que Sebastian avait accompli un travail exceptionnel dans cette enquête. Mais elle connaissait l'ancien Sebastian. Celui qui avait une immense force intérieure. L'homme qui avait quitté l'appartement de Ralph Svensson les épaules ballantes n'était pas le même. Personne ne devait tomber si bas. Être touché si violemment. Pas même Sebastian Bergman. Elle ne pouvait donc pas vraiment partager la joie de Vanja.

Avant de s'en aller, Torkel était resté un instant dans le couloir pour chercher son regard. Elle connaissait cette étincelle dans ses yeux lorsqu'ils parvenaient à effectuer de grandes avancées. En général, ils aimaient prolonger ces moments d'euphorie ensemble.

Mais cette fois, elle ne le permettrait pas. Cela ne lui paraissait pas convenable. S'ils avaient été dans une autre ville, pourquoi pas ? Mais là, cela lui paraissait d'autant plus immoral. Elle devait d'abord régler ses problèmes avec Mikael.

Elle s'installa au volant de sa voiture et roula en direction du centre-ville sans but précis. Retourner brièvement au bureau serait peut-être un compromis, mais en fait, elle n'en avait pas très envie. Elle décida de rentrer chez elle.

Mikael était là.

Quand elle entra, il était assis sur le canapé et avait l'air aussi épuisé qu'elle.

– Tu as l'air crevé.

Il hocha la tête et se leva.

– Tu veux un café ?

– Merci.

Il sortit pour allumer la machine à café, puis s'assit à côté de la fenêtre ouverte. Dehors, tout était calme, et elle se détendit en l'écoutant s'affairer à la cuisine. Elle sentait qu'elle avait pris la bonne décision. Les règles étaient les règles, et ce n'était pas parce qu'on les avait brisées une fois qu'il fallait continuer. Mikael avait un effet apaisant sur elle, il fallait bien l'admettre. Ce n'était peut-être pas l'homme le plus passionné du monde, mais il était toujours là pour elle. Et ça comptait.

– J'ai entendu à la radio que vous avez arrêté quelqu'un, cria-t-il depuis la cuisine.

– Oui, j'ai passé tout l'après-midi dans son appartement, répondit-elle.

– Tu as trouvé quelque chose ?

– Une montagne de preuves. Il est coupable, c'est sûr.

– Bien.

Mikael revint dans la pièce. Il la regarda.

– Assieds-toi donc, commença-t-elle en tapotant la place à côté d'elle sur le canapé.

Mais il refusa.

– Pas maintenant. Il faut qu'on parle.

Elle tressauta, puis se leva et le dévisagea. Mikael ne lui demandait pas souvent de l'écouter quand il voulait lui parler.

– Il y a un problème avec Bella ?

Il secoua la tête.

– Ça n'a rien à voir avec Bella. Ça nous concerne nous.

Elle se raidit. Sa voix avait soudain changé de ton. Comme s'il avait répété ce qu'il allait lui dire. Comme s'il s'y était préparé depuis longtemps.

– J'ai rencontré quelqu'un, et je veux être honnête avec toi.

La première seconde, elle ne comprit pas ce qu'il était en train de lui dire. Elle fut obligée de lui redemander, bien qu'elle devinât déjà la réponse.

– Je ne comprends pas très bien… Tu veux dire que tu as rencontré une autre femme ?

– Oui, mais pour l'instant, c'est en suspens. Je ne voulais pas lui mentir. Ni à toi non plus.

Elle était sous le choc.

– Tu avais une liaison, et tu l'as quittée ?

– Ce n'était pas vraiment une liaison. On s'est vus quelquefois, et puis, j'ai arrêté. Provisoirement. Parce que je voulais d'abord clarifier les choses avec toi.

Ursula était sans voix. Ne savait pas comment réagir. La colère aurait été la réaction la plus simple. Directe et sans ambages. Mais elle ne parvenait pas à puiser la moindre colère en elle. Seulement du vide. À présent, ils se taisaient tous les deux.

– Ursula, je me suis vraiment donné du mal ces derniers temps, avec le voyage à Paris et tout ça. Mais je n'en ai plus la force. Je suis désolé. Tout est de ma faute.

Sa faute.

Si seulement c'était aussi simple.

Elle ne savait vraiment pas quoi dire.

Dix-huit minutes exactement après l'appel aux urgences, l'ambulance d'Uppsala arriva à Lövhaga. Fatima Olsson en descendit et gagna l'arrière du véhicule pour en sortir la civière. Elle était contente qu'ils fussent enfin arrivés. Elle pourrait effectuer le trajet du retour auprès du patient, et ne serait pas obligée de s'asseoir à côté de Kenneth Hammarén. Elle ne le portait pas dans son cœur. Pour la simple et bonne raison que lui ne l'aimait pas non plus. Elle ne savait pas vraiment pourquoi, mais c'était comme ça. C'était peut-être dû au fait qu'elle était d'origine iranienne ou bien plus diplômée que lui – elle était infirmière en soins intensifs, et lui seulement ambulancier –, et donc qu'elle gagnait plus que lui, ou tout simplement parce qu'elle était une femme. Peut-être était-ce un mélange des trois, ou alors tout autre chose. Elle ne lui avait jamais posé la question. Il faisait son travail correctement, mais il était toujours de mauvaise humeur et distant, et saisissait la moindre occasion de la traiter avec mépris ou de la critiquer. Et elle était la seule avec qui il se comportait ainsi. Elle l'avait vu travailler avec d'autres collègues, et il avait agi totalement normalement. Non, c'était elle qu'il n'aimait pas. Elle seule.

Kenneth descendit de l'ambulance, comme toujours trente secondes après elle pour ne pas avoir à sortir la civière. Fatima prit la mallette de premiers secours, la plaça sur la civière et la poussa jusqu'à l'entrée du quartier de haute sécurité où un gardien les attendait. Entre-temps,

Kenneth les avait dépassés et marchait comme d'habitude cinq mètres devant elle.

La salle commune était vide, mis à part Hinde qui était toujours allongé par terre et un gardien qui avait placé un coussin sous sa tête. Les autres détenus s'étaient retirés dans leur cellule. Fatima analysa la situation au premier coup d'œil : un homme d'âge moyen, des vomissements de couleur marc de café. D'après sa posture, il semblait avoir de violents maux de ventre. Peut-être un ulcère à l'estomac, et très certainement une hémorragie interne.

Fatima se pencha sur Hinde.

– Bonjour. Vous m'entendez ?

L'homme allongé par terre ouvrit les yeux et hocha faiblement la tête.

– Je m'appelle Fatima Olsson. Pouvez-vous me dire ce qui s'est passé ?

– J'ai eu mal au ventre et après...

Sa voix se brisa. Il désigna vaguement la masse sombre répandue sur le sol. Fatima se pencha sur lui.

– Vous avez toujours mal ?

– Oui, mais ça va déjà un peu mieux.

– Nous allons devoir vous emmener.

Elle jeta un regard insistant à Kenneth, puis ils s'emparèrent de l'homme et l'attachèrent à la civière. Il n'était pas particulièrement lourd et avait l'air complètement désorienté. Ils allaient devoir rentrer avec le gyrophare.

Le gardien assis à côté de l'homme les raccompagna dans le couloir jusqu'à l'ambulance. Ils remontèrent la civière dans le véhicule sans l'aide de Kenneth, et Fatima s'apprêtait à refermer les portes quand le gardien se mit en tête de monter à bord à son tour.

– Qu'est-ce que vous faites ?

– Je dois monter aussi.

Edward, allongé sur sa civière, suivait la scène avec intérêt. C'était la partie du plan sur laquelle il avait le moins de contrôle. Il ignorait totalement quel était le protocole de sécurité prévu par le règlement de Lövhaga pour un transport de prisonnier à l'hôpital. Combien de gardiens ? Seraient-ils armés ? Dans le QHS, ils avaient pour seules armes une matraque et un pistolet à choc électrique. Serait-ce différent pour un transport ? Seraient-ils escortés par un autre véhicule ? Ou deux ? Il n'en avait aucune idée.

Il entendit le gardien expliquer à Fatima qui était Edward Hinde, et qu'il était absolument impossible de le laisser s'en aller en ambulance sans surveillance. Le gardien qui se tenait au pied de la civière resterait à l'arrière avec elle et Hinde tandis qu'un autre de ses collègues allait les rejoindre et s'installer à l'avant. Il y en aurait donc deux, pensa Hinde. Cela ne poserait toutefois pas de problème. Ils ne parlaient pas d'attendre l'arrivée de la police.

Le deuxième gardien accourut et s'assit à côté du conducteur. Son collègue monta près de Hinde et prit la place indiquée par Fatima. Ils refermèrent les portes, Fatima frappa deux fois contre la vitre en plexiglas qui la séparait de la cabine du conducteur, et ils partirent. Au bout de quelques mètres, ils enclenchèrent la sirène. Hinde sentit qu'il était de plus en plus tendu. Jusqu'ici, tout s'était déroulé conformément à son plan, mais la partie la plus difficile et la plus risquée était encore à venir.

Fatima se tourna vers lui :

– Êtes-vous allergique à certains médicaments ?

– Non.

– Vous êtes déshydraté, je vais vous administrer une solution saline.

Elle ouvrit un tiroir et en sortit avec précaution une poche de perfusion qu'elle fixa à un crochet au-dessus de son patient. Puis elle se leva, ouvrit un placard juste à côté d'Edward et en sortit une petite aiguille. En se rasseyant à côté de lui, elle plaça une compresse sur un vaporisateur qui se trouvait sur une étagère. Puis elle tapota la compresse sur son bras.

– Attention, ça va piquer un petit peu.

D'un geste routinier, elle piqua l'aiguille dans son bras, la fixa avec un pansement, sortit le tuyau à perfusion et l'inséra dans la poche. Puis elle se baissa pour percer le goutte-à-goutte. Sa poitrine était juste devant le nez de Hinde, et il pensa à Vanja. La solution commença à se répandre dans ses veines.

– Très bien, je dois maintenant vous poser quelques questions. Vous pensez que vous allez y arriver ?

Edward opina de la tête, et sourit en veillant à prendre l'air d'un survivant.

Fatima lui retourna son sourire.

– Quelle est votre date de naissance ?

Il n'eut pas le temps de répondre que l'ambulance freina brusquement et s'immobilisa. Il entendit le chauffeur pousser un juron. Edward avait les nerfs en pelote.

Ce pouvait être la réaction au comportement d'un conducteur imprudent, mais ce pouvait également être le dernier pas vers la liberté. Le gardien à côté de lui s'était raidi et paraissait sur ses gardes, tandis que Fatima s'excusait pour ce freinage brusque. Edward parcourut du regard l'intérieur de l'ambulance à la recherche d'un objet pouvant lui servir d'arme, idéalement tranchant. Non seulement il ne trouva rien, mais en plus, il était attaché à la civière. Il ne pouvait rien faire à part attendre.

Kenneth jura à nouveau et appuya de tout son poids sur le klaxon placé au centre du volant. Cette Saab rouge garée en double file devait bien appartenir à quelqu'un. En tout cas, elle leur barrait la route. En plus, juste après un virage. Quelle poisse ! Heureusement qu'il était plutôt réactif, sinon ils auraient directement percuté la voiture. Kenneth klaxonna encore une fois. Où diable était le propriétaire de la voiture ? Il ne pouvait pas s'être garé comme ça pour ensuite aller faire une balade dans les bois, non ? Il ne devait pas être loin. Avait dû voir le gyrophare et les sirènes. Typique. À peine deux cents mètres avant la E55. Là-bas, Kenneth aurait pu passer, mais dans cette petite rue à la noix, c'était impossible. D'un côté de la Saab se trouvait un grillage, et de l'autre un fossé assez profond. Kenneth klaxonna encore.

L'homme qui lui tenait compagnie dans la cabine du conducteur paraissait nerveux. Il regardait de tous côtés, la main crispée sur le pistolet à choc électrique qu'il portait à la ceinture.

– Bon sang, qu'est-ce qui se passe ? Vous pouvez faire demi-tour ?

Kenneth haussa les épaules et enclencha la marche arrière. Le gardien porta le talkie-walkie à sa bouche.

Puis le monde explosa.

À l'arrière de l'ambulance, à part le bruit des sirènes, on entendit deux coups de feu, puis un bruit de verre brisé. Tout se déroula en un éclair. Une ombre passa devant la vitre en plexiglas bientôt éclaboussé d'un liquide sombre. Le gardien assis à côté d'Edward bondit. Fatima cria, croisa les mains derrière la tête, pressa ses avant-bras contre ses oreilles et se baissa. *Traumatisée de guerre*, pensa Hinde en observant sa réaction et le chaos qui avait envahi l'ambulance en l'espace de quelques secondes. Peu après, on entendit trois coups contre la carrosserie.

– Qu'est-ce qui se passe ici ? hurla Fatima.

Le gardien brandit son pistolet à choc électrique sans savoir sur qui le pointer. Edward resta parfaitement calme. Se fit le plus discret possible. Il ne pouvait pas se permettre qu'un gardien sur les nerfs ne fichât son plan en l'air.

Soudain, les sirènes se turent, et le bruit de fond incessant fit place au silence. Un silence rassurant. Le gardien resta immobile, bougeant seulement la tête. Tendit l'oreille. Dehors, on n'entendait plus rien. Fatima se releva et regarda le gardien, choquée.

– Que se passe-t-il ? chuchota-t-elle.

– On dirait que quelqu'un essaie de le libérer, répondit-il.

Comme une confirmation, la porte s'ouvrit brusquement, et deux autres coups de feu touchèrent le gardien. La première balle entra sous les côtes, le transperça et ressortit par le dos avant de pulvériser la vitre en plexiglas. L'autre se logea directement dans sa poitrine. Il s'effondra. Fatima poussa un cri.

Roland Johansson ouvrit l'autre porte, l'aperçut et pointa son arme sur elle.

– Non, dit seulement Hinde.

Roland baissa le pistolet et entra dans le compartiment exigu à l'arrière de l'ambulance. Comparé à l'immensité de l'homme, l'habitacle paraissait encore plus petit. En silence, il défit les sangles et libéra Edward, qui s'assit sur la civière. Il n'avait qu'une envie : sauter de l'ambulance et s'enfuir en courant. Il dut mettre en œuvre toute sa volonté pour ne pas perdre le contrôle. Il était si près du but.

Son regard se porta sur le goutte-à-goutte. Il tendit le bras pour saisir la poche et la décrocha.

– Je vais prendre ça avec moi.

Aucune réaction. Fatima était en état de choc. Elle sanglotait sans bruit et se balançait sur place. Le regard fixe. Roland tendit le bras et soutint Edward pour le faire sortir du véhicule. Son petit spectacle dans la prison l'avait plutôt affaibli. Ils firent lentement le tour de l'ambulance et s'arrêtèrent devant.

– Tu peux te débrouiller seul ?

– Oui, merci.

Edward s'appuya contre l'ambulance. Roland lui tapota sur l'épaule et le laissa seul pour ouvrir la portière côté passager, à l'avant du véhicule. Il sortit sans difficulté le corps du gardien, qui présentait des blessures sanglantes au cou juste en dessous de la mâchoire et sous la clavicule. Il était encore en vie, mais sûrement plus pour très longtemps. Edward entendit Fatima hurler encore une fois quand Roland jeta le corps du gardien agonisant à l'arrière de l'ambulance. Il ferma les yeux.

Ensuite, Roland ouvrit la portière du conducteur. Quand il avait tiré sur le gardien, le chauffeur avait essayé de s'échapper. Mais il n'avait pas été assez rapide. Roland l'avait rattrapé, avait saisi sa tête et l'avait cognée trois fois contre la carrosserie. Il s'empara du chauffeur inconscient afin qu'il tînt compagnie aux autres. Roland prit alors les menottes accrochées aux ceintures des gardiens, et s'en servit pour leur attacher les mains dans le dos. Puis il se tourna vers Fatima, toujours assise sur le siège à côté de la civière.

– Viens.

Fatima secoua seulement la tête, incapable de bouger. Roland fit un pas vers elle, la releva de son siège et la fit s'allonger à côté des deux autres dans l'ambulance. Elle n'opposa aucune résistance quand il la menotta. Puis il prit une couverture, descendit de l'ambulance et repassa devant Edward pour regagner la cabine du chauffeur. Il balaya rapidement les éclats de verre éparpillés sur le siège. Quand il eut pratiquement tout enlevé, il étendit la couverture sur le siège. Puis il retourna auprès d'Edward et l'aida à monter sur le siège passager. Avant de refermer la porte, il frappa du poing dans la vitre pour retirer les derniers restes de verre, si bien qu'elle paraissait ouverte mais pas cassée. Maintenant qu'Edward était en sécurité, il retourna vers la Saab et y chercha un rouleau de scotch sur la banquette arrière. Il regagna l'arrière de l'ambulance et lia les pieds de l'ambulancier et de la femme. Il ne croyait pas vraiment qu'ils tenteraient d'appeler à l'aide, car le type resterait encore inconscient un bon bout de temps et la nana paraissait carrément apathique. Mais on ne savait jamais. Roland finit son travail en leur scotchant la bouche. Cela n'avait pas pris cinq minutes. Personne ne les avait vus. Autour d'eux, aucun signe de vie. Pas de sirènes qui s'approchaient. Seulement le bruissement des arbres dans la forêt.

Puis ils partirent. Edward jeta un regard dans le rétroviseur, et vit la Saab rouge s'éloigner. Comme ils avaient laissé Lövhaga derrière eux, loin derrière eux.

À présent, il pouvait regarder devant lui.

Roland roulait à peine plus vite que la limitation de vitesse. La E55 n'était pas un axe très prisé de la police en matière de radars, et encore moins en ce qui concernait les ambulances. Edward en était sûr, mais il valait mieux ne pas courir le risque de rencontrer les forces de l'ordre. Ils seraient sans doute intrigués par l'absence de vitre sur le côté. De plus, il y avait des traces de sang dans la cabine. Roland ne portait pas non plus de tenue de travail. Tout cela sauterait aux yeux d'un policier averti. Mais c'était un problème qu'ils n'auraient à résoudre qu'au cas où il se présenterait.

Dehors, il faisait beau. Une journée d'été verdoyante. Edward avait presque le vertige en admirant le paysage ondoyant qui s'étendait devant eux. Tellement d'espace. De liberté. Considérées sous cet angle, ces quatorze dernières années lui parurent encore plus insupportables et aliénantes. En voyant tout ce dont on l'avait privé. Il savoura le trajet, chaque nouveau paysage qui se présentait dans la rue. Par la fenêtre ouverte, le vent se mit à souffler dans ses cheveux clairsemés. Il ferma les yeux. Inspira profondément. L'air paraissait plus léger. Différent. Chaque inspiration lui insufflait une nouvelle force.

Roland ralentit. Edward ouvrit les yeux. Ils atteignirent la E18. Encore une demi-heure, et ils seraient à Stockholm. Edward se tourna vers Roland.

– Tu as un téléphone ?

Roland mit la main à sa poche et lui tendit son téléphone. Edward composa un numéro imprimé dans sa mémoire, tandis que Roland accélérait pour atteindre cent dix kilomètres à l'heure.

Haraldsson se tenait devant la fenêtre de la chambre à coucher. Il était resté ainsi depuis qu'il avait ouvert la porte et trouvé la pièce vide. Que pouvait-il faire d'autre ? Chercher Jenny ? Où donc ? Il n'en avait aucune idée. Il était littéralement paralysé.

L'inquiétude, la peur, Jenny, son travail.

Dans le jardin, les ouvriers étaient arrivés pour planter le pommier. Il observa leurs va-et-vient. Ils discutèrent et montrèrent du doigt différents coins du jardin, puis s'accordèrent sur l'emplacement idéal avant de commencer à mesurer et à creuser. Ils cherchèrent des sacs remplis de terre. Une journée de travail banale, en somme. La vie normale qui suivait son cours à quelques mètres de lui. Une réalité à portée de main.

Il avait du mal à y voir clair. Il n'avait tout de même rien à voir avec tout ça, non ? Jenny avait disparu. Et il fallait se rendre à l'évidence : il avait quelque chose à voir avec tout ça. Mais personne ne devait le savoir. Il ne devait rien arriver à Jenny. Ses pensées sautaient dans sa tête, comme un diamant sur un disque rayé.

Hinde devait être transféré à l'hôpital. Il avait sûrement déjà quitté Lövhaga. Il voulait être transféré. Il préparait quelque chose. Quoi ? Haraldsson devait-il donner l'alerte ?

Cela pourrait-il sauver Jenny ? Jenny était partie.

Comment pourrait-il expliquer qu'il donnât l'alerte ? Il ne pourrait pas parler des petits services qu'il avait rendus à Hinde, et que l'un d'entre eux avait même permis à Hinde de quitter la prison. Ce serait non seulement un suicide professionnel, mais en plus, il risquait de se retrouver lui-même derrière les barreaux.

Jenny. Où était-elle ? Elle ne devait pas mourir. Que ferait-il sans elle ? Comment pourrait-il continuer à vivre ?

Au moment où Jenny avait disparu, Hinde n'avait pas encore quitté Lövhaga, et Ralph avait déjà été arrêté. Qu'est-ce que cela signifiait ? Hinde avait-il encore d'autres complices en-dehors de la prison ?

Ingrid Marie ne devait pas grandir avec un père en prison.

Devait-il donner l'alerte ? Pouvait-il donner l'alerte ? Comment expliquer son inquiétude ? Peut-être que Hinde était vraiment malade. Peut-être qu'il était déjà arrivé à l'hôpital. Auquel cas, tirer la sonnette d'alarme sur une tentative d'évasion paraissait plus que suspecte. Et s'il redoutait une chose pareille, pourquoi avait-il autorisé son transfert ?

Je n'ai jamais tué une femme enceinte.

Que se passerait-il s'il donnait l'alerte ? Et s'il ne le faisait pas ?

Jenny.

Son portable sonna à nouveau. Haraldsson sentit son cœur bondir d'espoir dans sa poitrine en sortant le téléphone de sa poche. Un numéro inconnu. Pas celui de Jenny. Par précaution, il décida de répondre quand même.

– Haraldsson.

– Ici, Edward Hinde.

Soudain, la tête de Haraldsson se vida. Toutes les pensées qui s'y étaient bousculées un instant auparavant s'évaporèrent d'un coup.

– D'où appelez-vous ? furent les seuls mots qu'il parvint à articuler.

– Peu importe. Vous avez fait ce que je vous ai demandé, vous avez donc droit à une question.

Haraldsson avait bien entendu. Mais ne comprenait rien.

– Comment ?

– Je tiens toujours mes promesses. Vous avez répondu par oui, comme je vous l'ai demandé, vous avez donc le droit de me poser une question.

– Qu'avez-vous...

– Attendez, l'interrompit Edward.

Haraldsson se tut immédiatement.

– Je ne voudrais pas m'en mêler, poursuivit Hinde d'une voix mielleuse, mais à votre place, je demanderais plutôt : « Où est ma femme ? »

Haraldsson ferma les yeux. Derrière ses paupières, des éclairs jaillissaient. Il craignait de tomber dans les pommes. Cela ne devait pas arriver. Sinon, il ne l'apprendrait jamais. Les larmes sur ses joues.

– Où est ma femme ? demanda-t-il d'une voix éteinte.

Hinde commença à raconter.

Toutes les fenêtres de l'appartement étaient ouvertes, mais il y faisait quand même chaud. Lourd. Moite.

Vanja était assise sur le canapé, la télécommande à la main, et zappait au hasard. Ce n'était pas vraiment la meilleure heure pour regarder la télé. Elle l'éteignit, jeta la télécommande sur le canapé et saisit les éditions spéciales des deux journaux posés sur la table. L'*Expressen* avait consacré dix pages à l'arrestation de Ralph Svensson. Sans compter la une, qui affichait un portrait grand format du suspect sous lequel il était écrit en gras : « C'EST LE BOUCHER DE LA CANICULE ». En y regardant de plus près, on pouvait voir juste au-dessus : « La police pense que » en tout petit. Ralph n'avait même pas encore été jugé qu'il se retrouvait déjà cloué au pilori. Limiter la diffusion des photos et des noms n'était plus dans l'air du temps. Il relevait désormais de « l'intérêt général » de pouvoir identifier les suspects. Ce qui signifiait que les lecteurs n'étaient pas prêts à payer pour une photo floutée. Vanja désapprouvait cette évolution qui, en outre, compliquait son travail. Les confrontations de témoins perdaient de leur pertinence quand le portrait du suspect était visible par tout un chacun. La photo publiée en une était celle de la carte d'identité de Ralph et n'était pas vraiment flatteuse. Il avait l'air aussi détraqué que n'importe qui sur une photo d'identité. Le journal avait également publié un récit détaillé de son parcours de vie. Sa mère malade, son père remarié, sa famille recomposée, ses déménagements, ses différentes écoles et ses divers emplois. Ils avaient également retrouvé d'anciens camarades de classe qui le décrivaient comme discret et timide. Un peu bizarre.

Inaccessible. Quelqu'un qui se tenait à l'écart. C'était probablement vrai, Vanja n'en savait rien, mais elle se demanda si les journaux auraient obtenu une réponse identique s'ils avaient appelé les mêmes personnes en leur annonçant que Ralph Svensson venait d'obtenir le prix Nobel... Tout cela semblait trop bien correspondre aux clichés du loup solitaire, du marginal. Vanja était convaincue que ses camarades de classe qui n'avaient pas gaspillé une seconde à penser à Ralph ces vingt dernières années avaient répondu ce qu'on attendait d'eux. Après cet étalage de la vie de Ralph – sans allusion à ses éventuels rêves ou espoirs et autres futilités qui l'auraient rendu bien trop humain –, ils faisaient de même avec Hinde. Le fait que Ralph fût un imitateur était une aubaine pour les journalistes, car ils pouvaient ressortir les articles parus en 1996. Vanja n'avait aucune envie de relire tout ça. Elle jeta le journal sur le canapé, se leva et alla dans la cuisine pour boire un verre d'eau. Il était six heures et demie. Le soleil ne se coucherait que dans deux heures, et la température commençait à devenir supportable. Une brise agréable s'infiltra par la fenêtre ouverte.

Elle avait la bougeotte.

Normalement, elle éprouvait une sorte de douce fatigue après la résolution d'une affaire. Comme si son corps et son cerveau pouvaient enfin se reposer après des semaines de tension. Atterrir. Ces jours-là, il ne lui fallait rien de plus qu'une pizza accompagnée d'une bonne bouteille de vin, affalée sur le canapé. Mais cette fois, c'était différent.

Ils avaient arrêté le coupable, elle en était sûre. Sebastian Bergman avait littéralement perdu les pédales, et elle s'en réjouissait. Elle ne pouvait pas s'imaginer qu'il parvînt à s'incruster une nouvelle fois dans l'équipe à l'avenir. Torkel avait clairement montré qu'il était du même avis, et Sebastian lui-même paraissait s'être lassé. En fin de compte, c'était une bonne journée. Ils avaient fait du bon boulot. Pourquoi n'arrivait-elle pas à se détendre ?

Parce que tout n'était pas encore résolu. En particulier, entre elle et Billy. Maintenant que l'affaire se calmait, elle pourrait se consacrer à apaiser leur relation. Depuis qu'elle lui avait dit qu'elle était un meilleur policier que lui, la tension était palpable. L'ambiance était déjà tendue avant, mais depuis cet incident, on pouvait dire qu'elle était carrément électrique.

Enfin, c'était ce qu'elle ressentait. Certes, c'était lui qui avait commencé, mais elle n'avait fait qu'envenimer les choses avec ses sarcasmes, c'était donc à elle de faire le premier pas. Billy était trop important pour laisser tomber. Car si cela continuait ainsi, l'un d'entre eux allait devoir demander sa mutation. Et ce n'était en aucun cas ce qu'elle souhaitait. Elle alla dans le salon et prit son téléphone portable.

My ouvrit le four et en sortit le filet gratiné à la feta. Billy posa le saladier rempli de taboulé et les légumes sautés sur la table. Quand elle avait appris qu'il aurait une soirée de libre, ils avaient décidé d'aller au théâtre. Ce n'avait pas été son idée, mais ils avaient pris la décision ensemble. Billy n'avait jamais entendu parler de la troupe qui devait donner quatre représentations cette semaine. Les Spymonkey, une troupe anglaise qui faisait de la comédie expressionniste, avait expliqué My. Billy ne voyait pas ce que cela pouvait être. Il n'avait aucun point de comparaison.

– C'est comme un mélange des Monty Python et de Samuel Beckett.

C'était au moins une référence qu'il était susceptible de comprendre. Il aimait bien les Monty Python. En tout cas, certains sketches. Mais pas tout.

De toute manière, c'était au tour de My de choisir. La dernière fois, c'était lui qui avait choisi le film. Et puis, il avait beaucoup travaillé, et ils s'étaient peu vus. Il allait donc sans problème pouvoir supporter une heure d'humour expressionniste, du moment qu'il pouvait être à côté d'elle.

Il remplit les verres de vin et s'assit à la table. Ses habitudes alimentaires s'étaient nettement améliorées depuis qu'il sortait avec My. Cela lui plaisait. Beaucoup de choses lui plaisaient chez My. Pour ne pas dire tout. Le téléphone sonna. Billy regarda l'écran pour voir qui l'appelait. Vanja.

– Désolé, je dois répondre.

– OK, dépêche-toi.

Billy se leva et se retira dans la pièce voisine. Il n'avait pas parlé à My de leur altercation dans la voiture. Il les aimait toutes les deux, et souhaitait qu'elles pussent s'entendre. Les chances en seraient toutefois sérieusement amoindries si My avait vent de leur dispute. Il s'assit sur le canapé et répondit.

– Bonjour, c'est moi, dit Vanja.

– Je sais.

– Qu'est-ce que tu fais ?

Billy hésita. Que devait-il répondre ? *La vérité, autant que faire se peut*, se dit-il.

– On s'apprêtait à manger.

– My et toi ?

Il entendit une sorte de gêne dans sa façon de prononcer le prénom de My, de faire traîner la dernière syllabe. Myyy. Ou bien ce n'était que le fruit de son imagination. Cherchait-il la petite bête ? Peut-être.

– Oui, My et moi.

Il jeta un regard vers la cuisine où My sirotait son verre de vin. Elle l'attendait pour dîner. Sûrement une question de savoir-vivre.

– Le dîner est prêt, on va bientôt passer à table. Tu avais quelque chose de spécial à me dire ? poursuivit Billy en s'efforçant de dissimuler son malaise.

– Est-ce que ça te dit de faire un footing avec moi ?

– Là, tout de suite ?

Il ne s'attendait pas à une telle proposition. Il n'aurait jamais cru qu'elle voulût le voir.

– Plus tard. Quand tu auras mangé. Il fera un peu plus frais dehors.

– Je ne sais pas…

– J'ai pensé qu'on pourrait en profiter pour parler. De nous.

Billy se tut. Voilà. Elle lui tendait la main. Billy se tourna vers la cuisine. My lui décocha un large sourire en faisant de grands gestes. Il lui rendit son sourire et roula des yeux pour lui montrer que son interlocuteur parlait un peu trop longtemps à son goût. Pendant ce temps, il passa en revue les différentes possibilités. Il voulait courir. Il voulait absolument avoir une conversation avec Vanja. Mais il ne pouvait pas à la fois aller courir avec Vanja et sortir au théâtre avec My. D'un autre côté, il n'avait aucune envie d'aller au théâtre, mais il voulait passer du temps avec My. Il avait envie de boire du vin et d'être avec sa copine. Il était obligé de prendre une décision. Il devait résoudre ses problèmes avec Vanja, il le sentait. Il en était même convaincu. Mais pas ce soir. Elle allait devoir le comprendre.

– Je suis désolé, dit-il d'un ton grave. Mais je ne peux pas.

– Qu'est-ce que tu as prévu ?

– On va au théâtre.

– Au théâtre ?

Il comprit de quoi cela avait l'air. Elle savait qu'il détestait le théâtre. Il préférait faire quelque chose qu'il détestait plutôt que la voir, elle. C'était sûrement comme ça qu'elle l'interpréterait. Mais ce n'était pas le cas. Bien sûr qu'il lui préférait My, mais il ne voulait pas le lui dire.

– Oui, c'est prévu depuis longtemps…

Il avait réservé il y avait une heure à peine, mais maintenant, il était temps de quitter le chemin de la vérité et de sauver ce qu'il y avait à sauver.

– OK. Une autre fois alors.

– Oui.

– Amuse-toi bien, alors. Et le bonjour à My.

– Oui. J'aimerais vraiment que nous…

Mais elle avait déjà raccroché. Billy resta assis et se demanda s'il devait la rappeler pour compléter sa phrase. Finalement, il décida de ne pas le faire, mais de prendre le taureau par les cornes le lendemain au bureau. Ou bien de l'appeler, si elle n'était pas là. Elle posait parfois un jour de congé après une arrestation importante.

Billy se leva et regagna la cuisine.

– Qui était-ce ? demanda My en servant le repas.

Elle l'avait vraiment attendu.

– Vanja.

– Qu'est-ce qu'elle voulait ?

– Oh, rien.

Il s'assit et saisit son verre de vin. Les mots n'étaient pas bien choisis : il ne s'agissait pas de ce que Vanja voulait, mais de ce qu'elle avait obtenu.

Ce n'était pas comme ça qu'il s'était imaginé son anniversaire de mariage. Pas du tout.

Après l'appel d'Edward Hinde, Haraldsson s'était précipité vers sa voiture et avait entré les données dans son GPS. La carte s'afficha rapidement sous ses yeux. Il passa Surahammar et Ramnäs, puis il tourna à gauche pour s'engager dans la forêt jusqu'au lac d'Öjesee. Il avait demandé si Jenny était encore en vie, mais il était trop tard pour avoir une réponse à présent. C'était une nouvelle question, et Hinde lui avait dit qu'il n'en avait droit qu'à une seule, avant de raccrocher.

Pendant tout le chemin, Haraldsson avait tenté de se rassurer en se disant que Hinde ne lui aurait jamais dit où se trouvait Jenny s'il ne pouvait pas la sauver. Il serait beaucoup plus logique de la libérer après qu'elle eut rempli son rôle de moyen de pression. Il n'y avait aucune raison de lui faire du mal. Mais il avait beau essayer de s'en convaincre, il savait au fond de lui que Hinde ne suivait aucune logique ni bonne raison. Il n'avait pas passé quatorze ans derrière les barreaux pour rien.

C'était un dangereux psychopathe. Un assassin.

Haraldsson suivit les indications du GPS. Les routes se firent de plus en plus étroites, et la forêt devint de plus en plus dense. Puis il vit une étendue d'eau étinceler entre les arbres et peu après, le chemin s'arrêta. Il se gara à côté d'un immense rhododendron et descendit. Une maison de vacances. Tout en bas de la forêt qui descendait vers le lac. Sûrement très ancienne, car on ne délivrait plus de permis de construire si près de l'eau de nos jours. Haraldsson se dirigea vers la maison et appuya sur la poignée de la porte d'entrée. Fermée à clé. Il jeta un œil par la fenêtre. C'était la cuisine. Il n'y avait pas d'électricité ni d'eau courante. Une vieille cuisinière à bois et une bassine retournée sur le petit plan de travail. Pas d'évier mais un grand seau en métal avec une louche sur un tabouret. Pittoresque mais vide.

– Jenny ! cria-t-il.

Pas de réponse. Haraldsson fit encore le tour de la maison et regarda par toutes les fenêtres accessibles. Rien. Il resta immobile et étudia son environnement. Le terrain n'était pas très grand mais bien orienté. Du gazon sur trois côtés. Un filet de badminton sur la pelouse qui s'étendait jusqu'au bord du lac. De l'autre côté, des meubles de jardin et une hampe de drapeau. Quelqu'un s'était mis à l'aise.

– Jenny !

Quelque part sur l'eau du lac, un oiseau lui répondit. La panique montait en Haraldsson. Un peu plus loin, à la lisière de la forêt se trouvait une cabine de toilettes. Vide, elle aussi. À part une nuée de mouches bourdonnantes. Il s'apprêtait à aller défoncer la porte de la maison quand il aperçut un monticule anormal derrière la hampe de drapeau. Entre la pelouse et la tourbe dépassaient de grandes pierres. Une cave. Haraldsson s'y élança. En s'approchant, il perçut de légers coups. Il s'arrêta. Avait-il réellement entendu quelque chose, ou bien n'était-ce que le fruit de son imagination ? Non, quelqu'un était réellement en train de frapper contre la porte de la cave. Son espoir grandissait à chaque coup qu'il entendait.

– Jenny !

Il fit le tour du monticule et arriva devant une grande porte en bois sombre. Il défit le loquet et l'ouvrit. Après un premier espace de quelques mètres se trouvait une autre porte. Cette fois, les coups résonnaient plus fort. Elle était vraiment en vie. La clé était encore dans la serrure. Haraldsson la tourna et ouvrit.

Derrière, Jenny était assise dans le noir et cligna des yeux suite à cette clarté soudaine. Il accourut près d'elle et la serra dans ses bras.

Elle se cramponna à lui. Longtemps.

Sur le trajet du retour, ils étaient d'abord restés silencieux. Bien sûr, Jenny avait eu peur. Une peur bleue. Ce n'était qu'au moment où le grand type s'était arrêté devant la maison de vacances qu'elle avait remarqué que quelque chose ne tournait pas rond. Il avait tiré sur son sac pour la forcer à sortir de la voiture et l'avait entraînée dans la cave. Ensuite, l'effroi l'avait empêchée de penser clairement. Mais maintenant qu'elle était à nouveau en sécurité, les questions commençaient à fuser. Elle avait besoin d'explications.

Haraldsson détestait devoir lui mentir mais à ce moment-là, beaucoup de choses étaient encore trop incertaines pour pouvoir lui présenter ne fût-ce qu'une version édulcorée de la vérité. Au lieu de cela, il prétendit avoir parlé avec un ex-collègue après avoir téléphoné à la vraie compagnie de taxis et qu'une bande était manifestement spécialisée dans l'enlèvement de personnes sur leur lieu de travail pour les voler. La police présumait qu'ils avaient pénétré dans le système de la société de taxis et qu'ils savaient donc quelles réservations avaient été effectuées.

Jenny se contenta de cette réponse.

Elle lui poserait sûrement de nouvelles questions plus tard, une fois qu'elle aurait digéré toutes ces informations, mais d'ici là, il en saurait plus sur le déroulement des événements et pourrait adapter ses réponses en fonction de la situation. Mais d'abord, ils allaient rentrer à la maison.

Il était si heureux qu'elle fût saine et sauve.

À peine avaient-ils franchi le seuil de la maison qu'il reçut un nouvel appel de Victor. Ce dernier paraissait stressé. C'était urgent. L'ambulance qui transportait Hinde n'était pas arrivée à Uppsala, et la clinique ne parvenait pas à établir le contact radio ni avec le chauffeur ni avec les gardiens de Lövhaga qui se trouvaient à bord. Haraldsson devait venir immédiatement.

Il tenta de trouver des excuses pour ne pas venir, mais Victor lui fit comprendre que ce genre de situation nécessitait la présence du directeur. Il raconta donc à Jenny qu'il était obligé de retourner au travail pour un moment. Il ne pouvait pas y couper. Non, elle voulait rester avec lui. Ils regagnèrent donc la voiture ensemble.

Jenny resta silencieuse une bonne partie du trajet. Elle pensait sûrement aux événements de la journée. Haraldsson ne s'en portait pas plus mal. Il devait envisager tous les scénarios et réfléchir à la façon dont il pouvait gérer la situation.

Il avait l'impression que le moment était venu de limiter les dégâts. Personne ne devait découvrir qu'il avait une quelconque responsabilité dans tout cela.

Pour son propre bien. Pour celui de Jenny. Pour le bien de tout le monde.

Il commença par Jenny. Personne ne savait qu'elle avait disparu. À part ses collègues de travail. Ce que Jenny savait n'arriverait jamais aux oreilles de la direction générale de Lövhaga. Il n'y avait donc aucun risque. Même si elle racontait sa mésaventure à une de ses collègues, personne ne ferait le lien avec Hinde. CQFD !

La question suivante était : devait-il essayer de subtiliser le bocal de betteraves rouges et le flacon de médicament dans la cellule de Hinde ?

Ce serait risqué. De plus, on croirait sûrement que Ralph les lui aurait apportés. Car personne ne prendrait les empreintes sur ces objets, non ? Pas si l'on avait déjà un suspect qui était en contact avec Hinde depuis longtemps. Bien sûr, tout le monde penserait que c'était Ralph qui l'avait aidé. Pour l'instant, il valait mieux ne pas s'approcher de la cellule de Hinde.

Ou bien devait-il le faire quand même ?

Il pourrait démontrer son sens de l'initiative en fouillant lui-même la cellule et « trouver » ces objets. Ce qui expliquerait également la présence de ses empreintes, si on les examinait par la suite. Et si celles de Ralph ne s'y trouvaient pas, c'était sûrement parce qu'il portait des gants pour faire le ménage.

La sonnerie de son portable l'interrompit dans ses pensées. C'était le cuisinier, qui venait d'arriver chez eux. Où étaient-ils ? Haraldsson soupira. Il avait complètement oublié. Il lui expliqua qu'il avait eu une urgence à son travail et que le dîner était malheureusement annulé. Le cuisinier était en colère, c'était compréhensible. Haraldsson allait devoir payer l'intégralité de la somme. Le repas, le vin, les frais de transport et le temps de travail. Que cela soit bien clair ! Haraldsson ne protesta pas, s'excusa et raccrocha.

– Qui était-ce ? demanda Jenny.

– C'était un cuisinier qui devait nous préparer un repas en amoureux ce soir.

C'était agréable de pouvoir dire la vérité pour une fois. Ne pas avoir à tourner sept fois la langue dans sa bouche avant de donner la version la plus plausible.

– Tu avais organisé tout ça ?

– Oui, mais en fait, mes projets ne se sont pas vraiment déroulés comme prévu, aujourd'hui. Je suis vraiment désolé.

– Mais ce n'est pas de ta faute !

– Non, mais tout de même.

– Tu es le meilleur.

Elle se pencha vers lui et déposa un baiser sur sa joue. Il sourit, mais en pensée, il était déjà revenu à ce qui le tracassait.

Oui, il pouvait résoudre la question du flacon et du bocal. Mais que se passerait-il s'ils découvraient la photo de Jenny en fouillant la cellule ? Comment expliquer cela ? Il espérait presque que Hinde l'avait emmenée avec lui. Mais si Hinde était arrêté et qu'on trouvait la photo dans sa poche… Il devrait feindre la surprise. Se demander comment diable il se l'était procurée. Et cela demeurerait un mystère…

À leur arrivée, Victor Bäckman les attendait déjà sur le parking. Il jeta un regard interrogateur en direction de Jenny, mais Haraldsson expliqua seulement que c'était leur anniversaire de mariage et qu'ils voulaient passer un peu de temps ensemble. Victor le crut. Il avait des choses bien plus importantes dans la tête. Ils se dirigèrent vers le bâtiment.

– On vient de fouiller sa cellule, et on y a trouvé un flacon de vomitif et un bocal de betteraves rouges. Vides, tous les deux.

– Comment a-t-il pu se les procurer ? demanda Haraldsson le plus innocemment possible.

– Ralph a dû les lui apporter.

– Oui, sûrement, répondit Haraldsson, soulagé.

– Mais ce n'est pas le pire. On y a aussi trouvé une clé wifi.

– Comment ça ?

– Il avait un contact illimité avec l'extérieur. On est en train d'analyser son ordinateur pour voir si on peut y trouver quelque chose sur l'évasion. Mais vu qu'il y a un mot de passe, ça risque de prendre du temps.

Haraldsson ne l'écoutait presque plus. Des contacts avec l'extérieur. Ceci expliquerait sans doute beaucoup de choses. Mais fort heureusement, c'était la responsabilité de Victor, pas la sienne. Il n'osa pas poser de questions au sujet de la photo. Si Victor n'avait rien dit à ce sujet, c'était sûrement qu'ils ne l'avaient pas trouvée.

Soudain, il remarqua que le chef de la sécurité le dévisageait d'un air insistant.

– Alors ?

– J'ai dit que la clinique n'a pas encore pu localiser l'ambulance. Qu'est-ce qu'on fait ?

– On va appeler la police et dire qu'on a affaire à une éventuelle tentative d'évasion.

Haraldsson sentit qu'il avait l'air assez sûr de lui en prenant le commandement des opérations. Victor hocha la tête, et ils se rendirent dans le bâtiment administratif.

Cela ne dura pas longtemps avant que quelques journalistes avertis déjà intéressés par Lövhaga ne comprissent que quelqu'un s'en était évadé. Parfois, la police était une véritable passoire. Ils firent rapidement le lien avec l'ambulance disparue, et ce fut le début de la tempête médiatique. Haraldsson avait commencé par ne pas répondre aux appels, mais il finit par comprendre qu'il valait peut-être mieux le faire pour garder le contrôle sur les informations diffusées. Il donna l'ordre qu'on lui passât toutes les communications venant de la presse.

C'était comme s'il avait ouvert des vannes. Les téléphones sonnèrent sans interruption, et Annika lui passa les appels les uns après les autres.

D'innombrables conversations.

Toujours la même réponse.

Oui, il pouvait confirmer qu'une ambulance transportant un détenu de Lövhaga avait disparu.

Oui, tout indiquait qu'il s'agissait d'une tentative d'évasion, mais il était encore trop tôt pour donner plus d'informations.

Non, il n'avait pas l'intention de leur dire qui se trouvait à bord de l'ambulance.

Tous demandèrent s'il s'agissait de Hinde, suite à quoi il avait systématiquement raccroché. Curieusement, ils ne tentaient pas de le rappeler. Il se leva et rejoignit Jenny, assise sur une chaise destinée aux visiteurs. On lui avait apporté de la cantine une tasse de café et un sandwich dont elle n'avait même pas mangé la moitié. Quel anniversaire de mariage ! Mais ils se rattraperaient.

Le plus important était qu'ils fussent ensemble. Il n'avait jamais traversé un tel grand huit de sentiments. Mais, jusqu'ici, il avait su se montrer fort, et il le resterait. Le pire était derrière eux.

– Comment ça va ? lui demanda-t-il en s'accroupissant près d'elle et en écartant une mèche de cheveux de son front.

– Je suis en train de repenser à tout ça.

– Oui, j'imagine… dit Haraldsson en lui prenant la main. Il faudra que tu ailles parler à quelqu'un de ce qui s'est passé. Un professionnel, je veux dire.

Jenny hocha la tête, l'air absent.
– Chéri ?
– Oui ?
– Comment savais-tu où j'étais ?
Haraldsson se figea. Peut-être que le pire n'était pas encore passé.

Il était rentré plus tôt que prévu. En passant devant la place Östermalmtorg, il s'était rappelé qu'il avait promis à Ellinor d'aller faire les courses pour la soirée. Il s'en était souvenu en voyant un homme passer devant lui avec des sacs de courses. D'abord, il avait pris le parti de l'ignorer. Dîner en compagnie d'Ellinor et d'un voisin qu'il ne connaissait ni d'Ève ni d'Adam lui paraissait complètement absurde, comme un morceau de puzzle qui ne voulait pas s'adapter à sa vie. Mais il avait beau essayer de se forcer, ça ne passait décidément pas.

Cette simplicité avait quelque chose de libérateur. Suivre une liste de courses, et remplir un panier à provisions. Se trouver parmi les autres gens, et faire les courses comme monsieur Tout-le-Monde. Comme s'il avait réellement une raison de se réjouir.

Il entra dans la halle au marché et fut pris d'une véritable fièvre acheteuse. Un filet de bœuf, des pommes de terre nouvelles, des légumes, des fruits et dix sortes de fromages. Il goûta du saucisson et du jambon italien, et choisit d'acheter les deux. Il prit également un bouquet d'aneth et un autre de basilic. Au stand des produits français, il acheta aussi un délicieux pâté et un excellent café moulu sur place. Toutes ces saveurs qu'il n'avait jamais connues auparavant et qui représentaient un monde encore inexploré. En sortant de la halle au marché, il passa devant le Systembolaget et acheta du champagne, du blanc, du rouge, du whisky et du cognac. Il aurait encore aimé acheter un bon porto, mais tous ses doigts portaient déjà assez de sacs en plastique. Sur le chemin du retour, il dut s'arrêter plusieurs fois pour ne pas les laisser tomber, ses mains étant complètement engourdies sous leur poids.

Ellinor l'accueillit excitée comme une puce, et l'embrassa avant même qu'il n'ait pu poser les sacs. Sa joie de le voir était irrésistible. Il se blottit dans ses bras. Elle sentait bon. Ses cheveux roux étaient doux, et ses lèvres l'étaient encore plus. Il la serra fort et ne voulait plus qu'une chose : plonger en elle et se noyer dans son rire si réconfortant. Ils restèrent longtemps ainsi dans le couloir. Elle se dégagea la première de leur étreinte, tout en laissant sa main sur sa nuque. Puis elle considéra les sacs débordant de victuailles.

– Mais qu'est-ce que tu as acheté au juste ?

– Une montagne de choses. Je n'ai pas suivi la liste.

Elle éclata d'un rire enfantin.

– Tu es fou ! Elle l'embrassa sur la bouche. Tu m'as manqué aujourd'hui.

– Toi aussi, tu m'as manqué.

Et ce n'était même pas un mensonge, il en était le premier étonné. Ce n'était pas vraiment elle qui lui manquait. Non, ce n'était pas ça. Mais plutôt la direction dans laquelle elle l'entraînait. Elle porta une partie des sacs à la cuisine tandis qu'il restait debout à la regarder. Il avait le sentiment d'avoir soudain pris une voie parallèle et de ne pas avoir envie de retourner sur la voie principale. Jamais.

Elle revint et lui adressa un grand sourire.

– Tu as acheté de bonnes choses, dis-moi !

– Merci.

– On va au lit tout de suite, ou on boit une coupe de champagne d'abord ?

– Je ne bois pas.

– Même pas du champagne ?

– Non.

– Quel rabat-joie, souffla-t-elle avec un sourire aguicheur. Il ne nous reste donc plus qu'une seule alternative.

Elle rejeta ses cheveux en arrière et le fixa avec ce regard auquel il ne pouvait pas résister. Sur le point de céder à la tentation, il eut une réaction qui le surprit lui-même.

– On ne devrait pas plutôt d'abord préparer le repas ? Le voisin va bientôt arriver.

Elle feignit la déception.

– Rabat-joie.

Puis elle tourna les talons et gagna la cuisine. Il la suivit pour l'aider à ranger les courses.

Il était pour le moins étonné de ses nouvelles priorités. Préférer son voisin au sexe, c'était un sacré changement.

Elle dicta le menu. Ses talents culinaires étant plus que limités, Sebastian se contenta de laver les légumes et de les émincer. Ellinor ne cessait de piailler en badigeonnant la viande d'huile. Elle avait des projets pour son appartement et pour la fin de l'été, elle se faisait du souci pour ses fleurs et songeait à les ramener chez lui. Sebastian, silencieux, lui prêtait une oreille distraite, bercé par la mélodie de sa voix. Elle était un peu comme son verre de champagne. Pétillante et exquise, particulièrement quand on y plongeait ses lèvres.

– Tu es d'accord pour que j'allume la radio ? demanda-t-elle soudain.

Il ne savait même pas qu'il possédait un poste de radio. Où était-il au juste ?

– Bien sûr.

– J'adore cuisiner en musique. Et encore plus à deux.

Elle alluma la petite radio qui se trouvait sur l'étagère à épices. Un slow langoureux résonna dans la cuisine. Il eut du mal à réprimer un éclat de rire. Elle n'était même pas un vrai verre de champagne, mais un verre de champagne rosé. Ce vin qu'il avait toujours évité. Qu'il avait toujours méprisé.

– C'est Harmonie, la radio des amoureux, s'exclama-t-elle. J'adore Harmonie !

– Moi aussi, bien qu'il eût appris à peine une seconde auparavant qu'une radio portait un nom aussi gnangnan.

Ellinor s'éclipsa un instant dans la chambre d'amis. Il posa le saladier rempli de laitue et se demanda s'il avait de quoi faire une vinaigrette. En tout cas, il n'avait rien acheté pour en faire. Il avait voulu acheter un vinaigre balsamique de qualité, mais avait oublié de le faire après être passé chez le fromager.

Ellinor réapparut.

– Ah, au fait, j'ai fait un peu de ménage, et j'ai trouvé ça. On dirait des papiers importants. Où est-ce que je dois les mettre ?

C'était le sac que lui avait confié Trolle.

Il semblait si léger dans la main d'Ellinor. Quand il le soulevait, il lui paraissait plus lourd. Beaucoup plus lourd.

Tout à coup, il vit Trolle devant lui. Son rire rassurant avant de disparaître pour la dernière fois au coin de la rue. Il se revit lui-même, le sac en plastique à la main, à quelques mètres de la rue Storskärsgatan. C'était il y a quelques jours, mais cela lui paraissait une éternité. En l'espace de quelques secondes, il semblait revenu sur la voie principale.

Ces deux mondes étaient si proches l'un de l'autre. Tout ce qui les séparait était un sac en plastique chargé de culpabilité. Il avala sa salive et baissa les yeux sur son saladier. Il voulait revenir au champagne rosé. Tout de suite.

– Ah, c'est seulement des ordures. Tu peux tout jeter, dit-il d'un ton aussi détaché que possible.

– Tu es sûr ? Je ne voudrais pas jeter quelque chose d'important.

– Certain, dit-il avec un sourire censé souligner à quel point le contenu de ce sac était insignifiant.

Elle hocha la tête et disparut à nouveau. En sortant, elle sifflota une chanson qui passait à la radio. Il coupa quelques tomates en quartiers. Si cela ne tenait qu'à lui, cette chanson à la radio et cette femme qui chantonnait dans la pièce voisine ne disparaîtraient jamais et lui donneraient pour l'éternité l'illusion d'avoir une vie. Mais c'était impossible.

Ça ne marchait pas comme ça.

La chanson était terminée, et fit place à un spot publicitaire pour un opérateur mobile.

Puis ce fut le tour des infos, qui finirent d'anéantir son monde merveilleux.

Il se retrouva catapulté sur la voie principale.

D'abord, il n'avait pas compris ce que la journaliste avait dit. Quelque chose au sujet d'une ambulance qui avait disparu. Puis vint le mot qui lui fit lâcher son couteau. Lövhaga. Le transfert d'un détenu à l'hôpital, mais la police n'en savait pas plus pour l'instant. Il n'attendit même pas l'information suivante pour saisir son portable et se précipiter dans le couloir. Les mains tremblantes, il chercha le numéro de Lövhaga et le trouva parmi les derniers appels émis, juste après celui de Trolle. Il avait appelé dans la matinée, quand il avait tenté d'y rejoindre Vanja.

Ellinor apparut alors dans le couloir, à la fois curieuse et angoissée.

– Il est arrivé quelque chose ?

– La ferme !

Elle lui jeta un regard outré, mais il s'en fichait. Ses banalités ne l'intéressaient plus. À l'autre bout du fil, il reconnut la voix de la secrétaire de Haraldsson. Elle paraissait fatiguée, mais il avait autre chose à faire que de la ménager. Sans détour, il lui demanda de lui passer Thomas Haraldsson. C'était important. Il s'agissait de l'ambulance disparue. Et des conséquences que cela aurait, si elle ne lui transférait pas l'appel immédiatement.

Ellinor, vexée, avait regagné la cuisine. Cette fois, sa déception n'était pas feinte. Mais elle avait la tête un peu trop baissée, d'une manière qui l'aurait presque poussé à regretter ses paroles.

Haraldsson répondit au bout de la troisième sonnerie. Il paraissait épuisé, vidé, empêtré dans ses phrases toutes faites qu'il venait de débiter un peu trop souvent.

– Thomas Haraldsson, directeur du centre pénitentiaire, que puis-je faire pour vous ?

– Ici, Sebastian Bergman, brigade criminelle nationale. Qui se trouvait dans l'ambulance ?

– Nous avons décidé de ne pas divulguer cette information, récita-t-il. Ceci pour protéger…

Sebastian lui coupa la parole.

– Je vais vous le demander une dernière fois. Si vous ne me répondez pas, je vous promets de faire de votre vie un enfer. Vous savez que je connais le chef de la Crim'. Voulez-vous savoir qui d'autre je connais ?

Haraldsson resta coi. Sebastian lui posa la question dont il connaissait au fond déjà la réponse.

– C'était Hinde, n'est-ce pas ?

– Oui.

– Et quand aviez-vous l'intention de nous en parler ?

Il n'attendit même pas la réaction de Haraldsson pour raccrocher. Maintenant, il ne savait toujours pas où l'ambulance et Hinde étaient passés. Mais l'incident devait avoir eu lieu il y a un moment déjà, sans quoi l'information ne serait pas parvenue jusqu'aux stations de radio. Et pour Sebastian, c'était d'autant plus mauvais signe que les informations mettaient sans doute plus de temps à arriver aux stations pour amoureux. Hinde avait une bonne longueur d'avance.

Et Sebastian était conscient d'une chose : Hinde saurait utiliser cet avantage.

Sebastian devait joindre Vanja. Tout de suite.

Elle adorait courir. Quelle que fût la saison. Comme beaucoup de ses amis, elle avait essayé un nombre incalculable de sports. Du vélo d'appartement au yoga. Mais c'était le jogging qui lui apportait le plus d'énergie. Le plus d'espace pour réfléchir. C'était comme si le rythme de ses pas et de ses respirations ordonnait son cerveau et le remplissait de nouvelles idées. Elle n'aimait pas particulièrement s'entraîner en groupe. Elle préférait se fixer ses propres défis et ce soir-là, elle avait l'intention de courir loin. Le parcours qu'elle choisissait quand elle avait beaucoup de temps. Peut-être même qu'elle pourrait faire la boucle deux fois.

Le premier interrogatoire de Ralph Svensson aurait lieu le lendemain. Torkel voulait qu'elle fût présente à ses côtés pour l'interroger. Il ne leur manquait plus que les résultats préliminaires des analyses ADN. Torkel aimait avoir un maximum de cartes en main.

Vanja traversa la rue Lidingövägen et descendit la rue Storängsbotten. Elle voulait rejoindre la forêt Lill-Jans et son parcours de santé éclairé. Pour Vanja, rien n'était plus agréable que de courir en forêt. Le calme et l'odeur de la nature brute rendaient l'expérience particulièrement intense. De plus, le sol meuble permettait de ménager ses articulations. Elle venait d'accélérer la cadence quand elle sentit son portable vibrer. Elle ne l'emmenait pas toujours avec elle quand elle partait courir. La plupart du temps, elle préférait avoir la paix. Mais après tout ce qui s'était passé, elle préférait rester joignable. D'abord, elle envisagea d'ignorer l'appel, déjà trop bien lancée, la respiration calée sur le rythme de ses pas. Mais ce pouvait être Billy. Peut-être qu'il avait changé d'avis et voulait tout de même jogger avec elle. Cela aurait été une conclusion parfaite à cette journée si intense. Elle s'arrêta et sortit son téléphone. Vit le nom sur l'écran. Un numéro de téléphone qu'elle voulait effacer depuis longtemps.

Sebastian Bergman.

Elle remit le téléphone dans sa poche.

Il pouvait l'appeler autant qu'il voulait.

Elle ne décrocherait jamais.

Sebastian tenta de joindre Vanja trois fois de suite. Les deux premières fois, elle ne répondit pas, et la troisième fois, elle bloqua l'appel.

Ellinor revint de la cuisine avec son verre de champagne. Elle lui jeta un regard énamouré, voulait se réconcilier.

– On continue ?

Sans un mot, il se dirigea vers la porte et quitta l'appartement sans même se retourner. Il lui claqua la porte au nez, si fort que le bruit résonna dans toute la cage d'escalier. À présent, il était à nouveau seul dans le monde réel. Celui où se trouvait également Hinde – en liberté.

En dévalant les escaliers, il appela Torkel. Pour une fois, ce dernier décrocha dès la première sonnerie, mais son ton n'était pas particulièrement aimable.

– Qu'est-ce que tu veux encore ?

Sebastian s'immobilisa dans l'escalier.

– Écoute-moi, Torkel. Hinde s'est évadé.

– Qu'est-ce que tu racontes ?

– Tu dois me faire confiance. Je crois qu'il va s'en prendre à Vanja.

– Pourquoi voudrait-il faire ça ? Et qu'est-ce qui te fait croire qu'il s'est évadé ?

Sebastian sentit la frustration l'envahir à vitesse grand V. La panique s'était accumulée dans sa nuque et était sur le point d'exploser, mais il parvint à la tenir en échec. Il devait paraître professionnel. Et pas paniqué, auquel cas Torkel ne le croirait jamais. Et il devait le croire. Chaque minute comptait.

– Je ne crois pas qu'il se soit évadé. Je le sais. J'ai appelé Lövhaga. Tu as une télé près de toi ?

– Oui.

– Regarde le vidéotexte. Tu le verras sûrement. Une ambulance transportant un détenu de Lövhaga a disparu. C'était Hinde qu'elle transportait.

Torkel était troublé par le ton de Sebastian. Il était si cinglant que Torkel avait du mal à répliquer. Il alluma la télévision sur SVT1. Le vidéotexte. L'information était tout en haut.

– Il n'est pas écrit qu'il s'agit de Hinde.

– Appelle ce putain d'idiot de Haraldsson, si tu ne me crois pas.

Sebastian continua de descendre les marches. Il avait besoin d'aller quelque part, d'agir.

– D'accord, je te crois. Mais pourquoi devrait-il en vouloir à Vanja ? Je ne comprends pas. Les autres meurtres étaient directement dirigés contre toi. Pourquoi voudrait-il maintenant s'en prendre à elle ?

Sebastian prit une profonde inspiration. Il arrivait à la limite qu'il ne devait en aucun cas franchir encore une fois, même s'il lui paraissait complètement impossible de garder tout cela pour lui.

Tous ces secrets.

Que Hinde connaissait probablement aussi.

La vérité.

– Tu dois me croire, furent les seuls mots que Sebastian parvint à articuler. Je t'en supplie, Torkel, crois-moi. Appelle-la. Elle ne décroche pas quand elle voit mon numéro.

– Tu as couché avec elle ? demanda Torkel avec méfiance.

– Arrête ! Bien sûr que non ! Mais j'ai vu comment il s'est comporté avec elle. Elle a réveillé quelque chose en lui. Il a vu qu'on était collègues. Ça lui suffit.

Torkel hocha la tête. Cela ne paraissait pas complètement absurde. Et de plus, elle s'était retrouvée seule avec lui, et était restée plutôt vague sur les détails de leur conversation et la façon dont il lui avait donné le nom de Ralph. Elle avait répondu de manière évasive.

– Je l'appelle tout de suite. On se voit au commissariat, dit-il.

Le silence se fit au bout du fil. Torkel avait déjà raccroché. Sebastian sortit de l'immeuble et se mit en quête d'un taxi.

Vanja entama la plus longue montée du parcours. Raccourcit ses foulées tout en conservant le même rythme de course et de respiration. Inspira profondément par le ventre. Arrivée au bout, elle se concentra encore plus sur sa respiration. Elle jeta un œil à sa montre cardio. Quatre-vingt-huit pour cent de la fréquence cardiaque maximum. Son téléphone se remit à sonner. Quand allait-il enfin laisser tomber ? Cette fois, elle ne prit même plus la peine de sortir son téléphone, mais elle continua de courir. Quand la sonnerie s'interrompit enfin, elle se réjouit qu'il eût enfin compris.

Elle allongea sa foulée tout en maintenant le rythme de sa respiration. Ses jambes donnaient tout, et elle s'obligea à aller chercher ses limites. Quatre-vingt-dix pour cent. Il était encore trop tôt pour sprinter, il lui restait quatre kilomètres à parcourir.

Le chemin éclairé croisait à présent une voie forestière. Dans le virage, elle jeta un regard de côté et vit une voiture garée juste à côté d'un tas de bois. Une Toyota gris métallisé dont le clignotant droit était allumé. Au bout de quelques mètres, elle comprit ce qu'elle avait vu, ralentit puis s'arrêta. Elle se baissa, prit appui sur ses genoux avec ses mains et se redressa immédiatement. Elle était trop nerveuse pour prendre son temps. Elle mit les mains sur ses hanches et retourna vers le chemin forestier. La voiture était là, moteur éteint. En tout cas, elle n'entendait rien. Et personne ne se trouvait alentour.

WTF 766.

C'était elle. La voiture qui avait été volée à Brunna. Elle s'en souvenait, car elle avait entendu Billy demander à un collègue s'il était vraiment possible d'immatriculer des voitures WTF en Suède. Une discussion qu'il aurait sûrement eue avec elle si tout avait été comme d'habitude. Le collègue en question savait qu'il y avait des plaques LOL, alors pourquoi pas des plaques WTF ? La préfecture n'était certainement pas au fait de toutes les subtilités du jargon du Net.

Vanja tourna dans le chemin forestier et s'approcha de la voiture. Elle s'essuya le front avec son bracelet en éponge, et son menton avec son tee-shirt. Elle fut immédiatement entourée de nuées de moustiques attirés par la sueur et la chaleur de son corps.

La voiture était vide. Quelque chose de sombre avait coulé du siège passager. Sûrement du sang. Avec précaution, elle entreprit d'ouvrir la portière de la voiture bien qu'elle ne portât pas de gants. Fermée à clé. Elle fit un pas vers la droite pour jeter un œil à la banquette arrière. Rien. Elle s'apprêtait à prendre son téléphone et à signaler sa découverte quand elle sentit l'odeur. Une odeur bien reconnaissable.

Vanja longea la voiture et s'arrêta devant le coffre. En fait, elle n'avait même pas besoin de l'ouvrir. Elle savait déjà ce qu'elle y trouverait.

Cette odeur douceâtre. Légèrement métallique.

Une odeur de décomposition.

Elle posa la main sur la poignée du coffre en espérant qu'il serait également fermé à clé. Il ne l'était pas. Le coffre s'ouvrit en un clic. Vanja se détourna sur-le-champ en mettant la main sur sa bouche. Quand elle eut maîtrisé sa nausée, elle se retourna à nouveau en respirant par la bouche.

C'était un homme d'un certain âge. Gonflé. Bleu-vert. Des gouttes brunâtres dégoulinaient de ses plaies béantes, tandis que du liquide sortait de ses narines et de sa bouche. Il était dans un état de décomposition avancé, presque en bouillie. Vanja referma le coffre, recula de quelques pas et sortit son téléphone portable.

À présent, elle vit que ce n'était pas Sebastian qui l'avait appelée en dernier, mais Torkel.

Elle entendit un craquement derrière son dos. Elle se retourna en un éclair. Sur le qui-vive. À six ou sept mètres devant elle se tenait un homme immense. Le nez cassé, une queue-de-cheval, une cicatrice rouge qui partait de son œil droit et lui traversait la joue. Roland Johansson. Il avait dû se cacher derrière le tas de bois et s'approcher de la voiture sans faire de bruit. Impressionnant, vu sa taille.

Vanja recula lentement. Roland avança dans sa direction. Tout en gardant ses distances. Après quelques pas, elle se cogna contre la voiture. Elle jeta un coup d'œil par-dessus son épaule, puis vers Roland Johansson. L'adrénaline pulsait dans ses veines, et son cœur faisait des bonds dans sa poitrine.

Devant elle se tenait Roland Johansson. Grand et fort.

Elle ne parviendrait jamais à le maîtriser dans une lutte au corps à corps. Mais elle pouvait s'enfuir en courant. Il continuait de s'approcher d'elle.

Roland fit un pas en avant. Vanja, un pas en arrière. Garda son sang-froid. Elle tâta d'abord le sol avec ses pieds avant de faire un pas. Elle ne devait pas trébucher à présent, sinon ce serait fini. Elle se prépara à se retourner et à sprinter pour prendre la fuite. Avec une avance de sept mètres, il ne parviendrait pas à la rattraper. Elle s'en tirerait.

Alors qu'elle allait se mettre à courir, Roland s'immobilisa. Maintenant ! Vanja prit son élan et se retourna. Elle était en l'air… et sentit l'instant suivant dans la poitrine une douleur perçante qui se diffusa dans tout son corps. Sa jambe droite, qui devait suivre, tremblait inexorablement et ne parvint pas à tenir en équilibre sur le sol. Son genou céda. Au loin, elle entendit un cri, et quand son corps s'abattit sur le sol, elle comprit que c'était elle qui avait crié. La chute avait assurément fait mal, mais la douleur n'était rien comparée à celle qui secouait toujours tout son corps. De petits cailloux s'incrustèrent dans son visage. À travers son rideau de larmes, elle put voir une silhouette s'approcher. Elle cligna des yeux, ne sachant même pas si elle le faisait de son plein gré. Son corps ne lui obéissait plus.

Pendant quelques secondes, elle vit clairement. Mais cela ne pouvait pas être vrai.

C'était impensable. Impossible.

Edward Hinde se tenait devant elle.

Avec un pistolet à choc électrique.

Sebastian ouvrit la porte vitrée avec fracas, et fit irruption dans le commissariat. Néanmoins, sans son badge, il ne put aller plus loin que la réception. Malgré ses protestations, la fonctionnaire chargée de l'accueil refusait de le laisser entrer. Et Torkel n'était pas encore là. Il avait rappelé Sebastian quelques minutes après leur premier contact téléphonique pour l'informer que Vanja n'avait pas non plus répondu à ses appels. Cette fois, sa voix paraissait autrement plus inquiète. Il allait appeler Billy pour lui demander s'il savait où était Vanja.

C'était il y a dix minutes, et il était en route pour le commissariat.

Sebastian se précipita à l'extérieur. Tant qu'il était en mouvement, la situation lui paraissait moins angoissante. Il prit son téléphone portable et arpenta la rue Hantverksgatan en attendant le prochain appel de Torkel. Il vit alors sa voiture arriver à quelques centaines de mètres et se rua vers elle. Les passants se retournèrent sur lui, mais cela lui était égal. Torkel freina, longea le trottoir et s'arrêta à la hauteur de Sebastian.

Torkel sortit la tête de la fenêtre.

– Billy pense qu'elle est partie courir, c'est ce qu'elle lui a dit.

– Elle court toujours derrière l'université technique.

– Tu es sûr ?

– Oui. Enfin, je crois. C'est ce qu'elle m'a dit une fois.

Bien sûr, il savait exactement où elle s'entraînait. Là aussi, il l'avait suivie plusieurs fois. Pas sur tout le parcours. Mais au départ et à l'arrivée. Elle avait sûrement décidé de faire la grande boucle. Elle le faisait toujours quand elle avait du temps. Ralph l'avait sûrement suivie de la même façon que lui. L'ombre derrière l'ombre. Hinde pouvait donc également être au courant.

Sebastian était resté immobile trop longtemps, la panique refaisait surface.

– Il faut la trouver ! hurla-t-il en ouvrant la portière côté passager.

Torkel tenta de le rassurer.

– Billy est en route. Il est déjà allé courir avec elle. Il connaît sûrement son parcours.

Sebastian soupira. Il n'avait aucune envie d'attendre. Mais le fait que Billy connaisse le parcours lui facilitait les choses.

– Où est-il ?

– Il va arriver d'une minute à l'autre.

– Envoie déjà des renforts !

Torkel opina de la tête et prit son téléphone. Sebastian voulait s'en aller immédiatement. Il tremblait de nervosité, mais tenta de le dissimuler. Pendant que Torkel envoyait une voiture dans la forêt Lill-Jans, il désigna une silhouette qui s'approchait à vélo. C'était Billy. Il avait l'air de prendre la situation aussi sérieusement que Torkel et Sebastian. Il pouvait le voir s'échiner pour arriver au plus vite. Billy haletait.

– On va partir tout de suite. Billy, tu conduis ! lança Torkel.

Billy cadenassa son vélo à un poteau. Puis ils coururent vers la voiture et s'apprêtaient à monter à bord quand un téléphone sonna. Sebastian constata à la vibration que c'était le sien. Il le sortit, les mains tremblantes, et s'adressa aux autres.

– Attendez !

Il regarda l'écran. C'était le numéro qu'il avait tant attendu. Il poussa un soupir de soulagement.

– C'est Vanja.

Sebastian décrocha immédiatement.

– Où es-tu ?

Mais la voix à l'autre bout du fil n'était pas celle de Vanja.

– Bonjour, Sebastian.

C'était Edward Hinde.

Torkel et Billy virent Sebastian blêmir. Sursauter. Se figer.

– Que voulez-vous ? balbutia-t-il.

À cet instant, ils comprirent tous deux à qui Sebastian était en train de parler. Personne d'autre n'aurait pu provoquer une telle réaction chez lui.

Le ton de Hinde avait l'assurance d'un homme sûr de son triomphe.

– Vous êtes le mieux placé pour le savoir. Quand aviez-vous l'intention de le lui révéler ?

Sebastian se détourna.

Il ne voulait pas qu'ils vissent l'expression de son visage au moment où sa vie volait en éclats.

– Vous ne vous ressemblez pas trop à première vue, poursuivit Hinde. Mais maintenant que j'en ai l'opportunité, je vais pouvoir l'examiner plus en détail.

– Si vous la touchez, je vous tue !

– C'est vraiment tout ce que vous trouvez à dire ? Vous n'êtes vraiment plus le même, Sebastian. Autrefois, j'étais toujours impatient d'entendre vos formules. Mais vous n'êtes plus aussi brillant, je l'ai compris maintenant.

À travers le téléphone, Sebastian pouvait littéralement sentir à quel point Hinde se délectait de leur conversation. Il s'y était préparé depuis tant d'années.

– Taisez-vous. J'en ai marre de votre petit jeu. Si vous touchez à un cheveu de Vanja…

– Vous ne trouvez pas plutôt poétique que vous m'ayez arrêté après les quatre premiers meurtres et qu'à mon tour, j'aie arrêté Ralph après quatre meurtres ? On se ressemble de plus en plus, vous et moi.

– Je ne tue pas de femmes, moi.

– Non, c'est vrai, vous ne faites que les baiser. Mais vos femmes sont tout aussi interchangeables que les miennes. Elles ne sont que des… choses. Vous n'avez seulement pas osé aller au bout de la logique. Mais ça vous plairait sûrement…

Sebastian se sentait défaillir. La pensée que Vanja pût être livrée aux mains de cet homme à l'autre bout du fil était effroyable.

– Espèce de taré !

Mais cela n'atteignit aucunement Hinde. Sebastian pouvait le traiter de tous les noms d'oiseaux, cela n'avait aucun effet sur lui. Ce n'étaient que des mots. Hinde avait désormais toutes les cartes en main.

– En parlant d'aller au bout du raisonnement… comment allez-vous surmonter la perte d'une autre fille ?

Sebastian avait du mal à garder le téléphone dans sa main. Il luttait pour ne pas lâcher l'appareil et ne pas s'écrouler en même temps à son tour. Deux filles, mortes toutes les deux. Quelle raison aurait-il de continuer à vivre ?

– Mais peut-être que vous arriverez à me trouver ? Comme au bon vieux temps.

Puis la voix de Hinde disparut, et la communication fut coupée. Sebastian abaissa son téléphone et fixa Billy et Torkel qui étaient tout aussi blêmes que lui.

– Elle est entre les mains de Hinde. Il veut que je le trouve.

C'était donc vraiment la seule chose qui l'intéressait. Il ne voulait plus se venger de Sebastian en tuant d'autres gens. Il voulait une véritable vengeance.

Hinde voulait la peau de Sebastian.

À cet instant, c'était une chose que Sebastian était prêt à accepter. Si seulement il parvenait à trouver Hinde.

– Je dois rencontrer Ralph, lança-t-il à Torkel.

Torkel sortit le badge de Sebastian de sa poche et le lui tendit.

– Alors, viens avec moi.

Il se souvenait des papillons citrons qui, durant son enfance, se posaient sur la pelouse derrière la maison et qui s'y sentaient si bien. Quand il était petit, il avait même réussi à en attraper quelques-uns. Puis il les avait enfermés sous des verres Duralex et avait observé leurs tentatives désespérées de s'échapper. Parfois, il les laissait mourir sous le verre, parfois il leur arrachait les ailes et les regardait tourner en rond jusqu'à ce qu'ils finissent par reposer immobiles sur le dos. Peu importait la méthode choisie. Ce qu'il voulait voir, c'était la lutte. Il voulait les voir se battre pour une vie dont l'issue était connue d'avance. C'était ce qu'il préférait. Assister au moment où les victimes arrêtaient de lutter et acceptaient leur destin. Rares étaient ceux qui avaient le privilège de voir ça.

Il se dirigea vers la maison. Il se réjouissait, car il n'y avait pas été depuis bien longtemps. Les vitres brisées et la façade en bois délabrée allaient parfaitement avec la scène qu'il imaginait depuis si longtemps.

Le scénario qu'il avait élaboré.

Rêvé.

Maintenant, il allait enfin devenir réalité. Après ça, il aurait du mal à trouver un nouveau fantasme. Car c'était vraiment sa fille. Il n'y avait plus aucun doute. Sa réaction au téléphone l'avait confirmé.

Roland l'avait sortie de la voiture et la transportait désormais dans la maison. Elle était forte et ne cessait de se débattre, même avec les pieds et les mains liés et un sac sur la tête. Arrivée devant la porte, elle s'était tendue comme un arc. Edward vit que Roland était sur le point de lui fracasser la tête contre l'encadrement de la porte pour qu'elle se calmât enfin. Edward parvint à l'en empêcher au dernier moment. Il préféra utiliser le pistolet à choc électrique qu'il colla contre sa nuque. Tout son corps fut pris de spasmes violents, avant de s'effondrer dans les bras de Roland. Il ne voulait pas qu'elle s'abîmât durant le transport. Elle devait rester aussi pure et intacte que possible.

Ensemble, ils tirèrent le vieux lit en fer dans la grande chambre à coucher. Il avait été si content quand Roland lui avait dit qu'il s'y trouvait encore. Les papiers peints étaient en lambeaux, mais il pouvait encore distinguer quelques fleurs de lys, ici et là. Il régnait une odeur de moisi et de renfermé, mais peu importait. Rien qu'une bougie parfumée ne pût couvrir. Ils jetèrent le fin matelas que Roland avait apporté sur le lit, et attachèrent Vanja au lit avec des serre-câbles. Vérifièrent que ses liens étaient bien solides. Après toute l'énergie qu'elle avait mise à se débattre, elle était en nage. Edward passa une main qui se voulait rassurante sur sa peau chaude. Puis ils sortirent pour chercher le reste des affaires dans la voiture.

Roland avait garé la Toyota directement devant le grillage. C'était une soirée tiède, et ils traversèrent en silence l'herbe jaunie par le soleil. Edward se sentait toujours en sécurité avec Roland le géant. Il lui avait manqué. Maintenant, tout semblait rentrer dans l'ordre. Arrivés près de la voiture, Roland sortit le grand carton posé sur la banquette arrière. Il n'avait pas l'air léger. Edward jeta un regard à son ami.

– Tu as tout emmené ? demanda-t-il.

– Oui, mais vérifie encore une fois.

Hinde secoua la tête.

– Je te fais confiance, Roland.

Il prit le carton et le posa à côté de lui. Puis il se tourna vers Roland qui sortait sa veste de la voiture et s'apprêtait à regagner la maison.

– Nos chemins se séparent ici. Je vais m'occuper du reste. Débarrasse-toi de la voiture. Tu peux laisser le cadavre dedans.

Roland hocha la tête. Il tendit la main à Hinde, et serra fermement la sienne.

– Sois prudent.
– Ne t'inquiète pas.
En guise d'adieu, Hinde donna une brève accolade à Roland. Comme le faisaient les vrais amis. Roland sauta dans la voiture grise, enclencha la première et démarra. Hinde resta planté là, et regarda le véhicule s'éloigner. Celui-ci s'engagea dans la forêt qui se trouvait juste derrière la maison. Le crépuscule projetait des ombres longilignes. Au bout de quelques instants, le bruit du moteur se tut, et la voiture disparut derrière le rideau de verdure.
À présent, il n'y avait plus que lui et Vanja.
Et avec un peu de chance, Sebastian les rejoindrait bientôt.
Il souleva le lourd carton et regagna la demeure en ruine. Il avait encore du pain sur la planche.

La pièce était petite. L'air était moite et chargé de poussière et de transpiration. Le système de ventilation était déjà vieux, et la température avoisinait les 30 degrés. En pensée, Sebastian remercia l'architecte de l'absence de fenêtres. Si en plus le soleil avait tapé sur la façade, cela aurait été franchement insupportable. Torkel et Sebastian étaient assis en face de Ralph Svensson, en tenue de prisonnier. Les épaules affaissées. Son regard oscillait entre les deux hommes, et finit par s'arrêter sur Torkel.

– Je ne parlerai qu'avec lui, dit-il en désignant Sebastian du menton.

– Ce n'est pas à toi de décider à qui tu parleras.

– D'accord.

Ralph se mura dans le silence. Croisa les mains sur son ventre. Baissa la tête. Torkel soupira. Il n'avait pas l'intention de faire passer son autorité avant d'éventuels résultats. Ralph avait un lien avec Hinde, qui lui-même avait pris sa collègue et amie en otage. Il n'avait pas le temps de débattre de quoi que ce fût. Il fallait lui soutirer quelque chose au plus vite. Torkel recula sa chaise et se leva. Il posa la main sur l'épaule de Sebastian, puis sortit de la salle sans un mot.

À peine la porte s'était-elle refermée que Ralph releva la tête et dévisagea Sebastian. Il se redressa, s'étira, posa les avant-bras sur la table et se pencha. Sebastian resta assis sans un mot et attendit. Ralph lui jeta un regard scrutateur. Il avait sûrement appris ça auprès de Hinde. Toutefois, Sebastian doutait que Ralph eût l'ombre de ce qui se cachait derrière ce regard. Il aimait bien ce petit jeu de lâche silencieux. Il lui permettait de gagner du temps pour préparer sa stratégie et laisser de côté ses émotions. Cela n'aiderait en rien Vanja s'il se montrait sensible ou excité. Il fallait faire revenir l'ancien Sebastian Bergman.

Celui qui était froid, flexible et analytique.

– Sebastian Bergman, quel honneur de pouvoir enfin vous rencontrer.

Ralph fut le premier à briser le silence. Avec des mots qui exprimaient une certaine fascination pour son interlocuteur. Il était honoré de cette rencontre. Sebastian était donc en position de force. Ralph ne jouait définitivement pas dans la même ligue que Hinde.

– Comment allez-vous ? demanda Sebastian d'un ton neutre sans rebondir sur les paroles de Ralph, ni même sourire.

– Comment ça ? Qu'est-ce que vous voulez dire ?

Sebastian haussa les épaules.

– La question est pourtant simple. Comment allez-vous ?

– Pourquoi voulez-vous le savoir ?

En fait, Sebastian n'avait aucune envie de le savoir, mais sa longue expérience lui avait appris que c'était une merveilleuse première question. Derrière son apparente simplicité, elle permettait d'en apprendre plus que l'on croyait sur son interlocuteur. Dans ce cas précis, la réticence de Ralph montrait qu'il n'était pas habitué à ce qu'on l'interrogeât sur ses sentiments. Ce genre de question le mettait mal à l'aise. Peut-être parce que ceux qui lui avaient demandé cela auparavant ne s'étaient jamais intéressés à la réponse. Il était donc inutile de répondre. Cela pouvait également signifier que Ralph avait fait de mauvaises expériences quand il avait exprimé ce qu'il ressentait. Que le fait de s'être ouvert à quelqu'un s'était retourné contre lui. Sebastian n'alla pas plus loin dans sa réflexion. Il tenta une autre tactique. Une petite provocation.

– Qu'est-ce que ça fait de n'avoir été qu'un pion dans le jeu de Hinde ?

– C'est bien. Mieux que d'être seulement Ralph.

Sebastian hocha la tête. Être seulement Ralph.

Il avait une mauvaise image de lui. Se sentait inférieur. Il ne serait jamais allé voir Hinde de son propre chef pour lui avouer ce qu'il avait fait. L'homme assis en face de lui n'aurait jamais eu cette idée tout seul. Sebastian avait même du mal à imaginer que cet homme eût pris une quelconque initiative dans sa vie. La déférence dont il faisait preuve à l'égard de Hinde le confirmait. Et les coupures de journaux qu'on avait retrouvées chez lui étaient sans équivoque.

Célébrité et reconnaissance.

Hinde lui avait donné les deux, ce qui rendait encore plus difficile pour Sebastian d'obtenir ce qu'il voulait. Difficile mais pas impossible. Il lui fallait seulement enfoncer un coin entre les deux hommes.

– Vous savez comment on vous a démasqué ?

– Oui.

– Vous savez donc qui vous a trahi ?

– Oui, on me l'a raconté.

– Ce doit être douloureux d'être abandonné comme ça par quelqu'un en qui on avait confiance.

– Si le maître avait un plan et que ça en faisait partie, alors…

Ralph leva les mains d'un air innocent.

Si on n'avait pas su qu'il avait tué quatre femmes, on lui aurait sûrement donné le bon Dieu sans confession.

– Je ne suis qu'un homme normal qui cherche à suivre les traces d'un grand homme, enchaîna-t-il.

Sebastian commença à faire les cent pas dans la pièce exiguë. Le temps filait. Il avait du mal à dissimuler sa nervosité. Mais il savait qu'il n'y avait aucun moyen de raccourcir le processus.

– Vous êtes sans doute plus que ça. C'est pour cette raison qu'Edward a décidé de vous faire atterrir ici.

– Vous voulez me flatter ?

– Vous n'en valez pas la peine ?

– Ce que je suis aujourd'hui, c'est au maître que je le dois. Et vous aussi.

– Ah bon ? Et pourquoi ?

– Vos livres, ce sont ses propres mots. C'est grâce à son œuvre que vous avez eu tant de succès. Et moi aussi. C'est un grand homme.

Sebastian l'écoutait attentivement. Les paroles de Ralph ressemblaient à une récitation. Un mantra. Comme si elles avaient un temps correspondu à la réalité et qu'un doute minuscule s'y était insinué. Ou bien Sebastian n'entendait-il que ce qu'il voulait entendre ?

– Vous voulez donc dire que nous ne sommes tous deux que de petits poissons. C'est plutôt dommage, si vous voulez mon avis.

– La différence entre vous et moi est que vous croyez pouvoir vous mesurer à lui. Je sais que j'en suis incapable. Ralph hocha la tête comme s'il venait de réaliser quelque chose d'important. C'est ce qu'il veut nous montrer. Notre place dans cet enfer qu'est la vie.

Sebastian ignora sa rhétorique de comptoir et alla droit au but. Que voulait-on quand on était tout en bas ? Monter plus haut.

– Mais vous avez changé de place, dit Sebastian en posant ses mains sur la table et en se penchant vers Ralph. Vous vous êtes amélioré. Vous pouvez faire mieux que vous mesurer à lui.

Célébrité et reconnaissance.

Ça avait l'air de fonctionner. Ralph inclina légèrement la tête. Il n'était pas seulement en train d'écouter, il paraissait réfléchir. Dans le meilleur des cas, il était même en train de changer d'avis.

– Ne trouvez-vous pas intéressant qu'Edward vous ait envoyé derrière les barreaux au moment précis où vous étiez sur le point de le dépasser ? poursuivit Sebastian.

– Je ne le vois pas comme ça…

Peut-être qu'il ne l'avait pas vu ainsi jusqu'à ce moment-là, mais cette idée commençait à germer dans son esprit. Sebastian le voyait nettement. Il continua sur sa lancée. Peut-être que ça aboutirait à quelque chose.

Célébrité et reconnaissance.

– Mais Edward le voit comme ça, insista-t-il. Il vous a fait enfermer pour une seule raison. Il avait peur que vous ne deveniez plus grand que lui.

Sebastian vit Ralph se redresser sur sa chaise. Il grandissait à chaque mot, à chaque prise de conscience.

– Je ne crois pas.

Oh que si, pensa Sebastian. *Tu le crois à présent. Tu es peut-être un psychopathe, mais tu as du mal à contrôler ton langage corporel.*

Il ne restait plus qu'à finir de le persuader. Ne pas lui laisser le temps de penser. Le coin était enfoncé. Il fallait maintenant briser la carapace de Ralph.

– Demandez-moi alors. De qui ai-je peur, de vous ou de Hinde ? À qui est-ce que je pense ? Réfléchissez.

Il le mitraillait de paroles sans vraiment réfléchir à la manière de les formuler. Au fond, c'était la vérité, et cela faisait du bien de l'énoncer ouvertement. Il avait eu une sacrée frousse. Il devait juste faire attention à ne pas laisser éclater sa colère. Et continuer de flatter l'ego de Ralph. Il se pencha encore, et chuchota presque.

– Vous avez été celui qui m'a blessé. Qui m'a empêché de dormir. Vous étiez un héros. Un héros bien vivant. Qui a fait l'objet de tant d'articles dans les journaux ? Qui faisait trembler toute la ville ? Qui attirait l'attention ?

– Et je l'attire encore.

– Mais plus pour très longtemps. Pendant que vous êtes assis là, Edward, lui, est dehors. Et il reprend les rênes.

Ralph était interloqué. Sebastian ignorait s'il était au courant des projets de Hinde. Désormais, il connaissait la réponse sans même avoir posé la question.

– Comment ça dehors ? Il s'est évadé ?

– Oui.

Sebastian observa Ralph en train de tenter de digérer cette information. Tenter d'y trouver un lien logique. En vain.

– Vous n'étiez pas au courant de ses projets ? Il ne vous a rien dit ?

Ralph ne répondit pas. Il n'en avait pas besoin. Sa déception était patente.

– Il ne voulait sûrement pas que vous l'appreniez, insista Sebastian pour que Ralph réalisât à quel point il avait été trahi. Il voulait sûrement vous priver de votre pouvoir, expliqua encore Sebastian. Qui a encore peur de vous à présent ?

Ralph leva les yeux vers lui, presque décontenancé. Sebastian sentit que son adversaire était sur le point de capituler.

– Mais vous pouvez garder le pouvoir si vous le voulez, continua Sebastian sur un ton qui se voulait bienveillant. Prenez le contrôle sur celui qui vous contrôlait. L'élève qui dépasse le maître ! Ce n'est pas ce dont vous rêviez ? Devenir comme Edward Hinde ?

– Je suis déjà meilleur qu'Edward.

Sebastian fut ravi de constater qu'il l'avait appelé « Edward ». Et plus « le maître ».

Ralph lui jeta un regard résolu.

– J'en ai liquidé cinq.

Sebastian frissonna. Cinq ? Une autre femme ? Une victime qu'ils n'auraient pas encore retrouvée ? Comment cela avait-il pu leur échapper ? Qui était-ce ?

– J'ai liquidé le gros type aussi, expliqua Ralph, qui avait vu l'incompréhension de Sebastian.

Trolle. Oui, Trolle était mort. Bien qu'il fût déjà au courant, cette confirmation toucha Sebastian comme un coup de massue. Il cligna des yeux. Il devait se concentrer sur son objectif. Se frayer un chemin vers le cerveau de Ralph. Il avait déjà franchi plusieurs lignes de défense. Percé l'armure de Ralph. Il ne devait pas dévier de sa cible. Trolle était mort. Ce n'était pas une découverte. Il fallait s'y habituer. Et mater Ralph.

– Ça ne compte pas.

– Pourquoi ?

– Parce que ce n'était pas prévu.

Sebastian sentit qu'il était sur des sables mouvants, mais il espérait que Ralph avait suffisamment bien compris.

– Ce n'est pas un exploit de tuer quelqu'un en pleine rue, reprit-il. N'importe qui pourrait faire ça.

– Dans la voiture, dit pensivement Ralph. Je l'ai poignardé dans la voiture. Mais je vois ce que vous voulez dire. Cela ne faisait pas partie du rituel.

– Et vous valez mieux que ça.

Ralph adressa un regard chaleureux à Sebastian. Edward avait dit qu'ils se ressemblaient, Sebastian et lui. Et c'était vrai. Tous deux l'avaient remarqué. Le voyaient tel qu'il était vraiment. Il valait quelque chose. Mais Edward l'avait laissé tomber. L'avait trahi.

Sebastian répondit par un sourire au regard admiratif de Ralph. Il avait eu chaud. C'était fait. Il avait pu pénétrer au plus profond de lui, et rencontrer l'enfant désespérément en quête de reconnaissance. Il fallait continuer sur cette voie.

– Et comment allez-vous maintenant ? Vous aviez beaucoup à faire.

– Bizarrement, je me sens assez fort. Ralph marqua une pause, comme pour s'en assurer. Puis il hocha la tête. Et digne.

– Et c'est ce que vous êtes. Vous êtes un adversaire digne de ce nom. Mais vous devez maintenant choisir qui vous voulez comme adversaire. C'est le seul moyen de sortir vainqueur.

– Vous voulez dire que je dois le provoquer en duel ?

– Vous êtes meilleur que lui.

Sebastian prit une profonde inspiration. Ils avaient presque atteint le point décisif. Il ne pouvait pas mieux préparer le terrain. Il était obligé d'en venir aux faits. Pour Vanja, chaque minute comptait.

– J'ai besoin de votre aide.

Ralph lui jeta un regard plein d'étonnement.

– Moi ? Vous aider ?

– C'est le seul moyen. Sans moi, vous ne pourrez jamais provoquer Hinde. Vous resterez une simple note de bas de page dans un livre d'histoire. Alors qu'Edward continuera son œuvre.

– Et qu'est-ce que je suis censé faire ?

Sebastian dut se retenir pour ne pas exploser de rire. Qu'est-ce qu'il était bon ! Cela faisait du bien d'être de retour.

– Répondre à une question.

– OK.

– Supposons que Hinde ne se rende pas chez la victime. Où emmènerait-il la femme qu'il a l'intention de tuer ?

– Vous savez qui est la prochaine ?

– Oui.

– Il l'a déjà fait ?

– Oui.

– Mais vous ne savez pas où ils sont ?

– Non.

Ralph sourit et secoua la tête. Il avait repris ses esprits. Peut-être un peu trop. Sebastian vit que bientôt, il n'allait plus voir un seul d'entre eux comme un ennemi, mais les deux. Il fallait accélérer les choses tout en paraissant soumis.

– Vous devriez lire votre livre, siffla Ralph.

– Lequel ?

– Le premier. Page 112.

Il sourit à nouveau. Gloussa même.

– J'ai raté quelque chose ? demanda Sebastian, déjà en train de se lever pour sortir de la salle.

– C'est le numéro des urgences. Le 112. Celui qu'on appelle quand on veut être sauvé. J'ai bien aimé le symbole.

Sebastian ne prit pas la peine de commenter. Il sortit de la pièce avec l'espoir de ne jamais avoir à y revenir.

– Qu'est-ce qu'il a dit ?

Torkel avait attendu devant la porte de la salle d'interrogatoire, et remontait le couloir aux côtés de Sebastian.

– Vous avez mes livres quelque part ?

– Quels livres ?

– Ceux que j'ai écrits. Vous les avez ici ?

– Je les ai en haut, dans mon bureau.

Sebastian pressa le pas, et monta les escaliers quatre à quatre. Il aurait sûrement été plus rapide en prenant l'ascenseur, mais il fallait qu'il bougeât. L'énergie l'irradiait comme une véritable force d'inertie. Torkel avait du mal à le suivre.

– Des nouvelles de Vanja ? demanda Sebastian par-dessus son épaule tout en gravissant les étages.

– Non. On a fouillé tout le sentier de jogging de la forêt Lill-Jans. Sans résultat. Torkel haletait, déjà à bout de souffle. Mais on a retrouvé l'ambulance. Deux blessés et deux morts. Il avait définitivement un complice.

– Roland Johansson.

– Peut-être. Sûrement.

Sebastian continua de monter sans ralentir la cadence.

– Pourquoi tu as besoin de tes livres ? Qu'est-ce qu'il a dit ?

Torkel avait du mal à reprendre son souffle entre deux phrases. Sebastian ne répondit pas, et continua de courir dans l'escalier, même s'il était maintenant lui aussi à bout de souffle.

– Sebastian, parle-moi !

La voix de Torkel était sur le point de se briser. Il se faisait un sang d'encre. C'était compréhensible. Il méritait une réponse.

– Il a dit que j'y trouverais où Hinde est allé.

– Dans tes livres ?

– Dans l'un d'entre eux, oui.

Sebastian s'épargna une autre réponse. S'il connaissait le passage par cœur, il ne serait pas en train de courir dans l'escalier. L'inquiétude au sujet de Vanja l'empêchait de penser clairement.

Arrivé dans le bureau de Torkel, Sebastian gagna directement la bibliothèque. Il reconnut immédiatement les tranches marron de ses livres et sortit le premier volume. *Il avait l'air si gentil*, indiquait le titre. Et le sous-titre : *Edward Hinde – Tueur en série*. La citation provenait d'un homme qui avait travaillé avec Hinde trois ans durant. Comme tous ceux que Sebastian avait pu interroger au cours de ses recherches, le collègue n'avait jamais rien remarqué de suspect chez Hinde. Ce n'était pas vraiment étonnant. Edward était un très bon manipulateur, qui maîtrisait l'art du camouflage. La plupart des gens ne voyaient en lui que ce qu'ils voulaient voir.

– Tu sais où chercher ? demanda Torkel avec impatience.

– Oui. Une seconde.

Pour un tueur en série comme Hinde qui ressent un besoin de structure, le choix du lieu du crime revêt une importance capitale. Il ne s'agit pas de la situation géographique en elle-même comme la distance avec son propre logement ou les différents moyens d'y accéder et de prendre la fuite. Toutes ces considérations passent après les aspects symboliques…

Il sauta quelques lignes.

En décidant de frapper directement au domicile des victimes, il ne s'agit pas d'une question de contrôle. Dans la plupart des cas, il s'y rendait pour la première fois le jour du meurtre. Il s'agit plutôt d'avoir un sentiment de sécurité. Cela peut paraître paradoxal, mais dans un lieu où les femmes se sentent en sécurité, il y a moins de risques qu'elles opposent de la résistance ou tentent de s'échapper…

Sebastian se tut et survola rapidement la page.

– Là !

Si, pour une raison ou pour une autre, il n'est pas possible de commettre le meurtre au domicile de la victime, il abandonnera vraisemblablement son objectif. Ou alors, il pourra le cas échéant décider de revenir dans un lieu qui a une importance particulière pour lui. Par exemple là où la série de meurtres a commencé, ou l'endroit où il a eu ses premières pulsions criminelles.

Sebastian referma le livre.

– Là où a commencé la série de meurtres, répéta Torkel. Où a eu lieu le premier meurtre ?

– Je ne me souviens plus de l'adresse exacte, mais c'était au sud de la ville. Västberga ou Midsommarkransen, quelque chose comme ça.

– Billy doit trouver cette info.

Torkel sortit du bureau pour aller chercher Billy. Sebastian le suivit.

– Il a dû ressentir ses premières pulsions chez lui, dit-il. Après la mort de sa mère. Là où se sont déroulées les agressions.

Ils échangèrent un regard rempli de tension et d'espoir.

– La maison où il a grandi est à Märsta.

La mère d'Edward, Sofie Hinde, avait vécu dans sa maison natale jusqu'à sa mort. Une ferme isolée à proximité de Rickeby, au nord de Märsta. C'était là qu'Edward avait grandi. Sebastian s'était rendu à la ferme à deux reprises lors de la rédaction de son premier livre à la fin des années 1990. À l'époque, la bâtisse était déjà abandonnée depuis belle lurette.

Torkel et Sebastian étaient en tête du convoi du groupe d'intervention, et roulaient à tombeau ouvert avec le gyrophare sur la E4 en direction du nord. Deux véhicules d'intervention les suivaient, transportant le reste de l'équipe. Torkel et le chef du groupe d'intervention discutaient en regardant une carte. La police de Märsta avait déjà bouclé tous les accès menant à la maison, mais Torkel avait décidé que ce serait le groupe d'intervention qui donnerait l'assaut, étant mieux équipé et mieux formé. La police de Märsta ne devait intervenir que s'il y avait besoin de renforts.

L'opération était délicate. La maison était certes isolée, mais comme elle était entourée de champs, il serait difficile de s'en approcher sans se faire remarquer. Le fait que l'otage fût un policier faisait en outre redoubler la nervosité et la pression. Bien sûr, ils étaient toujours tendus dans des moments comme celui-ci, mais si cela tournait mal, cette fois-ci, ce serait encore plus grave. La vie d'une collègue était en jeu.

Sebastian s'était tu pendant tout le trajet, mis à part quelques indications sur le chemin qu'il avait fait rejaillir de sa mémoire et qu'il avait transmises au chef du groupe d'intervention. Mais ce n'était malheureusement pas très précis. Il se souvenait qu'il s'agissait d'une grande bâtisse. Deux étages. En piteux état. Il se souvenait surtout du petit cagibi sous l'escalier où Edward se faisait enfermer quand il était petit. Il ne l'oublierait jamais. Un réduit froid et nu, éclairé par une seule ampoule au plafond. Des planches au sol qui sentaient la vieille urine. Plus il repensait à cet endroit sombre, plus il avait peur. L'idée que Vanja se trouvât dans la maison de Hinde lui était insupportable.

Quand ils furent arrivés à Upplands Väsby, ils reçurent un message de Billy. Il avait trouvé l'adresse de la maison dans les archives, et était en train de s'y rendre avec un groupe d'intervention. Elle était à Midsommarkransen. Il promit de les rappeler aussitôt qu'il en saurait plus.

– Tu crois qu'elle est à Märsta ?

Sebastian hocha la tête.

– Sa maison natale a certainement plus d'importance pour lui que le lieu du premier meurtre. Il suscite sûrement plus de fantasmes.

Torkel se demanda une seconde s'il devait insister, mais il n'en avait pas très envie. Il préférait ne pas trop savoir comment fonctionnait Hinde. En tous les cas, pas les détails. Sebastian pouvait les garder pour lui. À présent, tout ce qui comptait pour lui était de trouver Vanja.

Le chef du groupe d'intervention annonça :

– On y sera dans vingt minutes. Au plus tard.

Torkel hocha la tête.

Ça allait bientôt commencer.

Hinde se tenait au milieu de la pièce et l'observait. Il avait coupé les serre-câbles qui lui liaient les pieds, et lui avait enlevé son jogging. Elle avait les jambes musclées, il n'avait donc libéré qu'un pied. Mais elle était restée immobile. Il ignorait si elle avait maintenant repris conscience sous le sac. Il caressa ses jambes chaudes et nues, admira sa culotte noire qui dépassait sous la couette, et savoura un instant ce spectacle.

Puis il se leva et s'approcha du carton posé au milieu de la pièce. Il l'ouvrit, et saisit avec précaution la chemise de nuit disposée tout en haut. Elle était en coton très doux, et n'avait jamais été utilisée. Elle avait presque le même motif que l'originale. Le modèle de sa mère n'était plus produit depuis belle lurette, et Ralph avait écumé de nombreux magasins avant d'en trouver une de ce type, que Hinde avait fini par accepter.

Il secoua la chemise de nuit pour l'aérer, et l'accrocha au pied du lit. Puis il revint près du carton et en sortit des collants en nylon et le nouveau couteau de cuisine. Dessous, il put deviner le sac de provisions qu'il sortirait plus tard. D'abord, il devait bien la préparer. Il suspendit les bas Nylon à côté de la chemise de nuit, et sortit le couteau de son emballage. Il tâta la lame. Elle était tranchante, et le couteau était très maniable. La lame était constituée de cent couches d'acier dur et doux, et pouvait quasiment tout transpercer.

Soudain, elle commença à bouger. Subrepticement mais assez distinctement pour indiquer qu'elle était consciente. Il était temps de passer à la première étape, la plus risquée.

Il ne voulait pas qu'elle enfilât seule la chemise de nuit. Il attacha le pied gauche encore libre au pied du lit avec un nouveau serre-câbles. Elle se cabra un petit peu, mais il agit d'un geste résolu, et parvint assez vite à immobiliser sa jambe. Il se leva et décida de garder les bas Nylon pour plus tard. Ce serait la deuxième étape. Il fit le tour du lit et s'assit à côté d'elle sur le matelas. Le vieux sommier grinçait, et elle se sentait engourdie et mal à l'aise. Mais ça n'avait pas d'importance. Elle n'était pas ici pour dormir.

Hinde prit le couteau et coupa la corde autour de sa taille, qui maintenait le sac brun sur son buste. Puis il prit l'extrémité du sac des deux mains, et le tira de toutes ses forces. Le visage et les cheveux de Vanja apparurent. Il l'examina. Il avait collé du ruban adhésif sur la bouche, et elle tordait son visage d'ordinaire si gracieux. Mais elle était toujours belle. Les cheveux en bataille et les joues rougies par l'effort, mais des yeux qui lançaient des éclairs.

– Bonjour, Vanja, dit-il. Je t'avais dit qu'on se reverrait.

Elle poussa un gémissement de colère. Il l'observa regarder autour d'elle pour prendre ses repères, puis il caressa ses longs cheveux. Essaya de les remettre en place. Elle tentait désespérément d'échapper au contact de ses doigts en secouant la tête. Il la saisit par les cheveux pour qu'elle cessât de se débattre. Se pencha sur elle.

– Voilà ce que je veux qu'on fasse.

Il prit le couteau et passa la lame sur son cou. Puis il la plaça dans la partie moelleuse sous le menton, directement au-dessus de la trachée, et il la vit se crisper d'angoisse.

– Je vais détacher tes mains, mais si tu n'es pas gentille, je me servirai de ça. Et tu sais que j'en suis capable.

Elle ne répondit pas.

– Hoche la tête, si tu as compris.

Elle le fixa, sans bouger d'un millimètre.

Il lui adressa un sourire aimant.

Ce serait un beau combat.

Elle lui plaisait de plus en plus.

Ils progressaient dans la forêt, le dos courbé. Sebastian regarda les policiers avancer dans la verdure. Le groupe d'intervention s'était divisé en trois équipes. L'une arrivait par l'est, par la forêt. C'était le groupe que suivaient Torkel et Sebastian. L'autre avançait par le nord, en venant du lac, et avait pour principale mission de bloquer toutes les issues et de se tenir à disposition en tant que renfort. La troisième équipe qui s'approchait de la maison par l'ouest était chargée de l'assaut initial. Ils seraient obligés de faire la dernière portion de chemin dans les hautes herbes en rampant pour ne pas attirer l'attention. Heureusement, ils auraient le soleil dans le dos, ce qui les rendrait moins visibles. Le moment critique serait les vingt derniers mètres avant la maison, où ils seraient obligés de courir sur un terrain totalement dégagé.

Le chef du groupe arrivant par l'ouest restait en contact radio constant. Il avait convenu avec Torkel que le commissaire et Sebastian se joindraient à l'équipe est et attendraient dans la grange au bord du pré pendant l'assaut. C'était un excellent poste pour surveiller le bâtiment principal. L'équipe est continuerait son chemin jusqu'au fossé devant la grange, et arriverait dès que la première équipe aurait donné l'assaut. La section d'assaut était équipée de grenades à choc qu'elle jetterait dans les différentes pièces pour mettre Hinde hors d'état de nuire. Les grenades étaient en principe sans danger, mais elles faisaient un bruit assourdissant et produisaient des éclairs capables d'effrayer toute personne qui se trouvait dans la pièce. Ils avaient l'espoir que cela leur donnerait assez de temps pour empêcher Hinde de nuire à Vanja.

Ils avaient encore vingt mètres à parcourir avant d'atteindre la grange. Sebastian s'immobilisa derrière une petite élévation de terrain pour l'observer. Elle était dans un état encore plus déplorable que la dernière fois qu'il l'avait vue, quelques années auparavant. Le jardin était une véritable jungle, et les fenêtres étaient vides et béantes. Une partie de la façade était manquante et paraissait complètement abandonnée. Sebastian se rappela également qu'à l'époque, plusieurs huissiers avaient essayé de la vendre aux enchères, mais naturellement, aucun acquéreur ne s'était présenté. Les anciens domiciles de tueurs en série n'étaient pas des biens très prisés.

Sebastian vit le groupe nord se mettre en position. Il regarda vers l'endroit où devait se trouver la section d'assaut, mais il ne put l'apercevoir. Il s'en réjouissait. S'il ne la voyait pas, Hinde ne la découvrirait sûrement pas non plus. En fait, Sebastian aurait bien aimé faire partie de ce groupe, mais Torkel lui avait clairement fait comprendre qu'il n'aurait qu'un rôle d'observateur dans les opérations. Rien de plus. C'était une opération réservée aux professionnels, pas aux amateurs.

Vanja attendit que Hinde eût délié ses poignets. Elle tenta de le surprendre avec un coup rapide, mais il l'esquiva avec agilité en faisant un pas en arrière. Il s'y attendait. Elle continua à frapper dans l'air, mais Hinde en eut bientôt assez de ses gesticulations, et lui donna un violent coup sur la tempe avec l'arrière de son couteau. Elle retomba sur le lit et sentit la moitié gauche de sa tête exploser de douleur. Une pulsation chaude, comme si elle saignait. Elle leva les bras sur son visage pour se protéger de la douleur. Il l'observa, le couteau à la main.

– Je peux être doux ou brutal. Tout dépend de toi.

Non, ce n'est pas toi qui décides, pensa-t-elle. Ses yeux vitreux brillaient d'espoir.

Elle était convaincue que Hinde n'aurait aucun problème à la tuer. Mais son regard exprimait encore plus de choses. Il se languissait de ces moments-là et n'avait plus qu'une envie : accomplir le rituel avec elle.

Le fait qu'il avait caressé ses cheveux à Lövhaga n'était qu'une partie du scénario. Elle le comprenait à présent. Sebastian avait eu raison sur toute la ligne. Elle ne s'était pas retrouvée en tête à tête avec lui par hasard. Il voulait l'approcher. La toucher. Et elle l'avait laissé faire, car elle avait cru que c'était un moindre mal pour obtenir le nom de Ralph. Mais elle avait eu tout faux.

Il était effroyable de se retrouver soi-même dans une future scène de crime. D'avoir été choisie pour victime. Et encore plus de connaître d'avance tous les détails. Rien ne lui échappait. Les bas Nylon posés à côté de ses pieds. La chemise de nuit au pied du lit. Le couteau dans sa main.

Les autres femmes avaient eu l'avantage d'ignorer ce qui les attendait.

Contrairement à elle.

Elle connaissait chaque étape du rituel.

En même temps, cela faisait naître en elle un espoir. D'une certaine manière, le temps jouait pour elle. Plus elle pouvait rester en vie, plus ceux qui étaient à sa recherche auraient du temps pour la trouver. Car c'était ce qu'ils faisaient, elle le savait. Edward Hinde était sans doute recherché dans tout le pays. Ce n'était pas un meurtrier inconnu. Il ne pouvait pas s'évader de Lövhaga sans être recherché par toutes les polices du pays.

Ils cherchaient. La cherchaient.

Il fallait qu'elle s'en persuadât.

Soudain, Hinde la força à s'asseoir, et lui arracha son tee-shirt et son soutien-gorge de sport. L'attaque était venue de nulle part. Il voulait commencer. Elle ne portait plus qu'une culotte. Elle se maudit de son instinct qui la poussait à se cacher les seins, et qui ne faisait que l'affaiblir. Elle baissa donc les bras, si bien qu'il put la voir. Ce n'était que son corps. Et maintenant, elle allait devoir se battre pour sa vie.

Il lui lança la nuisette.

– Mets ça !

Elle posa les yeux sur le morceau d'étoffe. C'était donc ainsi que ça se passait. Les autres avaient mis la nuisette d'elles-mêmes.

– Tu veux savoir ce que tout le monde, même Sebastian, n'a pas vu ? Je me suis toujours demandé comment ça pouvait être possible. Mais c'est sûrement parce que c'est le plus sous-estimé de nos cinq sens.

Elle le regarda, impassible.

– Je ne l'ai jamais raconté à Ralph non plus. Mais tu vas bientôt le découvrir, Vanja. On n'aura bientôt plus aucun secret l'un pour l'autre.

Il traversa la pièce et tira un carton de déménagement qui se trouvait un peu plus loin. Puis il revint avec à la main un flacon de parfum de forme cubique. Il lui sourit et appuya plusieurs fois sur le vaporisateur pour en disséminer sur son corps. Elle sentit les volutes humides atteindre son cou.

– Le parfum préféré de maman.

Un parfum bien reconnaissable.

Chanel N° 5.

Durant les dernières minutes, leurs échanges radio s'étaient intensifiés. D'abord, le groupe nord avait annoncé être en position. Le silence était presque abrutissant. Même les mouches avaient arrêté de bourdonner. Sebastian était en nage et sur des charbons ardents. Il avait l'habitude des scènes de crime, des interrogatoires et des conférences, mais pas de ça.

Ici, il se sentait impuissant. La vie de sa fille était en jeu, mais il devait tout observer depuis la tribune des spectateurs.

– Ils entrent, dit Torkel au même moment.

Six hommes vêtus de noir surgirent des hautes herbes et parcoururent les vingt derniers mètres en direction de la maison.

Les pieds de leur pantalon étaient fixés par du ruban adhésif. On n'entendait donc que le léger frottement de l'herbe écrasée sous leurs bottes noires.

Sebastian fixa la maison, cherchant désespérément des signes de vie derrière ses fenêtres brisées. Aucun pour l'instant. Ce n'était pas forcément pour le rassurer.

La première équipe avait atteint la maison. Les silhouettes noires étaient appuyées contre le mur à côté de la porte d'entrée. Les autres continuèrent leur déploiement. Un policier à côté de la grande fenêtre de la cave. Un autre derrière la maison, près de l'entrée de la cave. Deux autres se faufilèrent vers la porte, grenade à la main. Sebastian vit le haut des casques dépasser du fossé. Les policiers paraissaient aussi agités et impatients que lui.

Quand ils furent tous en position, l'assaut se déroula rapidement et sans accrocs. Les deux hommes près de la porte la défoncèrent et y jetèrent leurs grenades à choc. Ceux qui se tenaient près de la fenêtre firent de même. Après un bref silence, on entendit quatre explosions quasi simultanées. Les fenêtres furent mitraillées par les éclairs, et le groupe d'intervention s'engouffra à l'intérieur. Au même moment, l'autre équipe surgit du fossé et s'élança vers la maison, encore plus vite que la première équipe. Sebastian sortit de son poste d'observation derrière la grange, et entendit une nouvelle explosion. De la fumée blanche s'échappait de plusieurs fenêtres. À ce moment précis, il comprit que cette opération serait vouée à l'échec.

Il devait y aller.

Hinde l'attendait.

Soudain, il se mit à courir vers la maison à toute vitesse. Torkel hurla :

– Sebastian, mais qu'est-ce que tu fais, bordel ?

Mais Sebastian ne s'arrêta pas.

Ses jambes sautaient par-dessus les hautes herbes. Arrivé au niveau du fossé, il trébucha mais se releva rapidement. Il était maintenant encore plus près. L'un des policiers de la deuxième équipe le vit, se retourna et tenta de le retenir d'un geste de la main.

Sebastian l'ignora également. Il devait retrouver sa fille.

Finalement, il atteignit la porte d'entrée de la maison et se précipita dans l'obscurité. L'intérieur était complètement embrumé par la fumée des grenades, et une forte odeur de magnésium et d'autres métaux planait dans toutes les pièces. Il se dirigea vers le cagibi sous l'escalier. C'était le premier endroit qui lui était passé par la tête, mais il vit un policier en ressortir et s'arrêta.

– Quelque chose à l'intérieur ?

Le policier secoua la tête.

– Non, c'est vide. Mais qu'est-ce que vous faites ici ?

– Y avait-il à manger par terre ?

– Comment ?

Il entendit de nouvelles déflagrations à l'étage et monta l'escalier quatre à quatre. C'était là que se trouvait la chambre de la mère. Ils s'y trouvaient sûrement.

L'étage était encore plus sombre et enfumé que le rez-de-chaussée. Il avait du mal à se repérer. La fumée le faisait tousser, mais il tenta quand même d'avancer à tâtons dans la direction de ce qu'il pensait être la chambre à coucher. Le sol était jonché de débris qui gênaient sa progression. Il trébucha sur quelques planches désolidarisées, tomba, se releva. Le temps jouait contre lui.

Il était en train de la perdre.

Il courut sur les derniers mètres et entra dans la pièce. Il faillit foncer dans un individu vêtu de noir. Le chef du groupe d'intervention. Effrayé, il fit un pas en arrière.

– Bon sang, mais qu'est-ce que vous fichez là ?

– Où est-elle ?

L'homme secoua la tête, résigné.

– Cette pièce est vide, elle aussi. Il n'y a personne dans cette baraque.

Sebastian lui jeta un regard incrédule.

– Qu'est-ce que vous dites ?

– Il n'y a personne ici. Pas un chat.

Torkel et le chef du groupe d'intervention firent un petit débriefing à leurs hommes devant la maison. Ils l'avaient fouillée à trois reprises. En vain. Sebastian était retourné dans le cagibi sous l'escalier, en tremblant comme une feuille. Il avait emprunté une lampe torche à un policier pour avoir un peu de lumière. Toujours la même odeur qu'autrefois, peut-être même encore pire. Mais le cagibi était vide. Pas de provisions. Rien. Sebastian en avait assez vu. Hinde n'aurait jamais omis ce détail. Les provisions cachées étaient sa seule sécurité. Ce qui lui donnait assez de courage pour accomplir ses actes. Pour savoir où était Vanja, Sebastian était convaincu qu'il fallait donc trouver un petit réduit recelant de la nourriture. Qui resterait à sa place jusqu'à ce qu'elle fût retrouvée.

Sûrement morte.

En tous les cas, si leurs recherches continuaient au même rythme. Sebastian voulait se rendre au plus vite au commissariat et tout reprendre depuis le début. Ralph avait menti. Cette fois, Sebastian oublierait les formules de politesse et ferait en sorte d'obtenir une réponse immédiate.

Frustré, il jeta un regard à Torkel et aux policiers. Ils devaient avancer plus vite.

Enfin, ils terminèrent leur conciliabule. Torkel vint à sa rencontre, le téléphone collé sur l'oreille, et lui souffla : « Billy », avant d'émettre un grognement approbateur. Puis il secoua la tête et dit à Sebastian :

– Il n'a rien trouvé non plus.

– Je peux lui parler ?

Torkel plaça son téléphone sur l'oreille de Sebastian. Billy paraissait las et résigné.

– Comme je viens de le dire, une famille habite dans la maison de Midsommarkransen. Ils viennent de faire une grande fête avec papi, mamie et tout le toutim. Aucune chance qu'elle s'y trouve.

– OK. Et maintenant ?

– Je suis en train de revenir au bureau. Je vais analyser l'ordinateur de Ralph. Je pense que c'est la meilleure façon de me rendre utile.

Billy raccrocha sans demander son reste. Il n'y avait plus de temps à perdre en politesses. Sebastian rendit le téléphone à Torkel et regagna le véhicule pour réintégrer sa place, mais quand il voulut s'asseoir, le chef du groupe d'intervention le retint. Après son comportement durant l'assaut, il allait devoir rester en queue de peloton avec les autres. Sebastian n'avait aucune envie de se disputer. Dépité par cette mesure disciplinaire à la mords-moi-le-nœud, il secoua la tête et gagna la voiture suivante. Ces gens paraissaient toujours fixer de mauvaises priorités. Il les haïssait. Il monta à l'arrière, personne ne s'assit à côté de lui, mais il s'en fichait. Il n'avait aucune envie de discuter.

Après quelques minutes de trajet, son téléphone vibra. Il le sortit et constata qu'il avait reçu un MMS. D'un numéro inconnu. Il prit une profonde inspiration et l'ouvrit, sentant son estomac se nouer. Il savait que ce message serait difficile à supporter.

C'était une image accompagnée d'un texte bref. En voyant le cliché, Sebastian perdit les dernières couleurs de son visage. Vanja était assise, nue, une nuisette sur les genoux. Elle jetait un regard suppliant à l'objectif. C'était le même genre d'image que celles qu'ils avaient vues au mur, dans l'appartement de Ralph. La peau nue et la terreur, vues de la perspective divine. Il détourna les yeux pour ne pas sombrer. Tenta de chasser cette image de son cerveau. Quand il eut l'impression d'avoir repris ses esprits, il lut le petit texte qui l'accompagnait : « La première de mes trente-six poses. Où es-tu ? »

Il fit immédiatement disparaître le cliché et regarda par la vitre. Il avait la nausée, mais tenta de ne pas le montrer.

C'était à lui d'agir, maintenant. Pas à ces pantins en uniforme qui l'entouraient.

Hinde exigeait qu'il en fût ainsi.

Il allait donc obtenir satisfaction.

Ralph était allongé sur son lit dans sa cellule, et il fixait le plafond quand il entendit des pas rapides s'approcher. Ils s'arrêtèrent devant sa porte et ouvrirent le clapet tout en insérant la clé dans la serrure.

– Vous voulez me mener en bateau ? hurla Sebastian à travers la porte. Je croyais que vous connaissiez Edward ! Mais apparemment, c'étaient des conneries !

Ralph se redressa. Son visage s'illumina en apercevant celui de Sebastian dans la minuscule ouverture.

– Il n'y était pas ?

La porte s'ouvrit, et Sebastian passa devant le gardien pour se précipiter dans la cellule. Son regard était éloquent.

– Où êtes-vous allé ?

– À Märsta.

Ralph sourit jusqu'aux oreilles et secoua la tête, comme si ce nom expliquait tout.

– Ce n'est pas là que tout a commencé.

– Edward est imprévisible. Ça a pu « commencer » n'importe où.

– Non, vous ne comprenez pas. Je sais où il est.

C'était exactement ce que Sebastian voulait entendre. Il avait espéré qu'avouer son échec permettrait à Ralph de briller par sa connaissance. Et il avait mis en plein dans le mille.

– Où ça ? Où est-il ?

– Je peux vous montrer.

Sebastian fronça les sourcils, inquiet. Quelque chose dans la voix de Ralph lui fit comprendre qu'il ne parlait pas de le lui indiquer sur une carte.

– Comment ça, me montrer ?

– Je vous y accompagne.

– Non.

Il avait peut-être été trop dur. Il vit l'enthousiasme de Ralph retomber comme un soufflet, mais il n'y avait pas lieu de reprendre une voie de garage. Il était hors de question d'emmener Ralph où que ce fût.

– Vous avez dit que j'étais exactement comme Edward, lui rappela Ralph en se levant. Il avait pris un ton cassant, qu'il n'avait jamais eu jusqu'alors. Et même meilleur que lui. Mais il ne vous aiderait jamais sans contrepartie. Je dois être là.

– Au moment où on l'arrêtera ?

Ralph pointa un maigre index sur Sebastian.

– Vous allez l'arrêter. Quant à moi, j'obtiendrai ma cinquième femme. Je serai plus grand que lui. Le plus grand ! dit-il d'un air rêveur, le regard perdu au loin.

Sebastian crut qu'il avait mal entendu. La folie dépassait tout ce qu'il avait imaginé. Ralph croyait-il vraiment pouvoir l'accompagner pour commettre un meurtre ?

Ralph fixa Sebastian et dit :

– Vous ne serez pas le seul à gagner.

Manifestement, oui. À présent, Sebastian et Hinde étaient ses adversaires.

Le portable de Sebastian vibra à nouveau.

Un MMS.

Photo numéro deux.

Sebastian fixa un point dans le vague. Prit son inspiration. Réfléchit. Et en vint rapidement à la conclusion que dans cette affaire, il n'y avait pas lieu de réfléchir autant. Il appela le gardien posté devant la porte.

– Il doit venir avec nous.

Sebastian fit un signe de tête à l'attention de Ralph, qui souriait, sûr de sa victoire. Le gardien entra dans la cellule tandis que Ralph, docile, se retournait et présentait ses mains dans son dos. Le gardien lui passa les menottes, le conduisit dans le couloir et confia Ralph ainsi que les clés des menottes à Sebastian. Ils longèrent le couloir côte à côte.

Ralph se trompait.

Sebastian serait le seul vainqueur.

Il allait y mettre toutes ses forces.

On entendait une mouche voler dans l'ascenseur qui descendait les étages. Il n'y avait pas grand-chose à dire. Ralph paraissait toujours aussi fier de son petit jeu. Sebastian ouvrit une porte violette qui débouchait sur un long couloir souterrain. Des tuyaux portant des traces de colmatage jaunes et vertes couraient le long du plafond. Les murs étaient nus, hormis des lampes rondes accrochées tous les cinq mètres. Sebastian poussa Ralph dans le tunnel et le suivit. Ses pas résonnaient sur le sol en béton.

– Où est-ce qu'on va ?

– Dans le garage.

Au bout de vingt mètres, Sebastian s'arrêta devant une porte blanche dotée de deux leviers. Au milieu de la porte avait été apposé au pochoir le mot « Abri » sous lequel un panneau en plastique indiquait que soixante personnes au maximum pouvaient s'y réunir.

– Attendez…

Ralph s'arrêta, mais Sebastian actionna les barres de métal, et la porte s'ouvrit en grinçant. Il tâtonna sur le mur à la recherche de l'interrupteur et tira le bras de Ralph.

– Qu'est-ce que vous faites ? Pourquoi sommes-nous ici ?

Ralph se contorsionna, mais Sebastian le tira dans la salle jusqu'à un radiateur fixé au mur juste en face de la porte avant de sortir les clés des menottes. Il libéra une des mains de Ralph, lui fit faire un quart de tour et attacha la menotte libre au radiateur.

– Qu'est-ce que vous faites ?

– Edward est bon. Mais il a passé quatorze ans à Lövhaga. Et c'est moi qui l'y ai envoyé.

Sebastian se retourna, gagna la porte et quitta l'abri. Ralph jeta des regards nerveux autour de lui. Dehors, il put entendre les pas de Sebastian résonner dans le tunnel. La pièce était d'une blancheur éclatante. En face de lui, deux bancs étaient fixés au mur. Mis à part cela, l'abri était vide. Sebastian réapparut à la porte, une vieille chaise en bois à la main.

– … c'est donc moi le meilleur, compléta-t-il.

Il posa la chaise directement à côté de la porte.

– Il se peut que tu sois meilleur qu'Edward, mais à présent, tu es attaché à un radiateur…

Sebastian tourna les talons et referma la porte. Le bruit retentit d'autant plus fort que la pièce était nue. Sebastian actionna les leviers pour fermer la porte de l'intérieur. Ralph déglutit. Ils étaient enfermés. Il n'aimait pas ça du tout.

– Je suis le meilleur.

Sebastian traversa la pièce et s'arrêta à deux centimètres de Ralph. Ce dernier avait du mal à le regarder en face. Il ne le sentait pas du tout.

– Mais tu sais ce que je ne suis pas ? demanda-t-il sans même attendre la réponse de Ralph. Je ne suis pas policier. J'ai donc le droit de faire ça.

Sans crier gare, Sebastian lui donna un coup de tête extrêmement bien placé, directement sur le nez. Le sang coulait des deux narines. Ralph cria et s'effondra par terre. Sebastian regagna tranquillement sa chaise et s'assit, tandis que Ralph essuyait le sang avec sa main libre. Il considéra le sang, ne pouvant croire qu'il s'agissait réellement du sien. Sebastian n'éprouvait aucun plaisir à cogner Ralph, mais c'était un moyen rapide et efficace de lui faire comprendre qu'il était prêt à tout. Et ça avait l'air de marcher. Ralph fixait toujours le sang, les larmes aux yeux. Sebastian croisa les jambes.

– Je peux facilement me faire une idée d'une personne en observant son cadre de vie. Et je suis allé chez toi.

Respirant rapidement par le nez, Ralph fut obligé d'avaler le sang. Il ne voulait pas perdre. Il s'accrochait. On lui avait transmis le pouvoir, et Sebastian n'avait pas le droit de le lui enlever. Il ne le laisserait pas faire. Il se sentait plus fort que jamais.

– Il s'agit de repérer des mécanismes, poursuivit Sebastian. Dans les petites choses. Reconnaître les différents liens de cause à effet. Tu n'avais ni rideaux ni volets aux fenêtres. Même pas dans ta chambre à coucher. Tu avais une lampe de poche sur les toilettes et une autre sur ta table de chevet. Une dans chaque pièce. Et un tiroir rempli de piles et de lampes de rechange.

Il marqua une petite pause.

– Si tu veux mon avis, je crois que tu n'aimes pas l'obscurité.

Le regard que lui jeta Ralph confirmait à quel point il avait raison.

– Que se passe-t-il dans le noir, Ralph ? Qui vient ? De quoi as-tu si peur ?

– De rien, chuchota-t-il d'une voix à peine audible.

– Ça ne te dérange pas alors, si j'éteins un peu la lumière ?

Sebastian se leva et gagna le double interrupteur. Ralph ne répondit pas. Sa gorge était nouée. Son regard vacillait. Sebastian crut voir la sueur perler sur son front. Alors qu'il faisait tout sauf chaud.

– S'il vous plaît ! Je sais où il est ! supplia Ralph.

– J'en suis sûr. Mais comme je l'ai déjà dit à Edward, je n'ai plus envie de faire joujou avec des psychopathes.

– Je n'ai pas l'intention de jouer.

– Je ne peux pas prendre ce risque.

Sebastian appuya sur l'un des deux interrupteurs, et la première ligne de lampes s'éteignit.

– Il va faire si noir ici que tu ne sauras même plus si tu as les yeux ouverts ou fermés.

Exactement comme là-bas, pensa Ralph. *Dans la cave. Exactement comme avec eux.*

Il trembla et tira sur sa chaîne. Commença à suffoquer.

Sebastian hésita. La réaction de Ralph était bien plus violente que prévu. Il semblait terrorisé. Mais Sebastian devait continuer. Il était obligé de mettre tous les moyens en œuvre, sinon il ne se le pardonnerait jamais. L'image d'Annette Willén resurgit dans l'esprit de Sebastian. Si cela ne suffisait pas, il avait toujours la photo de Vanja dans son portefeuille.

Ça suffisait.

Il éteignit la lumière.

Ralph tenta de rester le plus silencieux possible, mais il ne put s'empêcher d'émettre un faible gémissement en expirant. Voyait-il réellement un rai de lumière, ou son cerveau malmené lui jouait-il des tours ? Est-ce que quelqu'un ouvrait la porte ? Oui. Ils entraient. Nus. Ils l'avaient retrouvé. Les gens qui portaient des masques d'animaux. Les bêtes à forme humaine. Ils respiraient. Gémissaient.

– Allumez la lumière, s'il vous plaît… Allumez la lumière !

Un petit rayon de lumière le frappa en plein visage. L'écran du portable de Sebastian. Ralph se tourna dans cette direction et tenta d'absorber autant de lumière que possible. Ils pouvaient voir les êtres mi-hommes mi bêtes se mouvoir autour de lui. Se balancer. Danser à pas feutrés. Attendre d'être de nouveau enveloppés par l'obscurité pour pouvoir aller vers lui.

Autour de lui. Sur lui. En lui.

– Où est Edward ? demanda Sebastian, invisible derrière son téléphone.

Il éteignit l'écran.

– Éteint.

L'obscurité. Ils se jetaient sur lui.

– Allumé.

La lumière revint.

– Éteint.

Disparut à nouveau.

– Allumé. Qu'est-ce que tu préfères ?

Ralph ne pouvait plus répondre, étouffé par les sanglots.

– Éteint.

Ralph retint son souffle. Dans l'obscurité régnait un silence de mort. À part les chuchotements. Les pas sourds. Le mouvement des corps. Il n'était pas seul. Jamais seul.

– Sebastian…

Pas de réponse. Quelqu'un lui prit la jambe. Ralph poussa un hurlement.

Il revenait en arrière. À cette époque.

Avec eux.

Il était sous le choc. C'était plus qu'un souvenir. Il sentait les odeurs. Le goût. Les bruits. Ils étaient là. S'emparaient de lui. Sauvagement. C'était il y a longtemps, mais ça ne s'arrêterait jamais. Il tenta de se débattre en agitant les bras et les pieds. Se tapa la tête contre le radiateur. Tira encore sur les menottes jusqu'à ce que la peau se déchirât et que quelque chose dans ses poignets se rompît. Peu importait. De toute façon, il ne pouvait plus crier.

La lumière s'alluma.

Il s'y jeta. De la lumière aveuglante venant du plafond. Sebastian s'approcha de lui. Ralph lui adressa un sourire reconnaissant.

– Où cela a-t-il commencé, Ralph ? Où sont-ils ?

Il voulait le dire. Il voulait le crier. Mais il ne parvint qu'à bredouiller quelques syllabes hachées. Sebastian se pencha.

– Åk-er-s-st…

Sebastian se pencha encore sur lui. Sentit le souffle chaud de Ralph chuchotant dans son oreille. Il se leva.

– Merci.

Que devait-il dire d'autre ? Ce n'était pas vraiment son heure de gloire personnelle. Mais combien de fois s'était-il juré de tout faire pour que sa fille lui revienne ? Et c'était la même chose quand il s'agissait de se battre pour ne pas perdre une autre fille.

Il regagna la porte. Actionna le levier et l'ouvrit. Puis il se retourna une dernière fois, et vit Ralph assis par terre, le visage ensanglanté, les bras ballants, les cheveux collés au front et le regard vide.

Le téléphone de Sebastian vibra à nouveau.

La troisième photo.

Il éteignit la lumière et quitta les lieux.

Rien. Rien. Et encore rien.

Quand ils étaient revenus de Märsta, Torkel avait également envoyé des voitures sur les trois lieux où s'étaient déroulés les crimes des années 1990, histoire d'assurer ses arrières. Quelle que fût l'issue de cette opération, personne, et surtout pas lui, ne pourrait dire qu'ils n'avaient pas tout tenté. C'est pourquoi il avait également envoyé des voitures à Bromma, Nynäshamn, Tumba et Liljeholmen, les quatre dernières scènes de crime. Il ne pensait pas réellement que Hinde eût pu s'y rendre, c'étaient des lieux auxquels seul Ralph était lié, mais Torkel aurait envoyé des voitures dans le monde entier s'il avait cru que cela pût sauver Vanja. Son meilleur élément, kidnappé par un tueur en série détraqué sexuel évadé. Personne n'attendrait de lui qu'il s'occupât de cette affaire comme une évasion ou une disparition normale, et il ne le faisait pas. Il avait ameuté autant de personnel que possible, et beaucoup de collègues s'étaient portés volontaires. Il avait déployé des moyens gigantesques, mais sans résultats pour le moment. Toutes les patrouilles qu'il avait envoyées rapportèrent un résultat négatif.

Rien. Rien. Et toujours rien.

Nulle part.

Torkel pensa à l'étape suivante. La plus évidente. Ralph. S'il savait quelque chose, Torkel saurait lui tirer les vers du nez. Quand il arriva à la maison d'arrêt et trouva sa cellule vide, il se dirigea vers l'un des gardiens.

– Pouvez-vous me dire où est Ralph Svensson ?

– Oui, votre collègue est venu le chercher il y a une heure environ.

Torkel n'eut pas besoin de demander de quel collègue il s'agissait. Depuis qu'ils étaient revenus au commissariat, il n'avait plus eu aucun signe de Sebastian. Ce dernier avait sauté hors de la voiture et avait disparu. Il y a une heure environ. Torkel sortit son téléphone. Sebastian répondit immédiatement.

– Oui ?

– Bordel, mais où est Ralph ?

– Du calme. Il est dans un abri au sous-sol. Tu peux très bien aller le voir et lui allumer la lumière.

Torkel respira. Il était lui-même prêt à aller très loin pour soutirer à Ralph les informations que celui-ci détenait sûrement, mais il savait que Sebastian était capable d'aller encore plus loin. Peut-être même trop loin.

Pendant un court instant, Torkel avait craint que Sebastian n'eût fait sortir le présumé tueur en série de la maison d'arrêt.

– Où es-tu, maintenant ? demanda-t-il, plus que par simple curiosité.

Au court silence qui s'ensuivit, il comprit que la réponse n'allait pas lui plaire.

– Je ne peux pas te le dire maintenant.

Il avait vu juste. Et son angoisse réapparut. Ralph était enfermé dans un abri antiaérien, et Sebastian s'en était allé sans rien dire. Cela ne pouvait signifier qu'une seule chose. Il dépassait vraiment les bornes.

– Tu sais où est Hinde, souffla Torkel, résigné.

– Oui.

– Donne-moi l'adresse. Reste où tu es, et attends notre arrivée.

– Non.

– Bon sang, Sebastian ! Fais ce que je te dis !

– Non, pas cette fois.

Cette fois, pensa Torkel. *Comme s'il lui était déjà arrivé de suivre des instructions.* Respecter les ordres n'était pas vraiment le point fort de Sebastian Bergman. Comme beaucoup d'autres choses, d'ailleurs.

– Tu ne peux pas y aller seul.

Torkel fit une dernière tentative pour le convaincre. Trouver le bon bouton sur lequel appuyer.

– Je sais que tu as des raisons d'être suicidaire, mais je t'en prie, pense à Vanja.

– C'est exactement ce que je fais.

Sebastian n'en dit pas plus. Torkel n'avait aucune idée de la réaction à adopter à présent. Exiger, supplier, hurler. Tout ça ne servirait à rien.

– Je suis désolé, Torkel, mais c'est une histoire entre Hinde et moi.

Sebastian raccrocha.

Les phares de la voiture éclairèrent le panneau indiquant Åkerstyckebruk. Sebastian mit le clignotant à droite et tourna.

Quoi qu'il arrivât, ce serait bientôt fini.

Torkel dut se retenir pour ne pas jeter son téléphone par terre. Putain d'idiot. Il parlait évidemment de Sebastian, mais aussi de lui-même. Il n'aurait jamais dû faire appel à Sebastian sur cette affaire. Pas encore une fois. Alors qu'il savait parfaitement à quoi s'attendre.

Avant de quitter la maison d'arrêt, il informa les gardiens de l'endroit où se trouvait Ralph. Il leur ordonna d'aller le chercher et de l'amener dans une salle d'interrogatoire. Il arriverait dans cinq minutes. Mais il devait d'abord demander à toutes les patrouilles disponibles de rechercher Sebastian. Il devait avoir emprunté une voiture. Dans l'idéal, un véhicule qu'ils pourraient localiser. Sinon, ils pourraient définitivement trouver la marque, le modèle et le numéro de la plaque, et diffuser un avis de recherche dans toute la région. Au moment où il entrait dans son bureau, il reçut un appel de l'un des gardiens. Ils avaient retrouvé Ralph, mais celui-ci n'était pas en état d'être interrogé. Quand ils étaient arrivés dans l'abri, ils l'avaient retrouvé inconscient. Blessé à la tête et aux poignets, il était en train d'être transporté à l'hôpital.

Torkel maudit la terre entière. Qu'avait fait Sebastian ? Il avait maltraité un suspect. Il n'allait pas s'en tirer comme ça. Torkel y veillerait personnellement.

– Torkel, dit la voix de Billy depuis la porte.

Il avança vers lui.

– Que se passe-t-il encore ?

– J'ai trouvé quelque chose. Dans l'ordinateur de Ralph.

Depuis que Billy était revenu de la maison de Midsommarkransen, il s'était plongé dans le travail. D'une part, pour faire avancer l'enquête. D'autre part, pour tenter de ne pas penser à ce qu'il serait advenu s'il était allé courir avec Vanja. S'il avait accepté. S'il s'était comporté comme l'ami qu'il était censé être. Torkel l'avait pris à part pour le convaincre qu'il ne serait sans doute plus en vie, s'il l'avait accompagnée dans la forêt Lill-Jans. Ou alors qu'ils auraient désormais un double kidnapping sur les bras. Billy avait hoché la tête. Ça paraissait logique. Mais il était tout aussi probable qu'il serait assis à côté de Vanja en ce moment, s'il était parti courir avec elle. Et qu'ils auraient arrêté Hinde. Une telle manière de penser était erronée productive, il le savait pertinemment, mais il ne pouvait s'empêcher d'éprouver un sentiment de culpabilité. Il devait tout mettre en œuvre pour retrouver Vanja avant qu'il ne soit trop tard. Le temps était compté. Tous ceux qui travaillaient sur cette affaire savaient que s'ils ne la retrouvaient pas à temps, elle mourrait. C'était exactement le genre de pensées qu'il devait s'efforcer de chasser par le travail. Elles ne faisaient que le paralyser. Il s'était donc plongé dans le disque dur de Ralph, et y avait effectivement trouvé quelque chose.

Torkel le suivit jusqu'à son bureau. Billy s'assit devant le PC, et Torkel regarda l'écran par-dessus son épaule.

– Ils communiquaient *via* un programme de chat sur le site « fyghor.se ». J'ai réussi à reconstituer une partie de leurs échanges.

– S'il te plaît, va droit au but.

Torkel était impatient. Il voulait connaître le résultat, pas la manière dont il l'avait obtenu.

Billy désigna l'écran.

– Regarde là… Ralph lui parle d'une maison de vacances dans la forêt où il est allé avec son grand-père. Quelque chose de décousu au sujet de gens qui portent des masques d'animaux…

– OK, bien. Et c'est là qu'ils sont allés, ou quoi ? insista Torkel.

– Non, mais Edward lui a répondu. Il a écrit un long paragraphe sur l'importance de ne pas oublier. Il y parle d'un oncle chez lequel il passait ses vacances avec sa mère quand il était petit. Apparemment, cet oncle n'a jamais touché Hinde, mais il a sévèrement maltraité sa mère. Il y fait le lien avec sa propre expérience. Que la blessure s'est transmise. Regarde, là.

Billy montra un passage au bas de l'écran.

– Je crois que c'est là que tout a commencé.

– Est-ce qu'on sait où c'est ?

– J'ai fait des recherches sur la mère de Hinde, et j'ai pu retrouver la trace de son frère. Il habitait à Åkerstyckebruk. Mais il est mort depuis un certain temps.

– Tu as une adresse ?

– Bien sûr.

Il aurait préféré que Billy lui donnât directement un Post-it avec l'adresse, pensa Torkel, mais il comprit le comportement de son collègue. Il voulait se rattraper. Montrer qu'il avait travaillé dur. Fait tout ce qui était en son pouvoir. Torkel le comprenait parfaitement et lui tapa sur l'épaule.

– Bon travail.

Avant de quitter le bureau, Torkel avait déjà alerté le groupe d'intervention.

D'abord, elle n'avait pas compris ce qu'il faisait, debout devant elle avec son téléphone dans la main. Tout s'était passé si vite. Mais lorsqu'il l'abaissa, lui sourit et lui demanda d'enfiler la chemise de nuit, elle réalisa qu'il l'avait prise en photo.

Elle était furieuse. Elle aurait dû le comprendre tout de suite, mais elle n'avait tout simplement pas fait le lien, car il s'agissait d'un téléphone, et non d'un appareil photo. Elle lui jeta un regard noir. Il allait être obligé de lui enfiler la chemise de nuit lui-même, car jamais elle ne le ferait de son plein gré. Elle savait que la série de photos faisait partie du scénario, elle avait vu le même genre de clichés chez Ralph. D'abord, la femme était assise nue et sans défense sur le bord du lit, comme elle venait de le faire. Elle le savait.

Mais le prochain cliché ne serait pas si facile à prendre. Elle allait se charger de lui compliquer la tâche.

Au lieu de répondre, elle secoua la tête et tenta de lui échapper. Il la plaqua violemment sur le lit en la menaçant avec le couteau et le pistolet à choc électrique. Elle tenta de faire traîner le processus en résistant sans lui donner l'occasion de faire usage de l'une des deux armes. C'était un véritable exercice d'équilibriste de tenter de se défendre tant bien que mal tout en lui donnant le sentiment qu'il pourrait bientôt accomplir son acte, qu'il vaincrait sans devoir la frapper.

Tout ça dans le simple but de gagner du temps. Quelque chose de dur et de pointu dépassait du matelas sur le côté droit du lit et lui piquait les mains. Entre-temps, Hinde avait commencé à lui presser la chemise de nuit sur la bouche, et elle s'était jetée sur le côté droit du lit aussi loin que possible pour lui échapper. Elle loucha ensuite vers l'objet pointu pour distinguer ce dont il s'agissait. Dans la position où elle était, cela se révéla impossible, et de plus, la chemise de nuit lui couvrait quasiment les yeux. Elle tenta de le toucher, mais il était trop loin. Elle décida de reprendre la bataille, cette fois dans le but de pouvoir atteindre l'objet en question. Elle commença par se raidir et s'arc-bouter sur ses jambes, ce qui, l'espace d'un instant, parut décontenancer Hinde. Puis elle se jeta sur le bord droit du lit et sentit que sa main avait désormais plus d'amplitude. Ses doigts palpèrent le bord du matelas et cherchèrent fiévreusement l'objet pointu. Elle espérait qu'il n'était pas fixé à quelque chose.

Hinde la plaqua à nouveau sur le matelas, et tenta de reprendre le contrôle de la situation. Elle le laissa faire tout en se cramponnant au cadre du lit. Ça marchait. Elle le laissa lui descendre un peu plus la chemise de nuit tout en tâtonnant du bout des doigts. Elle le sentait tirer sur la nuisette pour la passer par-dessus sa tête, et tenta de l'en empêcher avec son bras gauche, tandis que le droit continuait de chercher. Un objet métallique, dur, froid et tranchant. Elle le lâcha pour continuer à se débattre, mais elle savait à présent où il se trouvait. C'était apparemment un ressort qui s'était désolidarisé du sommier. Elle tira dessus avec son index pour s'en emparer, sans succès. Elle changea donc de tactique et le tortilla d'avant en arrière pour tenter de le sortir de sa fixation. Plusieurs fois, aussi vite que possible. D'avant en arrière.

Celui-ci finit effectivement par céder, et Vanja le cacha dans sa main en un éclair.

Elle laissa Hinde lui enfiler la chemise de nuit pour qu'il restât concentré sur sa tâche, et cette stratégie s'avéra payante. Il la fixa d'un air agressif. Leva à nouveau son couteau.

– Mets-la, dit-il.

Elle hocha la tête d'un air résigné. Le laissa gagner. Se rendit. Elle se releva et revêtit entièrement la chemise de nuit tout en maintenant son poing fermé pour cacher le ressort. En descendant la chemise de nuit par-dessus ses cuisses, elle cacha l'objet sous le tissu. Avoir cet objet de métal froid et pointu entre ses cuisses était pour le moins désagréable. Mais pour elle, il signifiait tout le contraire. C'était son seul espoir.

Hinde la photographia à nouveau avec son téléphone portable. Puis il fit un pas en avant et coupa le serre-câbles en plastique qui maintenait sa jambe gauche attachée au lit.

– Retourne-toi !

Vanja savait ce qui allait suivre. Elle devait se coucher sur le ventre. Elle avait d'abord eu l'intention de lui compliquer la tâche, mais elle se rendit compte qu'il serait plus facile de saisir le ressort si elle se retournait d'elle-même. Elle posa sa jambe gauche sur la droite tout en pressant le ressort entre ses cuisses, puis elle releva le buste jusqu'à se retrouver sur le ventre.

Hinde se plaça à califourchon sur ses jambes et lui ligota les mains dans le dos avec les bas Nylon. On aurait dit qu'il avait quelque peu ralenti le rythme, maintenant qu'elle était allongée à sa merci, prête pour la prochaine étape. Il se leva et se plaça au pied du lit. Puis il saisit sa jambe gauche et lui écarta un peu les jambes avant d'attacher son pied au cadre du lit avec un autre bas. Il attacha ensuite son autre pied avant de couper le serre-câbles. Content de son travail, il gagna le carton. Elle put le voir se pencher et sortir les emballages un à un. Elle reconnut les objets. Les provisions.

Hinde quitta la pièce, le sac de nourriture à la main.

Avec ses mains liées, Vanja tenta péniblement de soulever la chemise de nuit pour atteindre le petit ressort. Elle espérait que Hinde en aurait pour un moment. Car elle aurait besoin de temps.

Le chemin de gravier sur lequel il progressait, visiblement peu fréquenté, était envahi par les hautes herbes. À quelques dizaines de mètres devant lui, il devina quelque chose qui pouvait être une maison. Les phares éclairaient les longues tiges qui s'abattaient sur le pare-brise. On aurait dit qu'il traversait une mer d'herbe jaunie réfléchissant la lumière. Il ne put distinguer que les contours sombres de la demeure.

Très vite, il se trouva devant un grillage qui lui barra la route. Il coupa le moteur et attendit un instant que ses yeux s'habituassent à l'obscurité avant d'apercevoir la maison qui se trouvait à une centaine de mètres devant lui. Elle avait l'air complètement abandonnée.

Il grimpa prudemment par-dessus le grillage pour rejoindre cette sinistre demeure, éclairée par la seule lueur bleutée du clair de lune. Au bout de quelques mètres, Sebastian commença à distinguer les contours des fenêtres. Dans certaines d'entre elles, il reconnut la faible lueur de bougies qui faisaient naître des ombres aux reflets orange semblant danser aux fenêtres. Il eut la confirmation qu'il avait raison.

Il continua d'avancer.

Les hautes herbes bruissaient à chacun de ses pas qui le rapprochaient de son destin.

Au mieux, il pourrait échanger sa vie contre celle de Vanja. Au pire, leur vie à tous deux prendrait fin cette nuit.

Vanja était parvenue à relever sa chemise de nuit et à cambrer suffisamment son dos pour pouvoir, de ses mains liées, atteindre son entrejambe et saisir le ressort. Elle le cacha dans sa main droite. Toutefois, elle ne pourrait entailler les bas qu'en l'absence de Hinde, ce qui était bien trop rare. Un peu plus tôt, il était sorti pour rallumer une bougie. Sinon, il restait tout le temps avec elle. Il semblait attendre quelqu'un. Comme si le rituel qui avait tant compté jusque-là était soudain passé au second plan. Il faisait les cent pas, semblant crever d'impatience.

Vanja eut la sensation qu'elle n'était plus le personnage principal de son scénario. Elle était là pour une autre raison. C'était toujours ça de pris. Elle sentait la pointe du ressort dans sa paume, attendant le moment où Hinde disparaîtrait à nouveau pour pouvoir se consacrer à son bas Nylon. Ses liens étaient toujours aussi serrés, et ses mains commençaient à refroidir. Mais le plus inquiétant était qu'elle sentait ses muscles s'engourdir. Elle ne savait pas combien de temps elle pourrait tenir.

Si seulement il quittait la pièce.

Mais il restait là. Complètement immobile.

Par la fenêtre brisée à côté de la porte d'entrée, Sebastian jeta un œil dans ce qui semblait avoir été la cuisine. Elle était sale, et ses murs étaient tagués. Quelqu'un avait arraché l'évier. Dans un coin de la pièce se trouvait un vieux poêle à bois datant du début du siècle, éclairé par le clair de lune. Un peu plus loin, Sebastian aperçut la lueur d'une bougie qui semblait provenir de la pièce voisine. Il tendit l'oreille, mais n'entendit aucun bruit. Il s'avança alors vers la porte d'entrée entrouverte. Des débris de verre jonchaient le sol.

Le moment était venu de se manifester. Il claqua violemment la porte derrière lui et pénétra dans le vestibule.

– Je suis là maintenant, cria-t-il, s'attendant à une quelconque réaction.

Mais rien. La maison était toujours aussi silencieuse.

Hinde ne semblait pas encore prêt à se montrer.

Sebastian entra dans la cuisine, emplie d'une forte odeur de moisi et de renfermé. La moitié du plancher s'était effondrée, et il dut contourner un grand trou au milieu de la pièce pour gagner la lueur qu'il avait aperçue dans celle d'à côté. C'était une pièce assez imposante qui devait avoir été la salle à manger, et dont le papier peint gondolé et déchiré ressemblait à des bras surgissant des murs et se tendant vers lui. Sur l'un des radiateurs en métal trônait une petite bougie fixée à l'aide de quelques gouttes de cire.

Depuis cette pièce, il pouvait choisir deux directions différentes : une autre grande pièce devant lui ou un couloir qui menait au reste de la maison sur la droite. Il y vit une autre bougie. Peut-être était-ce la manière de Hinde de lui indiquer le chemin.

Ce fut donc ce qu'il fit.

Elle entendit une voix. D'abord, elle eut du mal à l'identifier. Ou plutôt : elle ne pouvait pas associer cette voix à la situation dans laquelle elle se trouvait.

Elle s'efforça de se tourner vers Hinde, et comprit qu'elle avait bien entendu. Le visage de son geôlier s'était illuminé, trahissant une sorte de joie mêlée d'espoir. C'était la voix qu'il attendait. Depuis fort longtemps.

Hinde prit le couteau et se dirigea vers la porte à pas feutrés. Elle le suivit des yeux en oubliant un instant le ressort dans sa main.

Que faisait Sebastian ici ? Et pourquoi avertissait-il Hinde de sa présence dans la maison ?

C'était impossible. Sebastian ne faisait jamais rien pour qui que ce fût d'autre que lui-même. C'était ainsi qu'il fonctionnait. Elle le savait bien.

Et pourtant, il était là.

Sebastian avait fini d'inspecter le rez-de-chaussée, qui était vide hormis quelques autres bougies et de vieux déchets. Il se dirigea donc vers l'escalier devant lequel il était passé plusieurs fois. Il leva la tête vers les marches, et tendit à nouveau l'oreille avant de lancer un nouvel appel :

– Ohé !

Mais toujours pas de réponse.

Il monta donc les escaliers et aperçut une autre bougie à mi-chemin. Il commençait à en avoir assez de ce manège.

Il cria de nouveau, plus fort cette fois :

– Edward, je sais que vous êtes là.

Il continua de monter, en sautant les marches les plus vermoulues.

Arrivé en haut, il se trouva dans un autre couloir doté de trois portes, une de chaque côté et une au fond. Toutes fermées. Sebastian s'approcha de la première porte et l'ouvrit. Rien, à part une fenêtre brisée et un vieux bureau.

Il s'apprêtait à ressortir quand il perçut un bruit derrière lui dans le noir. Il se retourna en un éclair. Trop tard. Il sentait déjà le souffle de Hinde dans sa nuque et le couteau sur sa gorge. Il tenta de rester aussi calme que possible et se laissa entraîner par Hinde contre le mur moisi et puant.

– Il y a longtemps que j'attends ce moment, siffla Hinde.

Sebastian était si près de Hinde qu'il pouvait littéralement sentir son excitation. Il resta immobile, car le couteau était si tranchant qu'il aurait suffi que Hinde appuyât un peu dessus pour qu'il transperçât la peau de Sebastian.

– Je t'ai attendu, mais maintenant, il est temps de commencer.

Sebastian regarda Hinde dans les yeux. Malgré la pénombre, il put voir à quel point ceux de Hinde brillaient.

Elle était en vie. Vanja était encore en vie.

– Laisse-la partir. Je suis là maintenant, dit Sebastian en adoptant le ton le plus persuasif possible. C'est une histoire entre toi et moi.

Hinde sourit. Son regard en disait long, et confirma les pires craintes de Sebastian.

– Non, je veux que tu assistes au spectacle. Tu aimes tellement m'étudier que je me suis dit que tu devais avoir l'occasion d'être aux premières loges.

Sebastian tenta de garder son calme. Mais ce n'était pas chose facile.

– Laisse-la partir. Et prends-moi à sa place.

– À sa place ? Jamais. En plus, peut-être.

Il poussa alors Sebastian dans le couloir, en maintenant le couteau sur sa gorge.

– C'est moi qui décide maintenant, dit-il.

Comme pour souligner ses propos, il appuya si fort sur le couteau que Sebastian parvenait à peine à respirer. Hinde le conduisit jusqu'au bout du couloir.

Bien que conscient que du caractère totalement inutile de la démarche, il ne put s'empêcher de le supplier.

Il ne pouvait pas la perdre.

– Je t'en prie, prends-moi à sa place. S'il te plaît !

– Quel héroïsme. Mais tu ne te comportes pas ainsi sans raison, railla Hinde.

Ils arrivèrent devant la porte.

Hinde l'enfonça de sa main libre.

– On est là, clama Hinde d'un ton triomphant.

Hinde et Sebastian mirent quelques secondes à réaliser ce qu'ils voyaient.

Le lit était vide, deux bas Nylon déchirés étaient accrochés au cadre. Surpris, Hinde lâcha Sebastian.

Ce dernier réagit sur-le-champ en poussant le couteau, et se libéra de son étreinte. Il se tourna vers Hinde, qui était toujours aussi déboussolé.

– Alors, ça ne s'est pas passé comme prévu ?

Déçu et furieux, Hinde se jeta sur lui avec le couteau. Malgré la gravité de la situation, il était presque content, car Vanja semblait avoir pu s'enfuir. Et c'était le principal. Il était prêt à se sacrifier pour elle. Et c'était toujours le cas.

Hinde s'approchait de lui d'un air menaçant, le couteau à la main, jusqu'à le repousser dans un coin de la pièce. Sebastian cherchait désespérément quelque chose avec quoi il aurait pu se protéger, mais il ne trouva rien. Plus il se défendrait, plus Vanja aurait de l'avance dans sa fuite. Il tenta de monter à reculons sur le lit, mais trébucha sur le cadre et tomba sur le matelas. En un éclair, Hinde se jeta sur lui, et tandis que Sebastian tentait de se débattre en battant des pieds, Hinde parvint à lui planter le couteau dans le mollet. Sebastian ressentit une douleur terrible. Il se cramponna au cadre du lit pour se redresser et tenta de se libérer de l'emprise du tueur. Il vit le sang gicler de sa jambe.

Hinde s'immobilisa et observa sans un mot Sebastian qui se réfugiait dans un coin de la pièce en traînant la patte. Il prenait à nouveau son temps.

– Ça ne s'est peut-être pas passé complètement comme prévu, mais j'ai quand même réussi à t'avoir.

Il vit le couteau étinceler dans la pénombre, puis fendre l'air, avant de ressentir une autre douleur terrible dans le ventre. Hinde sortit le couteau et le releva. Cette fois, il visait plus haut.

– Tu sais quoi ? Tu vas recevoir un coup pour chaque année que j'ai passée à Lövhaga. Plus que douze.

Sebastian se sentit partir, mais il lutta pour rester conscient. Il parvint même à articuler une réponse :

– Vanja a réussi, dit-il avant d'esquisser un dernier sourire.

Hinde lui jeta un regard furieux et releva le couteau.

Ce fut à ce moment-là que Sebastian la vit. Elle avait franchi le seuil de la porte, un objet à la main.

Elle, qui aurait dû s'enfuir à tout prix. Elle, qui n'aurait plus dû se trouver là.

Non !

À la dernière seconde, Hinde perçut du mouvement derrière lui et se retourna. Il vit le pistolet à choc électrique dans la main de Vanja, et put se baisser juste au moment où elle se jetait sur lui, puis il lui asséna un violent coup avec le plat de son couteau. Vanja lâcha le pistolet et s'effondra par terre. Hinde se jeta sur elle.

– Ne fais pas ça, je t'en prie, ne fais pas ça !

Hinde le regarda, satisfait.

– Excuse-moi, mais je vais directement passer à l'étape finale.

Il baissa les yeux sur Vanja, la saisit par les cheveux et tira sa tête en arrière pour dégager sa gorge.

– Regarde bien, Sebastian. C'est la dernière chose que tu verras dans ta vie.

Sebastian ne sentit plus la moindre douleur. Plus rien. Il continua de ramper tout en ayant l'impression de ne pas avancer d'un millimètre.

Dans un instant, tout serait fini.

Hinde leva le couteau quand soudain, on entendit quelqu'un crier à la porte.

La silhouette floue ressemblait à celle de Billy, pensa Sebastian.

Billy. Que fichait-il ici ?

Une détonation, et Hinde tomba à la renverse.

Et puis, le noir.

Sebastian n'avait aucun souvenir du trajet en ambulance, ni de son arrivée à l'hôpital, ni de la phase préopératoire. Rien. La seule chose qu'il perçut après avoir vu s'effondrer Edward Hinde fut la clarté de la salle de réveil, lorsqu'il ouvrit les yeux. Ses points de suture sous le pansement qu'il avait au ventre lui faisaient atrocement mal, et un médecin lui annonça, plein d'enthousiasme, qu'il avait eu une chance insolente au vu de ses blessures et des lésions beaucoup plus graves qu'il aurait pu avoir.

Sebastian cessa de l'écouter. Il était en vie et allait se remettre sur pied, rien d'autre ne l'intéressait.

Les médecins pratiquèrent quelques examens. Puis Vanja et Torkel entrèrent dans la chambre. Ils lui demandèrent comment il allait. Lui racontèrent ce qui s'était passé depuis l'agression de Hinde.

– Tu as eu des problèmes à cause de moi ? demanda Sebastian à Torkel, qui avait l'air extrêmement fatigué. Il ne devait même pas avoir dormi.

– Pas encore, mais la journée vient à peine de commencer.

– Je suis désolé.

– Je survivrai, dit Torkel en haussant les épaules. Vanja va bien, on a pu arrêter Ralph Svensson et Roland Johansson, et Hinde est mort. Tu connais la maison. La fin est plus importante que les moyens. Il n'y a que ça qui compte.

– Vous avez coffré Johansson ?

– Oui, il était en route pour Göteborg, dans une autre voiture volée.

Torkel marqua une pause, semblant hésiter à continuer son récit.

– Et tu te souviens sans doute de Trolle Hermansson, dit-il alors à voix basse.

Sebastian se redressa dans son lit. Il ne s'était pas attendu à entendre le nom de Trolle. Pas maintenant que tout était terminé. Alors qu'il était en sécurité. Torkel avait l'air si sérieux.

– Oui… ?

– On l'a retrouvé mort. Dans la Toyota.

– Oh, merde.

Torkel secoua la tête d'un air résigné.

– Il a dû mener sa petite enquête de son côté, et n'a pas dû comprendre dans quoi il mettait les pieds.

Sebastian acquiesça d'un signe de tête. C'était bien vrai. Trolle n'avait pas su dans quoi il mettait les pieds en décidant d'aider Sebastian.

– Pauvre bougre.

– Oui…

Il n'y avait pas grand-chose à ajouter. L'affaire était bouclée. Et c'était tout ce qui les réunissait à présent. Ils ne se reverraient sans doute pas avant un bout de temps. Ils le savaient tous les deux.

– Je dois retourner au bureau pour signer les rapports, déclara Torkel en désignant la porte. Il se tourna alors vers Vanja : Tu veux que je t'emmène ?

– Non merci, je vais rester un instant.

– OK, bon rétablissement, Sebastian. À la prochaine.

Une phrase standard, sans signification particulière.

Torkel sortit de la chambre, et laissa la porte glisser lentement derrière lui. Vanja traversa lentement la pièce et prit une chaise qu'elle plaça devant le lit. Elle s'assit.

– Je voulais te remercier.

– C'est rien.

– Je t'ai entendu dans le couloir de cette maison. Tu as proposé de prendre ma place. Pourquoi ?

Sebastian haussa les épaules. Même cela lui faisait mal. Il grimaça.

– Parce que j'aime bien jouer les preux chevaliers et me charger des sauvetages de dernière minute.

Vanja lui sourit et se leva. Elle se pencha et le prit dans ses bras.

– Merci, chuchota-t-elle.

Sebastian était incapable de répondre, et n'en avait aucune envie. Il aurait voulu arrêter le temps. Vanja l'avait serré dans ses bras. Lui avait témoigné de la tendresse. Celle qui lui avait tant manqué. Depuis des mois. Même plus. À quand remontait la dernière fois que quelqu'un lui avait témoigné de l'affection ? Hormis Ellinor bien sûr, mais ce n'était… qu'Ellinor.

Il la serra à son tour. Un peu trop longtemps. Mais Vanja ne semblait pas gênée.

En se rasseyant sur sa chaise, elle lui souriait toujours.

Sebastian respirait aussi prudemment que possible. Cette étreinte lui avait fait terriblement mal, mais cela avait valu le coup.

– Et qu'as-tu l'intention de faire maintenant ?

– Tu as vu cette infirmière qui…

Elle lui donna une bourrade pour le taquiner. Ça aussi, c'était douloureux. Il se demanda s'il y avait encore une chose susceptible de ne pas lui faire mal.

– Je veux dire, professionnellement parlant.

– Je ne sais pas.

Vanja baissa la tête sur ses mains posées sur ses genoux, puis la releva et le regarda droit dans les yeux.

– Je pourrais imaginer retravailler avec toi.

– Vraiment ?

– Oui.

– Ça me va droit au cœur.

Il soutint son regard, et espéra qu'elle comprenait qu'il était sérieux. Que ce n'étaient pas des paroles en l'air. Ni de l'ironie. Ni du cynisme. Mais la pure vérité.

Une seconde plus tard, le portable de Vanja se mit à sonner. Cet instant si précieux – s'il avait jamais existé – était désormais terminé. Elle sortit le téléphone de sa poche et regarda l'écran.

– Oh, excuse-moi, je dois répondre.

Elle se détourna et répondit.

– Allô, papa… Non, je suis à l'hôpital. Avec Sebastian. Oui, c'est ça, ce Sebastian-là.

Elle lui adressa un petit sourire, qu'il lui rendit. Enfin, il espéra qu'il y était parvenu. Il se débattait avec tant de sentiments contradictoires. La joie, le deuil, la fierté, la douleur.

– Oui, j'y étais, poursuivit Vanja. Mais c'est une longue histoire. Je peux te rappeler plus tard ?… OK. Je t'aime aussi.

Elle raccrocha et rangea son téléphone dans sa poche.

– C'était mon père. Il a lu les infos au sujet de Hinde dans le journal.

– Il ne sait pas ce qui s'est passé ?

– Non, et je ne suis pas sûre de vouloir le lui raconter. Il se fait toujours tellement de souci. En fait, j'aimerais plutôt le préserver. Et Anna aussi.

C'était sûrement un trait de caractère familial, pensa Sebastian. Protéger les siens des vérités embarrassantes. Une vérité comme lui, par exemple.

– Je dois y aller, dit Vanja en se levant. Tu vas pouvoir te reposer un peu.

Elle reprit la chaise et la remit à sa place.

– Il peut être fier de t'avoir, ton père, dit Sebastian dans son dos.

– Je suis fière de l'avoir aussi. Il est génial.

– Oui, sûrement.

Vanja se dirigea vers la porte. Mais arrivée la main sur la poignée, elle s'arrêta. Comme si elle rechignait à partir.

– Bon, j'y vais alors. Prends soin de toi.

– Toi aussi.

Elle s'éclipsa. Sans colère ni ressentiment. Sebastian prit alors une décision. Peu importait ce que Trolle avait trouvé sur Valdemar, il ne l'utiliserait jamais contre lui. Faire du mal à Valdemar, c'était faire du mal à Vanja. C'était clair, et pourtant jusque-là, il n'avait pas vu les choses ainsi, trop aveuglé par son petit malheur. Mais c'était terminé.

Dès son retour, il brûlerait tout le contenu du sac que lui avait confié Trolle. Celui-ci emporterait son secret dans sa tombe.

Il se retourna péniblement et regarda par la fenêtre. Ce serait une belle journée.

Elle lui avait demandé ce qu'il comptait faire.

Au moins, il savait déjà ce qu'il n'allait pas faire.

Il ne serait pas son père. Jamais. Il allait arrêter de vouloir l'être. S'il se débrouillait bien, il pourrait rester près d'elle, et elle l'accepterait. Jamais elle ne l'aimerait, mais peut-être qu'elle l'apprécierait un peu.

Et c'était suffisant.

Il n'y avait pas assez de bonnes choses dans sa vie pour qu'il se permît de jeter celle-là.

Les choses s'arrangeraient toutes seules. Il le sentait. Tout irait bien.

Billy arriva tôt au travail. Il était le premier. My avait passé la nuit chez elle, il n'y avait donc pas eu lieu de traîner au lit. De toute façon, il n'avait fait que somnoler, incapable de trouver réellement le sommeil.

Il avait tiré sur un homme.

L'avait tué.

Il n'avait certes pas eu le choix. S'il n'avait pas tiré, Hinde aurait sûrement tué Vanja. Mais avait-il été obligé de le tuer ? C'était impossible à dire. Même blessé, Hinde aurait pu faire du mal à Vanja en l'espace d'une seconde. Billy n'avait pas osé prendre ce risque.

Vanja et lui avaient eu une brève conversation en attendant la deuxième ambulance, après que la première eut emmené Sebastian.

Ils s'étaient réconciliés.

Un kidnapping et des coups de feu mortels pouvaient s'avérer être un moyen efficace d'enterrer la hache de guerre.

Tout le reste lui paraissait maintenant insignifiant.

Il s'assit devant l'ordinateur et envisagea d'aller se doucher. Mais d'un côté, il n'avait pas transpiré à l'allure où il avait pédalé en venant, et il se dit qu'il valait mieux saisir l'occasion de pouvoir travailler, tant qu'il le pouvait encore. Il allait y avoir une enquête interne, car il avait délibérément porté un coup mortel. Il serait sans doute entendu puis blanchi, il en était convaincu.

Il brancha le disque dur de Ralph. Ce n'était pas urgent, car il avait plus de preuves que nécessaire pour le condamner : de l'ADN, des empreintes digitales, des traces de sang de ses victimes, les bas Nylon, sa collection de coupures de journaux, et puis ses aveux. Personne ne réclamerait le contenu du disque dur comme pièce à conviction supplémentaire.

Billy ne le faisait donc pas pour l'enquête, mais pour lui-même.

Exactement comme hier, quand il s'était fait du souci pour Vanja, le travail lui permettait à présent d'évacuer des pensées embarrassantes. Concernant son coup de feu. Et sur le fait qu'il avait désormais une vie humaine sur la conscience. Et puis, c'était exactement le genre d'activité dans laquelle il excellait et qui lui procurait le plus de plaisir. C'était dans ce domaine qu'il relevait des défis et obtenait des résultats. My pouvait dire ce qu'elle voulait. Ses « vieilles » missions l'avaient mené tout droit à Hinde. Et avaient sauvé Vanja.

Billy était arrivé au milieu d'une conversation dans laquelle Hinde expliquait à Ralph qu'il était temps d'oublier les fantasmes pour passer à l'action. Hinde lui choisissait ses victimes. Une femme après l'autre. Maria Lie, Jeanette Jansson Nyberg, Katharina Granlund. Lui transmettait leurs noms et adresses. En même temps, Ralph lui faisait des rapports sur les femmes qui passaient la nuit avec Sebastian. Dont Annette Willén. Dans son cas, Hinde avait quasiment répondu dans la seconde. Elle devait mourir le jour même. Pour que le lien avec Sebastian fût mis au jour. C'était un sentiment bizarre de lire ces lignes en sachant qu'elles avaient mené quatre femmes à la mort.

Billy continua sa lecture.

Il connaissait l'un des noms.

Anna Eriksson.

N'était-ce pas… ?

À Västerås, Sebastian avait demandé à Billy de lui trouver une adresse. Celle d'une certaine Anna Eriksson. Le même nom. Un nom plutôt courant. Mais ce hasard était un peu trop gros. Billy avait aidé Sebastian à retrouver cette adresse. Qu'est-ce que cela pouvait bien signifier ?

Il masqua la fenêtre affichant le contenu du disque dur de Ralph, et ouvrit le dossier portant le nom « Västerås ». Il cliqua sur une icône intitulée « Divers » et qui contenait exactement cela. Des pistes sans issues qui étaient apparues au cours de l'enquête et qui n'avaient abouti à rien de précis. Et puis, cette adresse.

12 rue Storskärsgatan.

Il tapa le nom et l'adresse dans les pages blanches. C'était toujours valable. Anna Eriksson y habitait avec un certain Valdemar Lithner.

Lithner.

Un instant.

La mère de Vanja s'appelait Anna.

Est-ce que l'Anna Eriksson de Sebastian était la mère de Vanja ?

Les pièces du puzzle étaient devant lui, mais il ne parvenait pas à les assembler. Il continua donc méthodiquement. Reprit depuis le début.

Sebastian cherchait une Anna Eriksson.

Il s'avérait qu'elle habitait dans la rue Storskärsgatan.

Elle était la mère de Vanja.

Ralph avait fait un rapport sur une certaine Anna Eriksson habitant dans la rue Storskärsgatan en tant que victime potentielle.

Cela signifiait-il que Sebastian avait couché avec elle ? Sûrement. En tout cas, au moins une fois.

Sebastian et la mère de Vanja.

Était-ce la raison pour laquelle Vanja ne pouvait pas le sentir ?

Billy se renversa dans son fauteuil. Il y avait peut-être autre chose derrière tout ça. Pourquoi Sebastian avait-il recherché cette Anna à Västerås ? S'il avait su qu'il s'agissait de la mère de Vanja, il aurait pu le demander directement à sa collègue. Mais il ne l'avait pas fait. Qu'est-ce que cela pouvait bien signifier ? L'ignorait-il, ou n'avait-il pas voulu lui poser la question ?

Instinctivement, Billy sentit qu'il valait mieux arrêter de creuser. Peut-être même effacer les données concernant Anna. Personne n'aurait besoin de telles informations. Mais il continua de ruminer. Finalement, la curiosité l'emporta, mais personne n'avait besoin de le savoir. Il effaça l'historique de son navigateur et les données correspondantes sur le disque dur de Ralph.

Ce serait son petit projet à lui.

Comme le disait si bien l'adage, on pouvait tout trouver sur Internet. Billy savait que c'était vrai. Et pendant l'enquête interne, il aurait tout le temps du monde pour creuser la question.

Ellinor se réveilla peu avant six heures. Sebastian n'était pas à la maison. Apparemment, il n'était pas rentré de la nuit, car sa couette et son oreiller n'avaient pas bougé. Ellinor resta allongée. En fait, elle n'avait pas besoin de se lever, elle avait pris toute une semaine de congé, et personne ne l'attendait.

Mais elle, elle attendait quelqu'un.

Elle tendit la main vers la table de nuit pour saisir son téléphone et composa le numéro de portable de Sebastian. Il ne répondit pas. Exactement comme hier soir. La dernière fois qu'elle avait essayé, c'était vers une heure du matin. Où était-il passé ? Que faisait-il ? Incapable de se rendormir, elle se leva, enfila une de ses chemises et gagna la cuisine pour se préparer le petit-déjeuner. En se faisant des tartines de fromage frais garnies de tomates, elle réfléchit. Elle ne connaissait pas Sebastian depuis longtemps, mais il ne paraissait pas être le genre d'homme à travailler toute la nuit. Où était-il alors ? Pourquoi n'avait-il ni décroché ni rappelé ?

La trompait-il ?

Au téléphone hier, il avait dit quelque chose au sujet d'un ou une certaine Hinde, avant de disparaître. Était-ce un nom de famille ? Ou le prénom d'une femme ?

Quelqu'un avait-il besoin qu'on lui tînt un petit discours explicatif sur qui appartenait à qui et que vouloir voler les choses des autres était mal ? Son ex-mari l'avait trompée.

Maintenant, il était mort.

Mais en pensant aux derniers jours qui s'étaient écoulés, elle ne trouva aucune raison d'avoir des soupçons. Il s'était vraiment battu pour la faire venir chez lui. Il n'irait donc pas la tromper alors qu'elle venait à peine d'emménager, alors qu'il avait obtenu ce qu'il voulait. Jusque-là, il avait toujours été gentil avec elle.

L'homme idéal.

Elle l'avait jugé un peu trop vite, et en avait un peu honte. Elle décida donc de se rattraper dès son retour. Son départ précipité et son absence de cette nuit pouvaient avoir une foule de raisons. Devaient avoir d'autres raisons. Elle se repassa la journée de la veille dans sa tête tandis que le thé refroidissait dans sa tasse. Il avait paru stressé quand il était parti. Peut-être qu'il avait des problèmes. D'ordre professionnel ou privé. Bien sûr, elle aurait aimé qu'il lui en parlât quand quelque chose le tracassait, mais parfois, les hommes étaient têtus et tenaient à régler leurs problèmes eux-mêmes. Ils avaient un mal fou à demander de l'aide. Mais avec Ellinor, il n'aurait pas besoin de demander. Elle l'aiderait de son propre chef. Elle devait seulement trouver comment.

Soudain, le sac Ica lui revint en mémoire. Il semblait contenir des papiers importants, et quand elle lui en avait parlé, il s'était tu. Et elle croyait même se rappeler qu'il avait paru un peu mal à l'aise. Pensif, presque triste. Comme si le contenu de ce sac représentait un poids sur ses épaules et qu'il hésitait à le partager avec elle. Comme s'il s'était demandé s'il devait lui faire part de ses problèmes avant de renoncer. Il lui avait simplement demandé de jeter le sac. D'une voix faussement insouciante. Comme s'il n'avait aucune importance. Il voulait la protéger. Mais elle n'avait pas besoin d'être protégée. Elle était plus forte qu'il ne croyait. Mais elle aimait l'idée qu'il ait tenté de le faire.

Avec un petit sourire aux lèvres, elle se rendit dans la chambre à coucher et sortit le sac. Elle mit son petit-déjeuner de côté, et commença à étaler les documents sur la table.

Quarante-cinq minutes plus tard, elle avait tout lu.

Et même deux fois.

Tous les papiers concernaient un certain Valdemar Lithner. Il avait fait pas mal de bêtises. Des affaires illégales, d'après ce qu'elle avait compris. C'était possible, étant donné que Sebastian lui avait dit qu'il travaillait de temps en temps avec la police. Était-ce un homme sur lequel ils étaient en train d'enquêter ? Quelqu'un qu'ils avaient dans le viseur et à présent, ils avaient transmis le dossier à Sebastian pour que ce dernier en fasse une expertise psychologique ? Qu'il établisse un profil ? C'était tout à fait possible.

Mais alors, pourquoi lui avait-il demandé de jeter le sac ? Pourquoi n'avait-il tout simplement pas dit la vérité ? Expliqué de quoi il s'agissait ? Et pourquoi ne devait-il pas conserver les papiers ?

Non, ce n'était pas logique. Ellinor n'avait certes pas de formation juridique, mais elle était certaine que les documents qu'elle avait devant elle suffiraient à envoyer ce Valdemar derrière les barreaux pour un bout de temps.

Il devait y avoir autre chose.

Ce Lithner était-il conscient de la mouise dans laquelle il était ? Avait-il menacé Sebastian et les autres policiers pour qu'ils cessassent leurs investigations ? Elle avait cru entendre Sebastian prononcer le nom de « Hinde » au téléphone, mais cela aurait aussi bien pu être « Lithner ». Les noms se ressemblaient, et elle n'avait pas vraiment écouté. Et s'il était arrivé quelque chose à Sebastian ? Si c'était pour ça qu'il n'était pas rentré à la maison ?

Ellinor n'était pas le genre de personne à se fier à sa simple imagination. Entre les documents se trouvait une petite note avec un nom et un numéro de téléphone portable. Sûrement celui de l'homme qui avait réuni les documents. Elle saisit le téléphone. Cela ne pouvait pas faire de mal d'en apprendre un peu plus. Les faits la rassureraient un peu. Au bout de la troisième sonnerie, un homme décrocha.

– Oui ?

– Bonjour, dit Ellinor. J'aimerais parler à Trolle Hermansson.

– De la part de qui ?

– Mon nom est Bergkvist. Je travaille chez Åhléns. Les articles que vous avez commandés sont arrivés.

Elle ne put s'empêcher de sourire. C'était excitant. Sebastian serait fier d'elle. Elle avait presque l'impression d'être un vrai policier.

Silence à l'autre bout du fil.

– Allô ? Qui est à l'appareil ? demanda Ellinor.

– La police.

– Pourrais-je parler à monsieur Hermansson ?

Nouveau silence. Elle eut l'impression d'entendre l'homme hésiter avant de se résoudre à répondre.

– Il est mort.

Elle ne s'attendait pas à ça.

– Ah bon, d'accord. Quand est-il mort ?

– Il y a quelques jours. En tout cas, je ne crois pas que quelqu'un viendra chercher sa commande.

– Non, bien sûr, je comprends. Je vous remercie, et toutes mes condoléances, ajouta-t-elle avant de raccrocher.

Elle se rassit à la table de la cuisine. Ses pires craintes étaient confirmées. L'homme qui avait réuni la plus grande partie de ces documents était mort. Et à présent, tout cela devait être détruit. Valdemar Lithner n'aurait manifestement jamais à répondre de ses actes. À moins qu'elle ne donnât un petit coup de pouce à Sebastian.

Si Valdemar Lithner menaçait son homme, elle se devait de réagir. C'était le moins qu'elle pût faire.

Dépôt légal : juin 2014
Achevé d'imprimer au Canada